Le Procès Pétain

JULIAN JACKSON

Le Procès Pétain

Vichy face à ses juges

TRADUIT DE L'ANGLAIS
PAR MARIE-ANNE DE BÉRU

ÉDITIONS DU SEUIL
57, rue Gaston-Tessier, Paris XIXe

Titre original : *France on Trial*
The Case of Marshal Pétain
Éditeur original : Penguin Books
© Julian Jackson 2023
The author has asserted his moral rights
All rights reserved
ISBN original : 978-0-24-145025-3

ISBN 978-2-02-146265-4

© Éditions du Seuil, janvier 2024, pour la traduction française

www.seuil.com

Dramatis Personae

L'accusé
Maréchal Philippe Pétain (1856-1951) : héros militaire ; chef de l'État français dit « régime de Vichy », 1940-1944.

L'accusation
Pierre Bouchardon (1870-1950) : juge d'instruction dans de nombreux procès pour trahison lors de la Première Guerre mondiale et lors du procès de Pétain.
André Mornet (1870-1955) : procureur dans de nombreux procès pour trahison lors de la Première Guerre mondiale et lors du procès de Pétain.

Le président du tribunal
Pierre Mongibeaux (1879-1950).

Les jurés
Jurés parlementaires : Bèche, Émile (1898-1977) ; Bender, Émile (1871-1953) ; Delattre, Gabriel (1891-1984) ; Dupré, Léandre (1871-1951) ; Faure, Pétrus (1891-1985) ; Lévy-Alphandéry, Georges (1862-1948) ; Mabrut, Adrien (1901-1987) ; Pierre-Bloch, Jean (1905-1999) ; Prot, Louis (1889-1972) ; Renoult, René (1867-1946) ; Sion, Paul (1886-1959) ; Tony-Révillon, Michel (1891-1957).
Suppléants : Catalan, Camille (1889-1951) ; Chassaing, Eugène (1876-1968) ; Rous, Joseph (1881-1974) ; Schmidt, Jammy (1872-1949).
Jurés résistants : Bergeron, Marcel (1899-1972) ; Gervolino, Roger (1909-1991) ; Guérin, Maurice (1887-1969) ; Guy, Jean (?) ; Lecompte-Boinet, Jacques (1905-1974) ; Lescuyer, Roger (1919-1971) ; Loriguet, Marcel (1913-1983) ; Meunier, Pierre (1908-1996) ; Perney, Ernest (1873-1946) ; Porc'her, Yves (1887-1969) ; Seignon, Henri (1899-1973) ; Stibbe, Pierre (1912-1967).

Suppléants : Destouches, Gilbert (1909-2005) ; Lévêque, Marcel (1924- ?) ; Poupon, Georges (1911-1974) ; Worms, Jean (dit Germinal) (1894-1974).

Les avocats de la défense

Jacques Isorni (1911-1995) : avocat de Robert Brasillach et de Pétain ; a consacré une grande partie de sa vie à défendre la réputation de Pétain.

Jean Lemaire (1904-1986) : membre de l'équipe de défense de Pétain et plus tard président de l'Association pour défendre la mémoire du maréchal Pétain (ADMP).

Fernand Payen (1872-1946) : avocat principal de la défense, ancien bâtonnier du barreau de Paris.

Témoins à charge[1]

Léon Blum (1872-1950) : leader du Parti socialiste (SFIO), chef du gouvernement du Front populaire en 1936. Jugé et emprisonné par Vichy.

François Charles-Roux (1879-1961) : secrétaire général du ministère des Affaires étrangères, mai-octobre 1940.

Paul-André Doyen (1881-1974) : général et représentant français à la commission d'armistice jusqu'en juillet 1941.

Édouard Daladier (1884-1970) : président du Conseil, 10 avril 1938-21 mars 1940 ; jugé et emprisonné par Vichy.

Édouard Herriot (1872-1957) : président de la Chambre des députés en 1940.

Jules Jeanneney (1864-1957) : président du Sénat en 1940.

Albert Lebrun (1871-1950) : président de la République en 1940.

Louis Marin (1871-1960) : leader du parti modéré la Fédération républicaine, membre du gouvernement de Paul Reynaud en 1940.

Paul Reynaud (1878-1966) : président du Conseil, 21 mars-16 juin 1940 ; interné par Vichy.

Témoins à décharge

Jean Berthelot (1897-1985) : ingénieur ; ministre des Transports de Vichy, décembre 1940-avril 1942.

Henri Bléhaut (1889-1962) : amiral ; ministre de la Marine et des Colonies de Vichy à partir de mars 1943 ; accompagne Pétain à Sigmaringen.

Jacques Chevalier (1882-1962) : philosophe catholique ; ministre de l'Éducation nationale de Vichy, décembre 1940-février 1941.

Victor Debeney (1891-1956) : général ; chef du secrétariat de Pétain à partir d'août 1944 ; l'accompagne à Sigmaringen.

Marcel Peyrouton (1887-1983) : ministre de l'Intérieur de Vichy, juillet 1940-février 1941.

Bernard Serrigny (1870-1954) : général ; ami de longue date de Pétain.

Jean Tracou (1891-1988) : directeur du cabinet civil de Pétain en 1944.

Maxime Weygand (1867-1965) : général ; nommé commandant en chef de l'armée française le 28 mai 1940 ; délégué de Vichy en Afrique du Nord de septembre 1940 à novembre 1941 ; arrêté par les Allemands en novembre 1942.

Autres témoins cités à comparaître par le tribunal

Fernand de Brinon (1885-1947) : délégué de Vichy en zone occupée ; chef du gouvernement de Sigmaringen, 1944-1945.

Joseph Darnand (1897-1945) : fondateur et chef de la Milice ; ministre de l'Intérieur de Vichy en 1944.

Pierre Laval (1883-1945) : homme politique de premier plan de la Troisième République ; chef du gouvernement de Vichy de juillet à décembre 1940 et d'avril 1942 à août 1944.

Georges Loustaunau-Lacau (1894-1955) : officier de l'armée française ; conspirateur de droite anticommuniste.

Pétainistes n'ayant pas témoigné au procès

Raphaël Alibert (1987-1963) : militant de droite ; ministre de la Justice de Vichy, juillet 1940-février 1941 ; condamné à mort par contumace en 1947.

Gabriel-Paul Auphan (1894-1982) : amiral ; ministre de la Marine de Vichy, avril-novembre 1942 ; se cache à la Libération et est condamné aux travaux forcés par contumace en 1946.

Jean Borotra (1898-1994) : champion de tennis dans les années 1920 (plusieurs fois vainqueur de Roland Garros en simple) ; commissaire général à l'Éducation physique et aux Sports de Vichy, 1940-1942.

Louis-Dominique Girard (1911-1990) : chef du cabinet civil de Pétain en 1944 ; a épousé l'arrière-petite-nièce du Maréchal en 1949 et écrit plusieurs livres pour défendre Pétain.

Bernard Ménétrel (1906-1947) : médecin et proche conseiller de Pétain ; l'accompagne à Sigmaringen.

Louis Rougier (1889-1982) : universitaire et philosophe, a prétendu avoir négocié un accord avec Churchill en 1940 ; infatigable polémiste pro-Pétain après 1945.

Introduction
La poignée de main fatale

Octobre 1940 fut un mois bien chargé pour Adolf Hitler. Aux premières heures du mardi 22, il quitte Munich à bord de son train spécial, l'*Amerika*, pour aller rencontrer le dirigeant espagnol Francisco Franco. Traversant la France, il s'arrête dans la petite ville de Montoire-sur-le-Loir pour un bref entretien avec Pierre Laval, le vice-président du Conseil. Le mercredi, son train atteint Hendaye, à la frontière espagnole. C'est là qu'Hitler doit rencontrer Franco, car l'écartement des voies ferrées espagnoles l'empêche d'aller plus loin. Le lendemain, sur le chemin du retour, il s'arrête de nouveau à Montoire, dans l'après-midi. Cette fois-ci, il doit rencontrer le chef de l'État français, le maréchal Philippe Pétain, avant de terminer son périple par une visite à Benito Mussolini à Florence.

Derrière cette intense diplomatie ferroviaire se cache une fâcheuse réalité : l'Allemagne vient de perdre la bataille d'Angleterre. Hitler nourrit désormais un nouveau projet : la destruction de la puissance navale britannique en Méditerranée. Cette stratégie nécessite le soutien des trois puissances de la région : l'Espagne, la France et l'Italie. Mais les dix heures de rencontre entre Hitler et Franco tournent au désastre. « Je préférerais me faire arracher trois ou quatre dents plutôt que de revivre cela », rapporte Hitler à Mussolini. Le Führer avait espéré que le Caudillo rejoindrait la guerre ou, au moins, qu'il ouvrirait Gibraltar aux troupes allemandes, mais, en échange, Franco lui a réclamé des territoires français en Afrique du Nord. Cela aurait compromis toute chance pour Hitler de rallier la France à ses plans méditerranéens. Le Führer devait concilier les intérêts contradictoires des Français et des Espagnols et, si cela s'avérait impossible, choisir le pays qui avait le plus à lui offrir. Tel était le but de sa rencontre avec Pétain.

Vénéré comme un héros de la Grande Guerre, le Maréchal, âgé de quatre-vingt-quatre ans, est devenu président du Conseil en juin 1940 après une campagne militaire de six semaines qui a abouti à une défaite humiliante de la France face aux armées allemandes. Estimant que la guerre est perdue, Pétain signe un armistice permettant aux Allemands d'occuper les deux tiers du territoire français tout en laissant subsister une « zone libre » non occupée dans le Sud. Comme Paris se trouve en zone occupée, le gouvernement de Pétain s'installe à Vichy, dans le Massif central. Ville d'eaux réputée, Vichy semble un choix curieux pour une capitale. Mais les nombreux hôtels de la ville sont prêts à accueillir l'afflux de fonctionnaires et de ministres qui vont remplacer la clientèle habituelle de curistes et de vacanciers. Ce cadre confère un caractère quelque peu surréaliste au nouveau gouvernement français : « Une République bananière sans bananes[1] », comme le décrit un observateur. Si ce n'est que Vichy n'est pas vraiment non plus une république, car le gouvernement de Pétain a suspendu les institutions démocratiques et installé une quasi-dictature. La devise de l'ancienne République, « Liberté, Égalité, Fraternité », a été remplacée par « Travail, Famille, Patrie ».

Personne n'imagine que le gouvernement restera longtemps à Vichy. On pense que l'armistice est un accord provisoire en attendant un traité de paix définitif, après la défaite de la Grande-Bretagne. Dès lors que cette défaite ne se concrétise pas, les termes de l'armistice commencent à peser lourd sur la France. Rien n'est prévu en effet pour la libération de plus d'un million de soldats faits prisonniers en juin 1940 et toujours incarcérés en Allemagne. Tandis que la ligne de démarcation entre la zone libre et la zone occupée paralyse l'économie et perturbe la vie quotidienne. De plus, les Français doivent payer une indemnité journalière pour couvrir les coûts d'occupation allemands. En bref, l'armistice est un nœud coulant qui étrangle le pays et que le gouvernement de Vichy cherche désespérément à desserrer. Pétain a par conséquent ses propres raisons de vouloir rencontrer Hitler lorsque se présente cette occasion inattendue.

Pourquoi Montoire-sur-le-Loir ? Cette petite ville avait l'avantage d'être située sur une ligne secondaire, juste à côté de la principale voie ferrée reliant Paris à l'Espagne. Des considérations de sécurité jouaient aussi. Le train spécial d'Hitler était une forteresse roulante, dotée de wagons somptueusement aménagés, d'un centre de communication à la pointe du progrès et de ses propres batteries de canons antichars. Mais cela ne suffisait pas. Pour parer le risque d'une attaque aérienne, les arrêts étaient planifiés non loin de tunnels. Or Montoire se trouve à proximité du tunnel de Saint-Rimay, où de lourdes portes en fer furent installées à la hâte en prévision de la visite du Führer. Les deux mille huit cents habitants de la ville reçurent l'ordre de rester chez eux, volets fermés. Le maire, détenu comme otage, fut désigné goûteur pour prévenir toute tentative d'empoisonnement. On fit venir du jardin botanique de Tours des plantes tropicales pour décorer la gare ; un tapis rouge fut réquisitionné dans l'église de Montoire. Cette rencontre historique exigeait une certaine solennité.

Pétain et son entourage, qui comprend Pierre Laval, arrivent de Vichy par la route dans l'après-midi du 24 octobre. C'est la première fois que Pétain revient en zone occupée depuis la signature de l'armistice. Peut-être la visite permet-elle de rompre la monotonie de Vichy. La réunion a lieu dans le wagon personnel d'Hitler. Sont également présents Joachim von Ribbentrop, le ministre allemand des Affaires étrangères, et l'interprète d'Hitler, Paul Schmidt. Le Führer, qui avait servi comme simple soldat pendant la Grande Guerre, est impressionné de se trouver en présence du dernier géant survivant de ce conflit. En accueillant Pétain, il lui dit en allemand : « Je suis heureux de serrer la main d'un Français qui n'est pas responsable de cette guerre. » Comme aucun interprète n'est présent à ce moment-là, Pétain répond évasivement, en français : « Splendide, splendide, merci. »

Alors que Pétain et Laval sont en conférence avec Hitler, d'autres membres de la délégation française, dont Bernard Ménétrel, le médecin et conseiller de Pétain, échangent des plaisanteries et dégustent des petits fours avec le médecin d'Hitler et un diplomate allemand. Les deux praticiens discutent de la santé de leurs patients respectifs, celle de Pétain étant plus robuste que celle d'Hitler. Une fois l'entretien terminé, le Führer, qui traite son invité avec déférence, le raccompagne jusqu'à sa voiture. Il a certainement trouvé Pétain plus agréable que Franco, « ce salaud de jésuite ». Quant à Pétain, toujours sensible à la flatterie, il est plus favorablement impressionné par l'ancien caporal autrichien qu'il ne l'avait anticipé. C'est Laval qui commentera plus tard que l'uniforme mal ajusté d'Hitler le faisait ressembler à un portier d'hôtel[2].

La rencontre, qui a duré environ deux heures, ne débouche sur aucune décision, mais sa portée symbolique est incalculable. Peu après, les Allemands produisent un court film d'actualités sur l'événement. On y voit Pétain descendre de sa voiture devant une rangée de soldats allemands au garde-à-vous. Il serre la main de Ribbentrop et celle du maréchal Wilhelm Keitel. Puis, accompagné de ce dernier, il traverse la voie ferrée, les plantes en pot bien en évidence, vers l'endroit où l'attend Hitler, coiffé d'une casquette qui semble curieusement trop grande. Les deux hommes se serrent la main. La photographie de cette poignée de main, avec l'interprète debout entre Pétain et Hitler, et Ribbentrop légèrement sur le côté, sera abondamment reproduite au cours des quatre années suivantes[3]. Après la guerre, Pétain expliqua à l'un de ses avocats qu'il ne s'agissait pas d'une véritable poignée de main. Puisque Hitler lui avait tendu la sienne, il n'avait pu l'ignorer, mais il lui avait serré « seulement les doigts ». Lors de son procès, cette piètre justification ne fut pas jugée convaincante par les juges, qui firent des reproductions agrandies de la photographie[4]. En une autre occasion, Pétain déclara : « Mais il me tendait la main ; je ne pouvais tout de même pas cracher dedans ! D'autant plus que j'étais venu lui demander le retour de nos prisonniers[5]. »

1. La poignée de main : Pétain et Hitler, 24 octobre 1940.

Poignée de main franche ou non, la photographie est un coup de maître pour la propagande du régime nazi. Elle fait les gros titres dans le monde entier et provoque un choc dans l'opinion publique française. Un choc, car l'armistice ne signifie pas que la France est formellement en paix avec l'Allemagne : un armistice n'est qu'une suspension des hostilités. La France ne combat plus l'Allemagne, mais elle est techniquement neutre. Nombreux sont ceux qui veulent croire que, en coulisses, Pétain travaille secrètement contre Hitler avec la Grande-Bretagne, ancienne alliée de la France, ou avec le général de Gaulle, qui poursuit le combat depuis Londres. Est-il encore possible de l'imaginer après cette poignée de main ? Dans un discours radiodiffusé le 30 octobre pour expliquer aux Français la rencontre de Montoire, Pétain ne fait qu'aggraver les choses :

> Français,
> J'ai rencontré jeudi dernier le chancelier du Reich.
> Cette rencontre a suscité des espérances et provoqué des inquiétudes. Je vous dois à ce sujet quelques explications. [...]
> C'est librement que je me suis rendu à l'invitation du Führer. Je n'ai subi, de sa part, aucun « Diktat », aucune pression.
> Une collaboration a été envisagée entre nos deux pays. J'en ai accepté le principe. Les modalités en seront discutées ultérieurement. [...]
> Celui qui a pris en main les destinées de la France a le devoir de créer l'atmosphère la plus favorable à la sauvegarde des intérêts du pays.
> C'est dans l'honneur et pour maintenir l'unité française [...] dans le cadre d'une activité constructive du nouvel ordre européen, que j'entre aujourd'hui dans la voie de la collaboration. [...]
> Cette collaboration doit être sincère[6].

Ce n'est pas la première utilisation du terme « collaboration » pour décrire les relations entre la France et l'Allemagne depuis la défaite. Déjà l'article 3 de l'armistice exigeait que les autorités françaises « collaborent » avec les Allemands dans la zone occupée. Mais il s'agissait d'une coopération technique sur des questions administratives courantes sans retombées politiques. Le mot apparaît aussi en passant dans un discours de Pétain le 11 octobre 1940, suggérant que la France doit « se libérer de ses amitiés ou de ses inimitiés, dites traditionnelles », afin de rechercher « une collaboration dans tous les domaines avec tous ses voisins [c'est-à-dire l'Allemagne] ». Le 30 octobre, en revanche, dans ce court discours,

Pétain utilise le terme à trois reprises pour présenter l'orientation nouvelle et radicale de la politique étrangère du pays. Il est conscient de la gravité de ses paroles : « Cette politique est la mienne. Les ministres ne sont responsables que devant moi. C'est moi seul que l'Histoire jugera. »

Le procès du siècle

L'heure du jugement sonne cinq ans plus tard, lorsque Pétain est traduit devant une Haute Cour pour répondre de sa conduite. Ce tribunal a été mis en place par le gouvernement provisoire du général de Gaulle après la libération de la France à l'été 1944. Refusant d'accepter l'armistice avec l'Allemagne, de Gaulle avait quitté la France pour Londres quatre ans plus tôt. Dès juillet 1940, il évoque le spectre du châtiment dans un discours diffusé par la BBC : « Certes un jour, la France libérée punira les responsables de ces désastres et les artisans de sa servitude[7]. » À cette occasion, il ne cite pas de noms, mais, au cours des quatre années suivantes, il ne se retient pas d'attaquer directement Pétain, qu'il appelle « le Père la Défaite », inversion ironique du surnom de « Père la Victoire » donné à Georges Clemenceau, président du Conseil pendant la Grande Guerre.

Les dirigeants de Vichy ont d'abord peu de raisons de prendre au sérieux les rodomontades d'un général inconnu – et bientôt « ex-général » puisqu'ils vont le priver de son grade et le condamner à mort par contumace. Mais au fil des mois les allocutions de De Gaulle à la BBC le transforment en symbole de la résistance, et ses menaces contre Vichy se précisent. En mai 1943, après la prise de contrôle de l'Afrique du Nord par les Alliés, de Gaulle transfère son QG à Alger et prend la tête du Comité français de libération nationale (CFLN). Le 3 septembre, ce proto-gouvernement en exil promulgue un décret stipulant que la France jugera « Pétain et ceux qui ont fait ou font partie des pseudo-gouvernements formés par lui, qui ont capitulé, atteint à la Constitution, collaboré avec l'ennemi, livré les travailleurs français aux Allemands[8] ».

Le procès de Philippe Pétain s'ouvre finalement à Paris le 23 juillet 1945, pour se terminer le 15 août. Intercalé entre la victoire des Alliés sur l'Allemagne le 8 mai, marquant la fin de la guerre en Europe, et celle sur le Japon le 15 août, date de la fin de la guerre en Extrême-Orient, il constitue l'événement médiatique de l'été. « Le plus grand procès de l'histoire », comme le présentent les gros titres, fait la une de tous les quotidiens français pendant trois semaines. Malgré la pénurie persistante de papier, pendant le procès les quotas alloués à la presse sont augmentés pour permettre aux journaux d'imprimer quatre pages au lieu de deux. Même ainsi, il reste peu de place pour les autres actualités. Seuls quelques événements internationaux, telles la surprenante défaite électorale de Winston Churchill ou l'explosion de la bombe atomique sur Hiroshima, parviennent à déloger le procès des gros titres. Dans le monde entier, on a les yeux rivés sur la salle d'audience, surtout en Grande-Bretagne et en Amérique, mais aussi en Scandinavie, au Canada et en Espagne[9]. La plupart des ambassades étrangères y envoient chaque jour un observateur. Les journalistes les plus célèbres assistent aux audiences et les écrivains français les plus renommés (François Mauriac, Albert Camus, Georges Bernanos) en débattent dans la presse.

Il s'agissait de toute évidence d'un procès « politique ». Il était inconcevable que Pétain ne fût pas reconnu coupable. La seule incertitude concernait la peine qui serait prononcée. Comme Camus l'écrivit en avril 1945 : « Si Pétain est absous, c'est tous ceux qui luttèrent contre l'occupant qui ont tort. Fusillés, torturés, déportés, ils l'auront été en vain[10]. » Le procès de Pétain n'était qu'un des nombreux procès qui eurent lieu au lendemain de la défaite de l'Axe. Le plus célèbre, celui de Nuremberg, s'ouvrit en octobre 1945, et fut suivi par le procès de Tokyo, en avril 1946. Dans ces deux cas, cependant, les accusés furent jugés par un tribunal international, alors que, dans le cas de Pétain, un tribunal français jugea un dirigeant français. Ce procès serait donc davantage comparable à celui du dirigeant collaborationniste norvégien Vidkun Quisling, qui s'ouvrit le 20 août 1945. Mais Quisling était un sympathisant nazi fanatique qui ne bénéficiait d'aucun soutien populaire. Pétain, en revanche, avait été vénéré par les Français, et le régime de Vichy reconnu par de nombreux gouvernements, dont celui des États-Unis. On pourrait également comparer le procès de Pétain à celui du dirigeant roumain Ion Antonescu en mai 1946, mais ce dernier avait été organisé principalement pour affirmer la légitimité du nouveau régime communiste[11]. Dans tous les procès de ce type, de nombreux facteurs entraient en jeu : rétribution et vengeance pour les vainqueurs ; consolation et possibilité de faire leur deuil pour les victimes. Ils furent également des exercices de pédagogie nationale, permettant aux nouvelles autorités politiques de légitimer leur version de l'histoire[12].

Tout cela est vrai du procès de Pétain. Et un historien a pu écrire qu'il s'agissait moins d'un procès que d'« un cérémonial élaboré visant à condamner une politique[13] ». Mais, malgré de nombreuses irrégularités, ce qui se déroula dans la salle d'audience ne fut pas une mascarade. Les avocats de la défense de Pétain furent autorisés à interroger les témoins et à consulter des documents. Au cours des trois semaines, soixante-trois témoins déposèrent dans la salle d'audience bondée, grouillante et étouffante de chaleur. Parmi eux, un ancien président de la République et cinq anciens présidents du Conseil, des généraux et des amiraux, des diplomates et des hauts fonctionnaires, d'anciens résistants et d'anciens collaborateurs, et même un prince de Bourbon.

Le procès d'un maréchal de France est par définition un événement extraordinaire. Le titre de « maréchal » est en France un honneur et non un grade militaire. Il n'est décerné qu'à des généraux en reconnaissance de services exceptionnels rendus uniquement en temps de guerre. Huit maréchaux avaient été créés après la Grande Guerre. Pétain était le seul à être encore en vie en 1945. Tout maréchal est en France entouré d'un prestige particulier, mais Pétain était devenu une sorte de demi-dieu après la défense héroïque de Verdun, de février à décembre 1916. Depuis la Révolution, seuls deux autres maréchaux avaient été jugés : l'un des plus célèbres généraux de Napoléon, le maréchal Ney, en décembre 1815, sous la seconde Restauration, et le maréchal François Bazaine, commandant de l'armée pendant la guerre franco-prussienne, jugé en 1873 pour s'être rendu aux Allemands en 1870. Ney avait été exécuté, Bazaine condamné à la prison à vie. Ce dernier a aujourd'hui sombré dans l'oubli, mais, en 1945, les comparaisons entre lui et Pétain étaient fréquentes. Dans la première page de ses *Mémoires de guerre*, le général de Gaulle rappela le choc vécu par sa mère lorsqu'elle avait vu ses propres parents, en larmes, s'écrier : « Bazaine a capitulé[14]. »

Bazaine n'était accusé que d'un acte de défaillance militaire. Pétain, quant à lui, fut jugé pour son rôle de chef d'État pendant les quatre années parmi les plus controversées de l'histoire de France. Pour représenter l'ampleur de l'enjeu, on a souvent comparé son procès à celui de Louis XVI, voire à celui de Jeanne d'Arc. En un sens, le procès de Pétain était le procès de la France : rares étaient ceux qui, à un moment ou à un autre, n'avaient pas cru en lui. Peut-être fut-il un bouc émissaire au moment de cette catharsis nationale que constitua la Libération, mais la complicité avec son régime avait été largement partagée.

Le procès s'annonçait également comme une pédagogie collective. En juin 1940, alors que les armées du pays s'effondraient, des millions de Français et de Françaises s'étaient rués sur les routes avec leurs familles pour fuir les Allemands. Ils ne savaient rien des machinations politiques en coulisses qui aboutiraient au discours radiophonique funeste où Pétain annonça que son gouvernement cherchait à obtenir un armistice. Et une fois que le nouveau régime eut pris le pouvoir à Vichy, il proposa sa version partisane des événements en créant une Cour suprême de justice à Riom, ville proche de Vichy, pour juger les hommes politiques qu'il accusait d'avoir entraîné la France dans la guerre et causé sa défaite. L'un des slogans les plus célèbres de Pétain était : « Je hais les mensonges qui vous ont fait tant de mal. » Dans le même temps, à Londres, les journalistes français de la BBC inventaient la virgule sonore « Radio Paris ment, Radio Paris est allemand ».

Alors, qui disait la vérité ? Qui mentait ? Pendant quatre ans, les Français avaient survécu, nourris de vagues rumeurs et d'espoirs chimériques. Ils s'étaient construit leur propre version des événements en passant au crible les informations dont ils disposaient : demi-vérités plus ou moins déformées de la propagande de Vichy, nouvelles entendues à la BBC, allocutions radiodiffusées de De Gaulle, tracts de la Résistance trouvés par hasard. Maintenant, pour la première fois, ils avaient l'occasion de juger et de revivre ces événements douloureux et déconcertants en passant au crible les débats de la Haute Cour de justice.

Le crime de Pétain

Ce livre ne cherche pas à « rouvrir » le procès pour montrer que Pétain a été trop durement traité, ou pas assez. Cela a été fait à plusieurs reprises au fil des ans, principalement par des pétainistes nostalgiques essayant de réhabiliter Vichy[15]. Ces derniers sont de moins en moins nombreux et si le procès était rouvert aujourd'hui, ce ne serait pas par des défenseurs de Pétain mais par ceux qui voudraient le condamner pour le rôle joué par Vichy dans la déportation de soixante-quinze mille juifs. Devant la cour en 1945, ces

faits terribles avaient moins retenu l'attention qu'un télégramme
que Pétain aurait ou non envoyé à Hitler le 21 août 1942, après
l'échec du débarquement anglo-canadien à Dieppe. Cela s'explique
non seulement parce que la persécution des juifs était une question moins centrale à l'époque, mais aussi par le libellé de l'acte
d'accusation contre Pétain. Il fut jugé pour trahison, ce que le
Code pénal français définit comme « intelligence avec l'ennemi ».
Aujourd'hui, il serait jugé pour « crimes contre l'humanité », une
catégorie de crimes élaborée à Nuremberg après la fin du procès
de Pétain seulement. Il est également vrai que nous en savons
beaucoup plus que la Haute Cour de 1945 sur le rôle de Vichy dans
la déportation des juifs. Mais elle avait à sa disposition bien des
éléments qu'elle ignora : le juge qui présida la Haute Cour après le
procès de Pétain écrivit même un livre intitulé *Le Véritable Procès
du maréchal Pétain* tant il avait été scandalisé de découvrir dans
les archives de la cour des centaines de dossiers et témoignages
préparés pour le procès mais qui n'avaient pas été exploités[16].

On peut revisiter le procès de Pétain sans vouloir le refaire.
L'exercice nous permet d'observer les Français de 1945 en train
de débattre à chaud de leur histoire. À travers les débats de la salle
d'audience on explore les choix qui ont été faits et les chemins qui
ont été empruntés ; mais aussi les chemins qui ne l'ont pas été et
les choix qui ont été rejetés. On suit les plaidoyers et les arguments
des protagonistes des deux camps. On voit comment les défenseurs
de Vichy ont justifié leurs actions et ce que ses adversaires considéraient comme les plus grands crimes du régime.

Le terme « Vichy » est un raccourci qui englobe une période dense
de quatre ans au cours de laquelle les événements se sont enchaînés
à une vitesse étonnante. Après l'armistice du 22 juin 1940, le Parlement est convoqué en hâte à Vichy le 10 juillet afin d'accorder
à Pétain les pleins pouvoirs pour rédiger une nouvelle Constitution. Dès le lendemain, le Maréchal promulgue une série d'Actes
constitutionnels qui font de lui un dictateur *de facto*. Le Parlement
est mis en sommeil. La République n'est pas formellement abolie,
mais Pétain est désormais « chef de l'État », ce qui laisse planer
une ambiguïté sur la nature de l'État qu'il dirige.

Avec ces nouveaux pouvoirs, le gouvernement de Pétain met en
œuvre ce qu'il nomme la « Révolution nationale » en rédigeant une
série de nouvelles lois, dont des mesures de persécution contre les
juifs et d'autres catégories de la population. Il crée également un

tribunal spécial à Riom pour juger ceux qu'il rend responsables de la défaite. Pendant cette période, le véritable chef du gouvernement est l'ancien président du Conseil Pierre Laval, officiellement désigné comme le successeur de Pétain dans l'un des Actes constitution-nels – touche monarchique qui fait de lui le dauphin du Maréchal. Mais, le 13 décembre 1940, Laval est sommairement limogé par Pétain pour des raisons qui restent obscures. L'hypothèse selon laquelle Laval aurait été renvoyé parce que Pétain désapprouvait la « collaboration » avec l'Allemagne est affaiblie par le fait que son successeur, l'amiral Darlan, poussa cette politique encore plus loin, allant jusqu'à offrir aux Allemands d'utiliser les bases aériennes françaises en Syrie en mai 1941.

Bien qu'on puisse difficilement accuser Darlan d'avoir fait preuve de tiédeur dans la collaboration, les Allemands ne pardonnèrent jamais à Pétain d'avoir limogé Laval. En avril 1942, ils l'obligent à le rappeler. Laval est désormais l'homme fort de Vichy et il le restera jusqu'à la fin, mais sa liberté de manœuvre vis-à-vis du Reich ne cesse de se réduire. Dans sa première période au pouvoir, il avait envisagé la collaboration comme un moyen de préparer le terrain pour un règlement général avec une Allemagne victorieuse. Lorsqu'il est rappelé, il s'agit plutôt d'un bras de fer interminable avec les occupants, dont les prétentions deviennent plus insatiables à mesure que la situation militaire se retourne contre eux. Ils exigent du gouvernement de Vichy le recrutement d'ouvriers français pour leurs usines d'armement, l'organisation de rafles contre les juifs en vue de les déporter, et une répression accrue de la Résistance. La marge de manœuvre de Laval est fata-lement réduite en novembre 1942 lorsque les forces américaines débarquent en Afrique du Nord française. Les Allemands ripostent quasi instantanément en occupant la France entière. À l'origine, l'armistice avait accordé à Vichy une zone non occupée et lui avait laissé le contrôle de ses colonies d'Afrique du Nord. Du jour au lendemain, ces deux atouts importants sont perdus : c'est un tournant majeur pour le régime. Pétain aurait pu saisir cette occasion pour démissionner ou rejoindre les Alliés en Afrique du Nord. Il choisit au contraire de rester en place, liant irrévocablement son destin à celui du régime de Vichy jusqu'à sa déchéance finale en août 1944.

Se frayant un chemin dans les méandres de cette histoire com-plexe, la Haute Cour de justice doit répondre à de nombreuses questions. L'armistice était-il en soi une trahison ? Quelles étaient les alternatives ? Étaient-elles réalistes ? Le vote accordant les pleins pouvoirs à Pétain en juillet 1940 était-il légal ? Ce dernier avait-il par la suite abusé des pouvoirs qui lui avaient été conférés ? Pouvait-on défendre la collaboration ? Quelles avaient été les responsabilités respectives de Pétain et de Laval dans cette histoire tragique ? Pourquoi Pétain s'était-il accroché au pouvoir après novembre 1942 ?

Au-delà du débat autour de ces questions spécifiques, le procès souleva des interrogations morales et philosophiques plus larges. Où se situait le devoir patriotique après la défaite ? Un gouvernement légal est-il nécessairement légitime ? Existe-t-il des situations où la conscience devrait l'emporter sur le devoir d'obéir aux lois ? Est-il possible que le bien-être apparent d'une population entre en conflit avec les intérêts supérieurs de sa nation ?

Les réponses à ces questions ne sont pas évidentes. Nous pouvons le constater à travers les thèses de trois observateurs contemporains – tous opposés à Vichy mais pour des raisons différentes. Commençons avec le général de Gaulle lui-même. Écrivant dix ans après les faits, il ne cache pas son mécontentement quant au déroulement du procès de Pétain :

> Pour moi, la faute capitale de Pétain et de son gouvernement, c'était d'avoir conclu avec l'ennemi, au nom de la France, le soi-disant « armistice ». Certes, à la date où on l'avait signé, la bataille dans la métropole était indiscutablement perdue. Arrêter le combat entre l'Atlantique et les Alpes pour mettre un terme à la déroute, cet acte militaire et local eût été très justifié. [...] [Le gouvernement] aurait gagné Alger, emportant le trésor de la souveraineté française, qui, depuis quatorze siècles, n'avait jamais été livré, continuant la lutte jusqu'à son terme, tenant parole aux alliés et, en échange, exigeant leur concours... Mais, avoir retiré de la guerre l'empire indemne, la flotte inentamée, l'aviation en grande partie intacte, les troupes d'Afrique et du Levant qui n'avaient pas perdu un soldat, toutes celles qui, depuis la France même, pouvaient être transportées ailleurs ; avoir manqué à nos alliances ; par-dessus tout, avoir soumis l'État à la discrétion du Reich, c'est cela qu'il fallait condamner.
>
> Toutes les fautes que Vichy avait été amené à commettre ensuite : collaboration avec les envahisseurs [...], remise à Hitler de prisonniers politiques français, de juifs, d'étrangers réfugiés chez nous ; concours fourni, sous forme de main-d'œuvre, de matières, de fabrications, de propagande, à l'appareil guerrier de l'ennemi, découlaient infailliblement de cette source empoisonnée.

> Aussi étais-je contrarié de voir la Haute Cour, les milieux parle-
> mentaires, les journaux s'abstenir dans une large mesure de stigmatiser
> l'« armistice » et, au contraire, se saisir longuement des faits qui lui
> étaient accessoires[17].

Le deuxième observateur est Raymond Aron, qui a rejoint
Londres en 1940. Rédacteur en chef de la revue *France Libre*,
une publication qui a combattu sans répit le régime de Vichy, il
avait rédigé des attaques virulentes contre la collaboration. Il ne
peut donc être accusé de la moindre sympathie pour Pétain. Mais,
lorsqu'il réunit ses articles sous forme de livre deux mois avant
le procès du Maréchal, il les accompagne d'une note qui nuance
ses premiers jugements. Pour Aron, le procès de Vichy est problématique car on ne peut échapper à une contradiction : « Les
conséquences des actes n'eurent presque rien de commun avec les
intentions des acteurs. » Il poursuit :

> Il n'est pas exclu que l'armistice et Vichy aient, pendant deux ans
> et demi, atténué la rigueur du régime de l'occupation. En interposant
> l'appareil administratif de l'État français entre la Gestapo et la popu-
> lation française, la politique choisie a « favorisé », si l'on peut dire,
> la « correction » initiale des Allemands, elle a procuré, aux quarante
> millions d'otages, des avantage multiples et médiocres, aussi difficiles
> à dénombrer qu'à nier [...] Reconnus par la Russie jusqu'au printemps
> 1941, par les États-Unis jusqu'à la Libération de l'Afrique du Nord [en
> novembre 1942], les gouvernements de Vichy pouvaient passer aux
> yeux de la masse des fonctionnaires, surtout des officiers, pour des
> gouvernements légitimes. Une fois l'armistice signé, il existait un intérêt
> majeur pour la France et pour ses alliés à sauver la flotte et l'empire[18].

Aux yeux d'Aron, Pétain ne devient indéfendable qu'en
novembre 1942, lorsque Vichy a perdu l'Afrique du Nord et que
les Allemands ont occupé toute la France[19].

Simone Weil, autre brillante intellectuelle exilée, soutient une
position encore différente. En novembre 1942, depuis New York,
elle écrit à un ami pour démentir les rumeurs selon lesquelles,
comme ancienne pacifiste, elle éprouverait des sympathies pour
l'armistice :

> En juin 1940, j'ai ardemment désiré qu'on défende Paris [...] J'ai
> appris avec consternation la nouvelle de l'armistice, et j'ai immédiate-
> ment décidé que je tenterais de passer en Angleterre [...] En attendant,

avant mon départ de France, je participais à la diffusion de la littérature illégale [...] Ce qui a pu donner lieu à ces bruits [d'indulgence
envers Pétain], c'est que je n'aime pas beaucoup entendre des gens
parfaitement confortables ici traiter de lâches et de traîtres ceux qui en
France se débrouillent comme ils peuvent dans une situation terrible
[...] Il y a eu une lâcheté, une trahison collective, à savoir l'armistice
[...] Sur le moment, à ce que j'ai vu, la nation dans son ensemble a
accueilli l'armistice avec soulagement ; et il en résulte une responsabilité nationale indivisible. D'autre part, depuis lors, je crois que Pétain
a fait à peu près tout ce que la situation générale et son propre état
physique et mental lui permettaient de faire pour limiter les dégâts.
On ne devrait employer le mot traître que pour designer ceux dont on
est certain qu'ils désirent la victoire de l'Allemagne[20].

Simone Weil était d'une exceptionnelle rigueur morale. Cette
lettre constituait une réaction aux « résistants de la Cinquième
Avenue », ces exilés suffisants qui, dans les cocktails ou depuis
leurs confortables chambres d'hôtel de Manhattan, dénonçaient
ceux qui étaient restés en France. De New York, elle repartit en
Angleterre rejoindre les gaullistes et mourut en 1943 à la suite de
complications médicales entraînées par le régime de quasi-famine
qu'elle s'était imposé pour partager les souffrances des Français.
La suite des événements l'aurait peut-être amenée à réviser ses
jugements, du moins sur Pétain, mais probablement pas son opinion
selon laquelle l'armistice était une faute collective. Cette opinion
était partagée par le philosophe Jean Wahl, le destinataire de sa
lettre. Wahl, s'étant échappé du camp d'internement de Drancy,
avait réussi à rejoindre New York, où il devint une figure éminente
de la communauté intellectuelle des exilés. Bien qu'opposé à Vichy,
un régime qui l'avait emprisonné, il refusait, comme Simone Weil,
de voir en Pétain un traître et pensait même que l'armistice pouvait
être justifié[21].

Charles de Gaulle, Raymond Aron et Simone Weil : trois opposants à Vichy, mais chacun avec une vision différente de la culpabilité de Pétain. Pour de Gaulle, le crime était l'armistice et rien
que l'armistice ; pour Aron, l'armistice pouvait se défendre, et le
crime de Pétain était survenu deux ans plus tard, lorsqu'il était resté
en France après que les Allemands avaient bafoué l'armistice en
franchissant la ligne de démarcation ; quant à Simone Weil, elle
condamnait l'armistice comme un acte de lâcheté collective qui ne
pouvait être imputé à Pétain seul.

Les débats qui se déroulèrent dans cette salle d'audience étouffante pendant trois semaines de l'été 1945 ne réglèrent pas la question. Comme Robert Paxton l'a écrit en 1985 : « La question de savoir si Pétain avait été un traître ou un réaliste avisé après la défaite française de juin 1940 demeure, chez les Français, la querelle familiale française la plus amère depuis l'affaire Dreyfus[22]. » Le principal avocat de Pétain, Jacques Isorni, consacra une grande partie de sa vie à demander la révision du procès. Pour Isorni, au lieu de moisir dans une tombe de l'île d'Yeu, où Pétain avait fini ses jours prisonnier, sa dépouille devait être transférée dans l'ossuaire de Douaumont, près de Verdun, pour reposer aux côtés des soldats qu'il avait commandés pendant la Grande Guerre. Pétain est resté longtemps un symbole fort pour l'extrême droite française. Tout cela confirme le jugement de François Mauriac, un catholique de gauche opposé à Vichy, qui écrit au lendemain du procès : « Un procès comme celui-là n'est jamais clos et ne finira jamais d'être plaidé. [...] Pour tous, quoi qu'il advienne, pour ses admirateurs, pour ses adversaires, [Pétain] restera une figure tragique, éternellement errante, à mi-chemin de la trahison et du sacrifice[23]. »

PREMIÈRE PARTIE

Avant le procès

Chapitre 1

Les derniers jours de Vichy

En juillet 1940, un homme politique observait en plaisantant que, depuis Louis XIV, aucun chef d'État français n'avait eu autant de pouvoir que Philippe Pétain. Un aboutissement remarquable et inattendu pour un homme qui, vingt-cinq ans plus tôt, n'était qu'un obscur colonel à l'aube de la retraite. Jusqu'à ce moment, l'armée avait été le principal horizon de son existence, à la fois comme carrière et comme famille de substitution.

Pétain naît en 1856 dans une modeste famille de paysans du Pas-de-Calais. Sa mère meurt en couches alors qu'il n'a que dix-huit mois. Après le remariage rapide de son père, lui et ses sœurs sont confiés à des parents. Il a toujours souffert de ne pas avoir connu sa mère : « Ma belle-mère se montrait une marâtre ; la maison de mon père m'était pratiquement fermée[1] », a-t-il déclaré lors d'une rare confidence. Sa personnalité notoirement réservée et secrète s'expliquait, selon lui, par le manque d'affection dont il avait souffert et la nécessité de se débrouiller seul dès son plus jeune âge. Il est certain que l'homme qui, plus tard, célébrerait les vertus de la famille n'avait pas de bons souvenirs de la sienne. Il garderait peu de contacts avec ses sœurs. S'il exalta par la suite les valeurs paysannes d'enracinement dans le terroir, il ne manifesta aucune nostalgie pour ses propres racines. Lorsqu'il acquit une résidence secondaire, ce fut sur la très mondaine Côte d'Azur.

Son éducation est prise en main par un oncle maternel, un prêtre qui a su déceler l'intelligence du garçon. Pour un jeune homme issu d'un milieu modeste, l'armée constitue une voie classique de promotion sociale. Au lendemain de la défaite de la France contre l'Allemagne en 1871, le désir de revanche est partagé par de nombreux garçons de son âge. Jusqu'en 1914, Pétain poursuit donc une carrière militaire honorable mais sans éclat. Son avancement est entravé par le scepticisme qu'il manifeste envers la doctrine dominante au sein du haut commandement, qui préconise l'offensive à outrance. Les cours qu'il délivre à l'École de guerre font valoir que les progrès de la technologie militaire donnent désormais l'avantage à la défense. Il souligne la nécessité d'une préparation tactique minutieuse avant de passer à l'offensive. Son adage : « Le feu tue. »

Ces idées s'avèrent justes lorsque la guerre éclate en 1914. Pétain se révèle un commandant imperturbable doté d'un sens exceptionnel de l'organisation, ce qui lui vaut, en février 1916, de se voir confier le commandement de la défense de Verdun. Pendant dix mois, les Français repoussent une offensive allemande massive sur la ville et les forts environnants. Pétain établit la célèbre « noria » qui fait se relayer les troupes pour qu'aucun homme ne demeure trop longtemps dans l'enfer de la bataille. La plupart des soldats français ont ainsi, à un moment ou à un autre, combattu à Verdun : c'est la bataille de la nation tout entière. Malgré les pertes énormes, Verdun ne restera pas pour les Français comme le symbole d'un grand gâchis (contrairement à la Somme pour les Britanniques), mais comme celui d'un patriotisme meurtri et héroïque.

Pétain ne commande directement à Verdun que pendant les deux premiers mois de la bataille, puis il cède la place au général Robert Nivelle. Ce remplacement reflète les préoccupations du haut commandement, qui le trouve trop réticent à saisir l'avantage par une contre-offensive. Les détracteurs de Pétain font souvent remarquer que sa prudence confine au pessimisme, voire parfois au défaitisme. Pourtant, les sceptiques eux-mêmes sont impressionnés par la façon dont il gère la vague de mutineries qui éclate après une offensive suicide menée par Nivelle au printemps 1917. Désormais commandant en chef des armées, Pétain met fin au mouvement de contestation par une répression ciblée – quelque cinquante exécutions capitales – accompagnée d'une amélioration des conditions de vie des soldats. Ses réformes lui valent la réputation d'être un général qui se soucie sincèrement du bien-être des poilus. Au fil des années, il réunit sur sa personne l'aura de tous les héros militaires de la Grande Guerre – Haig en Grande-Bretagne, Hindenburg en Allemagne, Foch en France[2]. Jusqu'à sa retraite en 1931, il joue un rôle de premier plan dans la planification militaire du pays. Sa stature mythique est aussi renforcée par son physique : son fameux « visage marmoréen », ses yeux bleus perçants, ses cheveux

« blancs comme la neige ». Il cultive son image soigneusement : lorsqu'il avait été nommé à Verdun, les journalistes avaient peiné à se procurer des photos de lui, mais très vite son portrait figure à la une des journaux du monde entier.

Comblé d'honneurs, il est régulièrement invité à présider des cérémonies, à inaugurer des monuments et à prendre la parole lors de banquets. Élu à l'Académie française en 1929, il est sollicité pour représenter la France à l'étranger lors de funérailles et d'anniversaires. Il acquiert le prestige d'un monarque. Même une personnalité insensible à la flatterie – ce qui était loin d'être son cas – aurait été affectée par une telle adulation. Pétain en vient à se considérer comme un sage de la politique dont la vision du monde dépasse le cadre militaire. Il n'a rien d'un idéologue (ni, d'ailleurs, d'un grand lecteur) et n'a jamais épousé les opinions ultra-réactionnaires affichées par d'autres maréchaux de la Grande Guerre, comme Foch – ce qui suffit pour bâtir une réputation de « républicain ». Simultanément, il développe ses propres idées simples (et simplistes) sur la politique et la société : l'importance de la famille, la nécessité d'inculquer aux instituteurs des valeurs patriotiques et morales.

L'expérience de Verdun avait rendu Pétain méfiant envers ces hommes politiques qui venaient visiter son quartier général pour se faire photographier (même si lui-même ne dédaignait jamais une séance de pose quand il en était le sujet) et les mutineries avaient éveillé en lui une paranoïa quant aux menaces pesant sur l'ordre social. La progression du communisme dans l'entre-deux-guerres ne fait que renforcer ses craintes. Lorsque, en 1925, il est envoyé pour commander les forces françaises au Maroc dans la guerre du Rif, de concert avec les Espagnols, il en vient à admirer le dictateur militaire Primo de Rivera, qui incarne son idéal du chef.

En 1934, Pétain devient ministre de la Guerre dans un gouvernement de droite, dit d'« union nationale », dirigé par Gaston Doumergue. Signe de ses ambitions croissantes au-delà de la sphère militaire, c'est le portefeuille de l'Éducation qu'il avait convoité. Ce gouvernement ne tient que neuf mois, mais l'expérience lui ouvre de nouveaux contacts politiques et aiguise ses ambitions. Les hommes de droite qui se détournent de la République en viennent à voir en lui une figure providentielle. On peut donc facilement comprendre qu'après l'humiliante défaite de juin 1940 Pétain soit unanimement considéré comme un sauveur.

La chute du héros

Au cours des quatre années suivantes, Pétain voit son pouvoir peu à peu rogné par les exigences de l'occupant allemand et par les ambitions de Pierre Laval, chef de gouvernement de juillet à décembre 1940 puis d'avril 1942 à août 1944. Le dernier acte du drame de son émasculation politique se produit fin 1943 lorsqu'un complot préparé par ses plus proches conseillers pour réaffirmer son autorité se solde par une humiliation absolue. Ce complot avorté est inspiré par les événements récents en Italie. En septembre 1943, une conjuration dans l'entourage du roi Victor Emmanuel avait évincé le dictateur fasciste Mussolini pour le remplacer par le maréchal Pietro Badoglio, un personnage moins compromis. L'opération Badoglio avait pour but de sauver ce qui pouvait l'être des décombres du régime de Mussolini, de neutraliser les forces radicales de la résistance italienne et de conclure un accord avec les Alliés. Le plan avait porté ses fruits. Badoglio signe un armistice avec les Alliés, sortant ainsi l'Italie de la guerre. En retour, les Alliés semblent prêts, provisoirement du moins, à laisser le régime existant en place. Un tel scénario était-il concevable en France ?

Dans sa version française, les conseillers de Pétain avaient projeté d'évincer son chef de gouvernement pro-allemand, Pierre Laval, et de remettre à l'ordre du jour la promesse faite par Pétain en 1940 de rédiger une nouvelle Constitution. Les conspirateurs prévoyaient que Pétain prononcerait une allocution radiodiffusée pour rappeler aux Français qu'il « incarn[ait] la légitimité française » et les informer que, s'il devait mourir avant que la Constitution ne soit prête, le pouvoir reviendrait au Parlement – institution qu'il avait pourtant ignorée pendant quatre ans. Pétain était appelé à jouer le rôle d'un Badoglio ou d'un Victor Emmanuel face à un Laval-Mussolini. Cette ultime tentative de ripoliner Vichy visait à permettre aux serviteurs du régime, et à Pétain lui-même, de sauver leur peau, au sens propre. Sa seule chance de réussite résidait dans la méfiance que Franklin Roosevelt éprouvait pour de Gaulle. Le président des États-Unis allait-il sauter sur l'occasion d'écarter cet encombrant général français ?

Nous ne le saurons jamais car les Allemands eurent vent du complot. Lorsque les auditeurs allument leur poste de radio pour écouter l'allocution de Pétain le 12 novembre 1943, ils ont droit à une opérette, *Dédé*. Deux semaines plus tard, Pétain reçoit une lettre de menace de la part du ministre allemand des Affaires étrangères, Joachim von Ribbentrop, qui impose le maintien de Laval au gouvernement et un remaniement ministériel permettant l'entrée de politiciens ultra-collaborationnistes engagés sans réserve envers l'Allemagne. Pétain aurait pu démissionner sous prétexte qu'il avait perdu tout semblant de pouvoir et que sa présence ne servait qu'à masquer une politique allemande toujours plus répressive. Peut-être imaginait-il qu'il avait encore un rôle à jouer. Peut-être croyait-il qu'il avait déjà brûlé tous ses vaisseaux. Peut-être se sentait-il trop vieux, trop épuisé, trop dépassé par les événements pour pouvoir agir. Quoi qu'il en soit, Pétain resta à son poste. Cette décision s'avéra funeste. Les derniers mois du régime de Vichy, entre janvier et août 1944, virent se commettre les pires atrocités de l'Occupation. Pétain n'avait pas saisi l'occasion de s'en dissocier.

Pour prévenir d'autres velléités d'indépendance de la part de Pétain, les Allemands le placent sous la stricte surveillance de Cecil von Renthe-Fink, un diplomate qu'il appelle sarcastiquement son « geôlier ». Prisonnier de fait, il commente amèrement que désormais, loin d'être Louis XIV, il ressemble davantage au « petit roi de Bourges », une référence à Charles VII qui, accédant au trône pendant la guerre de Cent Ans, n'avait contrôlé qu'une petite partie du territoire français jusqu'aux victoires de Jeanne d'Arc.

Durant les derniers mois du régime de Vichy, sous l'œil implacable de Renthe-Fink, Pétain est solitaire et isolé. Il a perdu presque tous les conseillers qui l'entouraient en 1940. Certains ont été évincés parce que les Allemands se méfiaient d'eux ; d'autres ont abandonné le navire. Le seul survivant des premiers jours de Vichy est Bernard Ménétrel, son médecin et confident. Pétain jouit d'une condition physique remarquable : les devoirs de son médecin ne sont pas très lourds. Ménétrel fait donc également office de conseiller politique et devient le gardien de son antichambre, filtrant ceux qui veulent accéder au chef de l'État. Laval déclara un jour : « J'avais tout prévu, sauf que la France serait gouvernée par un médecin[3]. »

Deux autres membres de la garde rapprochée de Pétain en 1944 sont le général Victor Debeney, mutilé de la Grande Guerre devenu chef de son Secrétariat général, et l'amiral Henri Bléhaut, nommé sous-secrétaire d'État à la Marine et aux Colonies en mars 1943 – à un moment où Vichy a perdu à la fois sa marine et ses colonies. Ces deux hommes, qui n'ont jusqu'alors joué aucun rôle majeur, prennent de l'importance durant les derniers jours du régime à la faveur de la défection de l'entourage du Maréchal.

Outre Ménétrel, une autre personnalité a survécu aux côtés de Pétain depuis le début de Vichy, c'est son épouse. Pétain a long-temps été un séducteur invétéré, entretenant des liaisons simul-tanées. La célébrité acquise après Verdun lui gagne de plus en plus d'admiratrices. Puis, soudain, en septembre 1920, après avoir longtemps résisté aux liens du mariage, il épouse sa maîtresse de longue date, Eugénie-Anne Hardon (connue sous le nom d'Annie). L'on ne sait avec certitude quand leur relation a commencé. Selon la version romantique d'Annie, ils s'étaient rencontrés en 1901 lorsqu'elle avait vingt-quatre ans, mais sa famille avait été choquée par leur différence d'âge. Elle avait donc épousé l'artiste François Dehérain. Après son divorce, en 1914, elle reprend sa relation avec Pétain (si tant est qu'elle ait jamais cessé). En février 1916, c'est avec elle que Pétain passait la nuit, dans un hôtel près de la gare du Nord à Paris, lorsqu'on vint le trouver pour l'informer de sa nomination à Verdun.

Après une vie de célibataire, Pétain semble avoir conclu que sa position sociale exigeait désormais qu'il se marie. Dans les semaines qui précèdent sa demande à Annie, il fait la même proposition à au moins deux autres anciennes conquêtes. L'une refuse parce qu'elle est veuve avec de jeunes enfants, l'autre, la soprano wagnérienne Germaine Lubin, parce qu'elle est mariée et ne veut pas passer par un divorce. Le 14 septembre 1920, Pétain épouse donc Annie civilement. La cérémonie est discrète, ses amis et admirateurs étant choqués de le voir se marier avec une divorcée. Peut-être Pétain se console-t-il avec l'idée qu'elle ne se fera pas d'illusions sur sa fidélité[4]. Le couple vit à Paris dans deux appartements mitoyens, de même qu'à Vichy, pendant l'Occupation, ils s'installent dans deux hôtels voisins.

En mars 1941, leur mariage civil est complété par une cérémonie religieuse (le premier mariage d'Annie ayant été annulé en 1929), au grand soulagement de la hiérarchie catholique, fervente partisane du régime de Vichy. Ayant passé la moitié de sa vie à tenter d'assagir Pétain, Annie exige le respect qui va de pair avec son nouveau titre de Maréchale. Sa personnalité impérieuse a été renforcée par les critiques dont elle a fait l'objet. Elle est restée jusqu'au bout aux côtés de son époux.

Kidnappé

Le régime de Vichy entre en agonie après le débarquement allié en Normandie le 6 juin 1944. Bien que les Alliés n'aient pas atteint tous leurs objectifs initiaux, ils établissent immédiatement une petite tête de pont sur le sol français. Le 14 juin, les Britanniques autorisent le général de Gaulle à effectuer une courte visite depuis Londres à Bayeux, la plus grande localité libérée à ce jour. Ce sont ses premiers pas sur le sol métropolitain depuis son départ quatre ans plus tôt. De Gaulle, qui n'a été jusqu'alors pour la plupart des Français qu'une voix radiophonique, tient à se montrer en personne pour prouver, aux Alliés comme à lui-même, qu'il jouit d'un réel soutien populaire. Après avoir serré la main du préfet, qui venait juste de décrocher le portrait de Pétain, il prononce un discours sur la grande place de Bayeux où il est acclamé par la population. Puis, ayant triomphalement accompli sa mission, il rentre à Alger.

Le 31 juillet, les troupes américaines finissent par percer les lignes allemandes à Avranches, au sud du Cotentin ; deux semaines plus tard, elles ont parcouru la moitié du chemin vers Paris. Le 20 août, de Gaulle est de retour en Normandie et se prépare à accompagner l'entrée des armées alliées dans la capitale. Quant à la ville de Vichy elle-même, ce n'est qu'une question de jours avant qu'elle ne soit également à la portée des Alliés après un deuxième débarquement allié, le 15 août, en Provence. Le succès de cette opération a dépassé tous les espoirs et les troupes alliées remontent rapidement la vallée du Rhône.

Le 17 août, prétextant la nécessité d'assurer sa sécurité, Renthe-Fink informe Pétain qu'il doit quitter Vichy. Tant que les Allemands contrôlent une partie du territoire français, le Maréchal leur reste utile. Mais ce dernier refuse de bouger. Pendant deux jours, Renthe-Fink exerce une pression croissante sur ses conseillers, qui savent qu'ils seront impuissants si les Allemands insistent pour déplacer Pétain. Tout ce qu'ils peuvent espérer, c'est démontrer pour la postérité qu'il a été contraint de quitter Vichy contre son gré. Dans ce but, Pétain envoie une lettre de protestation à Hitler :

> En concluant l'armistice de 1940 avec l'Allemagne, j'ai manifesté ma décision irrévocable de lier mon sort à celui de ma Patrie et de ne jamais quitter le territoire. [...] Aujourd'hui, vos représentants veulent

me contraindre, par la violence et au mépris de tous les engagements, à partir pour une destination inconnue. J'élève une protestation solennelle contre cet acte de force qui me place dans l'impossibilité d'exercer mes prérogatives de Chef de l'État français[5].

Lorsque, le 19 août, Renthe-Fink revient à l'hôtel du Parc avec un ultimatum, c'est un Pétain glacial qui le reçoit, flanqué du général Debeney et de l'amiral Bléhaut. Un officier d'ordonnance annonce que les représentants diplomatiques de deux pays neutres, le nonce apostolique et le consul de Suisse, Walter Stucki, attendent dans la pièce voisine. Renthe-Fink hurle qu'ils ne peuvent être admis. Bléhaut répond sur le même ton : « Vous nous emmerdez. » Ménétrel fait alors irruption dans la pièce accompagné des deux diplomates pour leur démontrer que Pétain agit sous la contrainte. Les Allemands quittent l'hôtel en déclarant qu'ils reviendront chercher Pétain le lendemain.

Le 20, à 6 heures du matin, des chars allemands se postent devant l'hôtel. Pétain se lève pour jeter un coup d'œil par la fenêtre puis il se recouche. Une heure plus tard, des soldats allemands enfoncent les portes du bâtiment. Dans son rapport, l'officier allemand chargé de l'opération décrit ainsi la situation :

> Quand je fus arrivé dans le hall de l'hôtel, le lieutenant Petit de la garde du Maréchal s'opposa à moi et me fit savoir que je me trouvais dans la maison du Maréchal Pétain […] et qu'il m'interdisait l'entrée. J'ai répondu que j'en prenais connaissance mais que j'avais reçu un ordre que j'exécuterais coûte que coûte. Après l'échange de saluts militaires, le lieutenant Petit s'esquiva et, accompagné de mon détachement, je me rendis à l'escalier qui conduit aux appartements du Maréchal[6].

Lorsque les Allemands brisent les vitres de la porte de la chambre de Pétain, ils le trouvent en train de s'habiller. Ménétrel est sur place, muni d'un magnétophone et d'une caméra pour enregistrer l'enlèvement[7]. Il insiste pour que Pétain puisse prendre son petit déjeuner avant de partir. Puis le Maréchal descend solennellement l'escalier, salue les badauds en levant son chapeau, et part avec ses conseillers dans six voitures.

Le convoi progresse avec une lenteur pénible sur les routes encombrées de véhicules militaires allemands battant en retraite. S'arrêtant pour déjeuner à la préfecture de Moulins, à une soixantaine de kilomètres de Vichy, les conseillers de Pétain font des copies de sa lettre à Hitler et d'un discours rédigé les jours précédents. Il s'agit du dernier message du Maréchal au peuple français avant sa déclaration liminaire lors de son procès, près d'un an plus tard :

> Français,
> Quand ce message vous parviendra, je ne serai plus libre. [...]
> Pendant plus de quatre ans, décidé à rester au milieu de vous, j'ai chaque jour cherché ce qui était le plus propre à servir les intérêts permanents de la France. Loyalement, mais sans compromis, je n'ai eu qu'un seul but : vous protéger du pire. Et tout ce qui a été fait par moi, tout ce que j'ai accepté, consenti, subi, que ce fût de gré ou de force, ne l'a été que pour votre sauvegarde. Car si je ne pouvais plus être votre épée, j'ai voulu rester votre bouclier[8].

La figure d'un Pétain « bouclier » deviendra un élément clé de sa future défense. Comme il ne peut plus s'exprimer à la radio, des copies du message sont jetées par les fenêtres des voitures. La plupart sont dispersées par le vent, quelques-unes ramassées par des passants, une poignée est laissée à l'hôtel de Saulieu où Pétain passe la nuit[9]. Reproduit de manière erratique sur un papier fragile, ce message devait être versé au dossier de la défense si Pétain était un jour amené à devoir répondre de ses actes devant les Français. C'était sa seule utilité.

Le 21 août au soir, le petit groupe atteint la préfecture de Belfort, où Pétain a la surprise de retrouver Pierre Laval, toujours officiellement chef de gouvernement. Deux semaines plus tôt, à Paris, Laval avait imaginé une tentative de la dernière chance pour sauver sa peau. Sachant que l'arrivée des Alliés était imminente, il avait conçu l'idée de réunir l'Assemblée nationale de la Troisième République, qui servirait de source d'autorité française légitime au moment de l'entrée des libérateurs américains à Paris. À l'instar des conseillers de Pétain l'année précédente, il misait sur la méfiance de Roosevelt à l'égard de De Gaulle. Ce plan offrirait aux Américains un autre moyen de mettre le Général sur la touche.

Avec la bénédiction d'Otto Abetz, l'ambassadeur d'Allemagne, Laval quitte Paris le 12 août en automobile pour se rendre à Nancy, où Édouard Herriot, le président de la Chambre des députés en 1940, est assigné à résidence. Le plan n'a aucune chance d'aboutir sans sa coopération, mais trois jours suffisent pour établir que, avec ou sans Herriot, il est voué à l'échec. Les Allemands y renoncent et, le 17 août, Laval est emmené de force en direction de Belfort.

Les relations entre Pétain et Laval ont toujours été exécrables, mais, à Belfort, les deux hommes sont pour une fois d'accord : étant l'un et l'autre prisonniers, ils n'accepteront plus d'exercer de responsabilité gouvernementale. Ils se mettent « en grève ». Après une rencontre rapide, ils se dispensent d'avoir à supporter la présence physique de l'autre : Pétain est installé à quelques kilomètres de Belfort, au château de Morvillars, Laval reste à la préfecture. Les jours suivants, ils ne communiquent que par lettres.

Pendant ce temps, de Gaulle installe son gouvernement provisoire dans Paris libéré. Entré dans la capitale le 25 août, il organise le lendemain une cérémonie triomphale sur les Champs-Élysées. Un million de personnes au moins se rassemblent pour entrevoir le Libérateur descendre l'avenue depuis l'Arc de Triomphe. Au cours de cette journée historique, plus personne ne songe à Pétain, sauf quelques partisans loyalistes qui tentent un dernier coup de dés désespéré. Le lendemain du défilé, de Gaulle reçoit une lettre que Pétain a confiée à l'amiral Paul Auphan, son ancien ministre de la Marine. Auphan a été envoyé à Paris pour contacter de Gaulle au nom de Pétain et formaliser la passation de pouvoir entre les deux hommes – à condition que « le principe de légitimité que je [Pétain] représente soit respecté ». Sans surprise, de Gaulle, qui n'a pas besoin de la bénédiction du Maréchal, refuse même de recevoir Auphan. Il décrira ce moment avec un mépris suprême dans ses Mémoires :

> Quel aboutissement ! Quel aveu ! Ainsi, dans l'anéantissement de Vichy, Philippe Pétain se tourne vers Charles de Gaulle. En lisant les textes que l'on m'a fait remettre de sa part, je me sens, tout à la fois, rehaussé dans ce qui fut toujours ma certitude et étreint d'une tristesse indicible. Monsieur le Maréchal ! Vous qui avez fait jadis si grand honneur à nos armes, vous qui fûtes autrefois mon chef et mon exemple, où donc vous a-t-on conduit ? [...]
> Par-dessus tout, la condition que met Pétain à un accord avec moi est justement le motif qui rend cet accord impossible. La légitimité qu'il prétend incarner, le gouvernement de la République la lui dénie absolument. [...] Je ne puis lui faire que la réponse de mon silence[10].

Le refus prévisible de De Gaulle d'accepter son autorité des mains de Pétain confirmait que ce dernier serait amené à répondre de ses actes devant le peuple français – mais, d'abord, il allait falloir le trouver.

Chapitre 2

Un château en Allemagne

À Belfort, les Allemands n'ont toujours pas décidé ce qu'ils vont faire de leur précieux prisonnier. Dans la région se sont aussi réfugiés une foule d'anciens collaborationnistes qui ont fui Paris avec les Allemands. Quatre d'entre eux sont invités à une réunion avec Hitler dans sa « Tanière du Loup » en Prusse-Orientale. Pierre Laval, également convié, refuse de s'y rendre.

Les quatre hommes qui ont accepté l'invitation d'Hitler, Marcel Déat, Jacques Doriot, Fernand de Brinon et Joseph Darnand, sont inconditionnellement acquis à la cause allemande, bien qu'ils soient parvenus à cette position radicale par des voies différentes. Déat, espoir du Parti socialiste dans les années 1920, avait dérivé vers l'extrême droite dans les années 1930. En 1941, il crée son propre parti fasciste (le Rassemblement national populaire, RNP) dans le Paris occupé. Ses adhérents sont trop peu nombreux pour lui permettre de jouer un rôle politique important, mais la violence de ses articles de presse attaquant Vichy pour sa tiédeur vis-à-vis de la collaboration lui confère une certaine influence. Vivant dans la pure abstraction de ses constructions mentales, Déat est le cas-type d'intellectuel que la logique de ses arguments rend imperméable à la réalité.

Jacques Doriot, ancien communiste ayant rompu avec le Parti au milieu des années 1930, est habité avant tout par une haine viscérale de l'Union soviétique. Fondateur en 1936 du Parti populaire français (PPF), le plus grand parti fasciste du pays, il est un orateur hors pair. Lorsque, après l'attaque allemande contre l'Union soviétique en juin 1941, certains ultra-collaborateurs français créent la Légion des volontaires français (LVF) pour combattre le bolchevisme, Doriot ne se contente pas de soutenir l'initiative. Il s'engage.

Contrairement à Déat et Doriot, Joseph Darnand n'a jamais été un homme de gauche. Soldat courageux pendant la Grande Guerre, il est depuis dévoué corps et âme à la personne de Pétain. Actif dans les milieux d'extrême droite pendant l'entre-deux-guerres, partisan de l'ordre et contempteur de la démocratie, son ralliement à Vichy est dans la droite ligne de ses convictions politiques. En janvier 1943, il fonde la Milice, organisation paramilitaire de sinistre mémoire qui utilise les méthodes les plus brutales pour écraser la Résistance et sévir contre les juifs. Quelques mois plus tard, Darnand devient officier dans la SS. Qu'un nationaliste français à ce point convaincu ait terminé sa carrière sous l'uniforme allemand est aussi invraisemblable que Doriot, étoile montante du communisme français, achevant la sienne dans une croisade antibolchevique sur le front de l'Est.

Le quatrième membre de ce groupe est Fernand de Brinon, journaliste engagé depuis longtemps dans la réconciliation franco-allemande. Contrairement aux autres, il ne possède ni base politique, ni partisans, ni charisme. Son atout est d'avoir été nommé en 1940, grâce à ses nombreux contacts avec l'Allemagne, « délégué » de Vichy en zone occupée. Il a ainsi assumé le rôle étrange d'ambassadeur du gouvernement français en France.

Ces quatre hommes sont rivaux et ennemis. Pourtant, mus par leurs convictions idéologiques, par l'illusion que les Allemands n'ont pas perdu la guerre ou par la conscience d'avoir brûlé leurs vaisseaux et de n'avoir plus rien à perdre, ils sont prêts à poursuivre l'aventure collaborationniste jusqu'au bout. Chacun espère que son heure est arrivée : s'il doit y avoir un *Götterdämmerung* (crépuscule des dieux) nazi, ils sont prêts à périr dans l'embrasement final. Le but de leur long voyage à travers l'Allemagne en ruines est de connaître les intentions d'Hitler pour la France.

Pendant la dernière semaine d'août, au château de Steinort, en Prusse-Orientale, Joachim von Ribbentrop tient plusieurs réunions avec ces quatre rivaux aussi hargneux qu'ambitieux[1]. Lui aussi a son plan : un gouvernement français croupion présidé par Pétain mais dirigé par Doriot, qui bénéficie d'un certain poids politique grâce à son parti, le PPF. Le problème est que les trois autres veulent eux aussi diriger le gouvernement, et que Doriot est détesté par Pétain. C'est Brinon qui a probablement la meilleure carte à jouer car son ancien rôle de délégué de Vichy en zone occupée lui confère une certaine légitimité. Ces négociations surréalistes finissent par déboucher sur un accord : Brinon formera un gouvernement avec l'approbation de Pétain. Il s'agit d'un arrangement provisoire ouvrant la voie à un futur gouvernement Doriot. Brinon n'a d'autre choix que d'accepter, espérant trouver plus tard le moyen de ne pas honorer son engagement de céder la place à Doriot. Les deux autres, Déat et Darnand, nourrissent également leurs propres ambitions.

Une fois l'accord conclu, les quatre hommes sont reçus par le Führer lui-même, dans la pièce où il a survécu à une tentative d'assassinat un mois plus tôt. Épave agitée de tremblements, bourré de médicaments et souffrant encore visiblement des séquelles de l'attentat, Hitler se lance dans un long monologue qui hypnotise ses visiteurs. Il a même un mot aimable pour Déat, qui a lui-même échappé à une tentative d'assassinat en 1941.

On peut se demander pourquoi Hitler se préoccupait de ces formalités politiques et juridiques, qui avaient exigé une semaine de négociations. Dans l'immédiat, la mise en place d'une administration « française » pouvait faciliter la retraite des Allemands. Et, dans le cas d'une reconquête du territoire hexagonal, fantasme toujours considéré comme réalisable, un gouvernement « légitime », même fictif, serait utile. Comme le déclara Hitler à ses quatre interlocuteurs, faisant référence à sa propre nomination au poste de chancelier en 1933 par le président Hindenburg, « un gouvernement tire toujours une certaine force du fait d'être couvert par la légalité[2] ». Ou, comme le reformula Brinon de façon plus irrévérencieuse, Pétain serait la « cover girl » d'une opération ultra-collaborationniste contrôlée par les Allemands[3].

Il fallait désormais s'assurer du consentement de la « cover girl ». Mais lorsque Brinon rentre en France le 5 septembre, Pétain n'accepte même pas de le recevoir. Les négociations se font par le biais de lettres transmises par le général Debeney, qui effectue la navette entre Brinon, à Belfort, et Pétain, au château de Morvillars. Ménétrel exhorte Pétain à refuser toute association avec le complot ourdi dans la Tanière du Loup. Au bout de quelques jours, cependant, un compromis est trouvé. Après avoir réaffirmé dans une énième lettre qu'étant en grève il ne peut déléguer son autorité à quiconque, Pétain écrit qu'il « ne fait pas d'objections à ce que M. de Brinon continue à s'occuper des questions dont il était jusqu'ici chargé » en exerçant ses responsabilités de « délégué » de Vichy en zone occupée. On ignore pourquoi Pétain a reculé. Peut-être, obsédé par le sort des prisonniers de guerre français en Allemagne, souhaitait-il qu'une autorité française soit en place pour s'occuper de leurs intérêts. Il faut ajouter que, à la suite de son enlèvement par les Allemands quelques jours plus tôt, Pétain semble avoir été dans un état de confusion mentale[4]. Quoi qu'il en soit, sa concession permettait à Brinon de mettre un pied dans la porte.

Le 6 septembre 1944, au moment où cet accord est conclu, on entend à Belfort les canons des armées alliées. Leur arrivée est imminente. Pétain doit être emmené plus à l'est. Ce matin-là, les Allemands viennent donc le chercher. Certains membres de son entourage pensent que leur destination pourrait être Baden-Baden, où se cachent de nombreux collaborateurs français. Déplacer le gouvernement d'une ville thermale à une autre aurait présenté une certaine symétrie poétique. En réalité, la destination finale de Pétain est le château des princes de Hohenzollern-Sigmaringen, dans le sud de l'Allemagne. Le prince a récemment été arrêté et sa famille expulsée du château. Cousin du roi Carol de Roumanie, il est soupçonné d'avoir encouragé la décision de la Roumanie de se rallier aux Alliés en août 1944. Telle était la vengeance d'Hitler[5].

Sigmaringen

2. Vichy en exil : le château de Sigmaringen.

Sans être une ville d'eaux, Sigmaringen offrait un décor fantasque et irréel qui convenait au dernier acte du drame de Vichy. Située dans le Bade-Wurtemberg, sur le Danube, elle est moins une ville surplombée par un château qu'un château flanqué d'une ville. Cette imposante structure de huit cents pièces était suffisamment vaste pour accueillir les différentes factions chamailleuses d'exilés français sans qu'ils aient jamais besoin de se rencontrer, ni même de se croiser. Rénové au XIXe siècle, le château ressemblait à un Schloss allemand réimaginé par Viollet-le-Duc ou par Walt Disney. Un collaborateur de Laval le décrivit ainsi :

> Les barons voleurs du Moyen Âge teutonique l'avaient construit sur une pointe rocheuse dans un méandre du Danube et les pillards victorieux de 1870 l'avaient restauré et agrandi. C'est une immense confusion d'appartements, séparés mais reliés par d'interminables couloirs. Comme s'il avait été imaginé par Victor Hugo, ce château accueillait les visiteurs dans une atmosphère de pesante grandeur et d'ostentation fanée, avec de nombreux escaliers monumentaux et d'autres secrets, une profusion de tableaux, d'armures et d'armes terribles, de trophées de chasse et de meubles anciens. L'ascenseur était presque assez grand pour y loger une Simca[6].

La description la plus célèbre de Sigmaringen est celle de Céline. D'un antisémitisme si délirant que même les Allemands s'en méfiaient, Céline avait quitté Paris en juin 1944, dans l'intention de traverser l'Allemagne et de se réfugier au Danemark, avec deux fioles de cyanure dans ses bagages, au cas où. Mais, n'étant pas parvenu à atteindre le Danemark, il avait atterri à Sigmaringen. L'existence surréaliste de ce gouvernement fantôme dans son décor fantastique convenait parfaitement à l'étrange prose hallucinatoire de Céline. Son passage à Sigmaringen (qu'il nomme « Siegmaringen ») constitue le sujet de son premier roman de l'après-guerre, *D'un château l'autre* :

> Stuc, bricolage, déginganderie tous les styles, tourelles, cheminées, gargouilles… pas à croire !… super Hollywood […] Trésors tapisseries, boiseries, vaisselles, salles d'armes… trophées, armures, étendards… autant d'étages, autant de musées… en plus des *bunkers* sous le Danube, tunnels blindés… Combien ces princes ducs et gangsters, avaient pioché de trous, cachettes, oubliettes ?… dans la vase, dans les sables, dans le roc ? quatorze siècles d'Hohenzollern ! sapristis sapeurs cachotiers !… tout l'afur était sous le Château, les doublons, les rivaux occis, pendus, étranglés, racornis… les hauts, le visible, formidable toc, trompe-l'œil, tourelles, beffrois, cloches… pour le vent ! miroir aux alouettes !… et tout dessous : l'or de la famille !… et les squelettes des kidnappés[7].

L'entourage de Pétain est logé dans les appartements princiers du septième étage, auxquels on accède par l'immense ascenseur. Le Maréchal et son épouse résident à l'extrémité d'un interminable couloir orné de statues, de portraits et de trophées de chasse, tandis que Ménétrel, Bléhaut et Debeney sont installés à l'autre extrémité, avec le valet et le chauffeur de Pétain. Des gardes allemands ne sont jamais très loin. Laval, son épouse et son propre entourage se trouvent à l'étage inférieur, dans les appartements où la famille princière accueillait ses invités. Mme Laval, qui s'offusque de devoir dîner sous un énorme buste du kaiser Guillaume, marmonne que si elle en avait eu la force, elle l'aurait jeté dans le Danube. Laval a été accompagné en Allemagne par un certain nombre de ses anciens ministres qui ont refusé, comme lui, de jouer un quelconque rôle dans l'opération Brinon. On les appelle les « ministres dormants ».

Le premier soir, Renthe-Fink, se présentant aux Pétain qui vont passer à table, s'entend répondre qu'il n'est pas le bienvenu. Il n'a pas plus de chance avec Laval à l'étage en dessous. Le pseudo-gouvernement de Brinon, quant à lui, est installé dans une aile séparée au troisième étage, dans les anciens appartements des enfants du prince. Une autre aile, tout aussi vaste, est attribuée à Otto Abetz, ambassadeur d'Hitler à Paris pendant la guerre. Abetz agrémente la décoration de ses appartements de tableaux de Fragonard et de tapisseries des Gobelins pillés dans diverses collections parisiennes, les surplus étant prêtés à Brinon.

Les seuls pays à avoir une représentation diplomatique auprès de cette parodie de gouvernement sont le Japon, par l'intermédiaire de son ambassadeur à l'allure de playboy Mitani Takanobu, et la République de Salò, l'État fasciste croupion créé dans le nord de l'Italie par Mussolini, sous le patronage de l'Allemagne, après son éviction du pouvoir en septembre 1943. Mussolini, logé dans une grandiose villa avec une vue splendide sur le lac de Garde, était, comme Pétain, un prisonnier impuissant dans une cage dorée.

Les Allemands organisent minutieusement l'agencement des espaces du château selon des distinctions hiérarchiques observées avec rigueur. Seul Pétain est autorisé à utiliser l'ascenseur. Les menus sont calibrés en fonction du statut des différents personnages : rien qu'à l'étage de Pétain, il existe trois niveaux de menus différents, et seuls Pétain et sa femme ont droit, luxe suprême, de déguster du « fromage gras ». Laval, de son côté, reçoit surtout des pommes de terre et du chou, servis dans des plats en argent.

Quoique gigantesque, le château ne peut accueillir les quelque mille cinq cents réfugiés français – criminels, trafiquants du marché noir et ultra-collabos accompagnés de leurs diverses épouses, maîtresses et parasites – qui ont suivi le « gouvernement » de la France en Allemagne. Cette piétaille doit se contenter d'hôtels surpeuplés, de bâtiments scolaires et de gymnases dispersés dans la ville. Céline, par exemple, est arrivé avec sa femme, Lucette, son chat Bébert et son ami l'acteur antisémite Robert Le Vigan. Médecin de formation, Céline est déçu de ne pas être nommé médecin au château, où il vient cependant soigner Laval pour son ulcère. Il a aussi beaucoup de travail en ville où il faut traiter les nombreuses maladies qui pullulent parmi les Français entassés dans des logements insalubres.

Jeux politiques chez les émigrés

Peu après son arrivée, Brinon écrit une lettre obséquieuse à Hitler pour le remercier de la confiance qu'il lui accorde. Les espoirs qu'il nourrissait d'établir la crédibilité de son « gouvernement » (ou « Délégation », selon le terme initialement utilisé) sont sabotés par le refus de Pétain de le recevoir. Renthe-Fink lui conseille de forcer la porte des appartements du Maréchal si nécessaire, mais Brinon rechigne à adopter cette solution extrême, et les deux hommes ne communiquent que par lettres[8]. Le 30 septembre, Brinon invite Pétain à une cérémonie au cours de laquelle le drapeau français doit être hissé au sommet du château et la garde allemande remplacée par une garde française. Sigmaringen, doté d'un statut extraterritorial, est désormais un fragment de France sur le sol allemand.

Pétain ignore l'invitation. La cérémonie se déroule malgré tout en présence de Brinon, de son équipe et de quelques badauds. Ni Laval ni Pétain ne sont présents, ce qui n'empêche pas Brinon d'invoquer ce dernier dans son discours :

> Nous sommes ici aujourd'hui, à côté du Maréchal, seul chef légitime de l'État français. […] Notre seul but est de continuer de servir la politique que le Maréchal incarne pour tous ceux qui l'ont servi depuis l'écroulement de la démocratie belliciste.

Il conclut en lançant : « Vive la France ! Vive le Maréchal ! »
Bien que Pétain ait protesté par une note cassante contre l'utilisation
de son nom, le discours de Brinon suffit à donner aux Allemands un
prétexte fragile pour publier un communiqué annonçant que Pétain
est toujours chef du gouvernement[9]. À la fin du mois d'octobre,
le premier numéro du *Journal officiel* de la Délégation (désormais
rebaptisée « Commission gouvernementale pour la défense des
intérêts français ») s'orne d'une grande photo de Pétain portant une
dédicace à son « fidèle Brinon ». Le cliché date de novembre 1941,
et Pétain, refusant d'être la « cover girl » de Brinon, lui envoie une
nouvelle lettre de protestation.

Pétain ne baisse la garde qu'une seule fois. Le 29 septembre,
il reçoit Gaston Bruneton, le fonctionnaire chargé de protéger les
intérêts des ouvriers français travaillant dans les usines allemandes.
Dévoué corps et âme au Maréchal, Bruneton veut s'assurer qu'il a
toujours son soutien. Pétain le rassure : « Vous êtes mon représentant et le dépositaire de ma pensée. » On ignore pourquoi Pétain
a rompu en cette occasion le silence dont il avait fait un principe.
Se voyait-il encore comme le père protecteur du peuple français ?
Sa vanité avait-elle été piquée par la preuve qu'il pouvait encore
inspirer une telle dévotion ? Quoi qu'il en soit, son geste se retourne
contre lui. Lors de la cérémonie du lever des couleurs, Brinon cite
les paroles de Pétain à Bruneton : « Je demeure incontestablement
et légalement le chef des Français. »

Cela inquiète Ménétrel, à qui rien n'échappe, et qui écrit après
avoir rencontré Bruneton :

> Il faut au moins avoir, une dernière fois, le courage de dire au
> maréchal, ce qu'il risque en fuyant une situation nette […] Il n'a plus
> la possibilité de faire quelque chose pour la France […] Mais il a le
> devoir absolu de ne rien faire qui puisse ternir sa mémoire […] S'il ne
> réussit pas cela, il ne restera rien de sa gloire passée, ni de sa doctrine[10].

Pétain ne répétera plus jamais un tel faux pas. Chaque dimanche,
il assiste à la messe au château, à l'abri des regards, depuis la
loggia secrète reliée aux appartements princiers par un couloir
dérobé. Par beau temps, il est autorisé à quitter le site en voiture et à se promener dans la campagne, suivi discrètement par
des agents de la Gestapo. Les membres de la communauté française se rassemblent parfois pour l'observer lors de ces petites

promenades rituelles. Ce qui provoque, chez Céline, une de ses diatribes caractéristiques :

> Voilà ce qu'ils avaient attendu les 1 142 lustrucs !... vous auriez pu croire... rien du tout !... qu'ils allaient l'agonir affreux... que c'était la honte ! l'infamie ? pas du tout !... lui, ses 16 cartes !... tout le monde le savait !... et qu'il se le tapait !... qu'il en laissait miette à personne ! et que c'était le fameux appétit !... en plus le confort total [...] Vous auriez pu vous attendre que ce ramas de loquedus sursaute ! se jette dessus ! l'étripe... pas du tout... juste un peu de soupirs !... ils s'écartent !... ils le regardent partir en promenade... la canne en avant ! et hop !... et digne ! il répond à leurs saluts... hommes et rombières... les petites filles : la révérence ! la promenade du Maréchal[11] !...

Ménétrel passe son temps cloîtré avec Pétain dans ses appartements à travailler à la future défense de ce dernier. Nouveaux venus au sein du cercle rapproché, Debeney et Bléhaut n'ont guère de lumières à apporter sur les débuts du régime. Le médecin rédige un mémorandum détaillant les activités de Pétain. Le document est divisé en deux parties : « Conditions dans lesquelles est intervenue la demande d'armistice de juin 1940 » et « Les événements de novembre 1942 en Afrique du Nord ». Ménétrel avait raison de penser que ces deux moments seraient longuement débattus lors du procès. Comme il travaillait sans archives, il laissa de côté les détails pour les compléter plus tard. Lorsque Pétain rentra en France, ce document de dix-sept pages dactylographiées fut retrouvé dans ses bagages, avec quelques corrections marginales de sa main, uniquement d'ordre stylistique[12].

Ménétrel sait que les Allemands sont conscients de ses efforts pour les contrecarrer. Il sait aussi que la dernière chose qu'ils souhaitent, c'est que Pétain meure. Comme Renthe-Fink l'écrit à Abetz : « Si nous voulons continuer à nous servir du Maréchal au profit de notre politique, nous devons nous soucier de sa santé[13]. » Le médecin tente donc de se rendre indispensable en écrivant fréquemment à Abetz, l'avertissant que les conditions de vie dans le château menacent la santé (très robuste) de Pétain. Il écrit à l'ambassadeur suisse à Berlin pour lui demander des vêtements chauds, ayant quitté Belfort en toute hâte sans avoir le temps d'en emporter. Son patient aurait également besoin de pipes, d'un briquet, de savon, de dentifrice, de mousse à raser[14].

Tout cela n'empêche pas Brinon de s'en prendre à lui. Au retour d'une promenade avec Pétain le 22 novembre, Ménétrel est arrêté. Il est assigné à résidence dans une localité distante de quelques kilomètres aux seules fins de rendre son absence plus cruelle pour Pétain. On escomptait que ses nerfs allaient craquer et qu'il allait coopérer avec Brinon dans l'espoir de retrouver son médecin et son confident. Cette tactique échoue. Les demandes répétées de Pétain pour obtenir le retour de Ménétrel restent lettre morte, mais leur séparation ne brise pas sa résistance. Les deux hommes ne se reverront jamais.

Lorsque le nom de Céline a été proposé pour remplacer Ménétrel, Pétain aurait déclaré : « Je préférerais mourir tout de suite. » Brinon a un autre candidat, le Dr Schillemans, un jeune médecin militaire qui se morfond dans un camp de prisonniers de guerre français voisin. Schillemans est donc extrait de sa baraque et envoyé au château, où Pétain refuse de le recevoir. Le médecin reste néanmoins dans les parages au cas où le patient aurait besoin d'aide. Les Mémoires qu'il a rédigés sur son séjour à Sigmaringen appartiennent à un autre registre que les écrits de Céline. Sa description de Pétain, qu'il a aperçu lors d'une de ses promenades, révèle l'adulation que le Maréchal peut encore inspirer :

> En nous croisant, il nous jeta un beau regard direct de ses yeux gris, non pas un regard de vieillard gâteux, un très beau regard, celui qu'il avait sur les affiches en 1940. [...] C'étaient des yeux qui semblaient interroger, des yeux de Chef intelligent, paraissant attendre la réponse à une question posée. Ce regard se fixa sur moi un instant bref, le temps pour lui de faire trois pas, quatre peut-être, mais il avait une limpidité, une flamme, une si belle luminosité, qu'il me sembla le sentir encore posé sur moi, alors qu'il était déjà passé et que sa haute silhouette se fondait dans les lambeaux de brume qui flottaient sur la route[15].

Malgré le refus de Pétain de coopérer, la Commission gouvernementale de Brinon continue en vain de paraître « gouverner », débattant, entre autres sujets surréalistes, du taux d'intérêt auquel le « gouvernement » aura à rembourser les Allemands pour leur « généreuse » mise à disposition de Sigmaringen. Sinon, en attendant la reconquête de la France, la seule raison d'être imaginable de la Commission est de veiller aux intérêts du grand nombre de Français qui se trouvent sur le sol allemand, pour des raisons diverses : environ 1,2 million de prisonniers de guerre, 650 000 ouvriers envoyés de force dans les usines et les fermes allemandes, 10 000 combattants de la Milice avec leurs familles, 5 000 membres du PPF de Doriot et leurs familles, et 3 500 volontaires de la LVF[16].

En tant que ministre du Travail, et donc en théorie responsable des travailleurs français, Déat s'ingénie à perfectionner les rouages bureaucratiques de son « ministère » imaginaire. Comme cela ne suffit pas à occuper son esprit toujours en ébullition, il voyage également à travers l'Allemagne en ruines pour donner des conférences lors de divers congrès où il se retrouve dans son élément. À Dresde, il disserte sur « Pensée et histoire en France et en Allemagne » et, à Berlin, sur « L'unité de la civilisation européenne ». De son côté, Darnand, en tant que secrétaire à l'Intérieur, est chargé du maintien de l'ordre. Homme d'action qui n'a jamais été aussi heureux que du temps où il était soldat et qui pavane volontiers dans son uniforme de la Waffen SS, il est mal à l'aise parmi les intellectuels beaux parleurs comme Déat. Il est souvent absent du château, son principal souci restant le bien-être des miliciens qui l'ont suivi en Allemagne.

Mais aucun membre de la Commission n'est plus occupé que Jean Luchaire, journaliste véreux aux goûts dispendieux et à la chevelure gominée. Il est arrivé à Sigmaringen avec une suite considérable comprenant au moins deux maîtresses, sa femme et sa fille Corinne, une actrice populaire sur la scène du Paris occupé. Luchaire est chargé de la propagande, un domaine qu'il maîtrise. La Commission n'ayant pas le pouvoir de faire grand-chose, il est d'autant plus important de donner l'impression qu'elle agit. Luchaire met donc en place une station de radio, où des bulletins d'information alternent avec des opérettes légères, et un journal, *France*. Le titre d'un article du 5 novembre 1944, traitant des conditions de vie des ouvriers français en Allemagne, suffit pour se faire une idée de son contenu : « Auschwitz, camp modèle »[17].

Les questions de protocole prennent également une importance disproportionnée. En témoigne la mini-crise qui éclate le jour où quelqu'un est aperçu en train d'emprunter l'escalier réservé aux membres de la Commission. Le coupable proteste de son innocence et, après une enquête approfondie, est blanchi, mais on lui rappelle qu'il doit respecter l'interdit[18]. Lorsqu'ils ne se chamaillent pas sur l'étiquette, les Français cherchent à se distraire en se cultivant. Le château possède une bibliothèque bien fournie et son bibliothécaire n'a jamais été aussi occupé.

Déat se plonge dans Voltaire et Goethe ; Pétain s'attaque aux Mémoires de Talleyrand – peut-être pour y trouver des conseils sur la façon de passer d'un régime à l'autre. La bibliothèque possède également une riche collection de cartes anciennes, utiles à ceux qui planifient de s'enfuir un jour.

Diverses manifestations culturelles sont aussi organisées dans la salle des fêtes et en ville, notamment des lectures de pièces de théâtre, un colloque sur « L'intellectuel en Allemagne » et un récital Bach donné par la célèbre pianiste ultra-collaborationniste Lucienne Delforge (dont la présence à Sigmaringen provoque des tensions avec Lucette Destouches, la femme de Céline, la pianiste ayant été la maîtresse du romancier dans les années 1930). Mais c'est la visite du leader fasciste belge Léon Degrelle qui constitue le sommet culturel de cet automne 1944. Sanglé dans son uniforme SS, il donne une conférence intitulée « La nouvelle Europe et le redressement de la France ». Le tout Sigmaringen s'est déplacé pour l'écouter, y compris Céline, habillé tel un clochard comme à son habitude, une paire de mitaines trouées pendues autour du cou et affublé d'un sac d'où émerge la tête du chat Bébert. Exaspéré par le ton délirant de la conférence, Céline part avant la fin en marmonnant bruyamment sur ce « roi des cons ».

Il était pourtant impossible de se couper tout à fait du monde réel. Le journal *France* décrivait à longueur de pages les horreurs perpétrées dans la France libérée, sous des titres tels que « Anarchie en France » ou « La France ravagée par le froid et la pauvreté ». Plus directement préoccupantes cependant étaient les représailles exercées à l'encontre des collaborateurs, notamment la nouvelle, à la fin de l'automne, de l'ouverture à Paris de procès d'épuration officiels. Le premier est celui du journaliste Georges Suarez, qui est fusillé le 9 novembre. Ceci avait de quoi inquiéter les exilés de Sigmaringen, car les faits reprochés à Suarez étaient incomparablement moins graves que ceux commis par n'importe quel membre du pseudo-gouvernement de Brinon.

Chapitre 3

Paris après la Libération

Si les titres apocalyptiques des articles publiés à Sigmaringen sur l'état lamentable de la France libérée n'ont que peu de rapport avec la réalité, il est vrai que l'euphorie de la Libération a rapidement tourné court. Ceux qui avaient acclamé de Gaulle sur les Champs-Élysées espéraient que la guerre était définitivement derrière eux. Mais les combats sont loin d'être terminés. Dans un premier temps, les forces allemandes reculent à une vitesse étonnante. Fin novembre 1944, les Alliés les ont repoussées jusqu'aux Vosges. Strasbourg est repris le 23 novembre. Mais les combats deviennent de plus en plus éprouvants et l'offensive alliée s'enlise face à la résistance tenace des Allemands en Alsace. Fin décembre, une contre-offensive allemande dans les Ardennes prend les Alliés par surprise. On évoque même brièvement la nécessité d'évacuer Strasbourg de nouveau.

De Gaulle lui-même ne déplore pas la poursuite des combats. Comme il l'écrit dans ses Mémoires :

> Que la guerre dût se poursuivre, c'était assurément douloureux sous le rapport des pertes, des dommages, des dépenses que nous, Français, aurions encore à supporter. Mais à considérer l'intérêt supérieur de la France – lequel est tout autre chose que l'intérêt immédiat des Français – je ne le regrettais pas. Car, les combats se prolongeant, notre concours serait nécessaire[1].

De fait, malgré ses efforts au cours des quatre années précédentes, la France est restée spectatrice de la guerre mondiale. La Résistance a réussi à sauver l'honneur national, mais sans affecter l'issue du conflit. Les Français se sont certes photographiés à l'envi en train de libérer leur capitale, mais, en réalité, ce sont les Allemands qui l'ont évacuée. Ceux qui reviennent à Paris immédiatement après la Libération sont frappés par la beauté irréelle de la ville, comme si rien ne s'était passé. Un journaliste français qui avait travaillé à la BBC à Londres écrit ainsi :

> Nous retrouvions un Paris intact, nous qu'avait si longtemps hantés la crainte de sauvages représailles contre ses monuments... Tout était là, en place, avec une sérénité qui avait traversé l'insurrection et la bataille [...] Les fenêtres du Louvre rougeoyaient toujours sous le soleil d'après-midi[2].

Hervé Alphand, un diplomate qui a travaillé aux côtés de De Gaulle, décrit lui aussi l'entrée dans Paris en des termes lyriques : « Chaque enfant, chaque femme, chaque homme, avec un bon visage détendu, souriant, nous accueille. Paris ! Paris enfin, d'une telle beauté avec une lumière à la Corot[3]. » On aurait dit qu'avec la disparition des plaques de rue en allemand qui profanaient le paysage, le décor d'une pièce de théâtre était enlevé. Maintenant, la vie pouvait reprendre son cours normal, et les quatre dernières années être oubliées.

Pourtant, il y avait une autre façon de lire cette étrange beauté. Aux yeux d'un témoin américain, la ville évoquait moins un paysage de Corot qu'un « masque mortuaire de Canova ». Pour un autre, elle semblait « vide, creuse et morte, comme un cadavre somptueux[4] ».

Ce que veut de Gaulle, c'est ramener le « cadavre » à la vie. Sa priorité est d'intégrer les forces disparates de la Résistance dans une armée régulière, mais son gouvernement provisoire doit également relever le défi gigantesque de nourrir et de loger la population civile dans un contexte de dislocation généralisée. Une grande partie des infrastructures du pays a été détruite ; les réquisitions allemandes ont considérablement réduit le cheptel et la production agricole ; le charbon est rare, et les moyens de transport pour le livrer dans le pays le sont plus encore. Les foyers ne disposent que de quelques heures d'électricité par jour. Le marché noir est devenu monnaie courante sous l'Occupation, et le seul changement après la Libération est qu'il fonctionne moins efficacement. Ces difficultés se trouvent aggravées par un hiver exceptionnellement rigoureux. Bien que libérés, les Français souffrent plus de la faim et du froid fin 1944 que sous l'Occupation.

Si Hervé Alphand avait évoqué Corot en août, son enthousiasme est retombé quatre mois plus tard : « 31 décembre 1944 : Paris est lugubre, froid, comme vide et sans âme. Il me rappelle un peu Vienne à la fin de la dernière guerre, un grand décor sans personnages, ni éclairage[5]. » Maurice Garçon, éminent avocat dont le journal intime donne une image frappante du Paris de cette époque – et en particulier du fonctionnement des tribunaux –, écrit quant à lui :

> On manque de tout. Plus de bois, plus de charbon, plus d'électricité ni de gaz ou presque. Pour la première fois de ma vie, je souffre sérieusement du froid. […] Nous sommes tous réunis dans une seule pièce devant un maigre feu. […] On ne trouve plus rien à manger. Depuis cinq ans que dure la guerre, c'est le plus dur hiver, non pas le plus froid mais celui devant lequel on est le plus désarmé. Après les jours d'euphorie de la libération on a eu tendance à croire que nos peines étaient finies. […]
>
> Le Palais de justice est une glacière […] Les magistrats s'enveloppent dans des couvertures, les avocats portent des cache-nez bigarrés sur leur robe noire, une avocate a posé son manteau de fourrure sur ses épaules[6].

Janet Flanner, observatrice chevronnée de la vie parisienne pour le magazine *The New Yorker*, rapporte : « Il ne reste pas grand-chose, même de certains des plus grands espoirs qui flottaient dans le cœur des Français lorsque le drapeau français flottait au-dessus de leur tête le jour de la Libération. Paris est libre, et on ne peut l'oublier une seule minute car il ne s'est pas passé grand-chose d'autre depuis dont on puisse se souvenir[7]. »

Le gouvernement de De Gaulle n'a pas l'intention de laisser la population oublier que, même si elle a froid et faim, au moins elle est libre. Faute de pouvoir lui donner du pain, il orchestre des jeux, en organisant à Paris d'incessants défilés, marches et processions, ce qui amène l'ambassadeur américain à noter qu'il y a quelque chose d'inconvenant à dépenser autant pour de tels événements alors qu'on peine à nourrir la population[8]. Le 11 novembre 1944, Churchill rejoint de Gaulle pour un impressionnant défilé de plus sur les Champs-Élysées. Le 3 avril 1945 a lieu une cérémonie grandiose pour remettre la croix de la Libération à la Ville de Paris. Outre ces célébrations officielles, d'autres sont initiées par les associations de Résistance pour rebaptiser une rue ou dévoiler une plaque à la mémoire d'un héros résistant. Beaucoup de ces manifestations sont organisées par le Parti communiste. Devenu la force dominante de la Résistance à la fin de la guerre, le parti invoque sans cesse ses « 75 000 martyrs », le nombre (quelque peu exagéré) de résistants communistes qui ont péri, selon lui, pendant l'Occupation.

Pendant ces mois irréels entre la Libération et la victoire, la vie culturelle parisienne reprend. Pour la première fois depuis 1940, on peut voir les tableaux de Pablo Picasso. On peut aussi réentendre Charles Trenet et Édith Piaf qui, bien qu'ayant chanté dans le Paris occupé, n'ont pas eu trop de difficultés à remonter sur scène. Mais l'événement culturel le plus attendu est le retour des films américains après quatre ans d'absence. Les spectateurs ont du retard à rattraper et vont découvrir les nouveaux films de Cary Grant et de Bette Davis. En avril 1945, les Parisiens ont la chance également de voir *Le Dictateur*, la satire antinazie de Charlie Chaplin, sortie en 1940. Mais, alors que des images déchirantes des camps de concentration récemment libérés sont projetées dans les cinémas, le ridicule ne semble plus être une réponse adéquate aux crimes d'Hitler.

L'événement cinématographique de la Libération est la sortie en mars 1945 non pas d'un film américain mais d'une œuvre française, *Les Enfants du paradis*, fruit d'une collaboration entre le réalisateur Marcel Carné et le poète et scénariste Jacques Prévert. Ce duo, qui a tourné plusieurs films légendaires dans les années 1930, a continué à travailler pendant l'Occupation. *Les Enfants du paradis* célèbre le monde du théâtre parisien des années 1830, dans de somptueux décors d'Alexandre Trauner. L'intrigue est centrée sur quatre hommes, tous fascinés par une courtisane à la beauté énigmatique, Garance, interprétée par Arletty, l'actrice française la plus célèbre de l'époque. Trois de ses admirateurs sont inspirés de personnages historiques : Pierre-François Lacenaire, un criminel raffiné qui se voudrait poète, Frédérick Lemaître, un acteur shakespearien, et Baptiste Deburau, un célèbre mime. Le quatrième, l'aristocratique comte Édouard de Montray, est quant à lui un personnage fictif. Garance apprécie la compagnie du cynique Lacenaire, couche avec le loquace et charmant Lemaître, et devient la maîtresse du riche Montray, mais c'est Baptiste, rêveur idéaliste, qu'elle aime en secret. Lorsque Baptiste et Garance se retrouvent six ans après leur première rencontre, il est trop tard : Baptiste est marié et père d'un enfant. Après une unique nuit d'amour, Garance, frappée de scrupules, le quitte pour ne pas détruire sa famille. La dernière scène, poignante, montre la voiture de Garance s'éloigner après son adieu à Baptiste tandis que Paris célèbre le carnaval. Désespéré, Baptiste la poursuit mais elle se perd dans la foule en liesse. Le film s'achève sur une note de mélancolie intimiste et de célébration collective qui traduit bien l'atmosphère de la Libération.

Les « enfants du paradis » qui donnent son titre au film sont le petit peuple de Paris qui se presse tout en haut du théâtre, au « paradis », pour voir Baptiste. Ils sont les héros anonymes du film dont le véritable sujet est la capitale : l'animation de ses rues, l'énergie de ses habitants, la vitalité de sa culture. Il est facile de comprendre pourquoi *Les Enfants du paradis* fut acclamé comme la quintessence de la civilisation française, et l'incarnation de l'esprit de la Libération et du renouveau national. De fait, le film aurait pu sortir à tout moment au cours des quatre années précédentes. Pendant l'Occupation, la scène cinématographique parisienne avait montré un dynamisme étonnant. Pour s'évader de la réalité et éviter la censure, les cinéastes s'étaient réfugiés dans des comédies romantiques, des adaptations de classiques de la littérature (dont sept rien que sur des romans de Balzac) ou des drames historiques. En 1942, Jean-Louis Barrault, qui joue Baptiste dans *Les Enfants du paradis*, avait tenu le premier rôle dans *La Symphonie fantastique*, film romancé sur la vie d'Hector Berlioz, et Arletty de même dans *Les Visiteurs du soir*, drame médiéval également écrit et réalisé par Prévert et Carné. Les spectateurs de ces films étaient libres d'y décrypter des messages de résistance. La vie de Berlioz elle-même apparaissait comme une célébration du romantisme français. Dans *Les Visiteurs du soir*, le diable transforme l'un des héros en une statue dont le cœur continue de battre – comme le cœur du pays sous l'Occupation. Ces œuvres exaltaient une France intemporelle que les Allemands ne pouvaient contaminer.

Les Enfants du paradis aurait aussi bien pu être le dernier film de l'Occupation que le premier de la Libération[9]. Le tournage avait commencé en 1943 avant d'être interrompu par les pénuries et les coupures de courant. En janvier 1944, nouveau problème : un des acteurs principaux, Robert Le Vigan, ne se présenta pas sur le plateau. Collaborateur notoire, il avait décidé de disparaître et de rejoindre Céline à Sigmaringen. Il fallut lui trouver un remplaçant de dernière minute. Ces retards n'inquiétaient cependant pas Carné, qui saisit l'occasion de promouvoir son film comme la première grande production de l'après-Libération. Mais, alors que dans l'Italie libérée le néo-réalisme du cinéma d'après-guerre pointait vers quelque chose de nouveau et marquait une rupture avec le passé, *Les Enfants du paradis* regardait en arrière, illustration parfaite de ces mois transitoires entre la Libération et la victoire, lorsque la nouvelle France, quelle qu'elle fût, n'était pas encore née et que l'ombre de l'ancienne restait omniprésente[10].

Les Enfants du paradis se jouait encore lorsque l'Allemagne finit par capituler le 8 mai 1945. À Paris, les cloches sonnèrent et les haut-parleurs diffusèrent un discours de De Gaulle. Toute la nuit, la foule ne cessa de grossir. Des milliers de personnes se rassemblèrent près de la basilique du Sacré-Cœur, illuminée par les projecteurs, pour assister à un feu d'artifice. Ces célébrations avaient cependant quelque chose de superficiel et de fragile, comme le notèrent deux observateurs très différents. Maurice Garçon écrit dans son journal :

> On rit, on crie, il n'y a pas de vrai enthousiasme. […] On est content, mais pas très content. La guerre est finie mais tout le monde a le sentiment que les embêtements vont continuer. […] La vraie fête est celle où l'on participe comme acteur et, en réalité, cette foule n'est faite que de spectateurs. Il manque quelque chose[11].

Simone de Beauvoir décrit un malaise similaire :

> Cette victoire avait été gagnée très loin de nous ; nous ne l'avions pas attendue, comme la libération, dans la fièvre et l'angoisse ; elle était prévue depuis longtemps et n'ouvrait pas de nouveaux espoirs : elle mettait seulement un point final à la guerre ; d'une certaine manière, cette fin ressemblait à une mort ; quand un homme meurt, pour lui le temps s'est arrêté, sa vie caille en un seul bloc. […] La guerre était finie : elle nous restait sur les bras comme un grand cadavre encombrant, et il n'y avait nulle place au monde où l'enterrer[12].

Comme pour reconnaître de façon subliminale la vérité, à savoir que le rôle de la France dans la défaite de l'Allemagne avait été minime, peu de journaux utilisèrent le mot « victoire » dans leur gros titre, proclamant plutôt « L'Allemagne a capitulé » ou « La guerre est finie ». Le quotidien communiste *L'Humanité* fit exception : il affiche en grandes lettres capitales le titre le plus long de tous (et peut-être de tous les temps), où la célébration de la victoire s'accompagnait d'un appel à la vengeance[13] :

VICTOIRE ! a clamé toute la journée d'hier le peuple de Paris en célé-
brant le triomphe militaire des nations unies sur l'hitlérisme.
Dans les cortèges innombrables, dans les meetings improvisés, partout
s'affirmait LA VOLONTÉ D'ÉCRASER LES RÉSIDUS DU FASCISME.
D'un bout à l'autre du pays un cri unanime : Bazaine-Pétain au poteau !
VIVE LA FRANCE ! VIVE LA RÉPUBLIQUE !

L'épuration

Le soir de la première des *Enfants du paradis* en mars 1945, la
vedette du film, Arletty, brille par son absence : elle a été arrêtée en
septembre 1944 pour avoir entretenu une liaison très publique avec
un officier de la Luftwaffe, Hans-Jürgen Soehring. Il est impossible
de savoir si, comme le veut la légende, elle a vraiment lancé à
ses accusateurs : « Mon cœur est français, mais mon cul est international » ou « Si vous ne vouliez pas que l'on couche avec les
Allemands, fallait pas les laisser entrer ». Ces saillies reflètent bien
sa personnalité truculente, tant dans sa vie qu'à la scène. Aucune
charge ne fut finalement retenue contre elle (et elle ne fut pas
tondue, contrairement à d'autres infortunées accusées d'avoir eu des
relations inappropriées avec les Allemands), mais sa mésaventure
fut un des épisodes de la vague de purges post-Libération connue
sous le terme d'épuration.

Le mot « épuration » évoque non seulement le châtiment et la
vengeance, mais aussi la purification et le nettoyage. Les purges
étaient destinées non seulement à punir les coupables, mais aussi
à engendrer une nation moralement renouvelée[14]. Imaginée comme
un moment de catharsis nationale, l'épuration devint rapidement
une source supplémentaire de mécontentement populaire. Le gouvernement fut accusé de traîner les pieds ; le choix des victimes
sembla trop arbitraire. Ce fut une cause majeure de friction entre
de Gaulle et la Résistance. Si la priorité absolue du premier était de
permettre aux armées françaises de redorer le blason de la nation
en entrant dans la guerre avant qu'il ne soit trop tard, de nombreux
chefs résistants estimaient que la rédemption était impossible sans
châtiment. Pendant l'Occupation, les publications de la Résistance
avaient dressé des listes noires de personnalités à punir après la
Libération. Sans surprise, les appels les plus violents à l'épuration
émanaient du Parti communiste.

De Gaulle aussi était favorable au châtiment des traîtres, mais à condition qu'il soit conduit par l'État, de manière ordonnée. Il voulait éviter un bain de sang anarchique. Dans le même temps, il savait, par pragmatisme, que la France de l'après-guerre aurait besoin des services d'individus qui se seraient peut-être compromis sous l'Occupation. Dans un discours prononcé après la Libération, il proclame que la France n'a été trahie que par une « poignée » de traîtres qu'il faut punir. D'autres entendaient élargir le filet. Le principal écueil, cependant, était que l'épuration prenne l'allure d'une justice des vainqueurs ou copie les pratiques douteuses du régime de Vichy, lequel avait souvent eu recours à une justice rétroactive et avait créé ses propres tribunaux spéciaux pour rendre des jugements plus expéditifs que les tribunaux existants.

Il revient donc à un comité de juristes ayant participé à la Résistance d'élaborer des procédures juridiquement solides. Pour résoudre le problème de la rétroactivité, ils définissent la collaboration comme un acte de trahison, déjà couvert par l'article 75 du Code pénal qui criminalise l'« intelligence avec l'ennemi »[15]. Le problème est que cela est difficilement applicable à des cas d'inconduite mineure ne constituant pas une trahison. Pour surmonter cet obstacle, on crée une nouvelle charge, l'« indignité nationale », dont la sanction, la « dégradation nationale », comprend la perte de certains droits civiques, tels le droit de vote ou la possibilité de devenir fonctionnaire[16]. On considère que le principe de non-rétroactivité n'est pas violé, puisque l'indignité nationale ne constitue pas une sanction au sens pénal. Plus problématique d'un point de vue juridique est d'exiger que les jurés siégeant dans les tribunaux chargés de l'épuration soient des individus qui n'ont « cessé de faire preuve de sentiments nationaux ». Ceci signifie, en fait, qu'ils doivent apporter la preuve d'une participation à la Résistance. Cette exigence constitue une violation manifeste du principe d'impartialité et elle fut critiquée à ce titre, y compris par certains juristes anciens résistants[17].

Que faire des personnalités les plus importantes du gouvernement de Vichy, à commencer par Pétain ? Depuis la Révolution, toutes les Constitutions avaient inclus une disposition pour juger les hommes politiques accusés de trahison. Sous la Troisième République, instaurée en 1875, ce rôle était confié au Sénat, la chambre haute du Parlement siégeant en session extraordinaire en tant que Haute Cour. Mais cette procédure est inenvisageable en 1945 : l'on n'a même pas encore déterminé si la France conservera la même Constitution, et la plupart des membres du Sénat élus sous cette Constitution ont voté les pleins pouvoirs à Pétain en 1940. Il est donc décidé de créer une nouvelle Haute Cour de justice pour juger les dirigeants de Vichy.

Le problème suivant consiste à trouver des juges à la réputation sans tache pour présider tous ces tribunaux, sachant combien l'appareil judiciaire dans son ensemble a été compromis par l'Occupation[18]. Vichy, régime autoritaire, a beau avoir répudié les pratiques de la Troisième République, il a été servi loyalement par les fonctionnaires et les officiels de cette République, et par ses magistrats, qui en ont été des rouages essentiels. En témoigne l'obligation formelle sans précédent qui leur a été imposée de prêter publiquement un serment de fidélité à Pétain : « Je jure fidélité à la personne du chef de l'État », durent proclamer tous les juges et procureurs au cours d'une cérémonie solennelle le 1er septembre 1941, en présence du ministre de la Justice. L'opinion de Maurice Garçon sur cette question était sans doute partagée par nombre de ses collègues avocats :

> Qu'y a-t-il de plus servile et de plus lâche qu'un magistrat ? L'indépendance de la magistrature, cette fameuse indépendance dont on parle tant est une chimère, et une chimère dangereuse parce qu'on l'entretient et que tout le monde y croit. La vérité est bien plus triste. Les magistrats, pour la plus grande majorité, sont des hommes ambitieux qui estiment que leur carrière est fonction de leur obéissance aveugle au pouvoir quel qu'il soit[19].

Garçon reconnaissait que même les avocats qui, comme lui, défendaient les victimes du régime étaient aspirés dans un processus judiciaire bafouant de nombreux principes jusqu'alors considérés comme sacro-saints. En 1943, il avait pris la défense de cinq jeunes gens de Poitiers accusés de « terrorisme », ainsi que Vichy qualifiait les actes de résistance :

> Je suis désolé d'avoir accepté de plaider dans ce procès. En paraissant à la barre je me fais complice d'une honteuse comédie. [...] Ceux qui ont voulu cela se refugieront derrière la parodie de ma présence pour clamer qu'on a respecté les droits de la défense. Contre mon gré, je deviens complice d'une machination[20].

Malgré ses scrupules, Garçon leur épargna, par son éloquence, la peine de mort[21].

Ces dilemmes moraux étaient encore plus aigus pour les magistrats que pour un avocat comme Maurice Garçon. Un seul d'entre eux, Paul Didier, refusa de prêter serment. À l'appel de son nom lors de la cérémonie, il cria, à la stupeur générale : « Je refuse de prêter serment. » Il fut rapidement limogé et interné avant d'être placé en résidence surveillée. Ce n'était pas la première fois dans sa carrière que Didier faisait preuve d'une telle indépendance d'esprit. Bien qu'il ait été réintégré peu après la Libération, son exemple ne fut pas célébré après la guerre, même par les membres de la magistrature qui s'étaient opposés à Vichy. Ayant défié la culture de l'obéissance enracinée dans le corps de la magistrature, il fut considéré comme un gêneur plus que comme un héros par ses homologues, qui pensaient qu'ils étaient là pour appliquer les lois et non pour les juger[22].

Seuls deux magistrats se virent décerner par de Gaulle la distinction très convoitée de Compagnon de la Libération, qui récompensait ceux qui avaient joué un rôle important dans la libération de la France. Le premier, René Parodi, avait été exécuté par les Allemands ; le second, Maurice Rolland, connut la Libération. Tous deux avaient prêté serment en considérant qu'un compromis avec le régime pourrait leur permettre de faire davantage pour aider ses victimes qu'une attitude publique de défi. Ils ne s'étaient pas sentis moralement liés par ce serment. C'était également la position officielle de la France Libre de De Gaulle à Londres[23].

Restait à trouver la façon de traiter le cas des magistrats qui avaient fait preuve de trop de zèle dans l'exécution des ordres de Vichy. La question fut confiée à un autre comité de juristes résistants, qui opta pour une épuration limitée. « Il ne s'agit pas de bouleverser immédiatement et profondément tout le personnel judiciaire, ce serait risquer d'aboutir au chaos », affirmèrent-ils. « Il s'agit uniquement […] de mettre à l'écart ceux qui pendant l'Occupation se sont rendus indignes de leur fonction[24]. » Comme s'interrogea un journaliste lors du procès de Pétain : « Irons-nous chercher des juges dans la Lune[25] ? » Il était urgent de rétablir la crédibilité de la magistrature. En effet, jusqu'à ce que les nouveaux tribunaux se mettent au travail, la France fut soumise à une forme de vigilantisme. Les groupes de résistance locaux pratiquaient leur propre justice sommaire, en s'abritant parfois derrière la sanction de tribunaux *ad hoc*, ou hors de toute procédure. Lors des premiers jours de la Libération, le gouvernement fermant les yeux, quelque neuf mille personnes perdirent la vie dans cette épuration sauvage.

Pour écarter les magistrats qui s'étaient gravement compromis, une commission spéciale d'épuration fut mise en place à la Libération (la CCEM, Commission centrale de l'épuration de la magistrature). En avril 1945, après une soixantaine de séances, elle avait terminé sa mission : établir si les magistrats avaient fait preuve d'un excès de zèle ou s'ils avaient au contraire utilisé la marge de manœuvre dont ils disposaient. La question était délicate. Sous l'Occupation, faire preuve de clémence ne servait pas nécessairement la cause des prévenus car, si les Allemands étaient mécontents d'un verdict, ils pouvaient tout simplement se saisir eux-mêmes des accusés. La CCEM dut donc faire le tri entre les justifications valables et les fausses excuses. La palme de la casuistique revint à un magistrat qui fit valoir qu'ayant prêté serment en 1941 au « chef de l'État », il avait en réalité fait allégeance au président de la Troisième République, le régime de Vichy n'ayant aucune légitimité[26] !

À l'exception des préfets, dont aucun ne resta en poste, aucun corps de fonctionnaires ne souffrit plus lourdement de l'épuration que la magistrature. Sur les 3 000 magistrats français, 277 furent sanctionnés et 186 démis de leurs fonctions. Seuls 15 des 50 hauts magistrats (procureurs généraux et premiers présidents) restèrent en place[27]. Il n'y eut pas d'opération généralisée de blanchiment, mais la réputation de la magistrature resta gravement compromise, ce que les avocats de la défense exploitèrent dans les procès d'après-guerre. Lors du procès de l'écrivain collaborationniste Robert Brasillach, son avocat retourna l'accusation contre les juges en déclarant :

> Votre institution – le Ministère public – sonne aujourd'hui les fanfares de la Résistance. C'est bien. Mais vous avez été pendant quatre ans le Parquet de la Collaboration. Vous êtes, que vous le vouliez ou non, solidaire de ce Ministère public un et indivisible qui, pendant quatre ans, a poursuivi et fait condamner les juifs, qui a poursuivi et fait condamner les communistes […] Et quand je songe que, bien souvent, les Allemands choisissaient leurs otages parmi ceux que votre Ministère avait fait condamner, je ne vous reconnais plus le droit d'invoquer les victimes ni de prendre leur défense […] J'ai le droit de me tourner vers

eux et de leur demander : de quoi avez-vous le plus souffert : Des écrits
d'un journaliste ou des actes accusateurs aujourd'hui si implacables[28] ?

L'avocat qui prononça ces mots était Jacques Isorni, qui figurerait
quatre mois plus tard parmi les avocats de Pétain.

Les tribunaux recommencent à fonctionner avant même que
l'épuration judiciaire ne soit achevée. Les premiers procès visent
des journalistes, dont l'engagement dans la collaboration est facile
à prouver car il a été public. Les seules preuves requises sont
des coupures de presse. Le premier procès à Paris est celui du
journaliste Georges Suarez, condamné à mort le 23 octobre 1944
et exécuté le 9 novembre – la fameuse affaire qui fait frissonner
de peur les exilés de Sigmaringen. Le 25 octobre vient le tour de
Lucien Felgines, un journaliste de Radio Paris, station dirigée par
les nazis, condamné à vingt ans de prison. Le 30 octobre, Stéphane
Lauzanne, journaliste lui aussi, écope de la même peine. Le lendemain, le comte de Puységur est condamné pour avoir distribué
des tracts pro-allemands.

Âgé de soixante-dix ans, à demi sénile, « antisémite, antimaçon-
nique, antibourgeois, anticapitaliste, anticommuniste, antidémo-
cratique et antirépublicain », comme le proclamaient ses cartes de
visite, Puységur avait déclaré au tribunal que des voyants l'avaient
assuré de la victoire de l'Allemagne. C'était un personnage de
peu d'importance, mais il fut condamné à la peine capitale. Autre
exemple repris par la presse : était-il juste qu'une dactylo travaillant pour Radio Paris soit condamnée à la prison à vie alors
que, quelques semaines auparavant, un dirigeant d'un parti ultra-
collaborationniste, Georges Albertini, n'avait écopé que de cinq
ans d'emprisonnement ? Certains observateurs étaient troublés
par l'atmosphère partisane des procès. Maurice Garçon, qui avait
déploré le fonctionnement des tribunaux sous l'Occupation, éprouva
un dégoût similaire lors du procès de Suarez :

> La salle est comble. [...] On a peine à entrer. Je me faufile. Le public
> est houleux, il vient assister à la curée. Pendant une suspension, les
> photographes se précipitent et font éclater des éclairs de magnésium.
> L'accusé semble livré aux bêtes. Il est seul, abandonné. On sent qu'il
> est perdu. Quelle que soit son ignominie, il me fait pitié [...]
>   Suarez écoute la lecture de ses articles avec évidemment des regrets.
> Ils sont abominables. Il répond bêtement. On sent qu'il est démonté
> par l'atmosphère implacable qui l'entoure. [...] On s'ameute. Suarez

jette un regard apeuré vers la salle [...] Je le condamnerais mais pas comme cela. Rien ne donne moins le sentiment de la justice que cette audience révolutionnaire[29].

Il ne faisait pas de doute pour Garçon que Suarez avait mérité son sort, mais d'autres commentateurs s'inquiétaient de la mise en cause de personnalités qui n'avaient péché qu'en paroles.

Parmi ces commentateurs le plus célèbre est François Mauriac, romancier illustre et brillant journaliste. Mauriac avait participé activement à la Résistance. Il fut l'un des fondateurs du Comité national des écrivains, une organisation de résistance qui avait dressé une liste noire des écrivains engagés dans la collaboration. Mais, lorsque certains de ces écrivains commencent à comparaître devant les tribunaux, Mauriac se met à avoir des scrupules à les condamner à mort. Il prend la défense du journaliste Henri Béraud, condamné à mort en décembre 1944, peine commuée par de Gaulle en emprisonnement à vie. *Le Canard enchaîné* le surnomme malicieusement « Saint François des Assises ». Ses articles dans *Le Figaro* sont attaqués dans *Combat*, le journal de la Résistance, par Albert Camus, l'étoile montante de la scène intellectuelle : « Chaque fois qu'à propos de l'épuration, j'ai parlé de justice, M. Mauriac a parlé de charité », écrit-il, dans une simplification de la position de Mauriac[30].

Lorsque Robert Brasillach est condamné à mort en janvier 1945, Mauriac lance une pétition d'écrivains pour demander la clémence, alors que Brasillach l'a souvent attaqué violemment. Cette pétition est signée par cinquante-neuf auteurs, dont Paul Valéry et Jean Cocteau ; Jean-Paul Sartre et Simone de Beauvoir refusent d'y participer. Camus soutient cette demande de clémence en raison de son opposition de principe à la peine de mort. Cette fois-ci, de Gaulle ne commue pas la peine. Brasillach est fusillé le 6 février 1945[31].

Les critiques de l'épuration se concentrent sur le fait que le processus n'a jusqu'alors concerné aucune des principales figures du régime de Vichy. En effet, il a fallu plusieurs mois rien que pour établir la composition de la Haute Cour qui doit les juger. Ce n'est que le 18 novembre 1944, sous la pression des critiques de la presse, que le gouvernement détermine le fonctionnement et la composition de ce tribunal. Début décembre, le procureur général, André Mornet, donne les noms de 70 personnes qui seront jugées (elles seront finalement 108), mais toujours sans calendrier. Le problème est que très peu des accusés potentiels sont présents. Certains se sont réfugiés en Espagne, d'autres se cachent en France. Pétain est en Allemagne. Ces procès ne peuvent donc avoir lieu que par contumace, ce qui n'a pas le même retentissement car, en l'absence de l'accusé, il n'y a ni plaidoiries d'avocats, ni témoins à entendre.

La question est débattue à la fin de l'année par l'Assemblée consultative, une institution composée de résistants et d'anciens parlementaires créée par de Gaulle pour faire office de Parlement jusqu'à ce que des élections puissent être organisées. Les sentiments de frustration suscités par l'épuration se focalisent sur la personne de Pétain. Un orateur reproche au gouvernement de traîner les pieds :

> Pour de nombreux ralliés, il aurait suffi de remplacer le portrait du maréchal Pétain par celui du général de Gaulle et votre gouvernement n'aurait été que l'héritier naturel de celui de Vichy. Cette thèse, nous ne pouvons l'admettre, nous la condamnons. Mais il faut que l'hypothèque soit levée, et définitivement résolue ; à cet effet, un seul moyen : instruire sans tarder le procès du traître Pétain [*vifs applaudissements*]. Comment voulez-vous que nous répondions à ces grands fonctionnaires, à ces officiers généraux qui nous disent : « Nous n'avons fait qu'obéir aux ordres du maréchal Pétain. » Nous leur répondons en leur disant : « Il ne s'agit pas du maréchal Pétain, il s'agit d'un traître. » Mais ce traître est encore dignitaire de la Légion d'honneur, il est encore membre de l'Académie française. Tant que ces équivoques ne seront pas dissipées, l'hypothèque pèsera sur notre régime.
>
> On nous objectera peut-être que nous n'avons pas Pétain, qu'il est en Allemagne, mais qu'importe ! Ce qui nous importe, ce n'est pas la carcasse de ce vieillard, c'est ce qu'il fut, ce qu'il représente. Ce que nous voulons, c'est qu'il prenne définitivement place dans la galerie noire de l'histoire de France[32].

En l'absence de Pétain, la Haute Cour se penche sur le cas de l'amiral Jean-Pierre Esteva, résident général de France en Tunisie. Lorsque les Alliés avaient lancé une attaque sur le Maroc et l'Algérie en novembre 1942, Esteva avait autorisé le débarquement de troupes allemandes en Tunisie, une décision qui prolongea de plusieurs mois la guerre en Afrique du Nord. Après quatre jours de procès, du 12 au 15 mars 1945, Esteva est condamné à la prison à vie. S'il a échappé à la peine de mort, c'est en partie parce qu'il avait libéré plusieurs résistants avant l'arrivée des Allemands, ce qui a plaidé en sa faveur. De plus, personne ne le soupçonnait d'une quelconque sympathie pour les puissances de l'Axe. D'une intelligence limitée, Esteva était motivé par une dévotion quasi religieuse à Pétain. C'est un argument pertinent de sa défense : comment juger le subordonné, Esteva, avant d'avoir jugé le chef, Pétain ? Ainsi que le déclare son avocat, Maître Chresteil, à la cour : « Si la trahison d'Esteva dépend de la trahison de Pétain, si elle n'est qu'un corollaire de celle-ci, il est vraiment impossible qu'on affirme le crime d'Esteva avant d'avoir proclamé celui de Pétain[33]. »

Le procès d'Esteva est suivi de celui du général Henri Dentz, commandant des forces militaires de Vichy en Syrie, qui avait donné l'ordre à ses soldats de tirer sur les troupes britanniques et gaullistes en juin 1941 lorsqu'elles tentaient de reprendre la Syrie à Vichy. Après un procès de trois jours, il est condamné à mort, peine commuée en prison à vie par de Gaulle. Les avocats de Dentz ont utilisé les mêmes arguments que ceux d'Esteva. André Mornet, le procureur dans les deux cas, n'est que trop conscient de la force de ces arguments. Sur la défensive, écrivant à son supérieur, le ministre de la Justice, il fait valoir que sa décision d'ouvrir les travaux de la Haute Cour par ces deux affaires est juridiquement défendable « en ce sens que s'y manifestent, sur le terrain militaire, les effets nocifs de la collaboration suivie par le Maréchal, en même temps qu'on y relève les traces d'une intervention de sa part[34] ».

Enfin, le 23 avril, immédiatement après la condamnation de Dentz, Mornet annonce que le procès de « Pétain, Henri, Philippe, Benoni, Omer » est prêt à commencer. Il s'ouvrira par contumace le 17 mai. Deux jours plus tard, ce plan est bouleversé par une nouvelle stupéfiante : l'accusé s'est présenté à la frontière franco-suisse afin de pouvoir répondre en personne au peuple français.

Chapitre 4

Le retour de Pétain

À la fin de l'année 1944, alors que les nouvelles en provenance de France deviennent de plus en plus alarmantes, les exilés de Sigmaringen connaissent de courts moments d'euphorie à l'écoute des rumeurs affirmant que les Allemands s'apprêteraient à lancer leurs armes secrètes tant vantées. À l'automne, les attaques de fusées V2 sur Londres ont ravivé leurs espoirs. Puis arrive la nouvelle, le 19 décembre, de la contre-offensive allemande dans les Ardennes. S'agirait-il du retournement de situation tant attendu ?

Certains s'imaginent prendre une revanche sanglante sur les « terroristes » gaullistes et communistes. D'autres rêvent d'être accueillis en libérateurs par des foules françaises en liesse, déçues par de Gaulle, tandis que d'autres encore nourrissent le fantasme d'une alliance avec un de Gaulle revenu de ses illusions et prêt à se retourner contre les communistes. Le message de Noël diffusé par Brinon est optimiste : « Nous disons que la cause de l'Allemagne est une cause sacrée. Nous croyons en sa victoire [...] Aux Français qui souffrent sous de Gaulle, nous crions : "Comprenez et agissez." Le pouvoir qui vous est imposé est usurpé[1]. »

En réalité, l'étoile de Brinon est en train de pâlir auprès des Allemands. Abetz et Renthe-Fink sont rappelés à Berlin, et Jacques Doriot, qui s'est établi à quelques kilomètres de Sigmaringen dans un château près du lac de Constance, est encouragé par Joseph Goebbels, le ministre de la Propagande, à créer sa propre station de radio et son propre journal, *Le Petit Parisien*. Grâce au financement des nazis, la publication est moins artisanale que celle de Jean Luchaire à Sigmaringen. *Le Petit Parisien* comporte des pages sportives et rend compte de manifestations culturelles parisiennes (*Samson et Dalila* de Camille Saint-Saëns à l'Opéra, *Le*

Soulier de satin de Paul Claudel à la Comédie-Française), comme
pour préparer ses lecteurs aux délices qui les attendent une fois
que la France sera débarrassée de De Gaulle – mais ce qui sape,
au passage, la crédibilité des affirmations selon lesquelles le pays
serait en plein chaos. Le 6 janvier 1945, Doriot forme son propre
« Comité de libération française ». Si la Commission de Brinon était
une parodie tragi-comique de Vichy, Doriot a maintenant installé
sa propre parodie du Comité de libération de la France Libre de
De Gaulle. Coexistent désormais sur le sol allemand, à quelques
kilomètres de distance, deux journaux rivaux, deux radios rivales,
deux organisations rivales qui se proclament véritables représen-
tantes de la « France ». Brinon et Déat estiment alors qu'il vaut
mieux rallier Doriot à leur cause plutôt que de s'opposer à lui. La
réconciliation doit être scellée lors d'une rencontre entre Déat et
ce dernier le 22 février, mais Doriot n'y arrivera pas. Sa voiture
est mitraillée par des avions alliés, lors d'une attaque plus probablement fortuite que délibérément ciblée. Sigmaringen, secrètement
ravi, prend le deuil.

   Alors que les bombardements alliés s'intensifient, réduisant une
grande partie de l'Allemagne à l'état de ruines, le seul signe visible
de la guerre dans cette région rurale reculée est le survol des avions
alliés en route pour larguer leurs bombes sur Munich et Nuremberg. Le journal *France* continue à offrir à ses lecteurs, de moins
en moins nombreux, sa réalité parallèle. Le 23 février, ils peuvent
ainsi lire : « La "Libération" a fait de la France un champ de ruines
et de mort. » Le même numéro annonce une conférence de Déat,
intitulée avec optimisme « Programme pour un national-socialisme
français ». Le 2 mars, le journal réconforte ses lecteurs : « Malgré
la pression ennemie, la Wehrmacht maintient la continuité de ses
fronts. Le Docteur Goebbels affirme la volonté de combat du peuple
allemand. » Une semaine plus tard, il proclame : « Les atrocités
bolcheviques. Les membres de l'Armée rouge ont reçu l'ordre de
piller et de tuer, dit le général Guderian[2]. »

   À la fin du mois de mars, ce quotidien devient un hebdomadaire,
auquel il ne reste que très peu de semaines de parution. Malgré
ses unes grandiloquentes, personne ne se fait plus d'illusion. Les
exilés préparent leur fuite. Céline est parmi les premiers à partir,
fin mars. Lucette et lui parviennent à entrer au Danemark où ils
sont internés. Luchaire passe le col du Brenner pour rejoindre
l'Italie mais il est arrêté par les Américains à son arrivée. Déat,

plus chanceux, emprunte le même chemin et se réfugie dans un monastère italien où il mourra en 1955, converti au catholicisme. Brinon, que la Suisse neutre a refusé de laisser entrer, est finalement arrêté par les Américains.

Seul Pétain est désireux de revenir en France. Dès qu'il apprend la création de la Haute Cour de justice à la fin de l'année 1944, il n'a plus qu'une obsession : défendre sa réputation devant les juges. Le 5 avril, il demande à Hitler l'autorisation de rentrer :

> Comme chef du gouvernement, en juin 1940, à Bordeaux, j'ai refusé de quitter la France.
>
> Comme chef de l'État, lorsque les heures graves ont de nouveau sonné pour mon pays, j'avais décidé de rester à mon poste à Vichy.
>
> Le gouvernement du Reich m'a contraint de le quitter le 20 août 1944 [...]
>
> C'est en France seulement que je peux répondre de mes actes et je suis seul juge des risques que cette attitude peut comporter [...] À mon âge, on ne craint plus qu'une chose : c'est de n'avoir pas fait tout son devoir, et je veux faire le mien[3].

Il ne reçoit pas de réponse.

Le 19 avril, les forces alliées se trouvent à environ quarante kilomètres de Sigmaringen. Le lendemain, Otto Reinebeck et Tangstein, les fonctionnaires allemands qui ont remplacé Abetz et Renthe-Fink, informent Pétain qu'il doit être emmené plus loin pour ne pas tomber aux mains des Alliés. Pour Pétain, finir la guerre sous la protection de l'Allemagne était la pire des issues possibles. Il rédige donc une nouvelle missive de protestation adressée à Hitler, demandant de nouveau à être autorisé à rentrer en France. Sachant que l'effondrement de l'Allemagne est imminent, Tangstein est prêt à désobéir aux ordres. Il informe Pétain qu'il va le conduire en direction de la frontière suisse. Pétain a toujours entretenu de bonnes relations avec l'ambassadeur suisse à Vichy, Walter Stucki, et la perspective de passer dans la Confédération helvétique est à ses yeux une option acceptable.

Le 21 avril, à 4 heures du matin, Reinebeck et Tangstein viennent chercher Pétain pour l'emmener. Quelques heures plus tard, des soldats de la Première Armée française atteignent les portes du château. Leur commandant est accueilli par six Allemands en civil. Il s'adresse à celui qui semble être le chef :

    – Vous êtes le propriétaire du château ?

    – Non Monsieur. Je suis, précise-t-il, avec un rude accent tudesque, le valet de chambre du maréchal Pétain.

    – Où est le maréchal Pétain ?

    – Je ne sais pas.

Il n'y a plus de Français au château. Les libérateurs tombent sur une liste de numéros de téléphone internes dont celui de « Frau Pétain » et du « Präsident Laval ». Ils montent dans la chambre de Pétain. L'officier français rapportera à ses supérieurs : « Le lit était défait, les tiroirs ouverts, des cartons sont épars sur les sièges. Sur la commode, une bouteille d'eau minérale, à moitié vide, porte l'étiquette de Vichy… Je n'invente rien[4]. »

L'épouse de Pétain rédigera plus tard un récit détaillé des trois jours suivants, qui donne une image saisissante du périple du couple dans les décombres du nazisme. Son but sera de démontrer le patriotisme de son mari, mais d'autres témoignages confirment son exactitude. Pétain et son entourage, explique-t-elle, se mettent en route vers la ville de Wangen, à environ cent vingt kilomètres au sud-est de Sigmaringen :

> À Wangen, aucun ordre n'avait été donné, personne n'avait été prévenu. Il fait un froid intense. On nous fait entrer dans la mairie, chez les téléphonistes. Arrive le maire, affolé, il respecte le Maréchal, et paraît désolé de cet accueil. Toute la population s'est massée sur la place et nous regarde comme des bêtes curieuses.

Ils sont finalement hébergés au château voisin de Zeil, la résidence du prince de Waldburg. Le souci est que le château se trouve au nord de Wangen alors que la Suisse est au sud. Le lendemain à minuit, Tangstein informe Pétain que les Alliés se rapprochent et qu'il faut de nouveau bouger :

> Von T. : M. le Maréchal, la situation militaire exige que vous partiez d'ici. Je viens vous le demander.
> P. : Non. Je refuse de partir […]
> Von T. : M. le Maréchal, je dois obéir. Je vous supplie.
> [La discussion s'envenime, le maréchal hausse le ton.]

Les cris des participants à ce psychodrame résonnent jusque dans le couloir. Pétain annonce finalement qu'il va se coucher.

À six heures moins un quart, arrivée de von Tangstein dans notre chambre [...]

Le Maréchal pelotonné dans son lit : « Laissez-moi tranquille, je suis fatigué, je n'en peux plus ; à mon âge on ne supporte pas de fatigues pareilles. Je refuse de me lever. Et puis vous n'avez même pas l'accord de la Suisse pour mon entrée en transit. »

Tard le lendemain, les chaperons allemands de Pétain obtiennent l'accord des Suisses pour que le Maréchal puisse entrer dans le pays. Le groupe repart donc pour la ville de Bregenz :

Le départ est décidé pour 22 heures, car, dans le jour, les avions alliés bombardent les routes. À 22 h 30, nous quittons Zeil pour Bregenz, il y a quatre-vingts kilomètres à faire. Nous n'arrivons à Bregenz qu'à 3 heures du matin, routes encombrées de fuyards, de convois en désordre où trois ou quatre camions tirés par un tracteur sont mêlés à des chevaux, à des piétons, à des bicyclettes. À Bregenz, un froid glacial. On nous donne une chambre dans un petit hôtel. Le Maréchal se couche.

Le lendemain matin, ils passent en Suisse. Selon les mots d'Annie Pétain :

À 10 heures, la barrière se lève [...] Nous passons. Nous sommes en Suisse. Des visages aimables s'approchent [...] L'un dit : « Bon anniversaire, Monsieur le Maréchal. » Le Maréchal répond : « Le plus beau cadeau qu'on pouvait me faire pour cet anniversaire, le voilà : mon arrivée en Suisse. » En effet, nous sommes le 24 avril, jour anniversaire du Maréchal qui entre ainsi dans sa 90e année[5].

Pétain et sa suite sont logés dans un hôtel du village de Weesen en attendant la réponse du gouvernement français à la demande du Maréchal d'être autorisé à retourner dans sa patrie. Les autorités suisses sont soulagées de savoir que leur hôte embarrassant ne souhaite pas rester[6]. Ayant reçu la réponse attendue, le groupe reprend la route et arrive à Vallorbe, à la frontière française, en fin d'après-midi le 26 avril. Pendant qu'il prend son dernier repas d'homme libre au Buffet de la gare, un policier suisse est envoyé de l'autre côté de la frontière pour régler avec les autorités françaises les détails de son passage.

Le Maréchal arrive au poste frontière à 19 h 15. Sa voiture est la première à passer, devant une garde d'honneur suisse qui la salue. Une fois du côté français, Pétain descend de sa voiture et salue les gardes républicains alignés le long de la route. Obéissant vraisemblablement aux ordres, ils l'ignorent.

C'est le général Koenig que de Gaulle a envoyé à la rencontre de Pétain au nom du gouvernement français. Simple capitaine en 1940, Koenig est un héros de la France Libre qui a commandé les forces françaises durant la bataille de Bir Hakeim contre Rommel dans le désert libyen en juin 1942.

3. *L'Humanité*, 18 avril 1945 : « Quelque part en Allemagne : Ne pensez-vous pas, Adolf, que le moment est venu de faire le don de nos personnes ? » Une référence ironique à la célèbre phrase prononcée par Pétain en 1940, par laquelle il faisait le « don de [sa] personne » au peuple français.

Lorsque Pétain descend de sa voiture, Koenig salue. Pétain lui tend la main mais le général reste au garde-à-vous, les mains le long du corps. Koenig n'avait pas anticipé sa réaction mais il juge inapproprié de serrer la main de l'homme qu'il va arrêter. Momentanément décontenancé, Pétain est obligé de retirer sa main. Lorsqu'un policier français lui demande de décliner son nom et son titre, il répond : « Je crois que je suis encore maréchal de France. » Pour Koenig, cette rencontre a été déchirante. Des années plus tard, il écrira à un ami : « Le devoir le plus pénible qu'il m'ait jamais été donné d'accomplir aura été, sans contredit, de me rendre à la frontière franco-suisse pour accueillir ce vieillard accablé, venu se remettre aux mains de la justice française[7]. »

Pétain retourne à sa voiture dont le chauffeur a été remplacé par un policier français. Il est conduit sur le court trajet jusqu'à la gare où un train spécial l'attend pour l'emmener à Paris.

L'arme secrète d'Hitler ?

La nouvelle du retour de Pétain provoque la consternation en France. Le lendemain, un fonctionnaire du gouvernement à Bordeaux fait un rapport à ses supérieurs à Paris :

> L'annonce du retour en France du maréchal Pétain [...] provoque une stupeur et une sensation telles que cet événement éclipse dans l'attention de l'opinion tous les grands événements internationaux. Le geste du Maréchal est très commenté dans les milieux restés favorables à l'ex-chef de l'État et qui ne l'avouent d'ailleurs qu'avec réticence. On estime que l'acte de se rendre aux autorités françaises est une décision de sagesse et qui plaide en sa faveur. Tous les arguments inspirés par l'indulgence sont mis en avant. On parle de sa sénilité, de l'influence de son entourage, de son désir d'éviter des souffrances aux Français pendant l'Occupation.
>
> Par contre, dans les milieux de la Résistance on s'interroge avec une certaine inquiétude. Il est question du « théâtre » bien monté, et l'on n'est pas loin, par une anticipation osée, de voir dans l'affaire de Pétain l'amorce d'une opération devant permettre à une foule de collaborationnistes de se donner les gants *a posteriori* d'avoir été des résistants à leur manière en jouant la comédie aux Allemands à la mode de Vichy.
>
> D'une façon générale on est d'accord pour penser que le procès Pétain sera par ses répercussions politiques la plus grande affaire judiciaire du siècle. Certains résistants déclarent avec une ironie amère que le jour n'est sans doute pas loin où ils iront remplacer les collaborateurs et gestapistes sur les bancs des cours de justice.
>
> Les premières réactions, par leur vivacité, permettent de croire que, suivant l'évolution du cas Pétain, des remous assez violents sont susceptibles de se produire[8].

Finalement, il n'y aura pas de remous violents, mais le gouvernement reçoit des alertes similaires de toutes les régions françaises.

Les préparatifs du procès sont bouleversés. Comme le note un journal américain, « Pétain peut devenir une patate chaude pour de Gaulle. Jugé en France, il va pouvoir se défendre[9] ». Il ne s'agira donc pas d'un procès par contumace : il devient désormais nécessaire d'interroger l'accusé et d'examiner les documents trouvés en sa possession. La défaite finale de l'Allemagne a également ramené en France de nombreux hommes politiques déportés qu'il faudra aussi entendre. Le procès va devoir être reporté de plusieurs semaines, voire de plusieurs mois. L'avocat Maurice Garçon, toujours perspicace et sans illusions, écrit :

> Tout le monde est d'accord sauf quelques forcenés – pour déplorer le retour de Pétain. Tout le monde regrette qu'il se survive au lieu de mourir. Il a raté l'occasion de faire au pays don de sa personne. Déjà on se dispute. Ce sera pire que l'affaire Dreyfus. Il ne s'agit pas, cette fois, de disputes de partis. C'est la France qui est en cause[10].

Curieusement, même ceux qui avaient auparavant réclamé que Pétain soit jugé sont inquiets. Dans les cercles de la Résistance, on craint que son retour ne relève d'un stratagème astucieux d'Hitler pour provoquer des dissensions dans le pays[11]. Étant donné les circonstances entourant son retour, l'idée que Pétain ait pu constituer une arme secrète pour le Führer était infondée, voire paranoïaque, mais elle révélait la hantise, y compris parmi ses ennemis, que le Maréchal ait conservé une part de son aura. Même les observateurs britanniques se demandent s'il ne s'agit pas du « dernier mauvais tour que le Maréchal, avec la complicité d'Hitler, joue à son pays[12] ». Un journal américain va jusqu'à titrer : « Pétain est le V2 de l'Allemagne contre la France[13]. » Cette idée est renforcée par le fait que la demande officielle faite aux Suisses d'autoriser Pétain à entrer dans leur pays émane d'un fonctionnaire allemand[14].

La perspective d'un procès suscite l'appréhension au-delà de la France. Le gouvernement américain craint des révélations sur les relations étroites qu'il a entretenues avec Vichy. Les Britanniques s'inquiètent de rumeurs évoquant un accord secret entre Pétain et Churchill. Au Canada, on prévient que le procès pourrait « voir renaître dans l'État de Québec des polémiques favorables à Pétain, représenté comme un champion de l'Église catholique, d'une part, et d'une politique antibritannique, d'autre part[15] ».

Les archives de De Gaulle contiennent un document d'un juriste proposant une porte de sortie. Il fait valoir que la Haute Cour de justice, telle qu'elle a été constituée, ne convient plus pour mener à bien un procès aussi sensible. Elle a été créée alors que la France se trouvait encore dans un flou constitutionnel et ne pouvait donc respecter la tradition selon laquelle les dirigeants politiques accusés de trahison doivent être jugés par la nation souveraine représentée par le Parlement. La fin de la guerre étant imminente, il sera bientôt possible d'élire un nouveau Parlement. Pourquoi ne pas reporter le procès jusqu'à ce moment-là ? Un délai offrirait aussi l'espoir que Pétain décède entre-temps[16]. Or, la dernière chose que souhaitait de Gaulle, c'était que l'affaire Pétain s'éternise pendant des mois.

De Gaulle et Pétain

Personne certainement n'était moins enthousiaste à la perspective de faire comparaître Pétain devant la Haute Cour de justice que Charles de Gaulle. La relation entre les deux hommes remontait à trente-six ans. Elle avait débuté en 1909 lorsque, avant d'entrer à l'académie militaire de Saint-Cyr, le jeune de Gaulle, alors âgé de dix-neuf ans, avait servi pendant un an dans un régiment d'infanterie commandé par le colonel Pétain, âgé de cinquante-trois ans. C'est le même régiment que le tout jeune officier a rejoint après avoir obtenu son diplôme trois ans plus tard. Et en mars 1916, lorsqu'il est laissé pour mort à Verdun, c'est Pétain qui rédige une citation à titre posthume à l'ordre de l'armée pour sa bravoure au combat.

Malgré la différence d'âge et de grade, de Gaulle a manifestement fait vive impression sur Pétain. En 1925, peu après sa sortie de l'École de guerre, il est invité à rejoindre le cabinet du Maréchal. L'année passée par de Gaulle à l'École de guerre n'a pas été heureuse. En conflit permanent avec ses supérieurs, il en est sorti avec des notes finales moyennes, et qui l'auraient été encore davantage sans l'intervention personnelle de Pétain. Ce dernier veut que de Gaulle l'aide à rédiger une histoire de l'armée française qu'il prépare en vue de son élection à l'Académie française. Il n'a que peu de dons littéraires et le jeune officier semble être un parfait porte-plume. En effet, en 1922, de Gaulle a publié un petit livre, *La Discorde chez l'ennemi*, dans lequel il s'est révélé un écrivain de talent.

Pendant plusieurs années, de Gaulle et Pétain sont proches, du moins autant que le permettent la différence de grades et la réserve glaciale de leurs personnalités. Ils se rendent ensemble sur les champs de bataille de Verdun en 1926, et Pétain dédie sa photographie au fils de Gaulle, Philippe (mais l'idée que le Maréchal ait été son parrain est un mythe). Les de Gaulle dînent souvent avec les Pétain, même si Mme de Gaulle, fervente catholique, désapprouve le mariage du Maréchal avec une divorcée. La Maréchale, quant à elle, traite avec condescendance la discrète Mme de Gaulle, dont la conversation, se plaint-elle, ne porte que sur la préparation des confitures.

Les relations entre les deux hommes se dégradent vers la fin de la décennie, lorsque Pétain fait appel à d'autres collaborateurs pour travailler sur le livre. De Gaulle se sent insulté par le fait que « son » travail puisse être transformé en une entreprise collective. Mécontent, il écrit à Pétain une lettre qui témoigne d'une assurance, pour ne pas dire d'une insolence, peu commune de la part d'un simple capitaine s'adressant à la personnalité militaire la plus vénérée de France. Pétain, surpris, assure de Gaulle qu'une fois le livre publié, sa contribution sera reconnue, mais le projet est discrètement mis en sommeil. Peut-être celui-ci n'était-il plus nécessaire, puisque Pétain avait entre-temps été élu à l'Académie française.

En 1938, quand de Gaulle décide de publier sous son propre nom le livre qu'il a aidé Pétain à rédiger, ce dernier tente de l'en empêcher. De Gaulle, qui ne veut rien entendre, lui déclare : « Vous avez des ordres à me donner en matière militaire, pas sur le plan littéraire. » C'est la fin de leur relation[17].

Plus tard dans sa vie, de Gaulle notera souvent que Pétain était un grand homme qui était « mort » en 1925, remarque étrange puisque c'était justement l'année où il avait commencé à travailler pour lui. Ce qu'il semble avoir voulu dire, c'est qu'en observant Pétain de près, il avait compris qu'il était devenu prisonnier de son propre mythe. Ses idées sur le monde, et sur la guerre, s'étaient sclérosées. De Gaulle, peu enclin par tempérament à la déférence, s'agaçait de l'atmosphère de révérence feutrée qui entourait Pétain. Dans sa correspondance privée, il commence à l'appeler ironiquement « le grand personnage ». Mais rien de tout cela n'entame son admiration pour le Pétain de la Grande Guerre. Dans son livre, publié finalement en 1938 sous le titre *La France et son armée*, il écrit que Pétain avait un sens « de l'art du réel et du possible » qui complétait les qualités plus impétueuses du maréchal Foch : Pétain était un grand tacticien, Foch un grand stratège.

Les papiers de De Gaulle contiennent quelques notes fragmentaires sur Pétain. Difficiles à interpréter mais intrigantes, elles ont été rédigées en 1938, vraisemblablement pour préparer le portrait du Maréchal qu'il composait pour son livre :

> Drape d'orgueil la misère de sa solitude [...]
> Bien sensible, mais à ce qui le touche [...]
> Trop assuré pour renoncer.
> Trop ambitieux pour être arriviste.
> Trop personnel pour faire foi aux autres.
> Trop prudent pour ne point risquer.
> Sa philosophie c'est l'ajustement.
> Artiste par l'aptitude à discerner le trait essentiel [...]
> Impénétrable.
> Et même une ombre d'ironie dont il fait un rempart pour sa pensée et pour son repos.
> Fait de l'ironie un moyen de tenir en haleine [...]
> Ayant par un long effort imprégné à son caractère et jusqu'à son apparence une froideur qui, le jour venu, lui fera un prestige[18].

Quand la guerre éclate en 1939, de Gaulle est parmi les très rares vaccinés contre le mythe Pétain, grâce à ses années de proximité avec lui. Le Maréchal avait été un protecteur utile mais la carrière de De Gaulle a ensuite évolué. Il est intellectuellement et psychologiquement libéré de son ancien mentor : admirant le Pétain du passé il ne se fait aucune illusion sur celui du présent. D'où son célèbre verdict dans ses Mémoires : « La vieillesse est un naufrage. »

De Gaulle et Pétain se retrouvent de nouveau côte à côte, membres du gouvernement de Paul Reynaud dans les derniers jours de la bataille de France. De Gaulle est opposé à un armistice, mais, simple sous-secrétaire d'État tout juste nommé, il ne peut l'emporter contre le prestige de Pétain, qui y est favorable. Le 11 juin 1940, ils assistent tous deux à une réunion du Conseil suprême interallié avec Churchill à Briare, dans le Loiret. De Gaulle vient d'être promu : « Vous êtes général ! », lui lance Pétain : « Je ne vous en félicite pas. À quoi bon les grades dans la défaite ? » Leur dernière rencontre a lieu le 14 juin, après le repli du gouvernement à Bordeaux. De Gaulle doit se rendre à Londres pour demander l'aide de la Grande-Bretagne afin de transporter des hommes et du matériel français en Afrique du Nord. Déjeunant à l'hôtel Splendid avant son départ, il repère Pétain à une table voisine et s'approche pour le saluer : « Il me serra la main, sans un mot. Je ne devais plus le revoir, jamais[19]. »

Lorsque de Gaulle rentre de Londres le soir du 16 juin, il découvre que, à la suite de la démission de Reynaud, Pétain est désormais président du Conseil. Le lendemain matin, il reprend l'avion pour Londres ; il ne reviendra plus en France métropolitaine pendant quatre ans. Quand les conditions de l'armistice sont annoncées le 22 juin, de Gaulle réagit à la radio par un adieu à Pétain où le mépris se teinte de mélancolie :

> Monsieur le Maréchal, par les ondes, au-dessus de la mer, c'est un soldat français qui va vous parler. Hier, j'ai entendu votre voix que je connais bien et, non sans émotion, j'ai écouté ce que vous disiez aux Français pour justifier ce que vous avez fait. […] Ah ! Pour obtenir et pour accepter un pareil acte d'asservissement, on n'avait pas besoin de vous, Monsieur le Maréchal, on n'avait pas besoin du vainqueur de Verdun ; n'importe qui aurait suffi[20].

Malgré ses attaques incessantes contre Pétain, de Gaulle comprend que le Maréchal suscite autant de ferveur et de dévotion que de haine, et qu'un procès du héros de Verdun menace son espoir de panser les plaies de la nation. Lorsqu'on lui demande en privé, dans les semaines qui suivent la Libération, ce qu'il compte faire de Pétain, il élude la question : « Et que voulez-vous que j'en fasse ? Je lui assignerai une résidence, quelque part dans le Midi, et il attendra que la mort vienne l'y prendre… » En une autre occasion, il aurait dit : « Ah ! celui-là… qu'il se retire dans sa maison de Sainte-Marguerite et qu'on n'en parle plus[21] ! » De Gaulle savait que ce n'était pas possible, mais il avait espéré, au moins, un procès par contumace. Il écrit dans ses Mémoires :

> Le 17 mars, la Haute Cour décida que le maréchal Pétain serait jugé par contumace. C'était là une échéance lamentable et inévitable. Mais, autant il était à mes yeux nécessaire, du point de vue national et

international, que la justice française rendît un verdict solennel, autant je souhaitais que quelque péripétie tînt éloigné du sol de la France cet accusé de quatre-vingt-neuf ans, ce chef naguère revêtu d'une insigne dignité, ce vieillard en qui, lors de la catastrophe, nombre de Français avaient mis leur confiance et pour qui, en dépit de tout, beaucoup en éprouvaient encore du respect ou de la pitié[22].

Sa réaction, en apprenant que Pétain espérait revenir en France, fut de s'exclamer : « Quel emmerdeur ! Il va continuer à nous donner des maux de tête jusqu'à la fin[23]. » Par plaisanterie, il déclara à un ami que tout aurait été beaucoup plus facile si quelqu'un avait glissé au Maréchal une tasse de café empoisonné[24]. Il fit officieusement savoir aux autorités suisses que, même si les Français étaient obligés de demander l'extradition de Pétain, ils ne poursuivraient pas l'affaire si la demande était rejetée[25]. Finalement, il se retrouva encombré du procès qu'il avait espéré éviter.

Dans les semaines précédant son ouverture, Claude Mauriac, fils du romancier, chargé de la correspondance au sein du secrétariat de De Gaulle, fut surpris de constater que ce dernier, ne prêtant aucune attention aux nombreuses lettres demandant l'exécution de Pétain, se préoccupait davantage de celles qui lui étaient favorables :

> Il faut du courage pour avoir signé (je ne lui avais pas montré les anonymes), commentant : « Il y a encore des hommes et des femmes qui croient en lui, c'est un fait. » Puis sur le ton de la confiance (mais je l'avais entendu naguère dire à peu près la même chose) : « Je ne crois pas, moi non plus, qu'il ait cru, qu'il ait voulu aller si loin. […] Ce fut un grand homme qui a été perdu par l'ambition, par l'âge. J'ai vu mourir ce grand homme en 1925. Et il faut dire qu'il ne prit pas le pouvoir, en 1940, avec de bonnes intentions[26]. »

À son futur gendre, Alain de Boissieu, de Gaulle déclara, en termes plus lapidaires, quelques semaines plus tard : « Pétain est un grand bonhomme, très intelligent, très têtu, sans caractère et qui est mort en 1924[27]. »

Pétain et les Français

Les défenseurs de Pétain présentèrent son retour en France comme le geste héroïque et noble d'un homme prêt à assumer la responsabilité de ses actes. Mais Pétain n'avait pas l'âme d'un martyr. Il se croyait probablement encore protégé par l'aura de sa légende. Cela faisait quatre ans qu'il vivait dans la bulle de la propagande sécrétée par son régime, adulé par des foules enthousiastes lors de tournées en province soigneusement orchestrées. Les effusions hagiographiques auxquelles le culte de Pétain a donné lieu dépassent toute tentative de les parodier, comme on peut en juger à lire cet extrait à l'eau de rose tiré d'un des trois livres que l'écrivain René Benjamin a consacrés à son idole :

> Après bien des rencontres heureuses et émouvantes avec le Maréchal, j'en ai fait une, que je crois plus extraordinaire que toutes, je me suis trouvé un jour seul avec son manteau. Oui, son manteau, qui négligemment reposait sur un fauteuil, dans son bureau de travail. [...] Je fus saisi. Quand on est devant le Maréchal, on n'ose pas, ou on n'a pas le temps de bien regarder les choses qui sont sur lui. Mais là, pour ainsi dire, je surprenais ce manteau au repos. [...] Tout de suite je suis devenu immobile comme lui, parce que tout de suite m'est apparu que les sept étoiles brillaient, telles les sept étoiles de la sagesse dont parlent les anciens[28].

Les « sept étoiles » portées par les maréchaux de France sont le thème favori des hagiographes, tout comme les yeux bleus de Pétain et sa moustache « blanche du blanc impeccable de la vertu ».

La vérité sur l'impopularité croissante du régime de Vichy pénétrait malgré tout les couloirs de l'hôtel du Parc. En août 1941, Pétain le reconnaît dans un discours où il déplore un « vent mauvais » de mécontentement qui souffle sur la France. Mais il en était partiellement épargné, comme si la population s'accrochait désespérément à l'idée qu'il était son sauveur. Et pour préserver intacte cette image de Pétain, l'opinion publique reportait ses critiques sur ses conseillers, d'abord Laval, puis son successeur, l'amiral Darlan, et enfin Laval de nouveau. Certains résistants eux-mêmes se raccrochèrent au début à l'idée qu'il y aurait eu une sorte de pacte secret entre Pétain et de Gaulle. Il faut attendre avril 1942, lorsque l'Occupation commence à concerner tous les citoyens et que Laval revient au pouvoir, pour voir la popularité de Pétain fléchir. De façon assez extraordinaire, elle se redresse même légèrement au cours de la dernière année particulièrement sinistre de l'Occupation[29].

En 1940, Pétain s'était posé en figure paternelle protégeant les Français des ravages de la guerre ; en 1944, il reprend ce rôle en se rendant dans les villes de la zone occupée qui ont souffert des bombardements alliés. Sa visite la plus célèbre se déroule à Paris en avril 1944, où des foules viennent l'acclamer. Les cyniques diraient plus tard que, statistiquement, nombre d'entre elles ont sans doute acclamé de Gaulle quatre mois après. Mais la visite de Pétain a été l'unique occasion, depuis la défaite, où les Parisiens ont pu voir le drapeau français et entendre *La Marseillaise*. Applaudir le Maréchal dans ces circonstances pouvait s'apparenter à un acte de patriotisme.

Au cours de ses dernières semaines sur le sol français, Pétain peut se consoler en constatant qu'il reste populaire. Lorsqu'il est enlevé par les Allemands en août 1944, une grande foule se rassemble à Belfort pour l'acclamer. À son arrivée au château de Morvillars, il est accueilli chaleureusement par le maire, qui paraît plus heureux que gêné de le voir débarquer dans son village[30]. Pendant son voyage à travers la Suisse en avril 1945, il est accueilli par des acclamations. Lorsqu'il s'arrête avec son entourage pour pique-niquer pendant le trajet, des badauds s'approchent avec des bouteilles de vin et des bouquets pour sa femme, que le général Debeney recommande, avec bon sens, d'abandonner avant de passer en France. Ainsi, pendant ses derniers jours en France, pendant ses promenades autour de Sigmaringen et pendant ses dernières heures d'homme libre en Suisse, Pétain a pu continuer de croire qu'on le considérait davantage comme un héros que comme un traître. Ce seraient les derniers applaudissements qu'il entendrait.

Quand le train qui le ramène de la frontière suisse à Paris s'arrête à la gare de Pontarlier, dans le Doubs, pour changer de locomotive, une foule d'environ mille cinq cents personnes se rassemble pour crier « Mort au traître » et « Pétain à l'échafaud ». Des pierres sont jetées contre les vitres des wagons. La Maréchale, affolée, demande aux gardes : « Est-ce ici qu'on doit nous assassiner[31] ? » L'hostilité de cet accueil leur ouvre brutalement les yeux. On peut imaginer que Pétain ait éprouvé, dans ce train qui le ramenait chez lui, les mêmes sentiments que Louis XVI lorsqu'il fut reconduit de force à Paris après sa fuite avortée à Varennes en 1791. Peut-être l'idée lui traversa-t-elle l'esprit qu'il aurait été plus sage de rester en Suisse.

La manifestation de Pontarlier avait été organisée par le Parti communiste. Au cours des semaines suivantes, ses militants collèrent des affiches et organisèrent des manifestations dans toute la France pour demander l'exécution de Pétain. Sur l'une, on lisait « Pétain-Bazaine à l'échafaud », sur une autre « Louis XVI a trahi et il a payé, Pétain a trahi et il doit payer ». À Toulon, le 31 mai, la population fut invitée à se rendre au Grand Théâtre pour assister à un simulacre de procès de Pétain. À Clermont-Ferrand, on dressa une fausse guillotine le 14 juillet[32].

Bien que le Parti communiste ait été particulièrement véhément dans ses dénonciations, les sondages confirment que l'opinion publique s'était nettement retournée contre Pétain depuis la Libération. Sur une période de sept mois, la question du sort qui devait lui être réservé fut posée à plusieurs reprises[33] :

	Acquittement	Peine capitale	Autre peine
Septembre 1944	64 %	3 %	32 %
Janvier 1945	39 %	21 %	40 %
Avril 1945	24 %	31 %	45 %
Mai 1945	16 %	44 %	40 %

Un autre sondage, en juin 1945, interrogeait : « Si vous étiez juré dans le procès du maréchal Pétain et que l'accusateur public demandait la peine de mort, quel serait votre verdict ? » Les réponses étaient frappantes : 44 % des personnes interrogées répondaient par un « oui » catégorique, 32 % par un « oui avec circonstances atténuantes ». Seules 18 % répondaient « non ».

Parmi les personnes réclamant la peine de mort, rapportent les sondeurs, le « ton des réponses est généralement très violent et exprime un mélange de haine et de mépris ». « Il n'aurait que ce qu'il mérite », déclare l'un, tandis que d'autres affirment : « Il a fait mourir tant de Français » ; « Il a serré la main de son Führer » ; « Il est allé se réfugier chez son camarade Hitler » ; « Qu'il soit pendu à l'endroit où mon fils a été pendu » ; « S'il n'est pas coupable, personne ne l'est » ; « L'épuration aurait dû commencer par son procès » ; « Il a fait don de sa personne... à Hitler. » Certains proposent leur propre châtiment : « Le promener à travers la France dans une cage » ou « L'obliger à avaler une fusée V1 ».

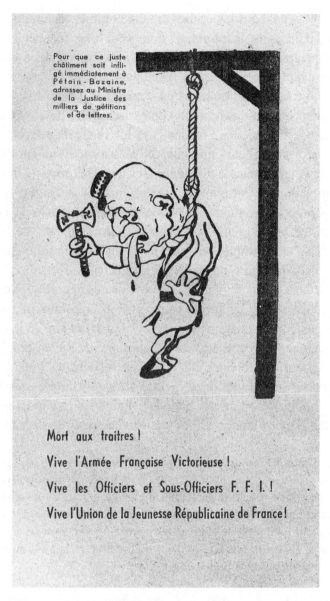

Pour que ce juste châtiment soit infligé immédiatement à Pétain-Bazaine, adressez au Ministre de la Justice des milliers de pétitions et de lettres.

Mort aux traîtres !

Vive l'Armée Française Victorieuse !

Vive les Officiers et Sous-Officiers F. F. I. !

Vive l'Union de la Jeunesse Républicaine de France !

4. Tract communiste, mai 1945. Pétain est représenté brandissant une francisque, symbole et décoration honorifique du régime de Vichy.

Ceux qui lui accordent des circonstances atténuantes donnent des raisons variées : son âge (40 %), son passé glorieux (20 %), le fait qu'il ait été victime de ses conseillers (20 %) ou qu'il ait commis des erreurs sans être un traître (10 %). Autres commentaires : « Il ne tardera pas à mourir tout seul » ; « Avant 1942, sa politique était soutenable » ; « Tous les crimes ont été commis en son nom. Mais le savait-il ? Les a-t-il autorisés ? Pouvait-il les empêcher ? » Parmi les commentaires de ceux qui proposent l'acquittement, on peut lire : « Pétain avait cru, en 40, que l'Allemagne sortirait victorieuse » et « Il a sauvé des vies humaines en demandant l'armistice »[34].

Le durcissement des opinions après la Libération s'explique en partie par le fait que les Françaises et les Français peuvent désormais s'informer ailleurs que dans la presse vichyste. En outre, le retour de Pétain coïncide avec celui des déportés après la libération des camps de concentration et d'extermination nazis. Le 16 avril, Albert Camus écrit ainsi : « Chaque pas qui rapproche la victoire augmente en même temps les espoirs et les angoisses de tous les Français. C'est pourquoi les jours de la victoire ne trouvent pas la France aussi heureuse qu'ils le pourraient[35]. »

L'état dans lequel reviennent nombre de ces déportés, plus morts que vivants, révèle de façon bouleversante une horreur que l'on n'avait pas encore imaginée. Le 15 avril arrivent ainsi à la gare de Lyon quelque trois cents survivantes du camp de Ravensbrück. Bien qu'elles aient été choisies car elles paraissaient les plus à même de supporter le voyage, onze d'entre elles sont mortes pendant le trajet. Une foule portant des bouquets attend les rescapées pour les accueillir. Janet Flanner, témoin de l'événement, le décrit ainsi :

> Toutes les femmes se ressemblaient : leurs visages étaient gris-vert, leurs yeux marqués par des cernes brun rougeâtre semblent voir sans comprendre. Elles étaient vêtues de ce qui leur avait été donné dans les camps, des vêtements pris aux morts de toutes nationalités. Lorsque les lilas tombaient de leurs mains inertes, ils formaient un tapis violet sur le quai et le parfum des fleurs piétinées se mêlait à la puanteur de la maladie et de la mort[36].

L'arrivée de ces squelettes vivants devient presque un événement routinier au cours des trois mois suivants. Des centres d'accueil sont installés dans les plus grands cinémas parisiens et à la gare d'Orsay. Au cinéma Gaumont, où les affiches du *Dictateur* de Chaplin sont encore en place, une foule immense se presse pour accueillir les prisonniers de guerre de retour au pays, qui reçoivent chacun un paquet de cigarettes, un café et un sandwich[37]. Le centre d'accueil le plus important s'installe au Lutetia, hôtel de luxe qui avait été le siège de l'Abwehr, les services de renseignements militaires allemands. Les proches hantent ce lieu pour obtenir des nouvelles des membres de leur famille disparus. Dans un long couloir sont alignés des panneaux présentant des dizaines de milliers de photographies. Chacune porte le nom de la personne disparue et la date de sa disparition. Ces quêtes désespérées prennent une telle importance dans la vie quotidienne que les journaux se mettent à proposer une rubrique intitulée « Recherches » qui développe sa propre sténographie sinistre[38] :

> Dep = Déporté
> Wag = Wagon
> Fam = Famille
> Rap = Rapatrié
> Ss nou = Sans nouvelles

Ou, pour citer deux annonces caractéristiques[39] :

> Rech. Martin du Puytison Jean. Numéro 77.777 ou 77.774, 27 ans, dep. Buchenwald du 17-8 au 3-9, Dora du 3 au 6-9.

> Odette Elina, rapat. Birkenau, 32, rue d'Empare, Castres (Tarn), dem. renseign. sur ses parents et son frère Jean-Max Elina, 27 ans, déportés 29-10-43 dir. Auschwitz.

Lors du défilé traditionnel le 1er mai 1945, les participants sont accompagnés d'anciens déportés vêtus de leur pyjama. On entend crier « Mort à Pétain », et deux effigies en carton du Maréchal sont exhibées. L'une le représente en uniforme allemand, langue pendante. L'autre le montre dans son uniforme de la Grande Guerre, avec « Bazaine » écrit sur le ventre[40]. Bazaine, ce maréchal jugé pour trahison en 1873, reste très présent dans la mémoire collective en 1945.

Dans la presse communiste, on ne compte plus les articles comparant le traitement infligé à Pétain au sort réservé à de nombreuses victimes de l'Occupation. Pourquoi, se demandent leurs auteurs, « Pétain-Bazaine » a-t-il été ramené à Paris dans un train spécial alors que les déportés avaient rejoint les camps dans des wagons à bestiaux ? Quelques jours après l'arrivée du Maréchal en France, *L'Humanité* titre : « Mussolini fusillé et Pétain dorloté ». Quant au fort de Montrouge, où il est incarcéré, les journaux le désignent comme le « Montrouge Palace[41] ».

Montrouge, un de ces forts construits autour de Paris au XIXe siècle, n'avait rien d'un hôtel de luxe. Pétain partage avec sa femme une petite cellule comportant deux lits. Ils ont droit à une promenade dans la cour par jour. À la Libération, c'est à Montrouge qu'ont été fusillés les collaborateurs condamnés, tel Robert Brasillach, dont le sort a récemment divisé les intellectuels. De sa fenêtre, Pétain peut voir la cour où ont eu lieu les exécutions. Pendant son incarcération, pour lui épargner ce rappel glaçant du sort qui l'attend peut-être, les exécutions se tiennent au fort voisin de Châtillon.

C'est à Montrouge, dans l'après-midi du 30 avril, que Pétain rencontre ses juges pour la première fois.

Chapitre 5

Les préparatifs du procès

L'instruction de son procès était terminée avant le retour de Pétain, mais il faut maintenant procéder à un supplément d'instruction qui comporte un interrogatoire de l'accusé. Lors de sa première rencontre avec le Maréchal, le 30 avril 1945 au fort de Montrouge, Pierre Bouchardon, le président de la commission d'instruction de la Haute Cour de justice, lui lit l'acte d'accusation :

> Aux termes de l'arrêt rendu le 23 avril courant par la commission d'instruction de la Haute Cour de justice, constituée en chambre d'accusation, vous êtes accusé d'attentat contre la sûreté intérieure de l'État, et d'intelligence avec l'ennemi. Avez-vous aujourd'hui des déclarations à faire au sujet des agissements qui vous sont reprochés ?

« Tout cela est complètement faux à mon point de vue », répond alors Pétain. « Je ne comprends rien à cette double accusation. Au cours d'interrogatoires ultérieurs, je répondrai en détail[1]. »

Mais Pétain doit d'abord se trouver un avocat. Les deux seuls dont il peut donner le nom s'avèrent être morts. On demande donc au bâtonnier de Paris, Jacques Charpentier, de soumettre d'autres candidats. Il propose deux noms : Georges Chresteil, qui avait si vigoureusement défendu Esteva, et Vincent de Moro-Giafferi. Pétain est favorable à Chresteil, mais ce dernier décline car, explique-t-il, ayant défendu Esteva en faisant valoir que ce n'était pas son client qui devait être jugé mais l'homme aux ordres duquel il avait obéi, il lui est difficile de défendre précisément cet homme-là.

Quant à Moro-Giafferi, il est une légende à une époque où certains avocats sont des personnages de notoriété nationale. On va au tribunal pour assister à ses plaidoiries. Notoirement ancré à gauche, il avait soutenu des réfugiés antifascistes qui organisaient à Paris un contre-procès symbolique pour répondre à celui qui se tenait à Berlin pour juger les communistes accusés d'avoir incendié le Reichstag en 1933. « Qui a fait le coup ? Göring, c'est toi ! », avait-il alors lancé. Lorsque son nom commence à circuler comme possible défenseur de Pétain, la journaliste de gauche Madeleine Jacob s'insurge. Moro-Giafferi réplique qu'il n'aurait pas d'états d'âme à le faire. « Pourquoi ne défendrait-il pas Pétain ? », renchérit un de ses confrères : « Il a bien défendu Landru[2]. » Ce serait à cause de cette association que Pétain aurait récusé l'avocat. Comment un maréchal de France pouvait-il être représenté par l'homme qui avait défendu un tueur en série ? En réalité, Pétain s'était peut-être simplement demandé si un avocat aussi proche de la gauche pouvait plaider sa cause avec conviction. Il avait probablement tort sur ce point. Un de ses proches pensait au contraire que Moro-Giafferi aurait été un bon choix : « Il est faisandé, lui, mais pas suspect. On aurait eu un beau procès politique[3] ! » Il aurait certainement fait le travail avec grand professionnalisme, mais sans l'investissement émotionnel de Jacques Isorni, l'avocat qui fut finalement choisi. En l'occurrence, l'instinct de Pétain ne l'avait pas trompé.

Lorsque Bouchardon arrive le 8 mai, pour le premier interrogatoire véritable, Pétain n'a toujours pas d'avocat. Il accepte néanmoins de répondre. Durant l'interrogatoire, on entend depuis l'intérieur du fort les cloches et les vivats de la foule célébrant la défaite de l'Allemagne et la fin de la guerre en Europe. L'interrogatoire tourne au fiasco. Jusqu'à son retour, Pétain avait toujours été entouré de conseillers. Désormais, hormis sa femme, il est complètement seul. Il possède certes des copies des notes rédigées par Bernard Ménétrel à Sigmaringen, mais elles ne concernent que quelques points particuliers. Il est maintenant confronté à des questions qui sautent d'un sujet à l'autre de manière aléatoire – n'importe qui, même au sommet de ses capacités intellectuelles, aurait eu du mal à y faire face. Dans ses réponses se mêlent l'esquive, le rejet de responsabilité, l'amnésie et la perplexité. Quelques exemples :

> Sur le vote qui abolit la République le 10 juillet 1940 : « Le principal auteur de toute cette organisation est certainement M. Laval [...] J'ai cru, en agissant comme je l'ai fait, rendre un grand service au pays [...] Je manquais totalement d'expérience, les parlementaires eux-mêmes m'ont encouragé, et je n'ai pas pensé une seconde que j'acceptais une situation illégale. »

Sur l'armistice : « Comment j'aurais pu faire autrement ? Si je n'avais pas demandé l'armistice, il se serait passé en France ce qui s'est passé en Pologne. »

Sur un message du 6 novembre 1941 à un dirigeant de la Légion des volontaires français contre le bolchevisme (LVF) déclarant « Vous détenez une part de notre honneur militaire » : « Je ne me suis jamais occupé du recrutement de la légion antibolchevique ; j'ai écarté de moi ce nouveau calice. J'ai vu en effet ce message, mais il n'est pas de moi et l'on a dû surprendre ma signature sous un prétexte quelconque à moins même qu'on ne l'ait imitée. »

Sur un télégramme envoyé au général Dentz, daté du 15 mai 1941, soutenant les négociations franco-allemandes en Syrie comme gage de « notre désir de collaboration à l'ordre nouveau » : « Je ne comprends pas ; je tombe des nues ; je n'ai gardé aucun souvenir de ce télégramme. »

Sur sa décision de rester sur le sol français après novembre 1942 et l'invasion de la zone libre : « J'ai toujours été hypnotisé devant ce don de ma personne que j'avais fait à la France [...] qui me liait au sol français[4]. »

Ces réponses n'auguraient pas un procès très éclairant.

Lorsque Bouchardon revient le 11 mai pour une deuxième session, Pétain refuse de lui parler sans la présence d'un avocat. Il doit avoir compris à quel point la séance précédente a été désastreuse. Il a, en réalité, désormais trouvé un avocat, Fernand Payen, mais il attend que celui-ci ait commencé son travail[5]. Payen, entre-temps, s'est assuré de la collaboration d'un confrère plus jeune, Jacques Isorni, pour l'aider sur le dossier. Les principaux acteurs du drame sont maintenant désignés.

Les procureurs

Pierre Bouchardon a une longue expérience des procès en trahison[6]. Recruté en 1917 pour servir comme juge d'instruction auprès d'un tribunal militaire spécial, il a rapidement acquis une réputation redoutable, à une période de la guerre marquée par une obsession fébrile de l'espionnage. C'est lui qui a instruit le procès de Mata Hari, danseuse « exotique » reconnue coupable d'espionnage au profit de l'Allemagne et fusillée en octobre 1917. Un autre de ses dossiers, celui d'un aventurier louche connu sous le nom de

Bolo Pacha, s'est également terminé par une exécution. Une personne ayant eu affaire à Bouchardon pendant la Grande Guerre se souvenait que, durant les interrogatoires, ses « deux yeux ne vous regardaient jamais directement et brillaient d'une sorte de lueur sinistre » ; une autre le décrit comme le « sadique » de la procédure d'instruction[7]. C'est également l'avis de Maurice Garçon en 1918, qui débute alors sa propre carrière d'avocat : « Depuis six mois, tapi dans son cabinet, il instruit secrètement avec férocité. La torture lui manque, mais il ne lui manque que cela et ce que j'ai pu voir de ses procédés m'a fait frémir. Il jouit de la souffrance[8]. » Il y a certainement une délectation malsaine dans les pages de ses Mémoires consacrées à son interrogatoire de Mata Hari. Il la décrit comme une « grande femme lippue […] le type un peu d'une sauvagesse » s'écriant : « Que vous êtes impitoyable de torturer ainsi une pauvre femme » alors qu'il tournait inlassablement autour d'elle avec un air menaçant[9]. Ces affaires avaient néanmoins fait de Bouchardon une telle célébrité qu'à la fin de la Grande Guerre il figura sur la couverture de *L'Illustration*, avec Foch et Clemenceau, comme l'un des « trois hommes qui ont sauvé la France ».

Bouchardon, qui se délectait de la comédie humaine qu'offraient crimes et châtiments, avait acquis le surnom de « Balzac des assises » lorsque, dans les années 1920, il s'était lancé dans une carrière parallèle d'auteur de livres populaires et racoleurs qui racontaient des procès pour meurtre : *Dumollard, le tueur de bonnes* ; *Vacher l'éventreur* ; *L'Assassinat de l'archevêque* ; *Les Amours funestes d'Angelina*. Il y eut un livre sur Lacenaire, ce maître criminel dépeint dans *Les Enfants du paradis*, et un autre sur l'exécution du maréchal Ney en décembre 1815. Une journaliste qui l'admirait se souvint de s'être tenue avec lui en mai 1945 sur le balcon du Sénat alors qu'il désignait, dans une sorte de transe exaltée, l'endroit exact où Ney avait été fusillé[10]. Imaginait-il un sort similaire pour Pétain ?

Initialement, ce n'est pas Pierre Bouchardon qui avait été choisi pour diriger l'instruction de la Haute Cour. Mais le premier candidat pour ce poste avait été discrètement écarté en janvier 1945 en raison de ce qu'une note, adressée à de Gaulle, décrivait pudiquement comme « certaines imprudences de sa femme pendant l'occupation ». Et, dans un premier temps, Bouchardon n'avait pas voulu accepter ce poste car il craignait d'éventuelles représailles contre son fils, déporté en Allemagne pour faits de résistance[11].

Parmi les raisons de sa nomination, outre son expérience en matière de procès en trahison, figurait le fait que, ayant pris sa retraite en novembre 1940, il n'avait pas prêté le serment d'allégeance à Pétain. Pourtant, sa conduite sous l'Occupation comportait une face sombre. En juin 1942, alors qu'il faisait la promotion de son trente-quatrième roman policier, il avait accordé un entretien au journal collaborationniste *Je suis partout* : le même numéro contenait des articles dénonçant les francs-maçons et les juifs, un texte de Robert Brasillach célébrant la lutte de l'Allemagne pour sauver la France du bolchevisme, et une caricature représentant Roosevelt et Churchill en travestis portant l'étoile de David et enlacés par Staline. Figurer dans une telle publication était sans conteste compromettant. Bouchardon déclarait à son interlocuteur qu'il était un « lecteur assidu » et en profitait pour exprimer son « mépris pour le cartel des gauches [la coalition électorale de gauche constituée en 1924] » et les juifs – « Je connais ces gens-là, je les ai eus comme clients[12]. » L'avocat de Brasillach, Jacques Isorni, avait attiré l'attention sur cet article, emblématique selon lui des compromissions auxquelles les magistrats s'étaient livrés sous l'Occupation[13].

Isorni, témoin peu impartial, a laissé une description saisissante de Bouchardon pendant la préparation du procès de Pétain :

> Un vieillard balzacien, avec les allures et les gestes d'un chanoine octogénaire. Son visage impénétrable, blafard avec de la couperose, sortait d'un immense faux col. Il avançait toujours en clopinant, un peu voûté, les mains croisées sur le ventre. D'une érudition étonnante, armoire d'anecdotes qu'il contait avec esprit, mais une perfidie sans pareille, il éprouva une haine animale pour le maréchal Pétain[14].

Le magistrat mit un point d'honneur à ne jamais serrer la main de Pétain à la fin des interrogatoires.

Bouchardon avait souvent travaillé avec André Mornet, le procureur général de la Haute Cour, celui qui allait incarner l'accusation aux yeux du public. Leur association remontait à 1917, où Mornet avait été procureur lors des procès de Mata Hari et de Bolo Pacha. C'est de cette époque que datait aussi leur obsession commune à traquer la trahison[15]. Des années plus tard, évoquant l'affaire Mata Hari, Mornet déclarerait sans aucun remords apparent qu'il n'y avait « pas de quoi fouetter un chat » : elle avait été une victime sacrificielle, tuée pour satisfaire un public assoiffé de sang. Maurice Garçon trouvait Mornet encore plus antipathique que Bouchardon :

> Il hume le sang et fonce comme un sanglier. Il a raté de justesse la condamnation à mort d'Esteva mais il a eu celle de Dentz. Ces condamnations sont peut-être justes mais on aimerait au moins les voir demander sans joie. Lui jubile et se frotte les mains. Lorsqu'il s'agit de tuer, il est à son affaire. Quel vilain homme[16].

En privé, Mornet était un vieux garçon, végétarien, ne buvant que de l'eau, qui veillait jalousement sur chaque plante de son jardin et s'assurait que sa gouvernante ne déplace pas un seul objet dans sa maison. « Ce régime d'anachorète », selon Bouchardon, « avive dans son corps décharné la flamme intérieure qui le dévore »[17]. Isorni brossa de Mornet un portrait plus favorable que de Bouchardon :

> Il s'efforça, au point de vue matériel, de faciliter notre tâche [pendant le procès Pétain] et il me communiqua personnellement, avec loyauté, toutes les pièces dont il entendait se servir au cours des débats. Pendant l'instruction, j'allais souvent dans son cabinet, bavarder avec lui. C'était en vérité, un étrange vieillard, difforme, velu et passionné, mais non dépourvu de séduction. Assoiffé de réquisitoires, il eût été capable, j'imagine, de requérir contre son frère. Un jour il me dit, avouant sans fard qu'il ne se faisait aucune illusion sur la nature de son accusation : « Trahison ? Hum ! Hum ! Tout ça, voyez-vous, ce ne sont que des questions de régime[18]. »

Une fois que Mornet avait préparé son réquisitoire, il était imperméable aux nouveaux éléments de preuve qui pouvaient surgir. L'avocat de Mata Hari s'était plaint qu'il n'avait même pas pris la peine de poser des questions à sa cliente[19].

Bouchardon et Mornet formaient un couple mal assorti : l'un corpulent et débraillé, l'autre ascétique et illuminé. Ils sont décrits de façon saisissante par Garçon à la veille du procès de Pétain :

> Mornet ! Je le revois depuis quelque temps. Il n'a pas changé depuis que je le connais. Nos premières rencontres doivent remonter à 1915. Il avait alors le poil roux. Maintenant sa barbe est blanche. Il est un peu voûté mais il reste le robuste lutteur de jadis. Lutteur ? Mettons la brute sanguinaire. Ami de Bouchardon dont le sadisme ne se décrit plus, il complétait jadis, devant le conseil de guerre, ce monstre

nécrophile. Pas une exécution capitale sans que l'un accompagnant l'autre n'y assiste. Ils jouissaient de faire suer d'angoisse à l'instruction et à l'audience puis, ayant obtenu la condamnation, ils jouissaient en allant voir couler le sang.

Puis, la paix venue, ils ont gagné ce grand cimetière qu'est la Cour de cassation. On n'entendit plus parler d'eux. Parfois le soir, je les voyais, l'un et l'autre courbés, sortir du palais en se faisant des confidences. Ils devaient se raconter leurs exploits sinistres[20].

Tous les contemporains s'accordent à dire qu'une fois au tribunal, Mornet est comme un homme possédé – peut-être d'autant plus en cette occasion que sa conduite pendant la guerre n'était pas sans reproche. En 1949, il publie un livre intitulé *Quatre Ans à rayer de notre histoire*, reconstitution fantaisiste d'un journal qu'il aurait tenu sous l'Occupation. Si quelqu'un nourrit le désir d'effacer cette période, c'est bien Mornet lui-même[21]. À la retraite en 1940, il n'a certes pas prêté serment à Pétain, mais cela ne l'a pas empêché de se porter volontaire pour siéger à la cour de justice de Riom spécialement créée par Vichy pour juger plusieurs anciens dirigeants politiques. Heureusement pour lui, son offre n'a pas été acceptée. Il a cependant siégé à la commission de révision des naturalisations instituée en juillet 1940 par le gouvernement de Pétain pour examiner toutes les naturalisations octroyées depuis l'introduction en 1927 d'une loi que la droite critiquait comme trop libérale. Cette commission cherchait à éliminer les « étrangers », dont la plupart étaient des juifs[22]. Mornet a donc un lourd passif.

Il a commencé à prendre ses distances avec Vichy en temps utile et, par un mélange de hasard et d'opportunisme astucieux, il est devenu l'un des magistrats les plus étroitement associés à la Résistance, aidé en cela par un coup de chance. En 1943, un groupe de juristes résistants avait créé un comité pour préparer la Libération. Lorsque l'un d'eux fut arrêté par les Allemands, Mornet fut appelé à le remplacer[23]. C'est à cette époque qu'il aurait déclaré : « Je ne veux pas mourir avant d'avoir plaidé contre le maréchal Pétain. » Finalement, il a si bien réussi à blanchir sa propre réputation qu'il est nommé à la présidence de la commission d'épuration de la magistrature. À la Libération, Mornet est un homme puissant et très occupé.

La commission d'instruction de la Haute Cour a commencé ses travaux en décembre 1944. Présidée par Bouchardon, elle est composée de cinq magistrats (dont Mornet) et de quatre membres de l'Assemblée consultative. La tâche qui l'attend est colossale : elle a cent procès à instruire, sous la pression de produire des résultats rapides. Mornet et Bouchardon ont peu de scrupules. Lors d'une des premières réunions, Mornet déclare : « On doit regretter que, pour Déat, Darnand, Doriot et autres, il ne suffise point, comme en 1793, de les déclarer hors la loi pour permettre à quelqu'un de les abattre[24]. »

Le bâtonnier de Paris, Jacques Charpentier, préoccupé par les excès de l'épuration, établit devant la commission une comparaison avec la Terreur. Rappelant que « la réaction thermidorienne fut une réaction de la peur publique », il s'inquiète qu'une même peur en 1945 vienne menacer « la belle unité de la Résistance »[25]. Cela n'impressionne pas Mornet : « Il faut donner satisfaction à la conscience publique, réclamant des procédures accélérées », affirme-t-il à ses collègues. « Nous ne sommes pas des historiens, il appartiendra à ceux-ci dans l'avenir de faire des recherches soigneuses, notamment en ce qui concerne les intentions qui ont pu inspirer les inculpés. [...] Il ne convient pas de s'attacher à des dépouillements d'archives trop poussés[26]. »

Lorsque Guy Raïssac, secrétaire général de la Haute Cour, émet lui aussi des réserves sur cette ligne de conduite, il se fait rabrouer. Raïssac estime que Mornet est en train de devenir un « jacobin intransigeant » animé par une « idée fixe » : Pétain[27]. Le membre de la commission chargé de l'affaire Dentz exprime les mêmes craintes : « Je fais vite, très vite, aussi vite que possible. Mais il s'agit d'une instruction de la Haute Cour, c'est-à-dire l'instruction d'une affaire grave et par laquelle l'inculpé risque sa vie[28]. » Nouvelle rebuffade de Mornet : « Dans une affaire comme celle-ci, il suffit de rassembler un ou deux documents apportant la preuve d'un ou deux faits pour lesquels il est impossible d'opposer la preuve contraire[29]. »

Pour la plupart des procès, le problème était de trouver les documents nécessaires. Pour celui de Pétain, c'est le contraire. En plus des soixante caisses d'archives en provenance de Vichy, les documents affluent de partout. Un membre de la commission décrit des boîtes empilées jusqu'au plafond et bloquant l'accès aux bureaux : « Un Himalaya de papiers officiels qui donnaient à quelques bureaux et à nos couloirs l'aspect d'une tranchée[30]. » Pour éviter que les magistrats instructeurs ne se trouvent écrasés sous cette montagne, on recrute une équipe d'archivistes et de paléographes des Archives nationales[31]. On disait qu'une seule personne, une archiviste baptisée Ariane, pouvait s'y retrouver dans ce labyrinthe[32].

La fin chaotique du régime de Vichy explique que des documents ne cessent de refaire surface sans aucune logique. Ainsi, en septembre 1944, un ancien officier de Vichy se présente aux autorités avec trois documents que Bernard Ménétrel lui avait confiés au moment de son départ pour l'Allemagne. L'officier les avait cousus dans la doublure du manteau de fourrure de sa femme. L'un est la photographie d'une note écrite par Pétain en août expliquant qu'il a été contraint de condamner de Gaulle à mort en 1940 mais qu'il n'a jamais eu l'intention de faire exécuter la sentence. Il s'agissait vraisemblablement d'un des jalons mis en place par Ménétrel pour le procès à venir[33].

Quelques semaines plus tard, la découverte près de Vichy d'une vieille malle en bois étiquetée « État-major du maréchal Pétain » suscite une grande émotion. Une fois encore, il s'agit d'une initiative de Ménétrel. Au cours de l'été 1944, il avait confié la malle à un officier de l'hôtel du Parc. Elle avait été transportée d'un lieu à un autre jusqu'à finalement réapparaître dans la cuisine d'un château des environs. Le 14 octobre, elle est remise aux nouvelles autorités. Le lendemain, les policiers chargés de garder la précieuse malle découvrent, au retour de leur pause déjeuner, qu'elle a été emportée par trois hommes prétendant être des membres de la résistance locale. On la retrouve quelques heures plus tard, apparemment intacte, sans doute parce que les pseudo-résistants ne cherchaient que de l'argent. Lorsqu'elle arrive enfin à Paris, elle est solennellement ouverte au ministère de la Justice. La presse la surnomme « la malle de Pétain » et affirme qu'elle contient ses « archives secrètes ».

L'idée que la malle ait pu contenir une pièce à conviction irréfutable était un fantasme, mais les trente cartons qu'on y découvrit recelaient des documents intéressants. Telle une note de l'amiral Darlan à Pétain en juillet 1941 affirmant sa volonté de poursuivre la politique de collaboration « décidée par vous » et comportant cette annotation marginale du Maréchal : « Oui, mais pas de collaboration armée ni de remise de bases navales et aériennes qui ne seraient pas acceptées par l'opinion publique. » Un tel document pouvait être lu de différentes manières : soit pour prouver que Pétain avait soutenu la collaboration, soit qu'il y avait fixé des limites, soit encore que la seule chose qui l'avait empêché d'aller plus loin était l'opinion publique[34]. Après inventaire, le contenu de la malle est réparti par Mornet de manière assez désordonnée entre les magistrats instructeurs travaillant sur l'affaire – certains documents, cependant, n'ont été retrouvés que des années plus tard, dans l'un de ses tiroirs, après son départ en retraite[35].

La dernière découverte majeure, juste avant l'ouverture du procès, est celle de soixante autres caisses de documents dans un village de la Creuse. Plus tard, le comité de résistance local, flairant une tentative d'étouffer l'affaire, se plaindrait que ces documents n'aient pas été utilisés lors du procès. Après un examen plus approfondi, ils s'avérèrent sans intérêt : une des boîtes contenait une édition de luxe de Shakespeare, quelques livres pour enfants, un album de timbres vide et une reproduction d'un tableau de Matisse[36].

Face à l'immensité de la tâche, les procureurs débordés s'appuient en grande partie sur les articles polémiques publiés pendant la guerre par des exilés français à New York, où s'étaient retrouvées de nombreuses personnalités brillantes. Deux articles du dramaturge Henry Bernstein parus dans le *New York Times* en 1941 avaient fait sensation, tout comme *L'Affaire Pétain*, livre publié (toujours à New York) en 1944 par le journaliste André Schwob[37]. Or ces résistants « de salon » qui avaient tant excité le mépris de Simone Weil, ayant quitté la France immédiatement après la signature de l'armistice, n'avaient pas eu d'expérience personnelle de l'Occupation. Ils avaient donc tendance à se focaliser sur les années 1930. Leur position était résumée ainsi par Schwob : « Pétain fut le chef de la conspiration qui avait pour but de renverser la Troisième République et, quels que fussent les moyens nécessaires, de la remplacer par la dictature[38]. »

Il est vrai que dans les années 1930 les idées antidémocratiques étaient largement répandues dans les milieux conservateurs obsédés par le communisme. Dans certains cas, cela avait basculé dans l'organisation de complots contre la République. Un groupe d'officiers marqués à droite avait ainsi formé un réseau qui s'était tenu prêt à neutraliser un éventuel coup d'État communiste. Un autre groupe de conspirateurs, le CSAR (Comité secret d'action révolutionnaire), fondé par l'industriel Eugène Deloncle, avait mené des actions terroristes destinées à déstabiliser la République. Lorsque le CSAR avait été démasqué en 1937, la presse l'avait surnommé « la Cagoule », terme qui serait bientôt repris pour désigner indistinctement l'ensemble de ces activités subversives. L'auteur d'un autre pamphlet anti-Pétain écrivait : « Derrière la Cagoule se cache Pétain. »

De folles rumeurs circulent également sur la « Synarchie », un prétendu réseau de banquiers et d'industriels qui auraient comploté pour instaurer un régime dictatorial. Un rapport préparé pour l'instruction du procès de Pétain montre à quel point ces théories du complot pouvaient devenir tortueuses :

> Même s'il n'était pas le Chef réel du CSAR, il était au moins le Chef « choisi » par le CSAR. La distinction peut sembler importante. En pratique, elle ne l'est pas, car si Pétain accepta que l'on complote pour le porter au pouvoir, sa responsabilité est aussi grande que s'il avait conspiré lui-même pour « prendre le pouvoir ».

Le rapport dérive ensuite vers des spéculations de plus en plus délirantes. Peut-être la Cagoule elle-même a-t-elle été manipulée par le « Comité synarchique d'action révolutionnaire ». Dans ce cas, ce ne sont ni Deloncle ni Pétain qui tiraient les ficelles : « Les membres du CSAR se croyaient des conspirateurs avisés ; ils n'étaient peut-être que des domestiques. Dans ce cas, quels sont les vrais chefs ????… Seront-ils un jour démasqués[39] ??? »

L'acte d'accusation rédigé par Mornet montre sans conteste l'influence du livre d'André Schwob. Ce dernier contenait un chapitre entier sur le pamphlet « C'est Pétain qu'il nous faut » publié en 1935 par Gustave Hervé, ancien homme de gauche devenu admirateur de Mussolini. Le chapitre de Schwob s'intitulait « Gustave Hervé, le "manager" de Pétain » – et le nom d'Hervé se retrouve dans l'acte d'accusation de Mornet.

Le problème pour l'accusation est que Pétain peut difficilement être tenu comme responsable de tout ce qui a été écrit sur lui. Seules des suppositions ténues le reliaient à ces comploteurs antirépublicains. Le fait que certains cagoulards aient fini par occuper des postes influents à Vichy ne prouve pas que Pétain a conspiré avec eux avant 1940 pour prendre le pouvoir. D'autres cagoulards, en effet, se sont retrouvés à Londres aux côtés de De Gaulle.

5. *Franc-Tireur*, 26 juillet 1945. La première caricature montre le Maréchal portant une cagoule ; dans la seconde, « artisan de la victoire d'Hitler », il étrangle la République sous le regard de Pierre Laval, à gauche.

Pour trouver le chaînon manquant qui pourrait relier Pétain aux complots contre la République, l'accusation s'intéresse au sulfureux et mystérieux Raphaël Alibert. Ce juriste de droite lié aux milieux antirépublicains avait rencontré Pétain au milieu des années 1930. Il a joué un rôle important dans les débuts du régime de Vichy en tant que ministre de la Justice, avant de tomber en disgrâce en janvier 1941. Acteur puis victime des nombreuses intrigues qui ont jalonné l'histoire du régime, mythomane instable, il a des comptes à régler.

Bouchardon n'en croit pas sa chance lorsque, juste avant le retour de Pétain, il se voit remettre un document explosif par Alexandre Parodi, ancien résistant devenu ministre. Il s'agit d'une note écrite par un ami de Parodi, Jean Rist, ingénieur et résistant, dans laquelle ce dernier rapporte des propos prononcés par Alibert en 1942 :

> Nous avions pensé, en adhérant au complot de la Cagoule, faire en France ce que Franco a réussi en Espagne. Le maréchal Pétain, pendant son ambassade à Madrid, s'était servi de Franco comme intermédiaire auprès d'Hitler qui se montra favorable à nos projets et nous envoya des fonds en nous promettant son appui militaire. Faisaient partie du complot : Pétain, Darnand, Huntziger et autres… Quand la guerre éclata et que l'armée fut vaincue, nous demandâmes un armistice selon les termes qui avaient été convenus d'avance avec Hitler.

Rist aurait été informé de tout cela par un certain « N », qui a eu une conversation avec Alibert. Tenait-on l'arme du crime, la preuve irréfutable de l'implication de Pétain dans un complot d'avant-guerre ? Rist ayant été tué en 1944, Bouchardon interroge son père, l'économiste Charles Rist, qui confirme que c'est bien son fils qui a écrit la note. Dans l'acte d'accusation qu'il prépare juste avant le retour de Pétain, Mornet brandit ce « document décisif » comme une preuve irréfutable de la complicité de Pétain dans une conspiration. Mais, à y regarder attentivement, les choses se révèlent plus compliquées.

Si le procès s'était déroulé par contumace, ce document « décisif » n'aurait jamais été examiné de près. Mais les avocats de Pétain, repérant immédiatement les failles, rédigent une note pour protester que des preuves aussi peu solides puissent se retrouver dans l'acte d'accusation[40]. Le mystérieux « N » semble être le patron de Rist, l'industriel Louis Vergnaud. Lui aussi est interrogé par Bouchardon et confirme avoir rapporté ces commentaires à Rist, mais seulement comme des rumeurs, non comme des propos qu'il aurait entendus de la bouche d'Alibert, un homme qu'il n'a pas vu depuis 1936. Vergnaud se demande s'il est vraiment le mystérieux « N » et ajoute, pour faire bonne mesure, que Jean Rist était un « exalté ». Comme Rist est mort et qu'Alibert a fui en Espagne, l'affaire en reste là[41]. Dans son supplément à l'acte d'accusation initial, Mornet doit concéder qu'il n'a pas été possible d'identifier la personne désignée par la lettre « N », mais il affirme que « l'honorabilité de M. Jean Rist n'en demeure pas moins une garantie de l'authenticité des propos rapportés par lui ».

Pour autant, le fait que Rist « l'exalté » ait rapporté de bonne foi des propos qu'il avait entendus ne rendait pas ces propos véridiques. Maintenant que Pétain a des avocats pour assurer sa défense, l'accusation va devoir se montrer moins expéditive.

La défense

Fernand Payen, le plus expérimenté des défenseurs de Pétain, est un avocat, spécialiste réputé de droit civil, sans grande expérience en matière pénale. Il a été bâtonnier en 1929 et président de l'Association nationale des avocats (ANA) sous l'Occupation. C'est à ce titre qu'il a rencontré Pétain en 1941, et qu'enthousiasmé il a décrit « [sa] forme physique et [sa] vigueur d'esprit admirables » dans le Bulletin de l'ANA. En une autre occasion, il avait écrit que « parlementarisme, libéralisme économique, droits de l'homme, souveraineté de l'individu » étaient « à l'origine de notre décadence »[42]. Payen n'a donc certainement pas figuré parmi les avocats engagés dans la Résistance. Mais, à la Libération, il essaie de se concilier les deux camps en publiant un pamphlet appelant à la réconciliation nationale[43].

Même dans le monde suranné et poussiéreux du barreau de Paris, Payen semblait appartenir à une autre époque : pointilleux, tatillon, et habillé avec un formalisme qui n'aurait pas été déplacé un siècle plus tôt. Sa principale obsession était d'être élu à l'Académie française, qui réservait généralement un fauteuil à un avocat célèbre. Maurice Garçon, embarqué dans la même croisade, raconte plusieurs épisodes cocasses où, faisant campagne pour sa candidature, il tombait sur Payen, faisant de même, chacun repartant assuré du soutien indéfectible de l'académicien à qui il venait de rendre visite. (Le premier devoir d'un académicien nouvellement élu étant de prononcer l'éloge de son prédécesseur défunt, ils auraient tous deux été confrontés à un problème : le fauteuil vacant avait été occupé par Louis Bertrand, auteur en 1936 d'une biographie admirative d'Hitler et qui avait même un jour fait le salut nazi, bras tendu, pendant une réunion de l'Académie[44].) Payen espérait que la célébrité qu'il gagnerait en défendant Pétain renforcerait sa candidature auprès de cette auguste institution conservatrice. Cette ambition influença aussi son approche de l'affaire. Il prévoyait d'éviter de défendre Vichy et de mettre l'accent sur l'âge et l'affaiblissement des facultés du Maréchal. Susciter la pitié pour un héros déchu lui paraissait la ligne la plus consensuelle à suivre.

La tactique prudente de Payen le mettait en conflit avec son jeune collègue impétueux Jacques Isorni. Au fil des ans, Isorni s'est tellement identifié à la croisade qu'il a menée pendant trente ans pour réhabiliter la réputation de Pétain qu'il est difficile de démêler la réalité et l'imagination dans les nombreuses versions qu'il a laissées de son histoire. Dans la version la plus ancienne, la demande de rejoindre l'équipe des avocats de Pétain avait été une (heureuse) surprise. Dans une version plus tardive, on lit que, dès qu'il avait appris que Pétain allait être jugé, il avait eu le pressentiment que son destin serait de le défendre[45]. Quelle que soit la vérité, parmi ces hommes âgés et fatigués qui approchaient de la fin de leur carrière – Mornet, Bouchardon, Payen –, le talentueux

Isorni, âgé de trente-quatre ans, se distinguait par sa jeunesse et son ambition, son énergie et son enthousiasme[46].

L'identification d'Isorni à Pétain tout au long de sa vie a fait paraître l'avocat comme une figure de l'extrême droite. Pour contrer cette image, dans ses Mémoires écrits dans les années 1980, il s'attarde sur les caractéristiques de son milieu qui le désignent comme un outsider non-conformiste. Sa mère, issue de la bourgeoisie catholique parisienne, avait choqué sa famille en devenant une ardente républicaine. Selon la légende familiale elle avait rompu avec son fiancé parce qu'il avait signé une pétition anti-Dreyfus. Sacrifiant l'amour à la justice, elle avait épousé un immigré d'origine italienne, un dessinateur spécialisé dans la fourniture de dessins de mode aux grands magasins. Isorni racontait avoir été victime de moqueries à l'école où on l'appelait « macaroni » en raison de ses origines italiennes. Dans son récit, Isorni était donc le fils d'un immigré et d'une républicaine convaincue. Mais son père, admirateur du chef de file de l'Action française, le polémiste monarchiste Charles Maurras, était marqué à droite, et son fils s'inscrit dans la même tradition. Lycéen, il avait rejoint l'Action française et, pendant ses études à l'université, écrit régulièrement des chroniques dans des journaux étudiants de droite.

Lorsqu'il s'inscrit au Barreau en 1931, Isorni est le plus jeune avocat de France. Il se présente au « Concours de la Conférence », un concours d'éloquence destiné aux jeunes avocats du barreau de Paris qui confère aux douze lauréats le titre de « Secrétaire de la Conférence du stage ». Il le remporte à sa deuxième participation et restera toute sa vie auréolé du prestige de ce succès. Lors du choix des douze « conférenciers » de l'année suivante, ses confrères et lui sélectionnent cinq juifs – un acte de provocation alors que l'antisémitisme sévit au barreau de Paris, et un signe de sa personnalité anticonformiste. L'avènement du régime de Vichy aurait pu mettre un terme à sa carrière, car une loi adoptée en septembre 1940 exclut des professions juridiques les personnes d'origine étrangère, mais il réussit à obtenir une dérogation. Il ne semble pas en avoir voulu à un régime qui pratiquait de telles discriminations. Il se vante dans ses Mémoires d'avoir défendu des résistants communistes devant les tribunaux de Vichy. De fait, il éprouvait une sympathie instinctive pour les persécutés. Dans son livre *Je suis avocat*, écrit en 1951, il expose sa conception du rôle de l'avocat :

Être avocat afin de rester un homme libre qui ne doit rien à personne [...] L'indépendance aussi ! Ne rien espérer du pouvoir, pas
même une décoration. L'accabler s'il le mérite, lui parler haut, même
s'il ne prête pas l'oreille, et, rentré sous la tente, savoir qu'il regrette
de nous avoir laissé le droit à la parole[47].

La Libération est le moment parfait pour Isorni parce que, pour la
première fois, sa sympathie émotionnelle pour les perdants coïncide
avec ses opinions politiques : il partage désormais les convictions
des réprouvés. En janvier 1945, il acquiert une certaine notoriété en
défendant Robert Brasillach. Au cours de ses nombreuses conversations avec Brasillach, il en vint à s'identifier émotionnellement
avec le jeune écrivain, qui n'avait que deux ans de plus que lui.
Tactiquement, la défense la plus efficace de Brasillach aurait pu
être de prétendre que, aussi regrettables que fussent ses écrits, ils
n'avaient pas eu de conséquences tangibles. Mais Isorni, ne voulant
pas « sacrifier le brillant à l'utile », plaida que Brasillach, grand
écrivain, ne devait pas être perdu pour les lettres françaises. Dans
Je suis avocat, il écrit :

Si l'homme existe, prêt au sacrifice de l'idée dans l'espoir de se
sauver, il existe aussi celui qui refuse de la trahir et persiste à voir
en elle la justification de sa conduite. La tâche de la défense est plus
simple dans le premier cas, tout en manquant un peu de grandeur[48].

Selon un commentateur, Isorni voulait un « beau procès[49] ».
Le procès de Brasillach transforma la sympathie intellectuelle
d'Isorni pour les valeurs du régime de Vichy en quelque chose de
plus passionnel. Il déclara plus tard, par boutade, qu'il était devenu
collaborateur *a posteriori* en 1945. À partir de ce moment, Isorni
développa aussi une haine violente contre de Gaulle. Pendant des
années, il revint sur la visite qu'il lui avait faite le 3 février 1945
pour lui remettre le recours en grâce de Brasillach :

Il avait repris le cigare qu'il avait commencé et en tirait de grosses
bouffées dans ma direction. Je me demandais si c'était le moment
des cigares. Nous étions séparés par un mètre environ – un peu plus
peut-être – et jamais mon regard ne parvint à croiser le sien. Ses yeux
rapprochés, sombres dans l'obscurité et immobiles, fixaient une ligne
au loin [...]. Dans le tête-à-tête de deux hommes dont dépend une
destinée, il faut une grande volonté pour aller jusqu'au bout de son
propos lorsqu'on ne rencontre que le silence[50].

Aucune grâce ne fut accordée. Trois jours plus tard, Isorni accompagna Brasillach, âgé de trente-cinq ans, dans le fourgon pénitentiaire qui l'emmenait au fort de Montrouge et assista à son exécution. Il écrivit plus tard : « Depuis ce temps sa mort a conduit ma vie. »

On ne sait pas exactement pourquoi Payen demande à Isorni de l'aider pour le procès de Pétain, mais ce fut une décision qu'il regretta vite[51]. Son jeune associé n'a pas l'intention de rester confiné dans un rôle secondaire. Le 16 mai, les deux hommes arrivent à Montrouge pour le deuxième interrogatoire de Pétain. Isorni n'y est pas revenu depuis l'exécution de Brasillach, et c'est sa toute première rencontre avec Pétain. Ce deuxième interrogatoire s'avère aussi désastreux que le premier. À la plupart des questions de Bouchardon, Pétain répond qu'il ne se souvient pas ou alors il charge Laval. En une occasion, il confond une rencontre avec Hermann Göring à Belgrade en 1934 avec une autre en décembre 1941. La séance se termine par la réponse de Pétain à une question sur le sabordage de la flotte française en 1942 : « Je vous demande de différer ma réponse ; je me sens très fatigué[52]. » Chaque fois que Pétain formule une réponse particulièrement pauvre, Payen donne un coup de pied sous la table à Isorni ou lui fait un clin d'œil où se mêlent la pitié et la satisfaction. C'est le Pétain dont il a besoin pour la plaidoirie qu'il prépare. Après coup, il dit à Isorni que Pétain était « complètement gaga[53] ».

Tôt le lendemain matin, sans consulter Payen, Isorni traverse Paris à vélo pour rencontrer Pétain seul. Il ne possède pas de voiture et les taxis, toujours en nombre insuffisant, sont réservés aux malades, aux médecins et aux sages-femmes[54]. Il est déconcerté par le fait que Pétain semble davantage intéressé par le jardin de sa villa sur la Côte d'Azur que par l'imminence de son procès[55]. Isorni tente de raffermir la détermination à son vieux client tout en faisant appel à sa vanité :

> « Ce que vous devez faire ? Rester vous-même ! Il faut vous rappeler que vous êtes maréchal de France, chef de l'État ; il faut le redevenir, vous ne devez accepter aucune atteinte à votre dignité. Avez-vous oublié l'importance du procès de Jeanne d'Arc ? La captivité de l'Empereur à Sainte-Hélène ? Le procès de Louis XVI ? » Je lui affirmai que des millions de Français pensaient à lui ; que pour eux, il était un symbole ;

qu'il représentait un idéal [...] « Il faut que votre attitude soit conforme
à l'idéal que vous leur avez inspiré. N'ayez plus l'air d'un jardinier
accusé d'un vol des légumes[56]. »

En prenant congé, Isorni regarde Pétain dans les yeux et lui
déclare avec solennité : « Je vous fais le don de ma personne. »
Ultérieurement, il affirmera : « J'avais le sentiment de lui avoir
rendu la grandeur de son rôle et de son personnage[57]. »

Tout cela est probablement exact mais la relation entre les deux
hommes était complexe. Pétain impressionnait véritablement Isorni,
mais l'avocat était aussi une personnalité manipulatrice et séduc-
trice qui avait intuitivement senti la vulnérabilité du vieil homme.
Chacun, dans une certaine mesure, se servait de l'autre. Isorni avait
trouvé une grande cause romantique. Le jour où il apprit qu'il allait
être l'avocat de Pétain, il commenta : « J'ai défendu André Chénier
et maintenant je vais défendre Louis XVI[58]. » Brasillach avait été
le poète, Pétain serait le monarque. Pour sa part, Pétain comprit
qu'il avait rencontré quelqu'un qui s'était engagé corps et âme en
faveur de sa cause. À propos de la stratégie de Payen consistant
à plaider la sénilité, Isorni fit ce commentaire : « C'était peut-être
juridiquement plus efficace. Mais il y a un conflit entre l'opportunisme juridique et la vérité historique. » Isorni pensait à l'histoire
– à la place que Pétain y occuperait, mais aussi à la sienne[59].

Un schéma se met donc en place. Alors que les deux avocats
assistent ensemble aux interrogatoires, un lien se tisse entre Isorni
et Pétain dans le dos de Payen. Isorni va régulièrement à Montrouge
seul et déclare à Pétain qu'il se sent un peu comme un amant qui
rend visite à sa maîtresse en cachette. Il a même l'occasion de
servir d'intermédiaire en lui transmettant une lettre d'une ancienne
amante, une vieille dame vêtue de noir qui s'est présentée à son
cabinet. Il s'agit de Jacqueline de Castex, dite « Mella », une des
femmes que Pétain aurait demandées en mariage, en 1920. Lorsque
Isorni dit à Pétain qu'il a vu « Mella », le Maréchal rougit « comme
un jeune homme de seize ans » et demande : « Croit-elle que je
suis un traître ? » La Maréchale, quant à elle, met avec fermeté un
terme à cet échange de messages.

Un jour où Payen arrive à l'improviste et les trouve ensemble,
Isorni concocte à la hâte une explication que Pétain soutient avec
à-propos. Payen n'est pas dupe. Le gardien chargé de surveiller
Pétain, Joseph Simon, voit les tensions qui sont évidentes, et il

note dans son journal que les deux avocats se « méfient l'un de l'autre ». Isorni dit un jour à Simon : « Le bâtonnier Payen est un vieux gâteux, un jaloux plus gâteux que le Maréchal, ne connaissant rien à la politique. » À son tour, Simon lui confie ce que Pétain lui a dit de Payen : « Il me catastrophe, il ne comprend rien. » Pétain décrit Isorni comme son « messie »[60].

Le 11 juin, un troisième avocat rejoint l'équipe. Payen et Isorni espèrent chacun s'en faire un allié. Le candidat d'Isorni a été rejeté par Payen, qui a imposé le sien, Jean Lemaire. À quarante et un ans, Lemaire se situe en âge entre ses deux collègues. Bon vivant jovial, habitant un hôtel particulier dans le Marais, il est plus proche par tempérament d'Isorni que de Payen. Rapidement une complicité se noue entre les deux hommes. Comme Lemaire est également propriétaire d'une voiture, Isorni n'a plus besoin de faire à vélo le long trajet jusqu'à Montrouge. Les interrogatoires peuvent désormais commencer pour de bon.

Chapitre 6

Interroger le prisonnier

La première tâche des avocats de la défense fut d'effacer toute trace du désastreux interrogatoire du 8 mai. Ils rédigent une note, au nom de Pétain, pour expliquer qu'il avait été émotionnellement perturbé par le bruit des sirènes de la victoire lui parvenant dans sa prison. Huit autres interrogatoires ont lieu au cours du mois suivant, dont le dernier le 19 juin. Pierre Bouchardon est parfois accompagné par un autre magistrat, Pierre Béteille, qui se montre moins hostile à l'égard de Pétain et va jusqu'à lui serrer la main. À deux reprises, les neuf membres de la commission d'instruction arrivent ensemble. Ces interrogatoires-là sont particulièrement éprouvants pour Pétain : entouré de ses deux avocats, il est soumis à un feu roulant de questions qui fusent de toutes parts.

Pour éviter qu'il ne s'empêtre dans ses arguments ou ne donne des réponses inappropriées, ses avocats l'incitent à déclarer, lorsqu'il se trouve en difficulté, qu'il répondra par une note écrite. Au total, onze notes sont ainsi produites, généralement rédigées par Jacques Isorni[1]. Lorsque Pétain répond lui-même directement, ses déclarations sont caractérisées, comme lors du premier interrogatoire, par un mélange de dérobade ou d'amnésie, de rejet de responsabilité ou de mensonge, d'aveuglement ou d'apitoiement sur soi, comme dans ces différents exemples :

La dérobade ou l'amnésie : « Ai-je écrit à Maurras ? C'est possible, mais je n'en ai pas gardé le souvenir. »

L'aveuglement : « J'ai toujours résisté aux Allemands. Donc je ne pouvais qu'être très favorable à la Résistance. La Résistance est le signe de la vitalité d'un peuple. En tant que chef de l'État je ne pouvais l'approuver publiquement en présence de l'occupant. J'ai toujours fait une distinction entre les résistants aux Allemands et ceux qui ont utilisé ce prétexte pour se livrer à des crimes de droit commun. »

Le rejet de responsabilité ou le mensonge : interrogé sur le fameux discours de Laval du 22 juin 1942 dans lequel ce dernier déclarait souhaiter la victoire de l'Allemagne, Pétain répond qu'il n'était pas d'accord avec lui : « Il est évident que j'aurais dû faire une déclaration contraire. Mais je ne pouvais le faire qu'en me retirant. Or, placé à la tête d'une nation sous l'occupation ennemie, j'étais tenu de donner des satisfactions apparentes à l'occupant, pendant que les Alliés préparaient la victoire. M. Laval m'ayant été imposé par les Allemands, je me suis servi de lui pour les apaiser, ce qui me permettait de dissimuler l'orientation véritable de ma politique. »

Le thème le plus récurrent des interrogatoires est l'obsession des magistrats instructeurs pour le rôle présumé de Pétain dans un complot « cagoulard » contre la République avant 1940 – ce qui plonge Pétain dans une perplexité non feinte. Le 25 mai, il est interrogé sur ses relations avec des individus soupçonnés d'avoir été associés à la Cagoule :

> Le docteur Martin (un des fondateurs du mouvement en 1935) ? « Le chef de l'État ne s'occupe pas de ces détails. Je ne connais pas le docteur Martin. Le rapprochement que vous faites entre ces gens et moi est une injure et l'accusation ainsi présentée est satanique. »
> François Méténier (coorganisateur d'un attentat en 1937) ? « J'ignorais même son nom. »
> Gabriel Jeantet (un des premiers cagoulards) ? « Je ne connais pas M. Gabriel Jeantet […] Je vous l'ai déjà dit que j'ignorais tout de la Cagoule. »
> Raphaël Alibert ? « Alibert ? Il était très exalté et je regrette de l'avoir pris comme ministre. »

Le 1er juin, les interrogateurs reviennent à la charge sur ce sujet.

> Question : « Vous prétendez tout ignorer de la Cagoule et de la Synarchie. Comment se fait-il que, dès votre accession au pouvoir, vous avez posté à tous les leviers de commande des hommes de la Synarchie et de la Cagoule ?? »
> Pétain : « Si quelqu'un peut me dire exactement ce que c'est que la Synarchie je lui serais reconnaissant […] Et la Cagoule ? Qu'est-ce au juste, je l'ignore ; on ne prononçait ce mot qu'avec ironie[2]. »

Dans une veine similaire, de nombreuses questions portent sur la période où Pétain a été ambassadeur en Espagne, entre janvier 1939 et mai 1940. Selon la théorie du complot, c'est à ce moment-là qu'il aurait commencé à conspirer dans l'ombre. Les magistrats sont particulièrement intrigués par une lettre au général Alphonse Georges datant de cette période : « Mon cher Georges, je viens de passer trois jours à Paris incognito. » Cette visite « incognito » est-elle la preuve irréfutable d'un complot ? Réponse de Pétain : « J'ai un souvenir d'être venu en France, mais je ne puis plus préciser à quelles dates. [...] J'ajoute que, pendant mon séjour en Espagne, je ne suis jamais venu incognito en France et que mes séjours ont été de très courte durée[3]. »

En réalité, Pétain avait bien utilisé le terme « incognito », mais il n'y avait probablement rien de suspect là-dedans – simplement le désir de ne pas froisser le général Georges s'il venait à avoir vent de ce séjour[4]. Il n'est guère surprenant que Pétain ne se soit pas souvenu de détails aussi insignifiants. Peut-être préférait-il aussi que ses interrogateurs ne sachent pas qu'une destination régulière de ses visites à Paris était le célèbre bordel One-Two-Two[5].

Comme Pétain garderait le silence pendant pratiquement tout son procès, ces interrogatoires, aussi frustrants soient-ils, sont révélateurs de sa vision du monde et constituent le seul aperçu que l'on puisse avoir de ses véritables opinions. Très rarement perce un demi-aveu, voire une autocritique :

> C'est bien moi qui ai choisi mon entourage. Mais jamais on ne me parlait de ce qu'on croyait pouvoir m'être désagréable. C'était d'ailleurs un tort, car on doit avoir autour de soi des personnes qui aient le droit de tout dire[6].

Ce qui ressort globalement, c'est que Pétain réduit les divergences politiques à des rancunes personnelles. Isorni, qui le constate lors de sa première rencontre, a raconté que Pétain s'était lancé dans une diatribe contre de Gaulle : « S'il est maintenant prisonnier, pense-t-il, cela provient de la jalousie que de Gaulle ressent à son égard depuis qu'à Arras il fut jeune officier sous ses ordres. Le Maréchal souligne aussi la part importante qu'il a eue dans la rédaction des livres de De Gaulle[7]. »

Indépendamment du fait que son souvenir de ses relations avec de Gaulle était assez approximatif, Pétain résumait ainsi l'histoire

tragique des quatre dernières années à ses éléments les plus mes-
quins. Bouchardon, qui n'est pas le témoin le plus objectif, déclare
à un autre avocat : « Pétain a eu des mots terribles pour "débarquer"
ses collaborateurs. Ce vieillard n'a pas de cœur. Il y a chez lui
un orgueil sénile[8]. » Il avait cependant un sens de l'humour noir.
Lorsque Isorni lui annonce la mort de Joseph Barthélemy, son
ancien ministre de la Justice, des suites d'un cancer, Pétain lance
pour plaisanter : « Tiens, tiens... On pourrait en faire un bouc
émissaire. Il n'en mourra pas davantage[9]. »

Dans les notes qu'ils rédigent pour lui, les avocats de Pétain, en
particulier Isorni, esquissent leur future plaidoirie. La tâche n'est
pas facile, car Isorni, comme la plupart des Français, connaît mal
la véritable histoire de son pays entre 1940 et 1944, et Pétain ne
l'aide guère à en élaborer un récit cohérent. Par exemple, interrogeant Pétain sur sa déclaration, gênante pour la défense, que les
ouvriers français envoyés dans les usines allemandes travaillaient
à défendre les intérêts nationaux, Isorni se rend compte que « le
texte, déterminé par des considérations politiques impérieuses,
lui paraissait, à distance, inexplicable ». Tout ce que Pétain peut
lui dire est : « Il faudra vous tirebouchonner pour trouver une
explication[10]. »

Pétain se trouvait dans une forme physique remarquable pour un
homme de quatre-vingt-neuf ans, mais son état mental était difficile
à évaluer. Jacques Charpentier, qui lui rend visite à Montrouge
pour discuter du choix des avocats, déclare à Isorni : « J'ai eu
l'impression d'une magnifique façade derrière laquelle il n'y avait
plus rien[11]. » À Vichy, on disait souvent qu'il n'était capable de se
concentrer que deux heures par jour. À la prison de Montrouge,
un médecin surveille son état de santé et en tient le gouvernement
informé. Il rédige un rapport le 23 mai :

> Certains jours je trouve le Maréchal plongé dans ses papiers, les
> retournant sans cesse, et il m'est impossible de tirer de lui la moindre
> parole. D'autres fois, il mélange des dates, ne se rappelle plus les faits
> récents, mais évoque bien d'autres événements. Enfin, la visite de ses
> avocats, ou ses interrogatoires sont habituellement suivis de prostration.
> Ayant reçu la consigne d'amener le Maréchal à son procès dans un
> bon état physique et moral, je pense que la présence à ses côtés de la
> Maréchale semble indispensable. Elle lui range ses papiers, lui rappelle
> des dates, le remonte moralement, sans elle il est à craindre qu'il ne
> puisse conserver un état mental suffisant pour supporter les interrogations

et pour affronter les fatigues du procès [...] Son absence entraînerait sûrement de redoutables et probablement d'irréparables défaillances en ce qui concerne son équilibre psychique qui est très précaire[12].

Isorni réfute toute suggestion selon laquelle Pétain serait sénile, affirmant au contraire que « ce terrien du Nord avait la souplesse d'un diplomate italien[13] ». Mais les notes qu'il prend sur leurs rencontres racontent une autre histoire. Le 24 mai, il écrit : « Il est fatigué. J'ai quelques difficultés à lui faire comprendre certaines de mes explications. Le Maréchal a, aujourd'hui, des trous de mémoire considérables qui empêchent le raisonnement, et il faut répéter plusieurs fois la même chose. » Lorsqu'une semaine plus tard il lui annonce que d'anciens hommes politiques de la Troisième République, comme Léon Blum et Paul Reynaud, viendront témoigner contre lui, sa réaction est la suivante : « Mais pourquoi m'en veulent-ils ? Qu'est-ce que je leur ai fait ? » Quand Isorni lui rappelle qu'il les a jetés en prison, Pétain paraît surpris et n'en a aucun souvenir.

Pétain se réfugie dans des souvenirs peu utiles à sa défense. Il est particulièrement fier de ses « Messages » au peuple français pendant l'Occupation. Souvent, à la fin de la journée, il en lit un à ses avocats, sans se rendre compte que, comme le raconte Isorni, « dans la lourde chaleur moite de l'été, [ces lectures] finissaient par nous assoupir ». Ils ont souvent droit à un discours de mars 1941 présentant ses idées sur la réforme du travail. Lorsqu'il a terminé, Pétain se félicite : « Il n'y a pas un mot de trop[14]. »

Isorni est donc laissé à lui-même pour construire sa défense et inventer le Maréchal dont il a besoin pour l'histoire. Il dira plus tard : « Pétain, je l'ai "fait" dans sa prison, ou plutôt, je l'ai refait[15]. » À cet égard, il reçoit l'aide de Guy Raïssac, un juriste de l'équipe de Mornet qui n'est pas satisfait de la façon dont l'accusation conduit l'instruction, et qui transmet certains documents à la défense. Isorni rassemble également de fidèles pétainistes, dont certains connaissent le Maréchal depuis la Grande Guerre. Ils se réunissent tous les dimanches rue Gay-Lussac, à Paris, au domicile d'un avocat, pour discuter de l'affaire. Comme l'explique Isorni, ces réunions « nous permettaient de revivre, avec ceux qui y avaient assisté, des événements que nous ne connaissions que par des textes, des procès-verbaux et des rapports[16] ».

Parmi ces fidèles se trouvent Jean Tracou et Louis-Dominique Girard, respectivement directeur et chef du dernier cabinet civil de

Pétain en 1944. Isorni ne leur cache pas les difficultés de sa tâche :
« Je suis en présence d'un dossier immense et très mal agencé,
devant me débattre contre une justice qui est une caricature de
justice et contre un bâtonnier [Payen] qui voudrait réduire l'affaire
[…] excuser le pauvre vieillard et implorer l'indulgence du jury en
faveur d'un prévenu au casier judiciaire vide. » Girard rapporte :
« La première impression que me fait ce garçon est aussi bonne
que je fus mal impressionné par Payen. » On discute la possibilité
d'« éliminer ce vieux phraseur et "aboyeur" ». Isorni, qui essaie
de se repérer dans le milieu pétainiste, sonde leur opinion sur la
Maréchale. La réponse : « Brave et bête, mais très utilisable. » Les
deux hommes promettent de lui apporter leur aide. « Vous êtes
maintenant de la Maison du Maréchal[17] », lui dit Tracou qui sera
un des derniers témoins au procès.

L'avocat consulte également d'anciens vichystes empêchés
d'assister aux réunions dominicales parce qu'ils sont en prison dans
l'attente de leur propre procès. Parmi ces hommes, Bernard Ménétrel,
qui n'avait pratiquement jamais quitté Pétain avant d'en être séparé
de force à Sigmaringen, brille par son absence. Rapatrié d'Allemagne
en France quelques semaines après Pétain, le médecin a été immédiatement incarcéré à Fresnes. Ne se faisant aucune illusion sur le
fait que Pétain peut se montrer d'une ingratitude impitoyable, il a
d'abord redouté d'être transformé en bouc émissaire. Mais, ayant
acquis la certitude, par le bouche-à-oreille en prison, que cela ne
se produira pas, il offre ses services aux défenseurs de Pétain, en
dépit des craintes de son avocat que cela ne compromette sa propre
défense. Cependant, Isorni n'accepte pas cette offre. Les rivalités
qui avaient déchiré la cour de Vichy brûlent encore intensément, et
l'avocat a peut-être été prévenu contre Ménétrel par d'autres qui lui
en veulent de son influence sur Pétain. Ou peut-être craint-il que
le médecin ne compromette son client, compte tenu du document
qu'il avait rédigé à Sigmaringen dans lequel il affirmait que « la
politique du Maréchal n'est pas facile à défendre » – même si son
seul but avait été de sauver Pétain contre lui-même[18].

Le mystérieux professeur Rougier

Les défenseurs de Pétain espèrent profiter des bruits qui circulent
au sujet des contacts, voire d'un « accord » secret, entre les Britanniques et Vichy – le fameux « double jeu » présumé de Pétain.

Malheureusement, selon Isorni, Pétain « avait sur ce point particulier des défaillances de mémoire telles qu'il n'avait pu m'aider[19] ».

La principale source de ces rumeurs est Louis Rougier. Ce professeur de philosophie de l'université de Besançon, spécialiste de l'histoire du libéralisme, s'est inquiété dans l'entre-deux-guerres, comme beaucoup d'autres libéraux, des conséquences de la démocratie de masse. En 1938, il a organisé à Paris un colloque sur le libéralisme qui lui a permis d'établir de solides contacts en Grande-Bretagne et en Amérique. Après l'armistice, il est obsédé par les conséquences du blocus économique imposé par les Britanniques à la France de Vichy. Même si l'Allemagne perd la guerre, le peuple français ne se remettra jamais, pense-t-il, des privations qui lui sont infligées. À l'automne 1940, fort de ses contacts universitaires, il propose au gouvernement de Vichy ses services comme interlocuteur auprès des Britanniques. Cet universitaire de province, imbu de sa personne, voit là l'occasion de contribuer à faire l'histoire.

Rougier est reçu en personne par Pétain qui l'autorise à se rendre à Londres. Il y arrive le 22 octobre 1940 et rencontre Lord Halifax, le ministre des Affaires étrangères. Par un extraordinaire coup du sort, Rougier se trouve encore à Londres le 24 octobre, jour où Pétain rencontre Hitler à Montoire. L'entretien de Montoire suscite l'inquiétude du gouvernement britannique : le gouvernement de Vichy s'oriente-t-il vers une alliance militaire avec l'Allemagne ? Les Allemands risquent-ils d'avoir accès aux bases françaises en Afrique du Nord ? Pour être rassuré, Churchill accepte de rencontrer Rougier le 25 octobre. Ce dernier, lui-même pris de court par la rencontre de Montoire, rassure ses interlocuteurs britanniques : la collaboration est la politique du seul Laval – il n'a en réalité aucune information à ce sujet.

Après un retour en France pour rendre compte de ses conversations, Rougier s'installe à New York à la fin de l'année. On n'aurait sans doute plus entendu parler de sa visite éclair à Londres si l'universitaire, irrité par l'antipétainisme de nombreux exilés français à New York, n'avait commencé à faire des déclarations de plus en plus extravagantes sur sa « mission ». La presse américaine reprend ses affirmations en 1943, sans jamais les étayer. L'ambassade britannique à Washington, décrivant Rougier comme un personnage « tout à fait pernicieux », ne veut rien savoir de lui. Tout cela ne fait qu'accroître son amertume[20]. Son histoire refait surface en janvier 1945 lors des interrogatoires menés pour

l'instruction du procès de Pierre-Étienne Flandin, éphémère chef
du gouvernement de Vichy. Puis, en mars 1945, Rougier publie un
livre au titre grandiloquent, *Les Accords Pétain-Churchill. Histoire
d'une mission secrète*, qui contient des photographies de documents
censés prouver ce qu'il raconte[21].

Cela suffit à Isorni pour faire rédiger par Pétain, le 8 juin, une note
courte mais audacieuse : « Il est exact que j'ai fait négocier un traité,
devant demeurer secret, avec Monsieur Winston Churchill. Ce traité
[le mot va plus loin que ce que Rougier lui-même avait osé affirmer],
dont la négociation a commencé le même jour que Montoire – ce
rapprochement donne à Montoire son véritable caractère – a inspiré
ma politique, même lorsque les Anglais semblaient s'en écarter. »
Quand les magistrats instructeurs lui demandent de détailler, Pétain
répond mystérieusement qu'il ne peut en dire plus sans l'autorisation
du gouvernement britannique. Cette réponse, soufflée par Isorni, est
ingénieuse. Elle le place en position de supériorité morale tout en
éludant la réalité, à savoir qu'il n'a aucun souvenir de Rougier[22].

6. Note écrite par Pétain le 8 juin 1945 où il affirme avoir négocié un « traité secret »
avec Churchill en octobre 1940.

Le Foreign Office finit par considérer qu'il n'est plus possible d'ignorer les affirmations de Rougier, mais Churchill, qui ne se souvient pas non plus de lui, ne cède pas : « Il est inutile de nous exciter à ce sujet », déclare-t-il ; « Il était naturellement de notre politique que d'obtenir le maximum de Vichy[23]. » Cependant, les allégations de Rougier faisant la une du *New York Times*, le silence des Britanniques devient assourdissant. Il est également embarrassant pour eux de laisser entendre qu'il y aurait eu des contacts secrets avec Vichy dans le dos de De Gaulle. De son côté, Rougier affirme que, lors de sa visite à Londres, les Britanniques lui ont interdit de voir ce dernier. Il écrit personnellement à de Gaulle en mars 1945 en joignant des documents montrant que si Laval était peut-être un collaborateur, Pétain ne l'était pas[24]. Les conseillers de De Gaulle mènent alors l'enquête et concluent qu'il n'y a pas lieu de s'inquiéter, mais l'ambassade de France à Londres exhorte les Britanniques à répondre à Rougier[25]. L'ambassade britannique à Paris, qui n'a jusqu'alors envoyé aucun observateur aux procès de l'épuration, fait savoir à Londres qu'elle le fera pour Pétain : « Le procès sera manifestement un événement historique d'une grande importance dont vous devriez avoir un témoignage direct[26]. » Le Foreign Office entreprend donc de rédiger une réponse officielle à Rougier en temps utile pour le procès.

Des preuves incontestables ?

Le dernier interrogatoire, le 19 juin 1945, est bref. Pétain est questionné sur deux documents récemment découverts, dont l'accusation espère qu'ils permettront d'établir le chef d'« intelligence avec l'ennemi ». Ils joueront un rôle clé dans le procès. Le premier document est une lettre de Pétain à Joachim von Ribbentrop, datée du 18 décembre 1943, déclarant que « les modifications de lois seront soumises, avant la publication, aux autorités d'occupation ». Cette lettre avait été rédigée dans le contexte de la tentative des conseillers de Pétain de réaffirmer son pouvoir à la fin de l'année 1943. Ribbentrop avait réagi à cette initiative par une furieuse missive comminatoire adressée au Maréchal avec toute une liste d'exigences et de griefs. Ce dernier avait cédé à ces exigences par cette fameuse lettre qui lui était désormais reprochée.

La réponse de Pétain aux magistrats instructeurs, plus complète que beaucoup d'autres, consiste à affirmer qu'il n'est pas sûr que la lettre eût été envoyée, mais que si elle l'avait été, il s'agissait d'une « concession de forme » puisqu'il n'aurait jamais soumis de législation à l'approbation des Allemands. Cette affirmation était absurde car aucune loi française ne pouvait être promulguée sans avoir été préalablement soumise aux occupants, comme Pétain lui-même l'admettait à demi-mot : « Il est arrivé que, devant leurs exigences, je fusse contraint de prendre certaines mesures législatives[27]. »

Le second document porte sur l'échec du débarquement anglocanadien à Dieppe le 19 août 1942, un exercice d'entraînement en vue du Jour J facilement repoussé par les Allemands. Deux jours plus tard, la presse de la zone occupée publiait un communiqué signé par Pétain et Laval félicitant les Allemands pour avoir défendu avec succès les frontières de la France. Lors d'un précédent interrogatoire, Pétain en avait rejeté la faute sur Laval, comme à l'accoutumée quand il était confronté à une pièce à conviction délicate. Mais, plus compromettant encore que ce communiqué, qui pouvait s'expliquer comme un geste de pure forme, embarrassant mais pas constitutif d'une trahison, s'avère un nouveau document trouvé quelques jours plus tôt dans les papiers saisis chez Brinon. Il s'agit d'un télégramme adressé à Hitler, de la même date :

> Étant donné la dernière attaque anglaise qui s'est déroulée, cette fois sur notre sol, je vous propose de prévoir la participation de la France à sa propre défense. Si vous y consentez en principe, je suis prêt à examiner en détail les modalités de cette participation.
>
> Je vous prie de considérer cette intervention comme l'expression sincère de ma volonté de faire contribuer la France à la sauvegarde de l'Europe[28].

Si cela signifiait que les Français proposaient de combattre avec les Allemands pour défendre le territoire français, il s'agissait d'une étape claire et dangereuse vers la collaboration militaire. Le document était précédé des mots suivants : « Veuillez remettre immédiatement à M. de Grosville, cabinet de M. Benoist-Méchin. » Représentant de Vichy à Paris, Jacques Benoist-Méchin était un collaborationniste dont Pétain se méfiait.

Ce document présentait plusieurs détails étranges. Pourquoi Pétain ne communiquait-il pas avec l'ambassade d'Allemagne par les voies habituelles ? Pourquoi faire appel à un obscur attaché de presse

– Grosville – et à la personne controversée de Benoist-Méchin ? Le document avait-il été communiqué aux Allemands ? Venait-il même de Pétain, puisqu'il n'était pas signé « Philippe Pétain », comme c'était généralement le cas, mais se terminait par les mots « signé Pétain » ?

Ce document obsède les magistrats instructeurs au point que la police va interroger les deux fonctionnaires chargés d'envoyer les télégrammes de Vichy à Paris. Ils confirment que l'original du télégramme est rédigé sur le papier à lettres officiel de Pétain mais, ne connaissant pas son écriture, ils ne peuvent dire s'il l'a signé lui-même. Les magistrats interrogent aussi le chef de cabinet de Brinon, sa secrétaire personnelle (et maîtresse) Simone Mittre, ainsi qu'une dactylo de son bureau. Enfin, on retrouve même le mystérieux Grosville qui, sous un faux nom, conduit des camions pour les Américains à Marseille. Il déclare qu'il n'a jamais entendu parler du télégramme et que, n'ayant jamais eu de contacts avec les Allemands, il n'aurait pas su à qui le transmettre. Comme il fait l'objet d'une enquête sur ses relations avec les Allemands pendant l'Occupation, ces protestations ne convainquent guère. Mais la fouille de son appartement ne donne rien. Cette incursion dans le monde trouble de la collaboration, digne d'un roman de Patrick Modiano, n'apporte aucune réponse. Pétain pourra-t-il faire la lumière sur cette affaire[29] ?

Confronté au document, le Maréchal déclare qu'il n'a jamais ordonné l'envoi d'un tel télégramme et que les opinions qui s'y trouvent exprimées sont diamétralement opposées aux siennes. L'affaire n'est pas close pour autant. Durant le procès, davantage de temps serait consacré à examiner ce seul télégramme qu'à l'arrestation en zone libre par la police française, durant le même mois où il avait été envoyé (ou pas), de plus de onze mille juifs, hommes, femmes et enfants, pour être déportés à Auschwitz.

L'acte d'accusation révisé est prêt le 11 juillet 1945. En premier lieu est mentionnée la responsabilité de Pétain pour avoir signé l'armistice du 22 juin 1940 et promulgué les trois premiers Actes constitutionnels le 11 juillet, des actes qui allaient « sensiblement au-delà, voire même à l'encontre » des pleins pouvoirs qui lui avaient été accordés la veille : « Ils étaient l'aboutissement d'un complot fomenté depuis longtemps contre la République, un complot qui, grâce à la défaite, avait réussi, mais dont le succès définitif n'était assuré qu'à la condition que cette défaite ne fût pas mise en question. » S'ensuit une description du « complot » : la propagande de Gustave Hervé, la Synarchie, la Cagoule, les relations entre Pétain et Franco, son « intermédiaire auprès d'Hitler ». Autant de preuves « incontestables » du « crime d'intelligence avec Hitler dans la période précédant la guerre ».

La seconde partie de l'acte d'accusation, plus courte, retrace la « trahison » de Pétain après juillet 1940 : « Pas seulement une collaboration humiliante, mais bien l'asservissement de la France à l'Allemagne. » Les éléments de preuve comprennent la contribution à la machine de guerre allemande ; l'autorisation donnée aux Allemands d'utiliser les aérodromes français en Syrie en 1941 ; les tirs sur les troupes alliées en Afrique du Nord en novembre 1942. La troisième partie réfute toute tentative de distinguer Pétain de son gouvernement et insiste sur le fait qu'il est pleinement à l'origine des « abominables lois raciales » et de la « monstrueuse création des sections spéciales des cours d'appel ».

En conséquence, Pétain est accusé d'avoir :

> 1 – Commis le crime d'attentat contre la sûreté intérieure de l'État ;
> 2 – Entretenu des intelligences avec l'ennemi en vue de favoriser ses entreprises en corrélation avec les siennes[30].

Ces crimes tombaient sous le coup respectivement des articles 87 et 75 du Code pénal.

Le supplément d'information, daté du 11 juillet 1945, contient onze clauses présentant de nouveaux éléments, ainsi qu'un correctif partiel au témoignage de Jean Rist. Les obsessions de l'accusation n'ont pas changé : sept de ces nouvelles clauses portent sur la période antérieure à 1940. Parmi les documents récemment découverts concernant la période postérieure à 1940, le dernier mentionné est le tristement célèbre télégramme relatif au débarquement de Dieppe. Mais les dix semaines écoulées depuis le retour de Pétain n'ont pas radicalement modifié le fond de l'acte d'accusation déjà préparé par Mornet.

Alors que Mornet et Bouchardon mettent la dernière touche à leur dossier, le ministre de la Justice de De Gaulle, le juriste et ancien résistant Pierre-Henri Teitgen, déclare aux représentants des ambassades américaine et britannique que l'accusation accordera « comparativement peu d'attention » à la période précédant le mois de novembre 1942, au sujet de laquelle la défense de Pétain pourrait être en mesure de présenter des arguments, et davantage à la période ultérieure, où le fait que Pétain n'ait pas quitté le pays était plus difficile à défendre[31]. Une telle stratégie aurait certainement été logique, mais ce ne fut pas celle adoptée par Mornet. Comme de Gaulle était convaincu que le péché originel de Pétain était la signature de l'armistice, il se peut que Mornet se soit senti obligé de tenir compte de son point de vue. Quoi qu'il en soit, la tâche de Mornet aurait été plus facile s'il avait adopté l'approche de Teitgen.

Mornet tombe malade à la fin juin, ce qui retarde l'ouverture du procès. Une dernière question reste à résoudre : où se tiendra-t-il ? Le sentiment général est qu'il requiert un lieu plus solennel et plus spacieux qu'une salle d'audience ordinaire. Bazaine avait été jugé dans le cadre somptueux du palais du Luxembourg, siège du Sénat, et Louis XVI dans celui de la Convention nationale. Or l'Assemblée consultative étant provisoirement installée au palais du Luxembourg, il aurait fallu reporter le procès aux vacances parlementaires d'été. Versailles, autre possibilité évoquée, est jugé trop éloigné de Paris. Le gouvernement, qui veut éviter d'être accusé de préparer un procès politique, opte plutôt pour la salle d'audience déjà utilisée pour les procès d'Esteva et de Dentz : celle de la première chambre de la cour d'appel de Paris, située au cœur du Palais de justice. Ce lieu semblait garantir le sérieux des débats. Il aurait eu la préférence de Mornet, qui craignait que sa voix ne portât pas dans un espace plus grand.

La presse critique cette décision, ainsi que les membres de la commission d'instruction qui écrivent officiellement à de Gaulle le 11 juillet pour demander que le procès se tienne au palais de Luxembourg :

> Un des procès les plus importants dans l'histoire de notre pays, une affaire où vingt années de notre politique seront évoquées, se déroulera devant deux cents personnes environ, dans une pièce remplie de journalistes et de policiers où non seulement toute la presse mondiale ne pourra pas avoir accès, mais où les membres du corps diplomatique, les parlementaires, les représentants des syndicats patronaux ou ouvriers, les représentants des mouvements de résistance, les prisonniers, les déportés, seront exclus [...] Nous déplorons votre choix[32].

Juste avant l'ouverture du procès, les délégués de l'Assemblée consultative adoptent la même ligne de conduite. L'un d'eux déclare :

Il s'agit d'établir à la face du monde que Pétain n'incarne en rien ni la France ni les traditions françaises. Si Pétain était la France, nous en serions réduits humblement, au nom du peuple français, à solliciter le pardon de l'humanité. Mais nous n'avons à demander pardon à personne, car nous savons très bien que Pétain ce n'est pas la France. C'est au contraire l'homme qui, pour le compte de l'ennemi, a crucifié le peuple de France[33].

Le gouvernement ignora ces protestations mais accepta néanmoins une autre demande émanant de l'Assemblée : la publication d'un compte rendu sténographique complet des audiences dans le *Journal officiel*. Faute d'espace, peu de citoyens ordinaires assisteraient au procès, et les places réservées aux journalistes seraient limitées. Mais tous ceux qui le souhaiteraient pourraient suivre le débat dans sa totalité.

DEUXIÈME PARTIE

Dans la salle d'audience

PETAIN-BAZAINE

Les morts

UNE salle étroite, mesquine, si resserrée que les témoins accusent Pétain à moins d'un mètre du vieux traître impassible. Un public de trublions, d'avocats fascistes, de jolies femmes aux chapeaux extravagants, de journalistes, de policiers.

Ceux qui témoignent, ce sont les naufrageurs des dernières heures de la troisième République : Reynaud, Daladier, Lebrun.

Ceux qui accusent, ce sont les hommes au passé trouble, aux mains salies du sang des fils du peuple français.

Quand passera-t-il dans cette atmosphère lourde un souffle d'air pur ? Quand entendra-t-on les véritables accusateurs, les véritables victimes ?

Quand verra-t-on les femmes, les enfants des fusillés, des déportés, venir témoigner du martyre des disparus ? Quand le vrai peuple français pourra-t-il venir retracer son terrible calvaire et dénombrer les blessures saignantes qu'il doit au vieux bandit ?

D'après les statistiques officielles, 94 % des déportés politiques, 99 % des déportés « raciaux » ne reviendront pas. N'est-ce pas là un beau résultat de la politique de collaboration ?

L'homme qui se prélasse encore dans son uniforme de maréchal de France est un des plus grands assassins que l'Histoire ait connus.

Une caricature, ces jours-ci, montrait la République, en bonnet phrygien, se présentant à la porte du Palais de Justice ; le garde, dédaigneux, lui disait : « Vous avez votre carte ? »

Oui, au procès Pétain, il ne manque qu'un seul témoin : la France.

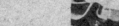

Le président Mongibeaux.

Le procureur général Mornet.

Le Figaro du 26-7-45 : Jean Schlumberger écrit : « Puisque la mort n'a pas accordé à l'homme qui va être jugé la grâce de disparaître dans la débâcle du régime qu'il a dirigé, puisque chaque jour on fusille, ou envoie au bagne des coupables qui n'ont fait qu'obéir à ses ordres ou mettre à profit ses capitulations, la nation ne pouvait plus longtemps accepter de s'offenser lâchement qu'il y a à frapper les exécutants sans chercher la faute chez celui qui les a couverts de son autorité. »

Le 26-7-45, François Mauriac insiste sur le fait que : « le double jeu ici n'excuse rien, car il n'existe pas de marchandage sans complicité. »

Franc-Tireur du 29-7-45 : Albert Bayet a trouvé la juste formule : « Pétain premier traître de France. »

Le 26-7-45, parlant de Reynaud, Daladier et Lebrun, Georges Altman écrit : « Ils n'ont pas su vouloir, et l'Histoire ne leur pardonne pas. »

Combat, du 26-7-45 : « Si la France commence à tolérer l'intolérance, à refaire constamment la part du feu, c'est qu'elle n'est pas victorieuse, mais qu'elle est demeurée battue et qu'elle a toutes les mines, toute la veulerie du chien qui vient de l'être.

...ce procès dépasse la personne de Pétain, le faire sérieusement, c'est le faire jusqu'au bout. »

La Voix de Paris, 25-7-45, de Pierre Favreau : « Le sang de nos morts plane sur ce procès. D'abord le sang des F. F. I. et des morts de la Résistance et aussi celui de tous les pauvres gosses de France tombés par milliers sous les balles françaises et alliées en Syrie, en 1941 à Oran, à Casablanca en 1942, parce qu'ils ont cru au Maréchal félon. Le Maréchal qui a failli tuer la France. »

Le Monde, 25-7-45 : Rémy Roure souligne que : « les avocats qui ont provoqué le tumulte lors de la première séance du procès gardaient un silence complet quand les Cours spéciales et le tribunal d'État condamnaient les patriotes. »

7. Le magazine communiste *Regards*, le 1er août 1945, juxtapose des images du procès avec celles des camps d'extermination tout juste libérés. En haut, à gauche, le président Mongibeaux et, en dessous, le procureur général Mornet.

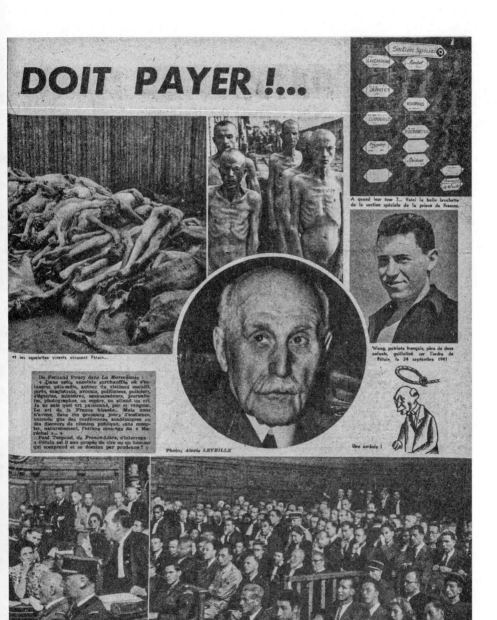

DOIT PAYER !...

Section Spéciale

LUCHAIRE · Maület · JEANTET · BINGARD · DARNAND · D'HUMIÈRES · ... · Brideux · ...

À quand leur tour ?... Voici la belle brochette de la section spéciale de la prison de Fresnes.

et les squelettes vivants accusent Pétain...

Woog, patriote français, père de deux enfants, guillotiné sur l'ordre de Pétain, le 24 septembre 1941

De Fernand Pouey dans La Marseillaise :
« Dans cette enceinte surchauffée où s'entassent pêle-mêle, autour du vieillard maudit, jurés, magistrats, avocats, politiciens, policiers, élégantes, ministres, ambassadeurs, journalistes, photographes, on espère, on attend un cri. Je ne sais quel cri passionné, pur et vengeur. Le cri de la France bâtonné... Mais nous n'avons, dans ces premiers jours, d'audience, entendu que des conférences académiques ou des discours de réunion publique, sans compter, naturellement, l'ultime chantage du « Maréchal ». »

— Paul Turpaud, de France-Libre, s'interroge « Pétain est-il une poupée de cire ou un homme qui comprend et ne domine par prudence ? »

Une auréole !

Photos Alexis LEVEILLE

Chapitre 7

La France dans l'attente

Le Palais de justice de Paris est un bâtiment intimement lié à l'histoire de France. Situé au cœur de la capitale, sur l'île de la Cité, là où s'étaient installés les Romains, il se trouve à deux pas de la cathédrale Notre-Dame. Cette île a également abrité la première résidence des rois, qui comprenait la Sainte-Chapelle, l'un des joyaux de l'architecture gothique française, construite au XIIe siècle pour accueillir un fragment de la Vraie Croix. Lorsque à la fin du XIVe siècle Charles V transféra sa résidence de l'autre côté du fleuve, au palais du Louvre, les tribunaux royaux restèrent sur place. Depuis lors, le Palais de justice occupe l'emplacement. Derrière sa façade classique érigée au XIXe siècle, une grande partie de la structure médiévale subsiste[1].

Le Palais de justice est un vaste ensemble de bâtiments dans lequel se trouve encore enchâssée la Sainte-Chapelle. Au nord, surplombant la Seine, se dressent les tours médiévales de la Conciergerie qui fut une prison pendant des siècles. C'est là que Marie-Antoinette, de même que de nombreux aristocrates et chefs révolutionnaires tombés en disgrâce furent incarcérés sous la Révolution. Leurs procès se déroulèrent au Tribunal révolutionnaire, dans une autre partie du palais, à l'exception de celui de Louis XVI, jugé de l'autre côté de la Seine, à la Convention. La Conciergerie ne servait plus de prison depuis 1934, mais le palais abritait toujours un dédale de cellules insalubres, le « dépôt », où la police gardait les suspects en détention provisoire. L'actrice Arletty y passa quelques jours en octobre 1944. Ces cellules se trouvaient à proximité immédiate du siège de la Police judiciaire, situé au 36, quai des Orfèvres, une adresse familière aux lecteurs des romans de Georges Simenon.

C'est par les portes du 36, quai des Orfèvres que Philippe Pétain arriva au Palais de justice vers midi le dimanche 22 juillet 1945,

conduit de Montrouge dans un « panier à salade ». Ses avocats se
dirent choqués qu'un maréchal de France soit transporté comme
un vulgaire criminel, mais il s'agissait sans doute moins d'humilier Pétain que de s'assurer d'une arrivée discrète[2]. Le gouvernement voulait éviter toute manifestation, favorable ou défavorable.
Pétain n'est pas conduit au dépôt mais, à quelques pas de la salle
d'audience, dans des pièces du palais aménagées en hâte pour
lui, où il résidera pendant toute la durée du procès. Cette prison
provisoire a été installée dans le bureau d'un greffier et dans les
vestiaires des magistrats. Pétain dispose d'une petite chambre à
deux lits pour lui et sa femme, et d'un cabinet de toilette adjacent.
Les fenêtres donnant sur la cour ont été murées pour des raisons de
sécurité. Les bureaux voisins sont convertis en chambres pour loger
ses deux infirmières, son médecin et Joseph Simon, son geôlier.

Le choix des jurés

La veille de l'arrivée de Pétain, dans l'après-midi, le jury prête
serment. La Haute Cour est composée de trois magistrats et de
vingt-quatre jurés – douze résistants et douze parlementaires – tirés
au sort à partir d'une liste de cinquante personnes dans chaque
catégorie. Les cinquante résistants ont été choisis par l'Assemblée
consultative parmi ses membres et les cinquante parlementaires
parmi les sénateurs et députés d'avant-guerre qui n'avaient pas
voté les pleins pouvoirs à Pétain le 10 juillet 1940.

En avril 1944, lorsque le gouvernement provisoire de De Gaulle
avait accordé le droit de vote aux femmes, il leur avait également
conféré le droit d'être jurées, pour la première fois dans l'histoire
de France. Ces mesures, qui « récompensaient » les femmes pour
leur courage dans la Résistance (alors que d'autres étaient tondues
pour « collaboration horizontale »), n'avaient rencontré l'opposition
que de vieux députés anticléricaux qui craignaient que les femmes
ne votent selon les directives de leur curé. C'est lors des élections
municipales d'avril 1945 que les femmes exercent leur droit pour la
première fois, une nouveauté rapportée avec un machisme condes-
cendant par un journal de la Résistance :

> J'avais bien expliqué à ma femme le mécanisme de l'opération ; j'ai
> même pris la précaution de lui donner le bulletin et de le plier soigneu-
> sement dans l'enveloppe [...] Il m'a semblé que les femmes manquent

encore un peu d'assurance et aussi de discrétion. Ma voisine a déclaré à un électricien : « Moi je vote pour un honnête homme. » Parfait, mais j'aurais aimé en savoir davantage… Les hommes donnaient volontiers des indications aux citoyennes inexpérimentées. Un monsieur dit à une dame : « T'as qu'à mettre le papier dans le tronc. » J'ai remarqué une bien jolie citoyenne, très blonde ; elle a tiré d'abord soigneusement les rideaux de l'isoloir comme si elle allait s'y dévêtir, et peut-être y prendre une douche. Elle est demeurée longtemps là-dedans ; on n'a plus vu que ses jambes[3].

En fin de compte, aucune femme n'a siégé dans le jury Pétain. Les deux jurées potentielles dont les noms avaient été tirés au sort – Lucie Aubrac, célèbre résistante proche du Parti communiste, et Germaine Picard-Moch, journaliste et épouse du leader socialiste Jules Moch – ont été récusées par la défense.

La défense rejette aussi le journaliste Robert Pimienta. Bien qu'il ne soit pas marqué à gauche, sa réaction, largement rapportée par la presse, justifie la prudence des avocats de Pétain : « Je remercie la défense de l'honneur qu'elle me fait. Ça n'empêchera pas Pétain de recevoir douze balles dans la peau ! Je suis prêt à donner le signal au peloton. »

Parmi les jurés parlementaires, la défense rejette aussi les noms de deux communistes. Elle avait le droit de contester six noms, mais aucune objection n'est formulée à l'encontre de Louis Prot, un autre juré parlementaire communiste, apparemment parce qu'il était si obscur que personne ne savait grand-chose à son sujet. Les autres jurés parlementaires sont des socialistes (six) ou des membres du Parti radical (cinq). Il ne s'agit pas pour la plupart de personnages de premier plan. Ils sont présents uniquement parce qu'ils n'avaient pas voté en faveur des pleins pouvoirs en 1940, soit parce qu'ils appartenaient au groupe des quatre-vingts parlementaires qui avaient voté contre, soit parce qu'ils n'avaient pas pu prendre part au vote. Deux d'entre eux, Michel Tony-Révillon et Léandre Dupré, avaient été considérés comme suffisamment suspects par le régime de Vichy pour être surveillés de près ; un autre, Émile Bender, avait refusé de retirer le buste de Marianne, symbole de la République, dans le village dont il était maire. Un autre encore, Georges Lévy-Alphandéry, avait été persécuté par le régime à la fois comme juif et comme franc-maçon. Il est plus difficile de catégoriser politiquement les jurés résistants. Quatre d'entre eux étaient officiellement membres du Front national, une organisation communiste qui recrutait largement et dont les membres n'étaient pas nécessairement eux-mêmes communistes[4].

La différence la plus frappante entre les deux catégories de jurés est leur âge : le juré le plus âgé est le parlementaire Georges Lévy-Alphandéry, quatre-vingt-trois ans ; le plus jeune est le résistant Roger Lescuyer, vingt-six ans. La moyenne d'âge des jurés parlementaires est de soixante et un ans, celle des jurés résistants de quarante ans. Beaucoup de barbes grises parmi les jurés parlementaires ; quelques-uns des jeunes jurés résistants sont « un tantinet débraillés[5] ». Dans chaque catégorie, quatre jurés suppléants étaient autorisés à siéger et à participer pleinement aux audiences, mais sans pouvoir prononcer de sentence à la fin. L'un des suppléants résistants, Jean Worms, qui avait porté dans la clandestinité le pseudonyme évocateur de Germinal, avait été rejeté comme trop partisan par la défense dans le procès Esteva. Il sera l'un des plus actifs à poser des questions lors du procès Pétain. Il ne s'agissait donc pas d'un jury « objectif », comme le notèrent les critiques de l'épuration, mais il aurait été impossible de trouver des jurés n'ayant aucune expérience personnelle des événements qu'ils devaient juger. Germinal et Marcel Lévêque, par exemple, étaient tous deux pères d'enfants déportés et morts en Allemagne.

Isorni se montra méprisant à l'égard du niveau intellectuel des jurés : « De braves gens, honnêtes pour la plupart, j'en suis sûr, simples et simplistes. […] Ils ne se trouvaient unis que dans la haine du Maréchal qu'ils prenaient, en toute bonne foi, pour un ennemi de la patrie[6]. » Ce jugement n'avait rien d'étonnant de sa part, mais il était partagé par beaucoup d'observateurs. De nombreux jurés étaient des inconnus, à l'instar du juré résistant Yves Porc'her, « maigre géant » selon un journaliste. Depuis l'hôpital parisien où il travaillait, il avait dirigé un réseau d'évasion pour évacuer les aviateurs alliés, mais il était si anonyme que les journaux en étaient réduits à le désigner indifféremment comme le « Dr Porcher » ou le « Dr Poricher ». Certains jurés étaient, de fait, dépassés par les événements – à leur décharge, il aurait été difficile pour n'importe qui de suivre tous les détails des débats pendant d'interminables après-midis dans une salle d'audience moite et étouffante. Mais beaucoup étaient des personnalités d'envergure. Pierre Meunier avait été l'un des principaux collaborateurs de Jean Moulin ; Jean Pierre-Bloch, un jeune député socialiste prometteur, avait rejoint de Gaulle à Londres en 1942. Meunier ne prit pas une seule fois la parole pendant les audiences, alors que Pierre-Bloch se montra très loquace – mais on ne peut les accuser, ni l'un ni l'autre, de ne pas avoir été à la hauteur de la tâche.

Comme le veut la coutume, les jurés s'engagent par serment à garder le secret des délibérations, et seuls trois d'entre eux rompent le silence des années plus tard en livrant quelques détails sur les délibérations finales. Nous avons cependant la chance de disposer du journal d'un juré résistant, Jacques Lecompte-Boinet, gendre du général Mangin. En 1940, fonctionnaire municipal à Paris, il devient membre fondateur de Ceux de la Résistance (CDLR), et il représente ce mouvement de zone nord lorsqu'en 1943 Jean Moulin crée le Conseil national de la Résistance (CNR). La même année, il parvient à rejoindre Londres puis Alger, où il rencontre le général de Gaulle.

Lecompte-Boinet partage la vision du monde de la plupart de résistants : le mépris pour les hommes politiques qui ont abandonné la France en 1940, une admiration pour de Gaulle mêlée de ressentiment à l'égard de son autoritarisme envers les chefs résistants. Par contre, issu d'un milieu conservateur bourgeois, Lecompte-Boinet n'éprouve aucune sympathie pour les idées radicales de la Résistance. Hostile à Pétain, il est tout autant rebuté par le langage sanguinaire du Parti communiste. Il prend au sérieux ses responsabilités de juré et voit dans ce procès l'occasion de comprendre l'histoire qu'il a vécue pendant quatre ans. Tout cela rend ses réactions plus intéressantes que celles des gens qui voyaient le monde en noir et blanc, dépourvus de doutes et de scrupules.

Lecompte-Boinet avait déjà été juré lors du premier procès de la Haute Cour, celui de Jean-Pierre Esteva. Il trouvait la sentence contre l'amiral justifiée mais elle lui avait laissé un sentiment de malaise car celui-ci était si « manifestement inintelligent » qu'il n'avait été guidé que par un principe d'obéissance. « Le responsable dans tout cela, c'est celui qui l'a nommé », estimait Lecompte-Boinet. Il avait été contrarié par un article du *Figaro* accusant les jurés du procès Esteva d'avoir été trop sévères :

> Ce qui est ridicule étant donné que si on peut nous reprocher quelque chose, c'est de n'avoir pas été assez durs [...] La charité que professe Mauriac [dans *Le Figaro*] vis-à-vis des salopards de Vichy serait plus à sa place dans *Le Populaire* [journal socialiste] et *L'Humanité* [communiste] pour essayer de convaincre leurs lecteurs de la nécessité d'être

juste en ce domaine plutôt que dans *Le Figaro* où elle ne fait que donner des arguments à des bourgeois qui n'en ont fichtre pas besoin[7].

La réaction de Lecompte-Boinet au retour de Pétain en France était très largement partagée : « Hitler nous renvoie Pétain, qui doit avoir encore du boulot en France pour nous désunir. Cette façon d'arriver me braque contre le Vieux[8]. »

Lecompte-Boinet a conscience que son rôle de juré pourrait lui nuire s'il voulait se lancer plus tard dans une carrière politique. Il constate avec amertume que certains de ses collègues se sont dérobés pour cette raison. Pierre-Bloch, engagé à gauche, lui affirme : « Si nous le condamnons, je serai engueulé par les uns et si nous ne le condamnons pas, je serai accusé d'être mou. De toutes façons je perds des voix aux élections[9]. » Citoyen consciencieux, Lecompte-Boinet est prêt à mettre de côté ces considérations, mais il est choqué par l'atmosphère partisane qui entoure la sélection des jurés. Après que la défense a récusé cinq noms, il entend un juré déclarer : « Avec un jury composé de la sorte, Pétain ne sera pas condamné » ; preuve, selon Lecompte-Boinet, que « c'est beaucoup plus un procès politique qu'un procès de trahison et que les jeux sont faits avant toute discussion ».

Il conclut :

> J'aurais voulu faire la déclaration suivante : « Pétain a été nommé chef de l'État par l'Assemblée nationale, comprenant des hommes régulièrement élus par la nation. Le fait de choisir des jurés parmi les résistants et parmi les 80 parlementaires qui votaient contre Pétain en 1940, alors que 800 voix avaient voté pour, vicie le jugement qui sera porté. Je veux bien participer à un jugement, je ne veux pas participer à un assassinat[10]. »

À cette occasion, il se tait, mais nous reviendrons souvent sur ses réflexions pendant le déroulement du procès.

La France attend

Pendant ce week-end de préparatifs, deux événements organisés dans les rues de Paris rappellent à la population les enjeux du procès. Le samedi 21 juillet, la foule se rassemble au Parc des Princes pour commémorer l'un des épisodes les plus terribles de l'Occupation : le 16 juillet 1942, plus de treize mille juifs avaient été raflés dans la capitale et parqués au Vel' d'Hiv' dans des conditions épouvantables, avant d'être envoyés dans un camp d'internement à Drancy, en banlieue parisienne, puis déportés à Auschwitz. Une survivante témoigna que des mères comme elle avaient reçu l'assurance mensongère qu'elles retrouveraient leurs enfants. Un autre déclara : « Pétain doit être confronté avec les milliers de cadavres de juifs. Nous avons le droit de dire qu'il a été leur assassin[11]. »

Le lendemain, 22 juillet, une autre cérémonie est organisée par le Parti communiste pour commémorer l'exécution de quinze résistants dont Guy Môquet, âgé de dix-sept ans. La foule rassemblée place de la République pour suivre les cercueils jusqu'au cimetière du Père-Lachaise est si nombreuse que *L'Humanité* rapporte qu'il lui a fallu sept heures pour parcourir le court trajet : « Une marche solennelle dans un silence de mort, un silence qui criait vengeance. Malgré l'écrasante chaleur, une foule énorme, des visages crispés, des yeux brûlants de colère. » Les lecteurs qui lisaient quotidiennement les diatribes du journal communiste contre le traître « Bazaine-Pétain » savaient contre qui cette « colère » devait être dirigée[12]. Les journaux continuent de publier des listes d'appels poignants de familles cherchant à obtenir des nouvelles de leurs proches qui ne sont pas encore revenus. Rien que dans *Le Figaro*, pendant ce week-end-là, on peut en lire cinq.

Pour le reste, il s'agit d'un week-end ordinaire dans le Paris de l'après-Libération. Des journaux signalent les bars et les restaurants fermés pour avoir trafiqué au marché noir et font le point sur le rationnement alimentaire. Plus de trente films sont à l'affiche, dont *Les Enfants du paradis* qui se joue toujours. Mais la vie culturelle commence à s'assoupir car les vacances approchent. L'Opéra, qui a déjà fermé, ne rouvre ses portes que pour une soirée de gala franco-américaine au cours de laquelle est projeté un court-métrage sur les combats dans le Pacifique – rappel que loin de l'Europe la guerre n'est pas terminée.

Du côté des théâtres, la salle principale de la Comédie-Française a fermé pour l'été, mais son autre salle, le Vieux-Colombier, présente *Meurtre dans la cathédrale* de T. S. Eliot, dans une production très applaudie d'un jeune metteur en scène prometteur, Jean Vilar. La pièce, qui donne à voir, selon les termes d'un critique, « le duel du juste et de l'injuste [...] entre le "temporel" et l'"éternel", entre le social et le spirituel[13] », préfigure les thèmes qui se trouveront débattus lors du procès de Pétain. Quant à la « saison » littéraire, elle a atteint son apogée le 2 juillet précédent avec la cérémonie de remise du prix Goncourt, décerné pour la première fois à une femme, Elsa Triolet. Elle et son mari, Louis Aragon, sont les intellectuels communistes du moment ; son succès est une nouvelle preuve de la domination culturelle du Parti.

Le dimanche 22 juillet, tous les journaux annoncent la mort de Paul Valéry, considéré comme le plus grand poète français du siècle. Deux jours plus tard, le général de Gaulle en personne assiste à ses funérailles nationales. Le discours que Valéry avait prononcé en janvier 1931 pour accueillir Philippe Pétain à l'Académie française est soigneusement passé sous silence.

Galeries et musées, restés ouverts, accueillent les visiteurs qui se pressent au Louvre pour admirer ses trésors exposés pour la première fois depuis quatre ans, dont le plus prestigieux, *La Joconde*, caché au cours de la guerre dans quatre lieux successifs en France, avant d'être rapatrié à Paris en juin 1945. Il n'y avait pas d'urgence pour le revoir. En revanche, il ne restait qu'une semaine pour visiter la grande exposition consacrée aux « Crimes nazis » qui se tenait au Grand Palais. Si l'entrée était interdite aux moins de seize ans, le but de l'exposition, selon le catalogue, était « moins de répandre l'horreur » que de définir ce que l'on entendait par « crimes de guerre ». L'ombre du conflit restait omniprésente.

Pendant ce week-end très particulier, de Gaulle est en visite en Bretagne. À Rennes, le samedi, il prononce un discours pour exposer ses réflexions sur l'avenir constitutionnel de la France. Depuis la Libération, le pays vit sous le gouvernement provisoire du Général. Jusqu'à la fin de la guerre européenne en mai 1945, personne n'a remis en cause cette situation car trop de Français restaient retenus dans les camps de prisonniers en Allemagne pour que soient organisées des élections en bonne et due forme. Maintenant que les prisonniers sont de retour, il faut prendre des décisions. De Gaulle a toujours promis qu'il consulterait les Français sur la question, sans cacher qu'il estimait que le régime en place en 1940 avait failli et qu'il fallait le réformer.

En ce samedi 21 juillet, il présente donc pour la première fois ses projets. Il propose que les élections soient accompagnées d'un référendum demandant si le nouveau Parlement doit être désigné comme « Assemblée constituante » chargée de rédiger une nouvelle Constitution. Si la réponse est « oui » (comme il l'espère), la Troisième République sera abolie ; si réponse est « non », la

France reprendra le cours de son histoire constitutionnelle là où elle l'a laissé en juillet 1940. Une deuxième question serait en même temps soumise aux Français : si le Parlement était désigné comme assemblée constituante, serait-il pleinement souverain (comme en 1793 et 1848) ou la Constitution devrait-elle être ratifiée par un nouveau référendum (ce que souhaite de Gaulle) ?

L'Assemblée consultative commence à débattre de ces propositions le vendredi 27 juillet, quatre jours après le début du procès. Derrière les débats se dissimulent des fantômes de l'histoire du pays : les référendums rappelaient les plébiscites qui avaient permis à Napoléon III d'installer son pouvoir impérial dans les années 1850-1870. Il s'agissait là d'échos lointains, mais de plus récents résonnaient également. Un participant aux débats demanda si le désastre de 1940 était « dû aux institutions [comme le pensait de Gaulle] ou aux hommes ». Après tout, argumentait-il, ces mêmes institutions n'avaient pas si mal servi la France en 1914-1918. Peut-être le problème de juin 1940 résidait-il dans le rôle de « cet éternel procureur général défenseur du défaitisme, Philippe Pétain ». Ceux qui débattaient de l'avenir de la France avaient ainsi toujours le Maréchal à l'esprit, de même que ceux qui délibéraient sur son sort au tribunal gardaient un œil sur l'avenir du pays.

Le discours du général de Gaulle domine les grands titres des journaux à la veille du procès. Les pénuries de papier ne laissent guère de place pour d'autres informations, hormis de brèves spéculations sur la conférence de Potsdam (17 juillet-2 août) où Winston Churchill, Harry Truman et Joseph Staline discutent de l'ordre mondial de l'après-guerre. Mais ces échanges étant tenus secrets, il y a peu à rapporter. Le fait que la France n'y participe pas, de même qu'elle avait été absente de la conférence de Yalta (4-11 février 1945), signalait le déclin de son statut sur la scène internationale, malgré les efforts de De Gaulle pour persuader les Alliés que la « vraie » France avait été avec lui à Londres, et non avec Pétain à Vichy.

Anticipant un moment de prise de conscience nationale, les rédacteurs en chef des journaux ont préparé leurs lecteurs aux semaines à venir. Le ton est sombre. Albert Camus, qui s'est imposé comme la conscience de la Résistance à la direction de *Combat*, met en garde :

> Quelle que soit la sentence, celle-ci laissera dans son sillage cette écume fangeuse d'où naissent indéfiniment les controverses partisanes,

les préjugés sourds et tenaces, et qui, un beau jour, entraînent une demande en révision du procès.

On dira que nous sommes bien pessimistes. C'est que la santé morale de la France est fragile [...] C'est aussi que, parmi les accusateurs de Pétain – magistrats et surtout témoins – on aperçoit déjà des hommes que leurs actions antérieures ou leurs rapports avec l'accusé ne prédisposaient pas particulièrement au rôle de redresseurs de torts [...]

La situation de Riom est inversée : l'accusateur a pris place dans le box des accusés et les accusés sont devenus témoins à charge. Mais ce chassé-croisé ne peut faire oublier qu'entre la plupart de ceux-ci et celui-là il y a un cadavre : celui de la France de 1940 [...] Quand le procureur général annonce que son réquisitoire est fondé sur un seul thème : l'usurpation du pouvoir à la faveur de la défaite, il nous paraît considérer un aspect de la question qu'il y aurait danger à isoler. Car le cas Pétain, c'est d'abord l'abus de confiance poussé à ses extrêmes conditions [...] Car la duplicité est ici au cœur de la trahison. C'est celle-ci qu'il faut condamner[14].

Un éditorial de *Franc-Tireur*, autre publication de la Résistance, n'est guère moins pessimiste :

Ce vieux traître en tant qu'homme ne nous intéresse plus. Il devrait déjà être mort. Il mérite cent fois la mort [...] La plaie du pétainisme suppure toujours [...] Nous avons espéré que le procès y porterait le fer rouge. Nous l'espérons toujours. Nous espérons que, jugeant l'homme, c'est un régime qu'on mettra à nu, cette maladie de honte, d'intérêts, de lâcheté[15].

Jean Cassou, également ancien résistant, exprime lui aussi de grandes attentes à l'égard du procès :

Et je rappellerai les raisonnements fondés en raison, et dénués de tout sadique sectarisme, de Camille Desmoulins et de Saint-Just, à propos du traître Louis XVI, démontrant que ce criminel devait être jugé non comme citoyen, mais comme ennemi, car il s'agissait du salut du peuple français[16].

Mais, dans *L'Époque*, plus modéré, Maurice Clavel est plus nuancé :

Le procès du maréchal Pétain est une chose triste [...] Aucune pitié ne serait valable à l'égard du maréchal de France félon. Aucune indulgence ne peut être accordée à celui qui a pu trahir la France. Ou, peut-être du moins, une seule sorte de pitié qui n'emprunte rien à la sympathie ni à la complaisance. Lorsque le connétable de Bourbon, traître à son roi, traître à sa patrie, vint prodiguer ses consolations au chevalier Bayard qui mourait au pied d'un arbre, celui-ci le prit en pitié ; et le connétable jouissait alors de quelques-unes des apparences de la bonne fortune. À plus forte raison devrons-nous accabler le maréchal Pétain de notre verdict, mais non de nos criailleries. De même que l'exécution des traîtres, en France, ne s'accompagne pas d'une danse du scalp, de même il est désirable que la sentence ne soit pas orchestrée de hurlements [...]

On sait que la honte de Pétain n'a pas déshonoré la France aux yeux de la France seule ; que le monde, témoin depuis quatre ans de cette « indignité nationale », guette la moindre indignité dans cette liquidation, que, même à nos propres yeux, la forfaiture et la condamnation d'un maréchal de France relèvent d'une assez majestueuse tristesse pour que tout écart de langage soit une faute d'honneur. On attend que le verdict s'élève au milieu du silence, et que le châtiment soit suivi de l'oubli[17].

Chapitre 8

Premier jour d'audience

Le lundi 23 juillet 1945, tôt dans la matinée, le public commence à se rassembler devant les grilles qui protègent la cour du Palais de justice. Il n'est pas nombreux, car, on le sait, peu de places seront disponibles. Six cents policiers protègent le bâtiment. L'un d'eux tente de calmer la déception de ceux qui voulaient assister au procès de Pétain en leur faisant miroiter le procès de la « Gestapo géorgienne », une bande d'étrangers ayant perpétré des atrocités pendant l'Occupation. Là, il restait des places[1].

Ce matin-là, des policiers sont même postés sur le toit de la Sainte-Chapelle. La nuit précédente, sept prisonniers – des collaborateurs en attente de leurs procès selon les uns, des criminels de droit commun selon les autres – s'étaient évadés du dépôt en escaladant une canalisation de chauffage, montant sur le toit du palais et sautant sur le quai en contrebas. Personne ne pensait le Maréchal capable d'un tel exploit, mais cet incident était bien embarrassant.

Vers midi, les journalistes commencent à affluer dans la salle d'audience. Parmi les premiers, Harold King, légendaire correspondant de l'agence Reuters, veut se réserver une bonne place. La plupart des journalistes français connaissent bien le cadre solennel et lugubre de la salle : le papier peint fleurdelisé défraîchi, les lambris et les bancs en bois foncé, le plafond à caissons orné d'une peinture allégorique – *La Justice protège l'Innocence et chasse le Crime* –, les tapisseries des Gobelins relatant l'histoire d'Esther. Six rangées de bancs supplémentaires ont été installées face à face au milieu de la salle pour accueillir les nombreux journalistes. Leur couleur claire contraste avec les tons sombres du mobilier habituel, une odeur de bois neuf est encore perceptible. Trois rangées de bancs sont réservées à la presse française, trois à la presse étrangère.

Derrière ceux des journalistes se trouvent les bancs des vingt-quatre jurés : les résistants à gauche, derrière la presse française, et les parlementaires à droite, derrière la presse étrangère. Les représentants du corps diplomatique sont assis derrière les juges. La plupart des ambassades n'envoient que des diplomates subalternes, mais l'ambassadeur tchèque assiste lui-même à presque toutes les audiences, espérant peut-être glaner des informations sur le lâchage de son pays par les Français à Munich en 1938. Les sténographes, dessinateurs judiciaires et photographes sont installés en contrebas de l'estrade des juges.

Dans l'étroite allée centrale, entre les bancs de la presse, a été placé un fauteuil pour l'accusé, flanqué d'une petite table. Un policier est posté juste derrière. La « barre des témoins » est constituée d'un autre fauteuil deux ou trois pas devant. Les témoins parlant face aux magistrats, ils tournent le dos à Pétain. De nombreuses photographies montrent celui-ci la main en cornet derrière l'oreille pour saisir ce qui se dit. Sa surdité était en partie tactique, mais, compte tenu de la disposition du tribunal, il est compréhensible qu'il ait eu du mal à entendre les témoins. Les avocats de Pétain sont assis juste derrière lui, tandis que le procureur, André Mornet, se trouve dans une petite loge à sa gauche, derrière la presse étrangère. Derrière ceux des avocats de la défense se trouvent les bancs d'où les témoins peuvent assister au procès. Au premier jour s'y côtoient quelques-unes des personnalités les plus célèbres de la Troisième République : un président de la République et trois présidents du Conseil. Un peu incongrue au bout de cette rangée de dignitaires se trouve la religieuse qui sert d'infirmière au Maréchal. L'épouse de Pétain, quant à elle, n'assiste pas aux audiences mais reste dans leur chambre, juste à l'extérieur de la salle.

L'entrée se fait par une petite porte située entre les bancs de la défense et ceux des témoins. Le passage est si étroit qu'il faut se placer de biais pour ne pas cogner les genoux de ces derniers. Plus loin derrière, dans un petit espace au fond de la salle, les membres du barreau de Paris et quelques spectateurs peuvent rester debout. En hauteur à droite de la cour s'étend une galerie où des bancs supplémentaires ont été installés pour accueillir davantage de public[2]. Les films du procès montrent des personnes (beaucoup de femmes) se penchant périlleusement pour avoir une meilleure vue sur les débats confus en contrebas. Un journaliste écrit : « Il ne manque que des carmagnoles, des bonnets phrygiens, pour représenter la figuration du tribunal révolutionnaire[3]. »

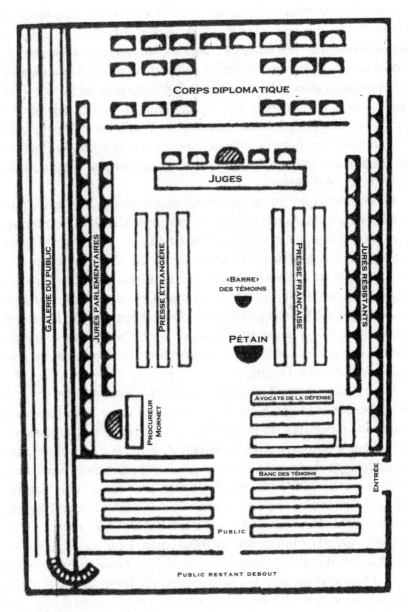

8. Plan de la salle d'audience.

Pour la première fois depuis des décennies, voire peut-être depuis le XIXᵉ siècle, on ouvre les fenêtres au-dessus de la galerie, sans pour autant parvenir à faire baisser la température de la salle. La chaleur d'un été parisien est souvent oppressante, mais, dans cette salle d'audience pleine à craquer, elle était insupportable. Sur la galerie, les spectateurs s'éventent avec des journaux. Chaque jour, certains des présents, parfois même des magistrats, cèdent à la somnolence. Par les fenêtres ouvertes, on aperçoit la splendide flèche dorée de la Sainte-Chapelle, apportant la touche de majesté qui manque à cette salle d'audience bruyante et bondée, si exiguë que, lorsque le procureur et les juges entrent, Pétain doit reculer sa petite table pour leur permettre de se faufiler. Les journalistes assis au premier rang de chaque côté sont si proches de l'accusé qu'ils peuvent entendre chacun de ses grognements, soupirs, ricanements et ronflements.

De nombreuses personnalités couvrent le procès. Parmi les plus célèbres figurent Albert Camus et François Mauriac. Le premier écrit dans *Combat*, le second dans *Le Figaro*. Ni l'un ni l'autre n'assistent aux audiences (Camus supervise alors les répétitions de *Caligula*, sa nouvelle pièce), mais ils rédigent leurs articles après en avoir lu les comptes rendus. Un autre commentateur occasionnel est Georges Bernanos, fervent partisan de la France Libre, qui a passé la guerre en exil au Brésil. Ses articles, publiés dans *Combat*, ressemblent aux imprécations proférées par un prophète de l'Ancien Testament.

France-Soir, le grand quotidien populaire, s'est assuré les services du globe-trotter Joseph Kessel, qui, pendant l'entre-deux-guerres, a réalisé des reportages sur le Sinn Fein (le parti nationaliste irlandais) et la montée du nazisme en Allemagne[4]. En 1940, Kessel est parti à Londres où il s'est enrôlé dans les Forces aériennes françaises libres. Dans un pub londonien, il a rédigé avec son gendre Maurice Druon les paroles du célèbre *Chant des partisans*, devenu l'hymne de la Résistance, et, en 1943, il a écrit *L'Armée des ombres*, l'un des plus grands romans sur la Résistance. Une autre plume de talent, Léon Werth, représente le journal *Résistance*. Werth a passé toute l'Occupation dans un petit village du Jura, où il a tenu un journal qui sera publié après la guerre[5]. Contrairement à ceux qui avaient nourri quelques illusions sur Pétain dans les premiers jours de l'Occupation, Werth s'était dès le début implacablement opposé à Vichy. Pour autant, à l'instar de Kessel, il est aussi sensible au caractère pathétique du procès. Pendant plus de deux décennies, le Maréchal avait occupé leur imaginaire comme celui de tous les Français. Le tout premier article de Kessel décrivait le défilé de la Victoire sur les Champs-Élysées le 14 juillet 1919 avec Pétain à sa tête, « fier, simple et grand comme un triomphateur romain ».

En plus de Mauriac, *Le Figaro* a engagé Jean Schlumberger, romancier et grand ami d'André Gide. Schlumberger est membre du comité d'écrivains qui a établi en septembre 1944 une liste noire d'auteurs à censurer pour leur rôle sous l'Occupation, mais il a signé plus tard la pétition réclamant la clémence pour Robert Brasillach. Il est l'un des rares commentateurs à ne pas regretter que le procès se déroule dans cette salle d'audience ordinaire. Au contraire, écrit-il, « enfermés dans cette salle du Palais de justice, à l'opulence désuète mais proprement judiciaire, où les mots "Jus et Lex" sont dix fois répétés sur les murs et dans les caissons du plafond, le procès ne prendra pas l'air de spectacle de corrida au milieu d'une arène qu'il n'aurait pas manqué d'avoir au Sénat ou à la Chambre[6] ».

Outre ces personnages célèbres à l'époque, d'autres sont présents qui le deviendront dans les années à venir. Le journal modéré *L'Époque* publie quotidiennement un article de Maurice Clavel, âgé de vingt-cinq ans, futur journaliste et romancier de renom. Ardent pétainiste en 1940, il avait travaillé au ministère de l'Éducation de Vichy avant de basculer vers la Résistance en 1942, une trajectoire politique qui n'a rien d'inhabituel. En août 1944, il a accueilli de Gaulle à Chartres et il restera toute sa vie un admirateur exalté du Général, mais son engagement pétainiste a laissé des traces. Ses articles au cours du procès ont une tonalité moins manichéenne que d'autres chroniques.

Certains journalistes sont des figures familières des couloirs du Palais de justice. Parmi eux le petit bossu Géo London (le pseudonyme de Samuel Georges) qui a couvert des procès dans le monde entier, dont celui d'Al Capone. Pour lui les salles d'audience sont surtout le théâtre des passions humaines. London suit l'épuration pour deux publications, *Carrefour*, un hebdomadaire modéré, et *Ce soir*, d'obédience communiste. Dans le premier, il se montre indulgent envers les accusés, et dans le second, féroce. Interrogé sur cette incohérence, il ne cherche nullement à se justifier : « Oh, vous savez, je ne suis pas sectaire[7] ! »

Dans cet univers très masculin, où tous les jurés, tous les avocats et l'ensemble des soixante-sept témoins sauf un sont des hommes, la seule présence féminine se trouve sur les bancs de la presse, avec Janet Flanner chroniqueuse pour *The New Yorker*, Germaine Picard-Moch (récusée comme jurée) pour *Cité-Soir*, Francine Bonitzer pour *L'Aurore*. Cette dernière, qui est aussi avocate, a été l'une

9. La salle d'audience au deuxième jour du procès, *Franc-Tireur*, 25 juillet 1945.

des figures les plus photographiées du procès car, étant assise à l'extrémité du banc de la presse française, elle était la plus proche de Pétain. « Pour une fois, dans une cour de justice, que je ne plaide pas, il faut qu'on me photographie[8] », relève-t-elle auprès d'un confrère. Mais la journaliste la plus célèbre du procès est Madeleine Jacob, qui écrit pour *Franc-Tireur*. Silhouette familière des couloirs du palais, impitoyable dans ses jugements, elle avait mis les tribunaux en garde au tout début de l'épuration : « Ce que les Français attendent de vous, c'est ce qu'on leur a promis, une justice rapide, nette, […] inexorable […]. Certains mériteront la mort que vous leur infligerez. La mort ? Le peloton d'exécution peut-être. Mais pourquoi pas la guillotine[9] ? » Pour Jacques Isorni, Madeleine Jacob est « la hyène des prétoires » ; pour Céline, « la muse des charniers » ; pour d'autres, « la Passionaria » de la Haute Cour. Il ne fait aucun doute que ses reportages sur le procès de Pétain sont parmi les plus vivants. Sur les photographies des audiences, on la distingue nettement au premier rang des bancs de la presse française, à quelques sièges de Francine Bonitzer, juste devant Kessel. Elle griffonne des notes, scrute Pétain ou chuchote avec son voisin, l'expression tour à tour interrogatrice, incrédule, méditative, ennuyée, méprisante. On pourrait presque suivre le déroulement du procès sur son visage.

Entre Pétain

Alors que la salle d'audience se remplit, Joseph Kessel décrit la scène :

> Dans le couloir à peine large d'un mètre qui mène au tribunal, on voit une vieille petite table. Derrière elle se trouve un vieux fauteuil de cuir usé, fatigué. C'est là que doit prendre place l'inculpé, le maréchal Pétain.
>
> On attend...
>
> Les journalistes bavardent. Les photographes, les opérateurs de cinéma vérifient leurs appareils.
>
> Les personnages qui participent de près ou de loin à la tragédie arrivent peu à peu. [...] Voici une sœur à cornette blanche et à voile bleu. Elle est chargée de veiller sur la fatigue du maréchal Pétain.
>
> Voici, placés côte à côte, Albert Lebrun, qui fut le dernier président de la Troisième République, et Paul Reynaud, son dernier président du Conseil. [...]
>
> Soudain le silence...
>
> Par la petite porte, entre des gens tassés les uns contre les autres et que des gardes écartent, paraît le maréchal Pétain.
>
> Il est en uniforme. Pour toute décoration, la médaille militaire.
>
> Il se tient droit. Il ne regarde rien ni personne. Il va au vieux fauteuil, pose son képi lauré sur la vieille petite table, s'assied.
>
> Le silence dure.
>
> Un frémissement collectif le nourrit d'une puissance singulière.
>
> Pitié ? Indignation ? Sympathie ? Haine ?

Je ne crois pas…

Mais une sorte de gêne, une douleur abstraites. Et qui ne s'adressent pas à celui qui vient de s'asseoir. Ces sentiments le dépassent. Ils touchent à la Gloire, au Destin, à la Patrie, aux grands symboles, aux mythes profonds dont ce vieil homme assis dans ce vieux fauteuil porte le poids.

Lui-même, en vérité, il ne suscite aucune émotion vivante. Parce qu'il semble n'en éprouver aucune.

Le silence dont il est le centre, le foyer, devrait lui être intolérable. On dirait qu'il ne s'en aperçoit point. Ses mains jouent avec un rouleau de papier, ces mains qui sont comme indépendantes de lui, qui ont leur vie propre. Elles n'arrêteront pas leur mouvement durant toute la séance. Mais le maréchal Pétain ne le sait pas, comme il ne sait pas que ses paupières fatiguées clignent sans cesse. Lui il est immobile, impassible, inaccessible[10].

10. La journaliste Madeleine Jacob regarde au loin tandis que le premier témoin, Paul Reynaud, prête serment le 23 juillet.

Ce que Kessel ne dit pas, c'est que lorsque Pétain pénétra dans la salle d'audience, suivi de ses trois avocats, Isorni paraissant extraordinairement jeune à côté de ses deux collègues, tout le monde se leva, comme une onde qui se propage. S'agissait-il d'un réflexe de respect ou simplement, comme certains le prétendirent, du fait qu'une fois que certains spectateurs s'étaient mis debout, les autres durent les imiter pour voir par-dessus la tête de ceux qui se trouvaient devant ? Irrésistible curiosité ou respect involontaire ? Probablement les deux.

Depuis quatre ans, tous ceux qui se trouvaient dans cette salle d'audience vivaient dans l'ombre de ce vieil homme que peu avaient vu de leurs propres yeux. Depuis ce jour du 17 juin 1940 où Pétain avait annoncé qu'il faisait « à la France le don de [sa] personne », chacun avait appris à reconnaître sa voix plaintive, chevrotante, parfois impérieuse. Dans les salles de cinéma, le public avait été gavé des images des tournées de Pétain en province : Pétain adulé par la foule, Pétain tapotant la tête des enfants comme le grand-père de la nation, Pétain accueilli sur le parvis des cathédrales par des prélats, Pétain recevant des bouquets offerts par des femmes en costume régional qui lui faisaient la révérence. Son visage était omniprésent : sur des affiches, des timbres, des mouchoirs, des serviettes, des assiettes, des tasses, des cendriers, des livres de coloriage pour enfants, des jeux de société, des presse-papiers, des canifs et même des baromètres. On pouvait l'acheter en tapisserie d'Aubusson, en cristal de Baccarat, en porcelaine de Sèvres[11].

Face à Pétain en chair et os, Léon Werth, qui le détestait pendant l'Occupation, est frappé par sa ressemblance avec ses portraits : « Ce visage n'est animé que par quelques tics. Le regard vacille un peu. C'est le regard de beaucoup de retraités. Criminel ou non, Pétain est dans cette salle de justice le plus faible et le plus désarmé... Une sorte de roi Lear[12]. » Par contre Jean Schlumberger est « soulagé d'avoir devant soi, non pas une victime aux abois, mais un homme qui porte vingt ans de moins que son âge et qui, s'il doit s'effondrer, ne le fera pas sous le poids de la sénilité mais bien des arguments irréfutables[13] ».

Les avocats de la défense avaient âprement discuté de la tenue vestimentaire de Pétain pour le procès. Lui-même voulait apparaître en civil pour ne pas entacher le prestige de l'uniforme de maréchal. Isorni le persuade de renoncer à cette prévention, mais Pétain refuse sa suggestion de porter son bâton de maréchal[14]. Il est donc en tenue de sortie, avec les sept étoiles sur sa manche, et n'arbore que le ruban jaune et or de la médaille militaire – une décoration qui pouvait être décernée au plus humble comme au plus célèbre des soldats.

Le silence qui accompagna l'entrée de Pétain au tribunal fut suivi d'un brouhaha de chuchotements et d'éventails agités dans la galerie du public, du cliquetis des appareils photo et de l'affairement des opérateurs de cinéma. Si les appareils photo ne sont généralement pas admis pendant les audiences, les photographes et les équipes de tournage furent autorisés à pénétrer dans la salle quelques minutes au début de chaque journée. Des extraits (sans bande-son) furent inclus dans les actualités cinématographiques. Pétain se montre de plus en plus nerveux face aux photographes qui s'accroupissent à ses pieds pour obtenir un bon angle de vue. Il se tourne vers ses avocats et marmonne : « Qu'est-ce qui se passe ? », « Ça va durer longtemps comme ça ? »[15]. Certains crient « Assez ». Le Maréchal a manifestement des partisans dans la salle.

Au bout d'un quart d'heure, un huissier demande à tous de se lever pour l'entrée des trois juges, suivis du procureur. Le président du tribunal, Pierre Mongibeaux, avait prêté serment de fidélité à Pétain mais il ne s'était plus distingué, ni négativement ni positivement, durant l'Occupation – même s'il en avait fait sourciller quelques-uns, à la Libération, lorsqu'il était apparu au Palais de justice arborant le brassard tricolore des Forces françaises de l'intérieur[16].

Les dossiers professionnels des magistrats sont généralement anodins, à moins que ceux-ci n'aient commis une faute grave. Même à cette aune le dossier de Mongibeaux est terne. Les mots qui reviennent le plus souvent à son propos sont « calme » et « prudent ». Son épouse était décédée jeune, lui laissant la responsabilité de l'éducation de leurs quatre enfants. Il fut nommé en 1938 à la Cour de cassation, la plus haute juridiction de l'ordre judiciaire. C'est la raison pour laquelle il se retrouve à la Haute Cour en 1945. Le poste de président de cette dernière revenait de droit au premier président de la Cour de cassation. Or Charles Frémicourt, premier président depuis 1937, avait été écarté lors de l'épuration pour avoir brièvement servi dans le gouvernement de Pétain. Le réservoir de remplaçants était limité, car la personne devait ne pas avoir été nommée sous Vichy et donc siéger à la Cour de cassation avant 1940. Léon Lyon-Caen aurait été un candidat potentiel. Démis de ses fonctions à la Cour de cassation en raison de la législation antijuive de Vichy, ce magistrat avait échappé de justesse à une arrestation par la Gestapo. L'un de ses fils était mort à Auschwitz, deux autres dans la Résistance. Réintégré à la Cour de cassation en 1945, il refusa cependant d'être proposé pour le rôle de premier président, au motif qu'il ne pourrait rester impartial à la Haute Cour[17]. S'il l'avait présidé, le procès de Pétain aurait sans doute été très différent. Quoi qu'il en soit, le poste de premier président aurait été proposé à sept personnes avant Mongibeaux. La plupart ne voulaient pas endosser la responsabilité de condamner un maréchal de France. Mongibeaux, en revanche, fut peut-être séduit par la possibilité de terminer en beauté une carrière jusqu'alors sans éclat. Sans compter les avantages matériels : immédiatement après sa nomination, il s'emploie à obtenir un appartement parisien correspondant au prestige de sa nouvelle charge, ainsi qu'une voiture de fonction[18].

Faisant bien plus que ses soixante-six ans, Mongibeaux, petite barbe soignée et allure bonhomme et cordiale, évoquait pour un observateur un dessin de Philippe de Champaigne, sans la fraise[19]. Au cours du procès, il fut souvent mis en cause pour sa partialité non dissimulée, qui s'expliquait peut-être par son désir de faire oublier qu'il avait prêté serment à Pétain. Dans l'ensemble, il semblait dépassé par les événements. Son successeur à la tête de la Haute Cour, Louis Noguères, écrit : « Ce n'était pas amoindrir ses mérites que retenir qu'il avait peu de goût pour l'effort dont il savait qu'il demeurerait dépourvu d'efficacité[20]. » Avec Mongibeaux siègent deux autres magistrats, Henri Picard, dont nous savons peu de choses, et Charles Donat-Guigne, connu pour être un ami de la famille Pétain. Il est possible que ce dernier ait accepté ce rôle dans l'espoir d'exercer une influence modératrice. Isorni eut ce commentaire : « J'ai rarement vu un homme dont le visage peignît de manière si ostensible le regret qu'il avait d'être là[21]. »

Les trois juges entrant en procession au tribunal sont suivis par le procureur André Mornet, animé d'une énergie intense mais contenue qui fait mentir son âge. Janet Flanner l'a saisie dans un portrait mémorable : « Il se précipitait dans la salle et vers son petit pupitre, le torse incliné presque à l'horizontale par l'âge, l'empressement et la vitesse, entraîné par sa barbe grasse et pointue et par son nez saillant, sa robe couleur sang flottant derrière lui comme une silhouette tirée d'un carnet de croquis à la sanguine de Goya[22]. »

Un autre observateur le comparait à « un diable blanchi qu'on verrait fort bien s'envoler par les hautes fenêtres vers la flèche de la Sainte-Chapelle, à cheval sur un balai, son hermine jaunie et son cordon rouge flottant au vent[23] ». Une fois installé dans son box, Mornet était presque entièrement caché derrière la masse des journalistes, photographes, huissiers, sténographes et avocats, même s'il surgissait de temps à autre comme un diable de sa boîte pour protester contre quelque atteinte à sa réputation.

Mongibeaux ouvre les débats par une courte déclaration appelant à la bienséance :

> Le procès qui va commencer est un des plus grands de l'histoire. Il importe qu'il se déroule dans la sérénité et dans la dignité [...] L'accusé, qui comparaît aujourd'hui, a suscité pendant de longues années les sentiments les plus divers : un enthousiasme que vous vous rappelez, une sorte d'amour. À l'opposé, il a également suscité des sentiments de haine et d'hostilité extrêmement violents. [...] L'histoire jugera un jour les juges et elle jugera certainement l'atmosphère dans laquelle le procès se sera déroulé[24].

Un huissier dit d'une voix forte : « Accusé, levez-vous ! » Pétain reste assis. Il semble ne pas avoir entendu, ou avoir momentanément oublié que c'est lui, l'accusé. Payen lui tape doucement sur l'épaule et Pétain se lève. Invité à décliner son nom, son âge et sa profession, il répond : « Pétain, Philippe » et, après une infime hésitation, « Maréchal de France ». Payen se lève alors d'un bond pour contester l'autorité de la cour. Il fait valoir que, selon la Constitution de 1875, un chef d'État français ne peut être jugé que par le Sénat. Or, le vote des parlementaires du 10 juillet 1940 avait accordé les pleins pouvoirs au « gouvernement de la République sous l'autorité et la signature du maréchal Pétain ». Cela signifiait que même si Pétain s'était proclamé « chef de l'État français » et non « président de la République », la République n'avait jamais été abolie. Pétain ne pouvait donc être jugé que par le Sénat, tout comme Louis XVI avait été jugé par la Convention. Puis Payen ajoute une pique, attendue, contre les magistrats qui, trois ans auparavant, ont prêté serment à l'homme qu'ils jugent aujourd'hui.

Mornet s'empresse de réfuter les deux points. Le premier argument, affirme-t-il, est spécieux car Pétain a utilisé les pouvoirs accordés par le Parlement pour abolir la République. Quant au second, le procureur général rappelle avec suffisance qu'ayant pris sa retraite en 1940, il n'a jamais prêté serment à Pétain. Mais, ajoute-t-il, il n'aurait eu aucun scrupule à le faire : prêter serment à un gouvernement inféodé à une puissance étrangère constitue « une parodie de serment, une parodie de justice ». Les propos de Mornet sont accueillis par des « mouvements », pour reprendre l'euphémisme du compte rendu sténographique. Des cris s'élèvent de la partie du tribunal réservée aux membres du Barreau, qui se considèrent insultés. Mornet, perdant son calme, hurle que les membres de la « cinquième colonne » doivent se taire, ce qui déclenche un tumulte encore plus grand. Mongibeaux menace de faire évacuer le tribunal. Pétain se tourne vers un journaliste assis près de lui et lui demande pour la deuxième fois : « Que se passe-t-il ? »

Ces escarmouches juridiques ne sont que de pure forme. Lors d'une courte suspension d'audience pour discuter des points soulevés par Payen, un homme en uniforme, un certain capitaine Paulin, blessé dans les armées françaises quelques mois plus tôt, s'approche de Pétain, le salue et lui serre la main « à cause de l'admiration que j'ai pour vous[25] ». Une fois que les juges ont rejeté, comme on pouvait s'y attendre, les arguments de Payen, le procès peut s'ouvrir.

En premier lieu se déroule la lecture de l'acte d'accusation, ce qui dure une quinzaine de minutes. Un journal rapporte :

> L'acte d'accusation est lu, assez mal, par un greffier visiblement ému, robe noir et rouge, médailles militaires.
> L'acte se déroule. Il faut faire un effort pour se rendre compte que c'est l'accusation, ainsi développée, d'une voix morne, ainsi rédigée de plusieurs styles heurtés, tandis que Pétain continue de rouler son papier, que le président s'examine les ongles, tandis que les journalistes s'épongent le front, tandis que la défense scrute les témoins à charge[26].

Pétain semble ailleurs, absorbé dans de tout autres pensées. Il caresse les accoudoirs de son fauteuil, renifle fort et hausse parfois les épaules. Il n'écoute probablement pas ce qui se dit, concentré sur l'intervention qu'il s'apprête à faire.

La déclaration de Pétain

À peine le greffier s'est-il rassis que le président fait lire la liste des témoins, « brève pour l'accusation, démesurément longue pour la défense ». Normalement, le président aurait dû procéder à l'interrogatoire de l'accusé, mais aussitôt Payen annonce que son client souhaite faire une déclaration. C'est le signal convenu pour que Pétain déroule le rouleau de papier qu'il faisait tourner nerveusement dans ses mains d'où saillissent de grosses veines d'un bleu noir – comme s'il lui tenait lieu de bâton de maréchal – et lise à haute voix un texte imprimé en gros caractères sur plusieurs pages. Cette déclaration avait été rédigée par Isorni, après, raconterait-il plus tard, une longue journée et beaucoup de champagne, « dans cet état d'exaltation et de lucidité que donne le vin frais[27] ». Pétain avait apporté des corrections au premier jet, qui avait ensuite connu quatre versions successives. Certaines étaient purement stylistiques : il aimait une prose simple et directe. Mais il avait également corrigé une formulation d'Isorni suggérant qu'il n'avait aucun rôle à jouer à l'avenir : là où l'avocat avait écrit qu'il s'adressait à la France « pour la dernière fois », le Maréchal avait préféré « une fois encore ».

Hormis cette déclaration, Pétain garda le silence tout au long de son procès. C'est pourquoi elle mérite d'être citée dans son intégralité (les passages composés en gras sont ceux que Pétain a ajoutés) :

> C'est le peuple français qui, par ses représentants, réunis en Assemblée nationale le 10 juillet 1940, m'a confié le pouvoir. C'est à lui que je suis venu rendre des comptes.
>
> La Haute Cour, telle qu'elle est constituée, ne représente pas le peuple français, et c'est à lui seul que s'adresse le maréchal de France, chef de l'État.
>
> Je ne ferai pas d'autre déclaration.
>
> Je ne répondrai à aucune question. Mes défenseurs ont reçu de moi la mission de répondre à des accusations **qui veulent me salir et qui n'atteignent que ceux qui les profèrent** [une petite provocation qu'Isorni aurait souhaité éviter].
>
> J'ai passé ma vie au service de la France. Aujourd'hui, âgé de près de quatre-vingt-dix ans, jeté en prison, je veux continuer à la servir en m'adressant à elle, une fois encore. Qu'elle se souvienne ! J'ai mené ses armées à la victoire, en 1918. Puis, alors que j'avais mérité le repos, je n'ai cessé de me consacrer à elle.
>
> J'ai répondu à tous ses appels, quels que fussent mon âge et ma fatigue. Le jour le plus tragique de son histoire, c'est encore vers moi qu'elle s'est tournée. Je ne demandais ni ne désirais rien. On m'a supplié de venir. Je suis venu.
>
> Je devenais ainsi l'héritier d'une catastrophe dont je n'étais pas l'auteur. Les vrais responsables s'abritaient derrière moi pour écarter la colère du peuple.

Lorsque j'ai demandé l'armistice, d'accord avec nos chefs militaires, j'ai accompli un acte nécessaire et sauveur.

Oui, l'armistice a sauvé la France et contribué à la victoire des Alliés en assurant une Méditerranée libre et l'intégrité de l'Empire.

Le pouvoir m'a été alors confié légitimement **et reconnu par tous les pays du monde, du Saint-Siège à l'URSS** [Pétain eut la sagesse d'omettre, au dernier moment, la phrase qui suivait dans le texte, et qui aurait certainement été perçue comme une provocation plus grave : « Je représente encore le pouvoir légitime[28] »].

De ce pouvoir, j'ai usé comme d'un bouclier pour protéger le peuple français. Pour lui, je suis allé jusqu'à sacrifier mon prestige. Je suis demeuré à la tête d'un pays sous l'occupation.

Voudra-t-on comprendre la difficulté de gouverner dans de telles conditions ? Chaque jour, un poignard sur la gorge, j'ai lutté contre l'ennemi. L'histoire dira tout ce que je vous ai évité, quand nos adversaires ne pensent qu'à me reprocher l'inévitable.

L'occupation m'obligeait à ménager l'ennemi, mais je ne le ménageais que pour vous ménager vous-mêmes, en attendant que le territoire soit libéré.

L'occupation m'obligeait aussi, contre mon gré et contre mon cœur, à tenir des propos, à accomplir certains actes dont j'ai souffert plus que vous, mais, devant les exigences de l'ennemi, je n'ai rien abandonné d'essentiel à l'existence de la patrie.

Au contraire, pendant quatre années, par mon action, j'ai maintenu la France ; j'ai assuré aux Français la vie et le pain. J'ai assuré à nos prisonniers le soutien de la nation. Que ceux qui m'accusent et prétendent me juger s'interrogent du fond de leur conscience, pour savoir ce que sans moi ils seraient peut-être devenus.

Pendant que le général de Gaulle, hors de nos frontières, poursuivait la lutte, j'ai préparé les voies à la libération, en conservant une France douloureuse, mais vivante.

À quoi, en effet, eût-il servi de libérer des ruines et des cimetières ? C'est l'ennemi seul qui, par sa présence sur notre sol envahi, a porté atteinte à nos libertés et s'opposait à notre volonté de relèvement [Isorni avait proposé à Pétain d'employer soit le mot « Liberté », aux accents républicains, soit l'expression « les libertés », qui évoquait plus l'Ancien Régime ; Pétain choisit la deuxième option]. J'ai réalisé pourtant, des institutions nouvelles : la Constitution que j'avais reçu mandat de présenter était prête. Mais je ne pouvais la promulguer.

Malgré d'immenses difficultés, **aucun pouvoir n'a plus que le mien honoré la famille et, pour empêcher la lutte des classes, cherché à garantir les conditions du travail, à l'usine et à la terre** [Pétain vivait toujours dans l'illusion que les réformes de sa Révolution nationale avaient eu des conséquences significatives. Isorni avait probablement raison de considérer que l'argument ne pèserait pas lourd].

La France libérée peut changer les mots et les vocables. Elle construit et ne pourra construire utilement que sur les bases que j'ai jetées. C'est à de tels exemples que se reconnaît, en dépit des haines partisanes, la continuité de la patrie. Nul n'a le droit de l'interrompre.

Pour ma part, je n'ai pensé qu'à l'union et à la réconciliation des Français. Je vous l'ai dit encore le jour où les Allemands m'emmenaient prisonnier, parce qu'ils me reprochaient de n'avoir cessé de les combattre et de ruiner leurs efforts.

Je sais qu'en ce moment, **si certains ont oublié, depuis que je n'exerce plus le pouvoir, ce qu'ils ont dit, écrit ou fait**, des millions de Français pensent à moi, qui m'ont accordé leur confiance et me gardent leur fidélité. Ce n'est point à ma personne que vont l'une et l'autre, mais pour eux, comme pour bien d'autres à travers le monde, je représente une tradition qui est celle de la civilisation française et chrétienne, face aux excès de toutes les tyrannies.

En me condamnant, ce sont ces millions d'hommes que vous condamnerez dans leur espérance et dans leur foi. Ainsi, vous aggraverez ou vous prolongerez la discorde de la France, alors qu'elle a besoin de se retrouver et de s'aimer pour reprendre la place qu'elle tenait autrefois parmi les nations.

Mais ma vie importe peu. J'ai fait à la France le don de ma personne. C'est à cette minute suprême que mon sacrifice ne doit plus être mis en doute.

Si vous deviez me condamner, que ma condamnation soit la dernière et qu'aucun Français ne soit plus jamais condamné ni détenu pour avoir obéi aux ordres de son chef légitime.

Mais, je vous le dis à la face du monde : vous condamneriez un innocent, en croyant parler au nom de la justice, et c'est un innocent qui en porterait le poids ; car un maréchal de France ne demande de grâce à personne.

À votre jugement répondront celui de Dieu et celui de la postérité. Ils suffiront à ma conscience et à ma mémoire.

Je m'en remets à la France[29] !

Pétain lut ce texte sans lunettes, d'une voix étonnamment ferme pour ceux qui s'étaient habitués depuis quatre ans à sa diction tremblante à la radio. Il y avait quelque chose d'irréel à réentendre cette expression célèbre de sa première allocution aux Français le 17 juin 1940 : « Le don de ma personne. » Le temps était suspendu. Chacun dans la salle d'audience se remémorait l'endroit où il se trouvait ce jour-là et les émotions qu'il avait alors ressenties.

Plus généralement, cette déclaration était une compilation d'affirmations douteuses et de semi-vérités, d'approximations et de provocations. Pétain aurait certainement mieux fait de s'abstenir d'affirmer à son auditoire que, contraint par l'occupant, il avait accompli « certains actes » dont il avait « souffert plus que vous », étant donné que de nombreuses personnes présentes dans la salle avaient subi des deuils incommensurables – par exemple Jean-Richard Bloch, rédacteur en chef du journal communiste *Ce soir*, qui avait perdu sa fille, fusillée à Hambourg en février 1943, sa mère, morte à Auschwitz à l'âge de quatre-vingt-six ans, et son fils, tué par la Milice en juin 1944. Affirmer que Pétain avait toujours cherché la réconciliation ne correspondait guère à la réalité d'un régime qui avait commencé par s'attaquer à de nombreuses catégories de citoyens (juifs, francs-maçons, communistes) et par emprisonner d'anciens dirigeants politiques (dont beaucoup présents ce jour-là dans la salle d'audience). Le langage de la réconciliation ne s'était manifesté qu'à la fin : le régime de Vichy n'avait tendu la main à ses ennemis que lorsqu'il n'avait plus eu d'amis.

Pourtant, la déclaration de Pétain, accueillie dans le plus grand silence, était habilement construite : le rappel de son passé glorieux ; le fait que le régime de Vichy ait été légalement reconnu par la plupart des pays ; l'hommage implicite à de Gaulle (inséré seulement dans la version finale). Aucun de ces arguments n'aurait infléchi ceux qui étaient convaincus de la culpabilité du Maréchal, mais ils confortaient ceux qui cherchaient des raisons de l'exonérer. Madeleine Jacob avertit ses lecteurs de ne pas se laisser abuser : « C'est l'abominable voix du désastre, celle de nos humiliations, la voix qui jette à la fois le venin et le trouble [...] Pétain, en ce message, a dépassé tout ce qu'on pouvait attendre de lui dans le domaine de l'hypocrisie et du cynisme[30]. »

L'étape suivante du procès aurait dû être l'interrogatoire de l'accusé par le juge, lequel dure parfois plusieurs jours. Pétain ayant fait vœu de silence, Mongibeaux n'a d'autre choix que de procéder à l'audition des témoins. Survient alors un *nouveau contretemps* quand Isorni et Lemaire soulèvent des points de procédure. Isorni se contente de relever diverses irrégularités dans le déroulement de l'instruction. Lemaire, en revanche, intervient de façon beaucoup plus pugnace, à la surprise de ses deux confrères de la défense.

Avant le procès, Lemaire avait joué un rôle de conciliateur entre Isorni et Payen. À l'audience, il va systématiquement s'avérer le plus agressif des trois. Sa bête noire était Mornet, dont il déclara un jour à Isorni : « Cet homme-là, je ne peux pas l'encaisser. Il me dégoûte. » Lors de cette première intervention, Lemaire communique une remarque de Mornet rapportée dans un journal en avril, déclarant que Pétain méritait la peine de mort. Lorsque Mornet se lève pour protester qu'on a déformé ses propos, des huées éclatent dans la salle. Mornet s'emporte à nouveau et crie : « Il y a trop d'Allemands dans cette salle. » Isorni lui demande de retirer cette remarque insultante. Mornet rétorque qu'il a seulement dit qu'il y avait « trop de gens dans cette salle qui faisaient le jeu des Allemands », ce qui est faux, comme le prouve le compte rendu sténographique. Le tumulte éclate à nouveau. Le *New York Times* rapporte : « Les spectateurs se sont levés de leurs sièges et se sont ensuivies vingt-cinq minutes de pagaille, les avocats et le public indignés se jetant dans la mêlée. Pétain est évacué tandis que journalistes, témoins et huissiers montent sur les tables[31]. » L'évacuation du tribunal est si chaotique que le correspondant d'un journal britannique se retrouve « à contester involontairement le droit de passage du maréchal Pétain qui, gardé par un seul homme, essayait de se frayer un chemin vers la même sortie[32] ».

Le bâtonnier de Paris, Jacques Charpentier, est appelé par Mongibeaux pour servir de médiateur. Une fois que Mornet a assuré qu'il n'avait pas cherché à ternir la réputation du Barreau, Charpentier promet qu'il n'y aura plus d'incidents. Ce déchaînement de passions avait moins à voir avec Pétain qu'avec le ressentiment à l'égard de Mornet, indice des cicatrices que l'épuration avait laissées au sein du monde judiciaire[33].

Le procès avait mal démarré. Les journaux du lendemain témoignent d'un sentiment de honte face à l'image de la France donnée au monde extérieur par cette première journée si peu digne et si chaotique. Pendant toute cette agitation, l'homme censé être au cœur des événements, Philippe Pétain, était resté calmement assis dans son fauteuil, comme si rien de tout cela ne le concernait. Pour Joseph Kessel, le souvenir le plus marquant de cette journée n'était pas le tumulte de la salle d'audience mais « une voix qui appartient aux disques de la radio de Vichy plus qu'à un homme… Un képi lauré sur une vieille petite table… Un vieillard sur un vieux fauteuil[34] ».

Chapitre 9

Fantômes républicains

La première semaine du procès est consacrée à l'audition des témoins de l'accusation. Leurs interminables dépositions sont suivies de questions des avocats de la défense, ponctuées d'interventions de Mongibeaux et de Mornet. Ces séances sont fréquemment confuses car les jurés ne s'abstiennent pas de les interrompre par des questions, même hors sujet. Un juré, par exemple, intervient un jour pour interroger un témoin sur le fameux télégramme de Dieppe que Pétain aurait envoyé à Hitler en août 1942. Mais comme ce témoin était en prison à l'époque, il était la dernière personne capable d'éclairer la question. Et Mongibeaux manquait de l'autorité nécessaire pour maintenir l'ordre dans sa salle d'audience.

La plupart des témoins de l'accusation sont des hommes politiques de premier plan de la Troisième République. Ce régime, mis en place à la suite de la défaite de 1870, avait duré plus longtemps que tout autre depuis la Révolution. À l'origine, il était le fruit d'un compromis entre les partisans d'une Constitution incarnant les principes de la Révolution sous leur forme la plus pure (un Parlement unicaméral représentant la volonté du peuple, sans contre-pouvoirs) et les conservateurs, qui voulaient des garde-fous contre une souveraineté populaire sans entraves. En guise de concession aux conservateurs, le Parlement était constitué de deux chambres, une chambre basse (la Chambre des députés), élue au suffrage universel, et une chambre haute (le Sénat), élue au suffrage indirect. Au sommet du système se trouvait un président, élu par le Parlement pour un mandat de sept ans. Mais, en raison de la méfiance des républicains purs et durs à l'encontre de tout ce qui pouvait s'approcher du « bonapartisme », le rôle du président était devenu de plus en plus honorifique. Georges Clemenceau avait son répertoire de boutades à ce sujet : le président n'existait que pour « inaugurer les chrysanthèmes » ; ou encore : « Il y a deux organes inutiles : la prostate et le président de la République. » Cela n'empêcha pas ce même Clemenceau de se présenter à la magistrature suprême en 1920, mais c'est précisément à cause de sa forte personnalité que le Parlement lui préféra un candidat inoffensif, Paul Deschanel, qui, souffrant de problèmes psychiques, quitta finalement l'Élysée après sept mois.

Le président de la République joue un rôle dans le choix du président du Conseil, mais il doit trouver une personnalité capable de rassembler une majorité à la Chambre, siège du pouvoir réel. Cela n'est pas facile car, en raison de la fragmentation de l'échiquier politique, aucun parti ne peut à lui seul obtenir la majorité absolue lors des élections ; les gouvernements sont donc constitués à partir de coalitions instables qui ne durent jamais longtemps. Mais cette instabilité chronique est compensée dans une certaine mesure par le fait que ce sont souvent les mêmes visages qui réapparaissent d'un gouvernement à l'autre, dans un perpétuel carrousel politique.

Malgré ses déficiences, ce système a survécu à de nombreuses secousses politiques et permis à la France de traverser victorieusement la Grande Guerre. Mais il semble entrer dans une crise terminale face à la dépression économique des années 1930. Entre 1932 et 1934, pas moins de neuf gouvernements tentent désespérément de surmonter cette crise, un niveau d'instabilité remarquable même à l'aune des normes de la Troisième République. Tout cela alimente un antiparlementarisme qui explose en février 1934 lors de violentes émeutes fomentées par des « ligues » nationalistes. Face à ces menaces antirépublicaines et antidémocratiques, les partis de gauche forment le Front populaire, une coalition antifasciste qui remporte les élections de 1936. Pour la première fois, la France a un président du Conseil socialiste, Léon Blum. Ces élections marquent également la percée du Parti communiste, ce qui radicalise encore davantage les électeurs de droite. La défaite de 1940 fait s'écrouler l'édifice.

Les témoins qui défilent dans la salle d'audience au cours de cette première semaine sont les survivants – ou les fantômes – de ce passé. Tant de tragédies et d'atrocités s'étaient produites *depuis* 1940 qu'il y avait quelque chose de surréaliste à revivre cette histoire ancienne – comme si l'on était ramené à des événements d'avant le déluge, selon la remarque d'un observateur[1]. En revanche il y avait également une soif de comprendre ce qui s'était exactement passé en 1940, lorsque la France avait été vaincue et la démocratie balayée. Cette première semaine est une sorte de cours d'histoire, dans la mesure où les événements désastreux de l'année 1940 ne sont encore connus que d'un petit nombre d'initiés. Moment extraordinaire de l'interrogatoire de Paul Reynaud, le premier témoin, il ressort même que le texte de l'armistice n'a jamais été publié. Comme le raconte Janet Flanner : « Le juge Mongibeaux, charmeur et souriant, se pencha de son banc, un peu comme un hôte élégant répondant aux caprices de son invité, pour demander si, par hasard, on avait une copie de l'armistice sur place[2]. »

> Mongibeaux : Il y a une page de l'histoire de France sur laquelle MM. les jurés seraient intéressés d'avoir quelques éclaircissements, c'est l'armistice. Il faut croire que cette page avait un caractère assez peu honorable car – je ne dis pas qu'elle avait été dissimulée – elle n'a pas, je crois, été publiée. MM. les jurés, en tout cas, ne la connaissent pas […].
>
> Isorni [qui saute sur l'occasion] : On reproche l'armistice au maréchal Pétain et personne ne sait ce qu'il y a dedans[3] !

Au cours de la première semaine, le tribunal entend les témoignages de quatre anciens présidents du Conseil, d'un ancien président de la République, des présidents de la Chambre et du Sénat en 1940, et d'autres hommes politiques de premier plan. Tous ont été victimes du régime de Vichy. Certains ont été emprisonnés, trois d'entre eux viennent de rentrer de déportation. Ces persécutions ne leur ont pas nécessairement valu des sympathies à la Libération. Les mouvements de résistance en France et les Français Libres à Londres avaient souvent été en désaccord mais s'entendaient pour considérer que le pays avait été trahi par ses dirigeants politiques en 1940 et qu'il n'y aurait pas de place demain pour ces survivants discrédités d'un passé honteux. Tout au long de la première semaine du procès de Pétain, l'Assemblée consultative, réunie sur l'autre rive de la Seine, débat de l'avenir constitutionnel de la France, et le général de Gaulle, pour sa part, espère qu'il sera différent du passé. Paul Reynaud, président du Conseil en 1940 au moment de la défaite, en est bien conscient :

> Le premier soin du maréchal Pétain a été de renverser la République. Car il paraît, Messieurs, que le régime républicain était responsable de la défaite. On parle beaucoup en ce moment de Constitutions. Il y

avait des raisons antérieures à la défaite pour modifier la Constitution de 1875 [...] Ah ! Messieurs, que l'on y prenne garde ! Il y a une chose qui est bien plus difficile que d'avoir des textes tout nouveaux, tout pimpants et tout frais : c'est d'avoir des hommes. C'est ce qui a manqué [...] Si nous avons été battus, c'est parce que le régime parlementaire n'a pas fonctionné car s'il avait fonctionné, il n'aurait pas laissé dirigeants, et députés, et sénateurs se fier à ces gloires militaires et faire à leur glorieuse incapacité une confiance aveugle[4].

Cette défense de l'ancienne République était à double tranchant. Si le problème en 1940 était que la République n'avait pas disposé des dirigeants à la hauteur de leurs responsabilités, n'était-ce pas une mise en accusation de ceux qui témoignaient devant la cour ? Ces témoins marchaient sur une corde raide : présents au tribunal pour accuser Pétain, ils cherchaient aussi à se réhabiliter eux-mêmes et à réhabiliter la défunte République.

C'était tout particulièrement le cas de Reynaud, l'homme qui avait rendu Pétain possible. C'est lui qui avait fait entrer le Maréchal dans son gouvernement pour soutenir le moral de la nation après les premiers revers militaires ; lorsqu'il démissionna le 16 juin 1940, il savait que Pétain lui succéderait. Ces choix avaient hanté l'esprit de Reynaud pendant les quatre années suivantes. Il veut saisir l'occasion de s'expliquer devant les Français. Comme tous les témoins, il est invité à décliner son nom, son âge, sa profession et son adresse, à lever le bras droit et à jurer de dire la vérité :

> Nom : Paul Reynaud.
> Âge : 66 ans.
> Profession : Avocat à la cour d'appel de Paris.
> Adresse : 5, place du Palais-Bourbon, Paris.

La revanche de Reynaud

De Gaulle n'était pas du genre à faire des compliments. La lettre qu'il écrivit à Paul Reynaud en mai 1937 souligne l'estime dans laquelle ses contemporains le tenaient alors : « Vous êtes en notre temps le seul homme d'État de premier plan qui ait le courage, l'intelligence et le sens national assez grands pour prendre à bras-le-corps les problèmes militaires dont le destin de la France dépend[5]. » Mais cette réputation un temps si brillante a été ternie par les six semaines fatidiques qui ont conduit à la défaite de l'été 1940. Considéré comme l'homme politique le plus brillant de sa génération parmi les parlementaires modérés, Reynaud a alors vu son bel avenir brisé[6].

Reynaud a toujours été un franc-tireur et un solitaire. En 1932, il cause la stupéfaction en préconisant une dévaluation du franc pour permettre à la France de redevenir compétitive sur les marchés mondiaux. La défense de la monnaie est alors pour l'élite politique un indice de vertu patriotique, une question de morale plus que d'économie : Reynaud devient donc pendant quelques années une sorte de paria politique. Cela le laisse froid : convaincu de sa capacité de persuasion par la justesse de ses arguments, il n'a jamais caché son sentiment de supériorité intellectuelle. Brillant débatteur à la Chambre, il dédaigne la camaraderie de la vie parlementaire. Trop content de lui pour se faire des amis, il fait penser à un écolier agaçant, toujours le premier à lever la main pour rappeler à la classe qu'il est le plus intelligent. Soigné, élégant et vaniteux, il porte une grande attention à son apparence. À une époque où les banquets bien arrosés et les menus gargantuesques rythment la vie politique, il se distingue de ses collègues en pratiquant la culture physique dans une salle de sport. Sa petite taille fait le bonheur des caricaturistes.

Dans la seconde moitié des années 1930, le débat sur la dévaluation est clos, mais Reynaud adopte encore une fois une position courageuse qui de nouveau le met en conflit avec son propre camp politique. Cette fois, il s'agit de politique étrangère. Traditionnellement, la droite française, méfiante à l'égard de l'Allemagne, a recherché des alliances avec des pays de l'est de l'Europe, y compris si nécessaire avec l'Union soviétique. Mais, à mesure que la politique française se polarise, ces conservateurs s'inquiètent de la montée du communisme en France, au point d'en venir à considérer l'Allemagne nazie comme un rempart contre cette menace interne. « Plutôt Hitler que Blum », commence-t-on à chuchoter. La politique d'apaisement vis-à-vis de l'Allemagne culmine en septembre 1938 avec la conférence de Munich, qui évite la guerre en sacrifiant à Hitler des territoires appartenant à la Tchécoslovaquie, alliée de la France. Reynaud, quant à lui, contrairement à la grande majorité des députés de droite, prône une alliance militaire avec l'Union soviétique. Cette position est partagée par Charles de Gaulle, encore peu connu et auteur en 1934 d'un livre controversé sur la modernisation de l'armée française. Reynaud est le seul homme politique de premier rang à soutenir les idées de De Gaulle – une nouvelle cause hétérodoxe à défendre pour cet anticonformiste incorrigible. Les deux hommes deviennent ainsi proches au moment où de Gaulle cherche un nouveau protecteur après s'être éloigné de Pétain.

Quand la guerre est déclarée en septembre 1939, l'heure de Reynaud semble venue. Il se présente comme un chef de guerre plus énergique qu'Édouard Daladier, qui a signé les accords de Munich. À la chute du gouvernement Daladier en mars 1940, il lui succède effectivement au poste de président du Conseil. Deux mois plus tard, les Allemands passent à l'offensive. Reynaud n'est pas responsable du désastre militaire qui s'ensuit, mais dès son arrivée au pouvoir il déçoit ses partisans. Au lieu de former un cabinet de guerre uni, il confie plusieurs ministères aux « mous », ceux qui ne croient pas à la guerre. Beaucoup d'encre a coulé pour expliquer par la suite les faux pas de Reynaud. On dit qu'il se trouvait alors sous l'emprise de sa maîtresse, Hélène de Portes, qui appartenait au camp des « mous ». Hélène de Portes est omniprésente dans les récits de la chute de la France, mais, comme elle est morte dans un accident de voiture en juillet 1940 (Reynaud était au volant), sa version de l'histoire est restée à jamais inconnue. Pendant le procès de Pétain, les amis de Reynaud ont craint que son nom ne refasse surface, mais il n'a jamais été mentionné[7]. Quoi qu'il en soit, en 1940, le problème principal de Reynaud – beaucoup plus important que l'influence supposée de Mme de Portes – était que les divisions politiques rendaient impossible la formation d'un gouvernement resserré d'union sacrée. Pour de Gaulle, Reynaud, prisonnier du système politique qui l'avait créé, manquait des qualités morales du vrai chef – en bref, il n'était pas de Gaulle.

Les deux décisions les plus fatidiques de Reynaud, toutes deux prises le 28 mai, furent d'une part le remplacement du commandant en chef, le général Maurice Gamelin, par le général Maxime Weygand, d'autre part l'entrée de Pétain au gouvernement. Gamelin avait commis de nombreuses erreurs dans la conduite de la guerre, mais il était un fidèle serviteur de la République. Weygand le remplace à un moment où il est trop tard pour redresser la situation militaire, mais, contrairement à Gamelin, il méprise la République. Peut-être Weygand aurait-il été plus apte à commander dès le début, mais Gamelin était certainement plus apte à gérer les conséquences politiques de la défaite. Quant à Pétain, Reynaud espérait que son nom soutiendrait le moral de la nation. Il n'avait pas prévu que le Maréchal arriverait si rapidement à la conclusion que la guerre était perdue. Lors d'un dernier remaniement, le 6 juin, Reynaud fait entrer de Gaulle au gouvernement en tant que sous-secrétaire à la Défense nationale, un poste subalterne qui ne lui donne pas l'autorité pour l'emporter contre ceux qui veulent signer un armistice. En fin de compte, Reynaud n'a eu ni l'autorité, ni la conviction, ni la force de personnalité nécessaires pour imposer sa volonté de continuer le combat.

En septembre 1940, il est interné par le gouvernement de Vichy, une mesure de pure vengeance à l'encontre d'un homme politique qui n'a commis aucun crime mais qui est considéré comme un ancien « belliciste ». Il est aussi pour cette raison la bête noire des Allemands. Lorsque les troupes d'Hitler envahissent la zone libre, en novembre 1942, Reynaud est tiré de sa prison et déporté en Allemagne. Il reste incarcéré jusqu'à la fin de la guerre dans un château en Autriche, avec d'autres personnages de premier plan.

Le journal qu'il rédige en prison révèle les failles de sa personnalité. Son besoin de toujours avoir raison gâche la pertinence de ses commentaires sur la guerre. Rapportant, au 22 juin 1941, l'attaque allemande contre l'Union soviétique, il ramène cet événement de portée mondiale, dont il saisit pourtant l'importance, à sa propre personne : « C'est une revanche pour moi qui ai été élu à vingt-sept voix en 1936 parce que je demandais l'alliance franco-russe[8]. » Les rares éclairs d'autocritique – « Tous les jours je demande pardon pour la France » – sont noyés sous d'incessantes autojustifications : « Quand on cherche à analyser la responsabilité d'un être dans une faute commise par lui, elle se dissout au fur et mesure que l'on remonte aux causes profondes[9]. » Reynaud ressasse les événements de juin 1940 pour se justifier à ses propres yeux et se défendre pour la postérité. Son obsession est d'autant plus vive qu'il se trouve attaqué non seulement par Vichy, pour avoir entraîné la France dans la guerre, mais aussi par les opposants à Vichy, pour l'avoir perdue. Telle était la ligne directrice du pamphlet *Les Fossoyeurs. Défaite militaire de la France, armistice, contre-révolution* publié à New York en 1943 par le journaliste André Géraud. Parmi ces « fossoyeurs » figuraient des personnalités attendues comme Pétain et Weygand, mais aussi Reynaud. En réaction à ces attaques, Reynaud commence en prison à rédiger ses Mémoires de 1940 sous le titre ahurissant de *La France a sauvé l'Europe*.

Au début du mois de mai 1945, Reynaud est libéré de sa prison allemande et rentre en France. Quelques semaines plus tard, de Gaulle l'invite à dîner. Au grand dam de Reynaud, la conversation du Général, quoique cordiale, évite tout sujet de fond et en particulier les projets de Reynaud. De Gaulle, déçu par Reynaud en juin 1940, ne pense manifestement pas que l'ancien président du Conseil ait un avenir en 1945. Ce dernier est d'un tout autre avis. Décidé à revenir sur le devant de la scène, il avait déclaré à un journal anglais, deux jours après son retour, qu'il serait « l'un des principaux témoins » au procès de Pétain. À la question de savoir qui, de Pétain ou de Laval, était le plus coupable, il avait répondu : « Pétain bien sûr. » Un fonctionnaire du Foreign Office britannique commenta : « L'interview ne donne pas une impression très agréable. Reynaud proteste trop de son innocence[10]. »

Lorsqu'il entre dans la salle d'audience ce 23 juillet 1945, cela fait des années que Reynaud se prépare à ce moment. Le jour est enfin arrivé pour lui de se justifier, de réhabiliter sa réputation et de relancer sa carrière politique. Tant d'événements sont survenus depuis 1940 que peu des personnes présentes ont pensé à lui au cours des quatre dernières années. Sa réapparition ravive les souvenirs enfouis de discours grandiloquents qui, rétrospectivement, sonnent creux. Mais si tous sont passés à autre chose, pour Reynaud, l'horloge s'est arrêtée l'après-midi du 16 juin 1940, lorsqu'il a démissionné de la présidence du Conseil. Ajoutant au sentiment étrange que le temps s'est figé, Reynaud ne semble guère avoir vieilli. En prison, il s'est maintenu en forme à l'aide d'une corde à sauter. *L'Humanité*, qui le déteste en tant qu'incarnation de la politique bourgeoise, note, acerbe, qu'il a l'air en pleine santé et bronzé par le soleil tyrolien – comme s'il revenait de vacances plutôt que de prison. D'après un autre journal, il est si élégant dans son costume anglais à fines rayures qu'il semble arrivé au tribunal directement de chez le coiffeur.

Reynaud commence son témoignage par une déclaration qui se rapproche du *mea culpa* qu'il n'offrira jamais : « Il faut faire un grand effort d'imagination, messieurs, aujourd'hui, pour réaliser ce qu'était le maréchal Pétain en mai 1940, car dans cette affaire nous sommes tous coupables : nous avons tous travaillé à le diviniser[11]. » Ayant ainsi établi que la faute était collective et non personnelle,

Reynaud se lance dans un récit presque minute par minute des événements chaotiques qui ont suivi l'évacuation de Paris par son gouvernement, le 10 juin 1940. Entre le 11 et le 13 juin, les ministres sont dispersés dans divers châteaux de la vallée de la Loire. Le 14, alors que les Allemands approchent, le gouvernement se replie de nouveau vers le sud le long de routes encombrées de réfugiés. Finalement, les 15 et 16 juin, à Bordeaux, se tiennent trois ultimes réunions du conseil des ministres, aboutissant à la démission de Reynaud. Le chaos et la désorganisation continuent de régner pendant plusieurs semaines. À l'audience deux jours après le témoignage de Reynaud, Jules Jeanneney, président du Sénat, raconte à son tour comment, lorsque le gouvernement s'est déplacé de Bordeaux à Vichy, fin juin 1940, il s'est égaré en chemin. Il lui a fallu plusieurs jours pour retrouver ses collègues, ayant perdu le contact avec les services administratifs du Sénat, qui avaient atterri dans un tout autre lieu : « Je me suis trouvé là pendant trois jours dans un isolement complet[12]. »

Le récit de Reynaud conduit ses auditeurs dans des lieux dont beaucoup n'ont jamais entendu parler : le château du Muguet, près de Briare, pour une rencontre avec Churchill le 11 juin ; le château de Cangé, pour un conseil des ministres le 12 juin ; la préfecture de Tours, pour une autre rencontre avec Churchill le 13 juin. Briare, Cangé, Tours, Bordeaux : ces noms reviennent inlassablement au cours de la première semaine du procès, comme le chemin de croix de la France, remarquera un témoin. Détail qui avait ajouté au chaos de ces trois journées passées le long de la Loire : la plupart des châteaux où les ministres étaient logés ne possédaient pas de téléphone en état de marche. Il leur était quasiment impossible de communiquer entre eux, et encore plus avec le monde extérieur. Au château de Cangé, où logeait Albert Lebrun, le président de la République, le seul poste fonctionnant par intermittence bloquait l'accès aux toilettes. Le général Spears, envoyé de Churchill auprès du gouvernement français, prenait un malin plaisir à prolonger ses conversations lorsqu'il voyait le général Weygand, qu'il détestait, arriver pour se soulager.

C'est à Cangé le 12 juin que Weygand déclare formellement au gouvernement que la situation militaire est désespérée : il faudra solliciter un l'armistice de l'ennemi. Dans le récit de Reynaud, Weygand, qui joue le rôle du méchant au même titre que Pétain, rejette la responsabilité de la défaite sur les politiciens. Il aurait cherché à tout prix préserver la réputation de l'armée au cas où une défaite provoquerait une révolution, comme la Commune de 1871 après la défaite de 1870. Weygand avait donc préconisé un armistice pour des raisons politiques et non militaires : « J'ai répondu que l'honneur passe avant l'ordre [...] et je le pense toujours. Si l'on voulait graver sur un mur de l'école de Saint-Cyr : "L'ordre passe avant l'honneur" signé général Weygand et "L'honneur passe avant l'ordre" signé Paul Reynaud, je suis d'accord, parce que je n'ai pas changé d'avis. »

Reynaud avait dit à ses ministres qu'il était illusoire d'imaginer un accord avec Hitler : « Vous croyez que vous allez vous entendre avec Hitler ? Est-ce que vous le prenez pour un vieux "gentleman" comme Guillaume Ier qui vous a pris deux provinces – et puis la vie a recommencé ? Vous vous trompez. Hitler c'est Gengis Khan. »

Quelle était l'alternative à l'armistice ? Pour Reynaud, il fallait transférer le gouvernement en Afrique du Nord française. Ce fut un moment délicat de son témoignage. Après tout, c'est lui qui se trouvait à la tête du gouvernement à l'époque : s'il voulait que le gouvernement s'installe en Afrique du Nord, pourquoi ne pas en donner l'ordre ? Il rejette la faute sur Pétain et Weygand :

> Quelles auraient été les réactions du peuple français si deux hommes – deux hommes qui passaient pour incarner l'honneur militaire, car il en était ainsi, Messieurs, à l'époque – si ces deux hommes étaient restés sur le territoire national et nous dénonçaient comme des fuyards ayant abandonné le peuple français à toutes les violences de l'ennemi.

Au cours des jours suivants, à Bordeaux, l'opposition à l'armistice faiblit au sein du cabinet, pour aboutir le 16 juin à un affrontement entre ses partisans et ses opposants. En début d'après-midi, de Gaulle, qui se trouve à Londres pour discuter du transport des troupes françaises vers l'Afrique du Nord, transmet par téléphone une proposition inouïe de Churchill : que les deux alliés fusionnent en une seule nation en signant une Union franco-britannique. Lorsque le gouvernement de Reynaud se réunit plus tard dans la journée pour discuter de cette tentative de la dernière chance de maintenir le pays en guerre aux côtés de la Grande-Bretagne, un ministre commente que ce serait comme si la France s'attachait à un cadavre ; Weygand déclare avec mépris que la Grande-Bretagne aura bientôt le cou tordu comme un poulet. Impuissant à contrer la pression en faveur de l'armistice, Reynaud remet sa démission à Albert Lebrun.

Il conclut son témoignage en défendant ses anciens ministres :

> Je n'ai pas l'intention de les accabler. Il faut, Messieurs, se replacer dans l'atmosphère de l'époque. Ces hommes voyaient la force allemande qui paraissait irrésistible, et puis la foule de ces malheureux refugiés qui roulaient vers le sud avec des matelas sur leur voiture, qui roulaient vers les Pyrénées [...].
>
> J'ai été beaucoup plus sévère pour ceux qui leur disaient, parce qu'ils avaient l'autorité pour le leur dire [...] que l'Angleterre aurait en trois semaines « le cou tordu comme un poulet ». Je suis plus sévère pour ceux qui ont pesé sur la décision des ministres et qui les ont débauchés – Pétain et Weygand.

Reynaud a parlé pendant trois heures, sans notes et sans interruptions : c'est la performance d'un brillant avocat qui a préparé sa plaidoirie pendant quatre ans. Lorsqu'il prononce une phrase particulièrement bien tournée (et manifestement peaufinée) – « À quoi bon jouer un double jeu si l'un de ces jeux est honteux » –, un petit sourire d'autosatisfaction se dessine sur son visage. Un journaliste le décrit comme « infatigable », s'exprimant « dans une langue châtiée et vivante, d'un ton ironique ou tranchant ou ému. C'est tantôt un plaidoyer, c'est quelquefois un réquisitoire, c'est parfois aussi un discours politique »[13]. Lecompte-Boinet, juré résistant, commente ainsi dans son journal : « Reynaud est sec et antipathique. [...] Et pourtant c'est Reynaud qui a raison[14]. » Si Reynaud – « le petit politicien rusé à tête de souris[15] », selon Janet Flanner – sentait qu'il n'avait pas fait une impression tout à fait favorable, il ne le montrait pas, ou n'y attachait pas d'importance.

La plupart des témoins ne revinrent pas à l'audience après leur déposition, mais Reynaud fut présent presque tous les jours, prêt à bondir de son siège chaque fois qu'il décelait une atteinte à sa réputation. Comme il l'avait écrit dans son journal de prison : « Au fond, ma raison de vivre aujourd'hui est de ne pas finir sur l'échec de l'armistice[16]. »

Chapitre 10

L'armistice en débat

La version donnée par Reynaud des événements qui ont conduit à l'armistice est largement confirmée deux jours plus tard par Albert Lebrun, président de la République en 1940. Lebrun, élu président en 1932, semblait tout désigné pour occuper cette fonction singulière. Ancien polytechnicien, ce personnage effacé était un honnête homme doté d'un sens aigu du devoir : « Image d'une solide bourgeoisie provinciale qui avait des meubles et des principes[1] », selon Léon Werth.

Par respect pour la fonction qu'il a exercée, le président Lebrun est traité avec une déférence particulière lorsqu'il entre dans la salle d'audience. La chaise qui a servi aux témoins précédents a été remplacée par un fauteuil. Comme la plupart des témoins, il ne s'y assoit pas mais s'appuie sur son dossier pour effectuer sa déposition. Sa voix se brise fréquemment tandis qu'il parle.

Lebrun se souvient, presque comme si c'était la veille, de la réunion des ministres à Cangé, le 12 juin, où Pétain s'est levé pour lire une déclaration qui rejette l'idée de poursuivre la guerre depuis l'étranger :

> Quand un pays est malheureux comme la France on ne l'abandonne pas, on reste à ses côtés ; on le défend ; on le défend dans son corps, dans son âme, dans son esprit. Par ailleurs, espérer le relèvement, dans un avenir indéfini, du côté allié, non, non, il n'y faut pas songer. Il faut supporter sa souffrance. La France, ses fils doivent supporter leurs souffrances. C'est là qu'est le principe de son relèvement[2].

Cette déclaration contient toute l'idéologie du futur régime de Vichy : l'idée que la France était définitivement battue, que quitter le pays était une désertion, que la souffrance engendrerait le renouveau. Mais, ce qui avait le plus choqué le pointilleux Lebrun était une question de décorum : « [C'était] la première fois, depuis vingt ans que j'assistais à des conseils de ministres, que je voyais un ministre lire un papier. Les ministres parlent, ils ne lisent pas. »

Après la démission de Reynaud, il échoit à Lebrun en tant que président de la République de choisir un nouveau président du Conseil. Habituellement, cela demandait de longues tractations avec le personnel politique pour trouver quelqu'un susceptible de rassembler une majorité parlementaire. Puisque c'est impossible dans le chaos bordelais, Lebrun se trouve investi d'un pouvoir inattendu que sa timidité ne l'a pas préparé à endosser. Ayant conclu que la plupart de ses ministres étaient favorables à un armistice, Reynaud lui-même suggère à Lebrun de nommer Pétain, successeur logique. Lebrun, de son côté opposé à l'armistice, n'est pas tenu d'accepter ce conseil. Il rappelle son dilemme :

> Qui donc, parmi les hommes possibles, était à Bordeaux ? Et parmi ceux qui étaient à Bordeaux – beaucoup parmi vous y étaient, sans doute, et il faut avoir connu cette atmosphère tumultueuse – où étaient-ils ? Où résidaient-ils ? Je n'aurais jamais pu les atteindre [...] Il était peut-être onze heures du soir et j'avais la préoccupation que la France eût un gouvernement le lendemain, car si elle ne l'avait pas eu, pour ces âmes désemparées que je voyais partout, se serait ajouté le souci de dire : « La France n'a même plus de gouvernement ! Pauvre France ! »
>
> Donc je pris le maréchal Pétain et je lui dis : « Eh bien, voilà, constituez le gouvernement. »
>
> À la minute, le Maréchal, dans un geste familier, ouvrit son portefeuille, me montra une liste et me dit : « Voici mon gouvernement. »
>
> Je dois dire que, dans la grande tristesse du moment, j'eus tout de même un petit soulagement. Je me rappelais ces difficiles constitutions de ministères pendant mes huit années de présidence, qui ont duré, vous vous le rappelez, trois ou quatre jours [...] Tandis que je l'avais à la minute. Je trouvais ça parfait[3].

Ce qui fut « un petit soulagement » pour Lebrun fut bien sûr suspect pour ceux qui croyaient à un complot.

Un seul autre témoin direct des débats sur l'armistice qui agitèrent le gouvernement Reynaud fut appelé à la barre. Il s'agissait de Louis Marin, politicien conservateur. Fâcheusement pour l'accusation, ses souvenirs ne concordaient pas toujours avec ceux de Reynaud[4].

Marin était un personnage incontournable de la vie politique de la Troisième République depuis presque le début du siècle. Député de la première circonscription de Nancy, dans la partie de la Lorraine restée française en 1871, il était d'un patriotisme intransigeant. Avec son immense moustache blanche et sa sempiternelle lavallière à pois, il ressemblait à la fois à un guerrier gaulois et à un député républicain des années 1890. Tremblant de rage dès les premiers mots de sa déposition, il évita soigneusement de dire « le maréchal Pétain » et ne parla que de « l'accusé », ce qui l'obligea à un moment à se corriger : « Lorsque le maréchal – je veux dire l'accusé –... » :

> La Norvège n'a pas fait d'armistice.
> La Belgique n'a pas fait d'armistice.
> La Hollande n'a pas fait d'armistice.
> Le Luxembourg n'a pas fait d'armistice.
> Et, dans la suite, ni la Grèce attaquée n'a fait d'armistice, ni la Yougoslavie qui s'est arrachée des griffes du pacte qui venait d'être signé par le régent, n'a non plus fait d'armistice.
> Nous seuls en avons fait un !

Marin replonge la cour au cœur des débats. Il donne un exemple éloquent des menaces proférées par Weygand pour intimider le gouvernement. Lors d'une réunion à Cangé, le général annonce que les communistes ont pris le pouvoir dans la capitale et mis en place un gouvernement révolutionnaire. Un coup de téléphone à Paris du ministre de l'Intérieur, Georges Mandel, démontra que cette nouvelle alarmante était fausse.

Alors que quelques-uns étaient prêts à excuser l'armistice comme une lâcheté collective, Marin refusait cette position :

> Quand on a dit, Messieurs, que le peuple français avait été pour l'armistice, évidemment le peuple français ne voyait pas ce désastre, ne voyait pas les grands échecs par lesquels venait de commencer la campagne sans une crainte et sans une douleur épouvantables. Bien entendu il n'était pas plein d'espérance. Mais n'est-il pas vrai que l'annonce de l'armistice l'a complètement assommé ? Même dans les rues de Bordeaux [...] où étaient venus s'abattre tous les défaitistes de France, j'ai vu, le soir même où l'armistice a été annoncé – et beaucoup d'entre vous l'ont peut-être vu également –, les églises se remplir de femmes agenouillées, sanglotantes, le corps tordu et soulevé par des sanglots ; j'ai vu des hommes qu'on rencontrait dans les rues, pleurant, le visage ravagé.

Affirmer que l'armistice n'avait pas été accueilli avec soulagement par la plupart des Français entraînait Marin sur un terrain qui ne servait guère l'accusation. Revenant sur la démission de Reynaud, il contesta son assertion selon laquelle la plupart des ministres étaient acquis à l'armistice. Comme la tradition ne prévoyait pas de vote au sein du cabinet, Reynaud n'en avait pas demandé, même dans ces circonstances exceptionnelles, mais les calculs de Marin indiquaient une majorité contre (14 contre 10). Il laissait entendre que « [son ami] M. Reynaud » aurait dû demander un vote.

Aussitôt Reynaud, qui griffonnait fébrilement sur le banc des témoins, se leva d'un bond. Après un échange poli avec son « ami » Marin, il fit machine arrière en affirmant que la vraie question n'était pas de savoir s'il y avait eu une majorité pour un armistice, mais s'il aurait pu rester à la tête d'un gouvernement divisé. Si telle était bien la question, qu'est-ce qui l'aurait empêché de demander à Lebrun de lui permettre de former un nouveau gouvernement résolu à continuer le combat ?

Mornet n'apprécia pas la tournure que prenait la discussion :

> Mornet : Il m'est indifférent, pour ma part, de savoir si à une ou deux voix près il y avait dans le conseil des ministres une majorité pour ou contre l'armistice [...].
>
> Marin : M. le Président, voulez-vous me permettre de m'adresser à M. le Procureur général pour lui dire que son scepticisme sur la question de la majorité m'étonne, parce que, dans son propre raisonnement, il dit que ce qui lui importe, c'est de trouver les coupables de l'armistice. Messieurs, parmi les coupables, il y avait les ministres qui ont aidé l'accusé. Ce n'est pas une chose indifférente à ce procès.
>
> Mornet : Je ne vais pas jusque-là dans la recherche des coupables, car il y a des gens trompés qui commettent des erreurs, qui subissent l'influence des autres, et il y a ceux qui sont responsables de l'influence qu'ils exercent sur ceux qu'ils ont trompés[5].

Le message de Mornet était clair : se concentrer sur Pétain.

L'option nord-africaine

La démission de Reynaud n'avait pas inéluctablement scellé la victoire des partisans de l'armistice. Pétain devient président du Conseil le 16 juin au soir. Or l'armistice n'est signé que le 22 juin.

Cet intervalle de cinq jours offrit un créneau à ses opposants. Parmi eux figurait Jules Jeanneney, président du Sénat, troisième person-nage de l'État dans l'ordre de préséance. Et, en l'absence, alors, d'un Parlement en état de fonctionner, il représentait à lui seul le Sénat. Député depuis 1902, Jeanneney est un sage de la République. Proche de Clemenceau pendant la Grande Guerre, il est, dans la salle d'audience, celui qui connaît Pétain depuis le plus longtemps. « Un jeune », marmonne d'ailleurs ce dernier quand Jeanneney indique son âge (quatre-vingt-un ans) au moment de prêter serment. Jeanneney est le premier témoin à déposer assis, dans le fauteuil installé pour Lebrun et que la cour a oublié de remplacer. Raide et solennel, portant une petite barbiche et un nœud papillon, il livre son témoignage avec une lenteur délibérée, sans les effets rhétoriques de Marin et de Reynaud[6].

Revenant sur « le sinistre 16 juin » où Reynaud avait démis-sionné, Jeanneney décrit à la cour son inquiétude à l'idée que, les Allemands se rapprochant, le gouvernement de Bordeaux ne pourrait pas délibérer librement sur les propositions d'armistice. Il avait donc proposé à Pétain que le gouvernement, ou au moins le président de la République, soit mis à l'abri :

> Il répondit aussitôt : « Je ne quitterai pas la France. »
> Et à toute mes observations, ces mots revenaient impitoyablement.
> « Pourtant, lui ai-je dit, vous reconnaissez bien que le président de la République ne peut pas être fait prisonnier ? »
> « Assurément oui. »
> « Vous devez bien reconnaître aussi que le président de la Répu-blique seul ne peut à peu près rien, que ses actes doivent être contre-signés par un ministre. Il est donc indispensable que le gouvernement soit auprès de lui. »
> « C'est vrai. Je ne quitterai pas la France. »

Pétain refusant de bouger, Jeanneney a l'idée de transférer quelques hautes personnalités, dont des membres du nouveau gou-vernement, hors de portée des Allemands. Le matin du 20 juin, alors que les négociateurs français partent rencontrer leurs homologues allemands, le gouvernement de Pétain accepte à contrecœur le plan de Jeanneney. Il est décidé que certains responsables politiques partiront pour Perpignan, à proximité de Port-Vendres, le port méditerranéen français le plus proche de l'Afrique du Nord, au cas où il leur deviendrait nécessaire de quitter la métropole. Jeanneney fait partie de ceux qui se mettent en route cet après-midi du 20 juin. Mais, arrivé à Toulouse, il reçoit l'ordre de revenir :

> C'était, pour moi, tout à fait incompréhensible. Je ne pus rien obtenir de plus et je ne pouvais qu'obtempérer, ce que je fis. [...] J'ai cherché à démêler exactement ce qui s'est passé. Je n'y suis pas parvenu sur l'heure. Et même aujourd'hui, malgré la lecture soigneuse que j'ai faite de tout ce qui a été écrit sur ce sujet, je ne saurais dire avec certitude ce qui s'est passé.

Le président Lebrun, un autre de ceux qui avaient espéré se rendre à Perpignan, offre à la cour une explication possible :

> On devait partir à 14 heures et demie.
> À 14 heures, nouveau conseil – qui me surprit d'ailleurs – et, après une nouvelle délibération, on aboutissait à une nouvelle décision, d'ajournement du départ. [...] J'ai lu depuis que M. Alibert s'était flatté d'avoir envoyé au ministre une lettre soi-disant du maréchal Pétain, mais, enfin, on ne savait pas bien... Bref, je ne sais pas ce qui s'est passé, car, à moi, bien entendu, on n'envoya rien de tout cela, car c'est, Messieurs, une situation un peu spéciale que celle du président de la République[7] !

Il s'agit là de la seule mention, durant tout le procès, du tristement célèbre Raphaël Alibert. Peut-être sa réputation de mythomane avait-elle incité l'accusation à ne pas évoquer son nom. En l'occurrence, cependant, l'intervention d'Alibert avait été véritablement cruciale. Craignant que le transfert de hauts responsables politiques loin de Bordeaux ne cache un combat d'arrière-garde de la faction anti-armistice, Alibert avait frappé deux fois. D'une part, il avait menti à Lebrun en lui assurant qu'il n'y avait pas d'urgence à quitter Bordeaux puisque les troupes allemandes n'avaient pas encore franchi la Loire. En second lieu, dans l'après-midi du 20 juin, il avait écrit une lettre au nom de Pétain ordonnant aux ministres de rester à Bordeaux au moins jusqu'au lendemain matin. Il affirmerait plus tard que, par cette action, « [il avait] fait Pétain par un mensonge et un faux[8] ». Encore une fanfaronnade mais qui contenait une pointe de vérité.

En théorie, la décision de se retirer à Perpignan n'ayant été que retardée, rien n'empêchait Lebrun de partir le lendemain. Mais, après avoir introduit un méchant en la personne d'Alibert, Lebrun en introduit un second en la personne de Pierre Laval :

C'est à ce moment que je reçois la visite, inattendue, de M. Laval, que je n'avais pas revu depuis très longtemps, accompagné d'une vingtaine de parlementaires. Ils pénètrent chez moi en trombe [...] Et je me trouve en présence d'hommes gesticulant, parlant tous à la fois et, je dirais presque, ayant perdu tout contrôle d'eux-mêmes.

M. Laval m'interpelle d'une voix forte et me dit : « Comment pouvez-vous songer à quitter la France ! La bataille est perdue, et du reste vous le voyez bien. On a perdu ; eh bien, il faut payer, il faut être loyal. Si vous partez, on parlera de défection, de trahison. »

Lebrun répond que les présidents des deux assemblées, la Chambre et le Sénat, soutiennent l'idée d'un départ à l'étranger :

M. Laval – d'une voix si étrange – vitupère le président du Sénat, en des termes que je ne veux même pas reproduire. À tel point que le secrétaire général de ma maison, qui était derrière la porte, se disait : « Mais qu'est-ce qu'on fait au président ? »

D'autre membres de la délégation prirent la parole toujours dans le même sens. L'un d'eux me dit : « Vous voulez quitter la France ! Mais à peine serez-vous parti qu'on formera un gouvernement ici ; et vous là-bas vous ne serez plus rien, il n'y aura plus de gouvernement français[9]. »

Lors des interrogatoires d'instruction, les souvenirs de Lebrun avaient été encore plus précis. Il se souvenait de Laval hurlant à propos du président du Sénat, Jeanneney : « Je le déteste, je le déteste, je le déteste[10]. » Sous ce tir de barrage, Lebrun fléchit et abandonne toute idée de départ.

Un autre groupe de responsables politiques réussit néanmoins à rejoindre l'Afrique du Nord à bord du paquebot *Massilia*, une opération conçue en même temps que le transfert à Perpignan. Le navire, réquisitionné par le gouvernement pour les transporter directement de Bordeaux au Maroc français, devait appareiller le 20 juin, mais des membres de l'équipage, hostiles à ce qu'ils considèrent comme des politiciens fuyards, refusent dans un premier temps de lever l'ancre. Finalement, bien que le projet de Perpignan ait été annulé, le départ du *Massilia* a bien lieu le 21 juin. Cette histoire est racontée en détail à la cour par un autre témoin important, Édouard Daladier.

Daladier, prédécesseur de Reynaud à la présidence du Conseil, avait été ministre de la Défense dans tous les gouvernements entre 1936 et 1940. Comme Reynaud, il a été un pilier de la Troisième

République, mais on n'aurait pu imaginer deux personnalités plus différentes : Reynaud était un solitaire alors que Daladier était l'une des principales figures du Parti radical, colonne vertébrale centriste de la vie politique. Reynaud était un fin débatteur parlementaire, Daladier un orateur vibrant mais plus à l'aise quand il s'adressait aux fidèles du parti ; Reynaud un bourgeois parisien, Daladier un fils de boulanger provençal, un boursier qui incarnait la capacité de l'école républicaine à permettre la réussite des enfants issus de milieux modestes.

Contrairement à Reynaud, éternellement jeune, Daladier avait visiblement vieilli au cours des quatre dernières années. Arrêté par le gouvernement de Vichy en août 1940, il avait comparu au procès de Riom en février 1942. Après l'invasion de la zone libre par les Allemands en 1942, il avait été déporté en Allemagne et détenu dans la même prison que son ancien rival politique Paul Reynaud. Quand il arrive à l'audience, il paraît fatigué et sur la défensive. Mais, au fur et à mesure qu'il s'échauffe, il retrouve son panache d'orateur. À la fin, il semble s'adresser non pas tant à un tribunal qu'au congrès de son parti. À un certain moment, il soulève même sa chaise et la frappe sur le sol. C'était un « discours ponctué de gesticulations, de grands coups sur la poitrine, de mouvements de chaise[11] », selon un journaliste.

Daladier raconte longuement ses efforts dans les années 1930 pour réarmer la France, mais la partie la plus intéressante de son témoignage concerne le *Massilia* : « Nous sommes partis le 20 juin ; nous avons appris en pleine mer les conditions de l'armistice et nous avons décidé, unanimement, de faire tous nos efforts pour organiser, dans cette Afrique du Nord qui devait être pour la France et le refuge et le salut, la résistance des patriotes français. » Mais, le temps que le *Massilia* atteigne Casablanca le 24 juin, le voyage n'a plus de sens : l'armistice a été signé deux jours plus tôt. Daladier et d'autres, tel le conservateur Georges Mandel, espèrent entraîner les autorités militaires françaises en Afrique du Nord dans la résistance à l'armistice. En vain. Il leur est même interdit de rencontrer deux émissaires envoyés par Churchill :

> Notre plan échouait. Le *Massilia* fut envoyé en rade comme une espèce de prison flottante. M. Mandel lui-même fut arrêté en attendant d'être assassiné, mais – je vous le demande – était-ce l'attitude de fuyards que l'attitude que nous avons prise ? Était-ce l'attitude de

lâches ? Et cependant, à la même époque, jour après jour, les hommes de Vichy ne cessaient pas de nous accabler de leurs calomnies et de leurs mensonges et de nous faire passer aux yeux du peuple français pour des hommes qui avaient eu peur et qui avaient pris la fuite[12].

Daladier ne se prononce pas sur la question de savoir si le gouvernement de Pétain avait délibérément organisé l'opération *Massilia* pour écarter et discréditer les opposants à l'armistice ou s'il avait simplement saisi l'occasion qui se présentait. Mais le rappel de cet épisode doit certainement éveiller des souvenirs douloureux chez les jurés, dont cinq se trouvaient sur le navire. L'un d'eux, Michel Tony-Révillon, publia même le journal qu'il avait tenu pendant les événements[13]. Deux députés présents sur le *Massilia*, Pierre Mendès France et Jean Zay, tous deux mobilisés, furent jugés pour désertion après leur rapatriement en France et emprisonnés. Mendès France réussit à s'évader et à rejoindre de Gaulle ; Jean Zay fut assassiné par la Milice en 1944.

Lorsque les parlementaires du *Massilia*, bloqués en Afrique du Nord, apprirent que le gouvernement de Pétain avait convoqué le Parlement à Vichy pour réviser la Constitution, ils demandèrent à être rapatriés d'urgence afin de pouvoir participer au vote. Le gouvernement traîna des pieds et, lorsqu'ils revinrent enfin, le vote avait eu lieu. S'ils avaient été présents, la majorité obtenue par Pétain aurait été plus faible ; ils n'auraient toutefois pas été assez nombreux pour inverser le cours des événements.

La fin d'une République : suicide ou meurtre ?

La révision de la Constitution de 1875 ne pouvait se faire qu'en deux temps. D'abord, la Chambre des députés et le Sénat devraient se réunir séparément pour décider du principe d'une révision ; ensuite, l'Assemblée nationale, constituée de la réunion des deux, devrait décider de la forme que prendrait la révision. Lebrun est le premier témoin à évoquer ce moment clé de la naissance du régime de Vichy. N'étant pas un parlementaire, il ne disposait pas du droit de vote mais, comme président de la République, il a été consulté sur les préparatifs :

J'ai eu l'impression que le maréchal Pétain couvrait beaucoup de choses dont il n'avait pas été l'initiateur. La soirée que j'ai passée à

Royat j'ai vu venir à moi le Maréchal et M. Laval. Nous nous assîmes dans un coin du parc et nous parlâmes. C'est la première fois que M. Laval me parlait de ses projets, de la future loi, de constitution, etc.

Je l'ai accueilli froidement en lui disant : nous verrons, préparez les textes, nous en discuterons. Le Maréchal était à ses côtés. Pas un mot, pas une explication. Rien.

Quelques jours après, le Maréchal était à mon cabinet, je lui dis : « Je voudrais bien avoir de votre bouche des renseignements sur ce qui se prépare tout de même. » Le Maréchal me répondit : « Oui, c'est vrai, mais je ne suis pas très au courant, faites donc venir M. Laval, il vous donnera toutes les explications nécessaires[14]. »

La première étape se déroule le 9 juillet. À la quasi-unanimité, chaque chambre s'accorde sur la nécessité d'une révision de la Constitution. Le vote le plus important a lieu le lendemain lorsque, réunis en Assemblée nationale au Casino de Vichy, les parlementaires passent à la deuxième étape. On leur présente un projet de loi visant à déléguer leur pouvoir de révision de la Constitution à Pétain, qui se verra accorder les « pleins pouvoirs » pour accomplir cette tâche. Jules Jeanneney se trouve au cœur du processus car, en tant que président du Sénat, il préside de droit l'Assemblée nationale. Dans son témoignage au tribunal, il ne s'attarde pas sur les détails, si ce n'est pour souligner qu'il avait insisté pour que les procédures parlementaires régulières soient respectées. Sur les 649 parlementaires votants, seuls 80 votent contre. « Et voilà comment, entre 17 h 15 et 19 heures [le 10 juillet 1940] », déclare Jeanneney à la cour, « les pleins pouvoirs ont été donnés pour que la France reçoive une Constitution nouvelle. Il n'y a, je crois, aucun doute pour personne aujourd'hui qu'un pareil vote a été un vote véritablement extorqué. Je me suis, le soir même, permis une expression que je me permets de réitérer : ce fut un "entôlage" et je crois que le mot n'a pas cessé d'être véridique »[15].

Lebrun décrit ce qui s'est passé ensuite :

Le lendemain je reçois la visite du maréchal Pétain. Je le revois toujours entrant dans mon cabinet. « M. le Président, me dit-il, le moment pénible est arrivé ; vous avez toujours bien servi le pays ; le vote de l'Assemblée nationale a créé une situation nouvelle. D'ailleurs je ne suis pas votre successeur ; un régime nouveau commence. »

Et moi de lui répondre : « M. le Maréchal, soyez sans souci pour moi. J'ai toujours été un serviteur, toute ma vie, de la loi, même si elle n'avait pas mon adhésion morale. Eh bien, aujourd'hui, je constate que l'Assemblée nationale a prononcé ; cela me suffit[16]. »

Ainsi, Lebrun n'avait jamais formellement démissionné ; il s'était effacé discrètement, sur la pointe des pieds. Le coup d'État du 10 juillet 1940, si coup d'État il y eut, n'aurait pu se dérouler plus courtoisement. Comme de Gaulle le noterait de manière cinglante dans ses Mémoires : « Au fond, comme chef de l'État, deux choses avaient manqué [à Lebrun] : qu'il fût un chef ; qu'il y eût un État[17]. »

Le récit le plus remarquable de ce qui s'est passé le 10 juillet au théâtre du Casino de Vichy est celui du socialiste Léon Blum, l'un des quatre-vingts qui avaient voté « non ».

Socialiste, juif, intellectuel, esthète : Léon Blum représente dans l'entre-deux-guerres tout ce que l'extrême droite honnit. Charles Maurras écrit de lui dans *L'Action française* qu'il est « un homme à fusiller, mais dans le dos ». Les conservateurs détestent sa judéité, ses convictions et son apparence physique. Blum, qui a commencé sa carrière comme critique littéraire, a toute sa vie conservé l'allure d'un dandy « fin de siècle ». L'affaire Dreyfus le propulse de la littérature à la politique. En 1920, après la scission communiste, il devient le chef du parti socialiste (SFIO, Section française de l'Internationale ouvrière). La haine à son encontre n'est pas seulement verbale. En février 1936, à Paris, il est attaqué par un groupe de Camelots du roi et hospitalisé plusieurs jours. Après les élections d'avril-mai de la même année, il devient le premier président du Conseil socialiste. Lorsqu'il se présente devant le Parlement après sa victoire, le député de droite Xavier Vallat, futur commissaire général aux questions juives de Vichy, lance : « Pour la première fois, ce vieux pays gallo-romain sera gouverné par un juif » ; la France sera désormais dirigée, déplore-t-il, par « un talmudiste subtil » et non par « quelqu'un dont les origines, si modestes soient-elles, se perdent dans les entrailles de notre sol »[18].

Face au nazisme, Blum revoit son engagement pacifiste. Contrairement à ce qui sera prétendu lors de son procès organisé par Vichy à Riom en février-avril 1942, c'est son gouvernement du Front populaire qui a lancé le réarmement français. Mais les socialistes eux-mêmes sont, dans les années 1930, divisés en matière de politique étrangère. Beaucoup d'entre eux refusent d'abandonner le pacifisme. C'est le cas du secrétaire général de la SFIO, Paul Faure, qui figure sur la liste des ministres que Pétain produit comme par miracle le jour où Lebrun lui demande de former un gouvernement. Selon le témoignage de Reynaud au procès, lorsque Lebrun s'était étonné de voir sur cette liste le nom d'un pacifiste aussi notoire, Pétain aurait répondu : « Oh, on m'a dit que cela ennuierait Léon Blum ! »

En 1939-1940, Blum se trouve dans une position inconfortable. Soutenant pleinement la guerre, il est respecté par Reynaud, qui le juge trop contesté toutefois pour l'inclure dans son gouvernement. Blum en est donc réduit à rester un observateur attentif des événements qui conduisent à l'armistice, sans y participer. Cible privilégiée du régime de Vichy, il est interné en septembre 1940 et jugé à Riom. La maestria avec laquelle il mène sa défense est l'une des raisons de la suspension du procès, et de son renvoi en prison. Lorsque les Allemands occupent la zone libre en novembre 1942, Blum est déporté en Allemagne avec un autre homme politique de premier plan, Georges Mandel. Ils sont emprisonnés près du camp de Buchenwald, mais, bien que des odeurs étranges flottent sur les lieux, ils ne se doutent pas des atrocités qui y sont commises. Considérés par les Allemands comme des otages précieux en cas de négociations dans les dernières phases de la guerre, ils bénéficient de conditions d'internement plutôt favorables, mais ils savent qu'ils peuvent être à tout moment fusillés.

La défense de Blum à Riom, publiée sous forme de pamphlet par le Parti travailliste britannique, a fait de lui un héros de la gauche internationale. Sa déposition au procès de Pétain est attendue avec impatience. Amaigri, la voix affaiblie (un juré l'interrompt au bout de quelques minutes pour lui demander de parler plus fort), il semble toutefois avoir résisté physiquement aux épreuves. Toujours élégamment vêtu, il porte le deuil de son frère tué à Auschwitz.

Blum commence son témoignage en racontant comment il a appris, le 9 juin 1940, que le gouvernement allait évacuer Paris : « Je vivais dans la conviction – dans l'illusion – que Paris serait défendu, serait défendu avec ténacité, avec énergie, et je désirais rester à Paris pendant le combat. » Des amis l'ayant persuadé qu'il serait dangereux de demeurer dans la capitale, il la quitte toutefois le soir même pour rejoindre sa fille :

> Le mardi 11 juin, je suis revenu à Paris ; j'étais avide de nouvelles, je voulais rentrer en contact avec les hommes qui étaient peut-être restés à Paris. [...] J'ai trouvé un Paris déjà vide, déjà désert, dont

l'évacuation commençait. Je me suis rendu compte que toute idée de résistance était définitivement abandonnée. [...] J'ai essayé de trouver partout quelqu'un à qui je puisse m'adresser, et j'ai fini par aller aux Invalides, au gouvernement militaire, où j'ai demandé à voir le général Héring que je croyais être encore le gouverneur militaire de Paris. [...] Je lui demandai avec autant d'émotion et d'angoisse que j'en pouvais mettre dans mes questions : « Alors Paris sera abandonné ? » Il m'a répondu : « Que voulez-vous que je vous réponde ? Nous n'en savons rien, nous n'avons pas d'instructions [...] Nous avons reçu hier un coup de téléphone du général Weygand, nous en attendons un autre, nous ne savons pas... »

J'ai insisté. Je lui ai dit : « Mais enfin Paris, ce n'est pas seulement la capitale de la France, la ville qui symbolise, qui incarne la France, c'est aussi la plaque tournante, ce sont toutes les communications, ce sont tous les passages de la Seine... Alors tout cela va être livré ? »

Il m'a répondu : « Nous attendons un coup de téléphone, il peut arriver d'un moment à l'autre. »

Je suis parti désespéré.

Lorsque le gouvernement part vers le sud, Blum le suit. À Bordeaux, il reste en contact permanent avec un groupe de députés qui se réunissent à la préfecture pour organiser l'opposition à l'armistice. Arrive la nouvelle de la démission de Reynaud. Blum fait partie de ceux qui espèrent désormais partir pour l'Afrique du Nord. Il raconte, comme l'ont déjà fait Jeanneney et Lebrun, son départ pour Perpignan le matin du 20 juin, l'arrivée à Toulouse dans l'après-midi, puis l'ordre de revenir. De retour à Bordeaux, on l'informe que la police ne peut garantir sa sécurité. Il retourne donc à Toulouse où il lit dans un journal la nouvelle de l'armistice. À l'évocation de ce moment, sa voix se brise :

Je n'en croyais pas mes yeux. Je voyais que la France trahissait ses alliés [...] Je voyais la France occupée en deux parties. Je voyais tous les démembrements de l'avenir consentis d'avance. Je voyais cette clause abominable, sans précédent je crois dans notre histoire, par laquelle la France s'engageait à livrer à l'Allemagne les proscrits, les exilés qui avaient trouvé un asile sur notre sol.

Enfin, Blum aborde les votes des 9 et 10 juillet à Vichy. De l'avis général, son récit fut l'un des moments les plus saisissants de tout le procès :

Un spectacle qu'il est difficile d'évoquer sans un certain frémissement. J'ai vu là, pendant deux jours, des hommes s'altérer, se corrompre
comme à vue d'œil, comme si on les avait plongés dans un bain toxique.
Ce qui agissait, c'était la peur : la peur des bandes de Doriot dans la
rue, la peur des soldats de Weygand à Clermont-Ferrand, la peur des
Allemands qui étaient à Moulins. Ce qu'on appelait le Marais dans les
assemblées révolutionnaires a connu une peur de ce genre le 31 mai
[1793, quand les sans-culottes ont envahi l'Assemblée] ou le 9 Ther-
midor [27 juillet 1794, quand Robespierre a été arrêté]. J'ai compris, je
vous assure, pourquoi on avait appelé cela le Marais. C'était vraiment
un marécage humain dans lequel on voyait, je le répète, à vue d'œil se
dissoudre, se corroder, disparaître tout ce qu'on avait connu à certains
hommes de courage et de droiture.

J'ai quitté Vichy non pas certes découragé mais désolé. Quand
j'ai vu Chautemps pour la dernière fois, dans un couloir, je lui ai dit :
« Alors quoi ! C'est la fin de la république », il m'a dit : « J'en ai peur. »

[…] Je suis rentré dans la maison de campagne que j'habitais. C'est
là que j'ai été arrêté le 15 septembre[19].

De sa voix douce Blum avait parlé avec une calme dignité,
sans effets de rhétorique. L'impact de son témoignage venait de
son émotion contenue et de sa précision. S'en dégageaient plus de
tristesse que de colère, plus de souffrance que de récrimination,
sans la suffisance de Reynaud, ni les gesticulations de Daladier ou
l'indignation un peu factice de Marin.

Même Isorni, dont le récit du procès est parsemé de piques
ironiques contre les différents témoins de l'accusation, a convenu
que Blum déposait « en seigneur. […] Il faut reconnaître qu'il le
faisait avec une aisance, une précision, une sureté de termes qui
était du grand art, et lui donnaient, malgré sa voix fluette et presque
expirante, une autorité qu'aucun témoin n'avait manifestée avant
lui. Il avait aussi cette force qui provenait de l'absence – apparente
tout au moins – de passion. » L'avocat ne peut résister cependant
à une petite remarque antisémite : « Les israélites qui occupaient,
fort nombreux, les bancs de la presse, étaient dans un ravissement
extasié. Parlait le pape[20] ! »

11. Louis Marin

12. Léon Blum

13. Albert Lebrun

14. Jules Jeanneney

11, 12, 13 et 14. Croquis d'audience I : les témoins de l'accusation.
Louis Marin, Albert Lebrun, Léon Blum, Jules Jeanneney

Avant le témoignage de Blum, la cour avait revécu les événements de Cangé, de Tours et de Bordeaux, l'épisode du *Massilia*, le vote des pleins pouvoirs à Pétain. Mais tout semblait s'être déroulé dans un autre siècle. Comme l'écrit Léon Werth, le tribunal n'a entendu que « de l'histoire morte, de l'histoire de manuel […] Les témoins exposent des faits morts qui déjà forment dépôt au fond de nos mémoires[21] ». Lorsque Blum a parlé, le passé est redevenu vivant. Selon Madeleine Jacob, « la voix frémissante de Léon Blum nous a tout à coup transplantés en arrière dans le temps qui fut celui de notre inguérissable blessure. Il faut avoir entendu Blum pleurer en parlant de ces choses pour réaliser à vif ce que nous avons tous souffert, pour le réaliser après la tourmente, longtemps après[22] ».

Chapitre 11

La défense contre-attaque

Après chaque déposition, les avocats de la défense montent au créneau avec leurs questions. L'exercice est délicat car il se déroule devant un jury composé pour moitié d'anciens membres de la Résistance, très sensibles à la moindre insinuation négative sur sa réputation. Ainsi, durant le contre-interrogatoire de Reynaud par la défense, un juré s'écrie : « Je désirerais savoir si on fait ici le procès de Paul Reynaud ou le procès Pétain. [...] Si nous continuons ainsi, ça pourrait durer deux mois. »

Le jugement de la journaliste Janet Flanner est sévère à l'encontre des avocats de Pétain à l'issue de la première semaine des audiences :

> Le trio des défenseurs de Pétain semble d'une médiocrité singulière et bien inutile. Pas de tact, pas d'esprit d'équipe, pas d'élégance, et, à une exception près, pas de cervelle. Le principal avocat de Pétain, le bâtonnier Payen, est doté d'un esprit brouillon et d'un tic malheureux qui lui fait ouvrir et fermer bruyamment la bouche comme une grenouille taureau. Le second, maître Lemaire, soulève des points de procédure mineurs en déclamant comme s'il était à la Comédie-Française. Le plus jeune, maître Isorni, a de l'intelligence mais il la gâche par son habitude d'interrompre continuellement tout le monde, ce qui semble perturber même son client[1].

Des trois avocats, Lemaire est le plus agressif, faisant preuve à plusieurs reprises d'« un sûr instinct de la gaffe[2] ». Lors du contre-interrogatoire de Reynaud, revenant sur l'affirmation de ce dernier selon laquelle Vichy n'avait rien fait pour le protéger lorsque les Allemands avaient occupé la zone libre en novembre 1942, Lemaire lit la lettre de protestation envoyée par Pétain après l'arrestation de l'ancien chef du gouvernement. C'était un petit point pour la défense, même s'il ne s'agissait que d'une protestation après coup, mais Lemaire ne peut se retenir de pousser le bouchon plus loin : « Je vous le dis, Monsieur le président Paul Reynaud, y a-t-il beaucoup de gens qui se disent avoir été des résistants, qui peuvent, dans leur dossier de résistance, inclure une lettre qui soit une protestation aussi solennelle que la protestation du maréchal Pétain ? » Cet incroyable manque de tact fait exploser le banc des jurés. Comme Lemaire semble incapable d'éviter de telles provocations, il laisse l'essentiel des interrogatoires à ses collègues[3].

Isorni et Payen continuent de se méfier l'un de l'autre. Payen, le visage animé de tics, a tendance à aboyer selon quelques journalistes, à japper selon d'autres[4]. Intimidé par l'assurance de Reynaud, ou peu habitué aux interrogatoires poussés car n'étant pas pénaliste, Payen n'avait pas prévu de poser des questions après le long témoignage de l'ancien président du Conseil. Lorsqu'il voit qu'Isorni va se lever, il lui murmure, furieux : « Isorni, je vous interdis de poser des questions. » « Je les poserai quand même. » « Si vous en posez, je me lève et je fais un incident public. » « Ça m'est égal. » Aussitôt, Payen se lève lui-même pour une question alambiquée concernant un discours prononcé par Reynaud en mai 1940. Ce dernier la repousse facilement en démontrant que Payen l'a mal cité. L'avocat s'affaisse alors sur le banc en marmonnant que c'est ce qui arrive quand on pose des questions. Ce à quoi Isorni riposte : « Quand on les pose mal[5]. »

Après ce faux départ, la tactique principale de Payen consiste à inciter les témoins à charger Laval. Comme ce dernier se trouve en exil, il n'y a aucun risque qu'il se défende. La plupart des témoins évitent le piège, mais Payen a semé le doute et introduit le nom de Laval dans les débats :

> Daladier : Que s'était-il passé entre eux ? Je suis incapable de vous le dire, pour cette simple raison que je n'en sais rien. [...] Mais je suis bien obligé de vous dire que, pour ma part, il y a un chef, que c'est le chef qui est responsable et non pas les collaborateurs[6].

> Jeanneney : Je connaissais M. Laval depuis longtemps au Parlement [...] et dès le début et jusqu'au bout, j'ai toujours eu envers lui une aversion particulière. [...] Ce que je savais, c'était l'action, l'action vive et maléfique conduite au dehors par Laval en vue d'un armistice précipité pour des intérêts qui pouvaient être d'ordre personnel, mais qui, au fond, étaient dans sa nature assez naturellement basse, peu

portée au courage et à l'enthousiasme. Quelle influence a-t-il eue sur le Maréchal ? Je ne saurais le dire[7].

> Blum : Il est certain que, dans l'opération de Vichy [les 9 et 10 juillet], nous n'avons eu en face de nous que Pierre Laval ; c'est lui qui avait organisé l'opération et c'est lui qui a mené tout le jeu. Lorsqu'une question qu'il jugeait embarrassante lui était posée, il disait : « J'en parlerai au Maréchal, j'en référerai au Maréchal. »
>
> Quant au départ des responsabilités entre le Maréchal et Pierre Laval, en ce qui concerne l'opération de Vichy, je suis hors d'état de le faire. Mais il y a une hypothèse qu'on ne peut pas écarter : c'est qu'ils aient été coupables l'un et l'autre. [...] Je connais Laval, en effet, mais je ne connais pas le Maréchal. Il y a en lui un mystère que je ne peux pas pénétrer. Oui, je ne peux pas m'expliquer à moi-même, d'une façon satisfaisante, quels ont été les mobiles vrais de ses actes[8].

Plus habile dans ses interrogatoires, Isorni poursuit sa proie en suivant des lignes d'attaque plus inattendues. Il a étudié attentivement le dossier de l'instruction. Interrogeant Lebrun, il reprend des propos que l'ancien président de la République avait demandé de garder confidentiels pour ne pas froisser le gouvernement britannique[9]. Cela concernait un accord conclu avec Londres le 28 mars 1940, selon lequel aucun des deux gouvernements ne signerait de paix séparée tant que l'autre serait en guerre. Déterminer si, en signant l'armistice, la France avait violé cet accord, comme l'avaient soutenu Reynaud et Marin, était une question complexe qui avait fait couler beaucoup d'encre. Isorni lit donc à l'audience ce que Lebrun a affirmé lors de l'instruction :

> À partir du moment où l'un des deux pays signataires d'une convention comme celle du 28 mars retient une partie de ses forces pour sa défense propre au lieu de les risquer au combat commun, comme l'a fait l'Empire britannique, il peut toujours dans la forme s'armer d'un papier pour nous rappeler les obligations qui y sont inscrites, il n'a plus l'autorité morale nécessaire pour dire : je ne puis vous délier de votre engagement[10].

Avoir obtenu un tel aveu de la part d'un ancien président de la République était un joli coup pour la défense.

Isorni sait aussi habilement dépister des zones d'ombre dans le passé des accusateurs de Pétain. Le régime de Vichy est notamment accusé d'avoir persécuté les communistes, mais Isorni ne manque pas de rappeler à la cour qu'en septembre 1939, après la signature du pacte germano-soviétique, c'est le gouvernement de Daladier qui a interdit le Parti communiste parce qu'il s'opposait à la guerre. Ainsi, lorsque Vichy a commencé à persécuter les communistes, il n'a fait que reprendre la législation dépoussiérée introduite sous la République. Mais ce n'est pas tout. La politique anticommuniste de Daladier lui avait valu une telle haine qu'un dirigeant communiste, François Billoux, avait proposé de témoigner contre lui lors du procès de Riom – un souvenir encombrant pour les communistes qui se sont réinventés, depuis, en héros de la Résistance. Or ce même Billoux fait désormais partie du gouvernement de De Gaulle, ce qui offre à Isorni une formidable opportunité :

> Isorni : Savez-vous qu'il se trouve précisément un ministre en exercice qui vous accuse, vous, M. Daladier […] d'être un des responsables de la guerre et de la défaite, et pourquoi faire des mystères ? C'est M. Billoux.
> Un juré : Vous recherchez un procès anticommuniste, et non pas le procès Pétain…
> Isorni : À l'heure actuelle, le maréchal Pétain est accusé d'avoir cherché à faire prononcer par une cour de justice une décision entraînant la culpabilité de la France dans la guerre. […] M. Billoux, actuellement ministre de la Santé publique, a demandé d'être entendu comme témoin à charge contre vous [M. Daladier], estimant que votre gouvernement était responsable de la guerre. […] Il y a quelque chose de paradoxal à voir ce grief reproché au maréchal Pétain : être en prison pour cette raison-là et voir un homme sur qui on dit la même chose, être au pouvoir. […] Voilà, trois hommes réunis sur cette même feuille de papier, si j'ose dire : vous, M. Daladier, vous avez fait mettre en prison M. Billoux [en 1939]. Le maréchal Pétain vous a fait mettre en prison [en 1940]. M. Billoux est aujourd'hui au pouvoir et son gouvernent fait mettre en prison le maréchal Pétain. Est-ce que tout cela ne vous laisse pas un peu sceptique sur la justice en matière politique ? [*Rires, murmures, protestations*][11].

Isorni réussit quelques percées lors de son contre-interrogatoire de Daladier, mais c'est Léon Blum qui lui offre sa meilleure occasion de démasquer les hypocrisies des accusateurs de Pétain.

Avant que la cour de justice de Riom ne se réunisse, Pétain, usant des pouvoirs que lui donnait l'Acte constitutionnel promulgué par son gouvernement en janvier, avait annoncé en août 1941 qu'il s'octroyait le droit de juger les responsables de la défaite de la

France. C'est en vertu de cette décision qu'il déclare Daladier et Blum coupables quelques mois plus tard. Pourquoi alors poursuivre un procès dont les accusés ont déjà été condamnés ? Après avoir envisagé de démissionner, les juges de Riom décident de passer outre. Et, lors de l'audience d'ouverture, le président du tribunal déclare que la cour procédera comme si toutes les décisions prises jusqu'alors concernant les accusés « n'existaient pas ». Était-il cependant concevable que le tribunal contredise une sentence prononcée par Pétain, auquel les juges venaient de prêter serment[12] ? En fin de compte, la suspension du procès de Riom en avril 1942 permit aux juges de ne pas avoir à trancher, et il est donc impossible de savoir quel verdict ils auraient rendu.

Dans son témoignage au procès Pétain, Daladier leur a accordé le bénéfice du doute, les félicitant d'avoir affirmé leur indépendance dès le début de la procédure. Blum, par contre, se désolidarisant explicitement du jugement de Daladier, accable les magistrats pour le simple fait d'avoir accepté de participer à cette mascarade. Cette appréciation trouble Mornet. Tout en rappelant fièrement qu'il n'a pas prêté serment à Pétain, il déclare encore une fois qu'un serment prêté sous la contrainte n'a aucune valeur. Les juges n'avaient-ils pas eu raison de rester à leur poste pour rendre la justice plutôt que de risquer d'être remplacés par des personnalités plus dociles ? Blum refuse de blanchir la magistrature :

> Qu'est ce qui serait arrivé si un mouvement de démission générale avait empêché la justice de fonctionner ? [...] Il aurait mieux valu qu'en France le cours de la justice fût interrompu plutôt que de voir, comme on l'a vu dans certains cas, la justice rendue au profit de l'ennemi[13].

Mornet n'insista plus, mais le président de la cour de Riom, Pierre Caous, demanda à être entendu le lendemain pour répliquer à Blum. « Pastille de Vichy macérée dans du vinaigre », comme le décrivit Madeleine Jacob, ce personnage desséché arrive au tribunal pour une mission suicide : défendre l'honneur de la magistrature française. Caous rappelle que les juges de Riom n'avaient pas prêté le fameux serment pour la simple raison qu'ils avaient été nommés avant que celui-ci ne soit imposé en août 1941. La seule exception était Caous lui-même, qui avait pris ses fonctions plus tard. Mais, serment ou pas, il réfute l'affirmation de Blum selon laquelle les magistrats l'auraient *in fine* déclaré coupable.

Qu'en sait-il ? Qui le sait ? Je ne le sais pas, je n'ai jamais su quelle était l'opinion d'aucun de mes collègues sur le procès. [...] Pendant les suspensions d'audience et après les audiences, nous ne parlions pas entre nous du procès. [...] Je dénie à qui que ce soit de dire que nous aurions condamné. Personne au monde n'en sait rien.

C'est l'occasion pour Isorni de poser une question en apparence innocente, mais dont il connaît parfaitement la réponse : est-il vrai que Mornet lui-même s'est porté volontaire pour siéger à la cour de justice de Riom ? La réaction scandalisée de Mornet, « s'étranglant de rage, bafouillant, s'ébrouant, éructant[14] » selon un journaliste, montre que l'avocat a fait mouche. « C'est une infamie ! », rugit le procureur général, « tout secoué sous son hermine comme un vautour décharné pris soudain dans un vent d'orage »[15]. La rectification des faits par Caous ne permet guère à Mornet de se tirer d'affaire. Il précise que, même s'il est exact que celui-ci n'avait pas demandé à faire partie de la cour, on lui avait proposé de siéger et il avait accepté. Le fait qu'il n'ait finalement pas été retenu, conclut Caous, « est en dehors de lui et en dehors de moi ». Mornet est obligé de louvoyer pour s'expliquer :

J'ai reçu, en effet, une lettre de M. le président Caous. [...] À ce moment, je savais qu'il était question d'organiser une Cour suprême de justice et je me disais : elle répond, peut-être, au vœu que, de toute part, nous entendons formuler dans les campagnes, dans les faubourgs. « Nous avons été trahis. » Et je me disais : « S'il s'agit de poursuivre ceux qui sont responsables d'un désastre inexplicable, ceux qui sont responsables de ce qui ne peut s'expliquer que par une trahison, eh bien, j'en suis. »

Mais lorsque, à quelques jours de là, rentré à Paris, j'ai su quelle était la tâche que l'on attendait des magistrats à Riom, oh ! alors, je puis le dire, j'ai regretté la lettre que je vous avais écrite, disant que je me tenais à votre disposition. [...]

Je serais peut-être allé [à la cour] et j'aurais été, le lendemain, dans un camp de concentration [...] parce que j'ai quelquefois le verbe un peu vif.

Caous clôt la discussion par un compliment à double tranchant : « Je suis sûr d'une chose : c'est qu'en ces matières, vous n'auriez pas fait ni plus ni mieux que nous. » Pour une fois, Mornet garda un silence prudent[16].

La tactique d'Isorni consistant à écorner la réputation des témoins à charge s'avère particulièrement efficace lors de l'interrogatoire d'Édouard Herriot, le dernier grand fauve de la vie politique d'avant-guerre à témoigner. L'audition d'Herriot, orateur de renom, est très attendue, et ceux qui ont réussi à se glisser dans les tribunes du public se préparent à un morceau d'éloquence.

Herriot avait été la figure prééminente du Parti radical dans l'entre-deux-guerres et, comme son collègue et rival plus jeune, Daladier, un brillant boursier, autre modèle exemplaire des vertus méritocratiques de l'école de la République. De 1905 à la défaite de 1940, il a été maire de Lyon. Son embonpoint légendaire symbolise parfaitement son identification absolue avec cette ville associée à l'opulence gastronomique : Herriot, c'est la République provinciale incarnée. Ce qui rend son témoignage si important, c'est qu'en 1940 il était président de la Chambre des députés, quand Jeanneney présidait le Sénat.

Amaigri, le pied enveloppé dans un gros chausson car il souffre d'une crise de goutte, Herriot semble avoir perdu un peu de sa combativité. Ses ennuis de santé ont retardé son audition et, lorsqu'il se présente à la barre, la plupart des sujets qu'il aborde sont déjà familiers : le débat sur l'armistice, le *Massilia*, le vote des pleins pouvoirs à Pétain. Sur ce dernier épisode, cependant, le jugement d'Herriot tranche nettement avec celui de Jeanneney. L'ancien président du Sénat estimait que le vote avait été « extorqué », mais que « l'usage qui était fait des pouvoirs donnés était exorbitant, mais non contraire à la lettre de la loi constitutionnelle ». Herriot affirme au contraire que cette dernière étape avait tout changé : « Entre le premier texte voté par l'Assemblée et le premier acte constitutionnel, il y a le coup d'État ; c'est là qu'il se place. » Herriot termine par un couplet pathétique, rappelant le jour où il avait « arraché » sa Légion d'honneur après avoir appris que Vichy avait décerné la même distinction à des officiers français qui avaient combattu aux côtés des Allemands[17].

Deux séries de questions viennent alors entamer le récit édifiant fait par Herriot de son patriotisme inflexible. La première concerne l'épisode une peu trouble qui s'était déroulé juste avant la libération de Paris, lorsque Laval avait conçu le projet de reconvoquer le Parlement de la Troisième République. Pour réussir cette opération, le chef du gouvernement avait besoin de l'appui du président de la Chambre. Il s'était alors rendu en voiture de Paris jusqu'aux environs de Nancy, où Herriot était assigné à résidence. Les grandes lignes de cette histoire étaient déjà connues, mais on demandait désormais à Herriot d'en donner sa version :

> C'était le 12 août 1944. M. Laval en personne est apparu dans la chambre où j'étais enfermé. Vous me croirez si je vous dis que je ne l'avais ni demandé ni désiré. Il est venu m'annoncer que j'étais libre. [...] Il m'a même pris dans ses bras[18].

Les deux hommes repartent pour Paris. Herriot déclare à Laval que le Parlement ne peut être convoqué sans l'accord du président du Sénat, Jeanneney. Entre-temps, Herriot est confiné à l'Hôtel de Ville ; il apparaît qu'il n'a pas vraiment été « libéré » : « M. Laval est venu me revoir. J'ai eu avec lui une conversation qui n'a pas été aussi loin que certains l'ont laissé entendre. Il me sondait. »

Jeanneney refusant de tremper dans ce projet, il aurait échoué même si les Allemands ne s'y étaient pas opposés. Après quatre jours à Paris, Herriot est de nouveau arrêté et ramené à Nancy. À quel jeu s'était-il livré ? Même si sa conversation avec Laval « n'a pas été aussi loin que certains l'ont laissé entendre », que se sont-ils dit exactement ? « Il n'a fait que me tâter du bout des doigts », disait Herriot. « On eût aimé », commente Léon Werth, « savoir davantage sur cette palpation[19] ». Il restait beaucoup de zones sombres sur cette affaire. Peut-être Herriot s'était-il brièvement entrevu comme le sauveur de la Troisième République. Même s'il ne s'était pas trop compromis, l'accolade échangée avec Laval à la veille de la Libération n'avait rien de glorieux.

Isorni avait dans sa manche une autre question inattendue. Il rappelle qu'en juin 1940, Herriot avait déclaré Lyon ville ouverte : cela ne prouvait-il pas que, comme Pétain, il jugeait toute résistance inutile ? La réponse d'Herriot donne au tribunal une image saisissante de la chaotique inertie qui régnait à Bordeaux au moment de la défaite. Les 17 et 18 juin, le préfet de Lyon avait téléphoné pour annoncer que les Allemands approchaient : la ville étant sans défense, que devait-il faire ? Herriot s'était alors rendu à l'adresse où le ministère de la Guerre s'était installé :

> Dans la nuit du 17 au 18 juin, alors que la France était sur la claie, il n'y avait personne au travail dans tout le ministère de la Guerre : il n'y avait pas un bureau qui fonctionnait, il n'y avait pas une lampe allumée ! Je vais à la présidence, immeuble qui était joint au premier.

Dans cette même nuit, au milieu de nos transes nationales, il n'y avait pas une personne au travail. Je le répète : il n'y avait pas une lampe allumée.

Il y avait simplement, pour garder l'immeuble, deux gardes républicains, deux soldats, dont l'un me connaissait d'aventure [...] et deux officiers, l'un qui dormait sur un canapé. [...] À ce moment-là, un bombardement est arrivé ; on m'a poussé dans une cave.

Mon directeur de cabinet, M. Frioul, obtint l'adresse de M. le maréchal Pétain. Nous y courons dans la nuit. C'est vers 2 heures du matin qu'on a réveillé M. le Maréchal. C'est à côté de son lit que je lui ai demandé si, dans ces conditions-là, vraiment, il fallait laisser bombarder Lyon, alors que le général Hartung, gouverneur de Lyon, criait au secours lui-même et disait : « Je n'ai rien pour défendre la ville. »

Qui était, je ne veux pas dire le coupable, mais celui qu'on peut mette en cause ? Celui ou ceux qui n'avaient pas armé cette grande ville [...] ou le pauvre maire qui, au moment où sa ville allait être brûlée [...] venait sur l'appel de son préfet, sur l'appel de son gouverneur, supplier qu'il n'y eût pas un massacre inutile[20].

À la fin de son audition, Herriot avait perdu de sa superbe.

Le maréchal Pétain était-il un traître ?

Dès lors que la défense a montré que ces vétérans de la Troisième République ont, eux aussi, suivi des trajectoires sinueuses, il leur devient plus difficile de déclarer formellement que Pétain a été un traître. « Croyez-vous [que le maréchal Pétain] ait trahi son pays ? », demande Payen à Daladier. La réponse est fuyante :

Daladier : En toute conscience, je vous répondrai que, selon moi, le maréchal Pétain a trahi les devoirs de sa charge.
Payen : Ce n'est pas la même chose.
Daladier : Je vous répondrai que le mot trahison a des sens divers et nombreux. Il y a des hommes qui trahissent leur pays pour de l'argent, il y a des hommes qui l'ont trahi par simple incapacité, et ce fut, je crois, le cas du maréchal Pétain. Du maréchal Pétain je dirai franchement, et bien que cela me soit pénible, qu'il a trahi son devoir de Français[21].

La même question – « Pétain a-t-il été un traître ? » – est posée à Reynaud, après qu'on lui a demandé d'expliquer une lettre chaleureuse qu'il avait écrite au Maréchal le 8 juillet 1940, où il évoquait ses bons souvenirs de leur travail en commun.

Reynaud : J'ai déjà expliqué à la Haute Cour que c'est seulement dans mes prisons que peu à peu j'ai compris qui était le maréchal Pétain.

Isorni : Mais l'armistice était avant vos prisons ?

Reynaud : De même que lorsqu'on développe une plaque photographique on voit l'image apparaître et se préciser, de même c'est dans mes prisons que peu à peu j'ai compris. Je croyais encore à ce moment-là au patriotisme de maréchal Pétain, c'est vrai.

Isorni : Voulez-vous me répondre d'une manière brève ? L'armistice a été signé le 25 juin. Vous avez considéré que c'était une trahison ?

Reynaud : Je n'ai jamais dit que l'armistice était une trahison. J'ai déclaré que l'armistice était contraire à l'honneur et à l'intérêt de la France[22].

Quant à Jeanneney, on le confronte aux propos flatteurs qu'il a tenus à l'égard de Pétain à la tribune du Sénat le 9 juillet 1940 :

Mes relations avec le maréchal Pétain remontent à 1917. J'étais alors membre du cabinet Clemenceau et, en même temps, secrétaire général du comité de guerre. Le général Pétain était venu à diverses reprises devant ce comité. J'avais été impressionné par la lucidité et la sobriété de ses exposés [...] Mais un fait a dominé tous les autres : c'est le souvenir que j'avais gardé de cette matinée de décembre 1918 où, sur l'esplanade de Metz, Poincaré et Clemenceau avaient, conjointement, remis au général Pétain le bâton de maréchal [...]

Et puis en juillet 1940, à vrai dire, avait-on le choix ? Il est incontestable qu'à ce moment tous les yeux étaient tournés vers le maréchal Pétain. Il était même une sorte de bouée de sauvetage vers laquelle toutes les mains se tendaient.

Jeanneney considérait-il donc Pétain comme un criminel ?

Si j'avais tenu le maréchal Pétain pour un criminel, l'Assemblée n'aurait pas entendu les propos que j'avais prononcés au Sénat.

L'armistice a été une faute impardonnable, et, malheureusement, irréparable dans la plus large mesure.

Pour finir, Lebrun est confronté à une lettre de vœux qu'il a écrite à Pétain en janvier 1941 : « Cela prouve tout au moins que vous ne le considérez pas comme un malhonnête homme ? » Lebrun s'embrouille dans sa réponse : « "Malhonnête" n'a pas été prononcé. » Il conclut maladroitement que sa lettre n'était que de pure forme, de la part d'un ancien chef d'État à son successeur, et ne contenait pas un mot d'approbation pour sa politique. Payen ne manque cependant pas de rappeler à la cour qu'elle a été envoyée en janvier 1941, « c'est-à-dire après Montoire[23] ».

Seul Léon Blum refuse d'exonérer Pétain :

> Trahir, cela veut dire : livrer. Je pourrais dire qu'alors que l'armistice, malgré tout, par les limitations mêmes qu'il contenait, créait en faveur du peuple français un certain nombre de garanties et de protections, qu'il était du devoir, tout au moins, du gouvernement qui l'avait signé, de faire respecter par l'ennemi : cet armistice a été livré point par point, pièce par pièce, comme le reste.
>
> Je pourrais dire qu'alors que, dans l'hypothèque la plus favorable, le maréchal Pétain n'avait reçu mandat que de réviser, que de réformer les institutions républicaines, le fait de les avoir détruites, de n'en rien avoir laissé subsister, d'avoir créé à son profit et autour de la bande d'ambitieux, d'arrivistes, de pleutres qui l'entouraient, un pouvoir presque bouffon par son énormité même, un pouvoir comme je ne sais pas si aucun despote oriental en a connu […], je crois que, cela, c'était une trahison et que c'était livrer la République.
>
> Mais avoir trahi « les intérêts de la France », avoir trahi « les devoirs de sa charge », ce sont, à mon avis, des expressions encore équivoques, mais l'essentiel, pour moi, c'est ceci :
>
> Il y avait en juin 1940 un pays que j'ai vu, que vous avez tous vu, un pays qui, sous le coup de sa défaite et ce qu'elle avait de brutal, de démesuré, d'incompréhensible, restait comme stupide et abasourdi sous le coup, qui restait dans l'état de commotion où les bombardements mettent certains grands nerveux. […] Ce peuple, il était là, atterré, immobile, et, en effet, se laissant tomber à terre dans sa stupeur et son désespoir. Et on a dit à ce pays : « Eh bien ! Non, non, l'armistice que nous te proposons, qui te dégrade, et qui te livre, ce n'est pas un acte déshonorant, c'est un acte naturel, c'est un acte conforme à l'intérêt de la patrie. » Et un peuple qui n'en connaissait pas les termes, qui ne l'avait pas lu, qui ne le comprenait pas, qui n'en a saisi la portée peu à peu qu'à l'épreuve, a cru ce qu'on lui disait parce que l'homme qui lui tenait ce langage parlait au nom de son passé de vainqueur, au nom de la gloire et de la victoire, au nom de l'armée, au nom de l'honneur.
>
> Eh bien ! cela qui, pour moi, est l'essentiel, cette espèce d'énorme et d'atroce abus de confiance moral, cela, oui, je pense, c'est la trahison[24].

Chapitre 12

Les derniers témoins de l'accusation

L'accusation s'acharne à démontrer que l'arrivée de Pétain au pouvoir était « l'aboutissement d'un complot fomenté depuis longtemps contre la République ». L'acte d'accusation affirme qu'« il est établi que Pétain entretenait des relations avec les principaux membres de l'association connue sous le nom de "la Cagoule" ». Les débats de la première semaine n'apportent à cet égard que peu d'éclaircissements. Lorsque la défense demande directement à Jules Jeanneney s'il pense qu'il y a eu un complot pour prendre le pouvoir, ce dernier répond : « Je n'ai jamais entendu parler d'un complot[1]. »

Après le défilé des notabilités républicaines, l'accusation produit deux journalistes insignifiants pour fournir quelques bribes d'informations non étayées sur les complots pétainistes. Le premier, Paul Winckler, rapporte des ragots colportés par un Espagnol anonyme qu'il a rencontré en 1939. Cet informateur avait participé à un dîner « intime » avec le leader fasciste espagnol Primo de Rivera, auquel Pétain aurait été présent. Mais ce témoignage fragile est compromis lorsque, le lendemain, Winckler doit revenir au tribunal pour réfuter une accusation (probablement fausse) selon laquelle il aurait dirigé avant 1940 une agence de presse bénéficiaire de fonds allemands.

L'autre journaliste, Denise Petit, parce qu'elle est la seule femme appelée à témoigner pendant toute la durée du procès, suscite un intérêt disproportionné au regard des quelques minutes qu'elle passe devant la cour. Avant la guerre, elle travaillait à Paris pour un journal italien. Elle déclare qu'en janvier 1939 son employeur avait été informé par Laval de l'existence d'un plan, soutenu par « une haute personnalité militaire », visant à établir une dictature militaire en France. Mais sa crédibilité est mise à mal lorsqu'elle reconnaît que, pendant l'Occupation, elle a travaillé à Paris pour un journal allemand, comme couverture pour des actions de résistance.

La riposte d'Isorni est facile : « Et si les Allemands avaient gagné la guerre, n'auriez-vous pas dit que vous faisiez partie des organisations de la Résistance à la demande de la *Pariser Zeitung*[2] ? » L'avocat provoqua plus tard l'amusement dans les couloirs du Palais de justice en racontant qu'il avait rencontré Denise Petit lorsqu'elle chantait, dans une petite opérette qu'il avait écrite dans sa jeunesse, les paroles « Mon loup chéri/ Te souviens-tu de ma tendresse ? ». On se demandait où l'accusation avait déterré un témoin si faible : une trouvaille de Bouchardon selon Isorni.

Les tenants de la thèse du complot reviennent sans cesse aux quatorze mois passés par Pétain en Espagne en tant qu'ambassadeur. Il y avait été nommé en mars 1939, à la fin de la guerre civile espagnole, à un moment où la France cherchait à améliorer ses relations avec le régime franquiste. Envoyer comme ambassadeur ce héros militaire vénéré avait une grande portée symbolique. Que Pétain soit souvent revenu en France pendant cette période pour rencontrer des hommes politiques laissait supposer qu'il nourrissait des ambitions politiques. Daladier apporte au tribunal deux éléments d'information compromettants. Il rappelle que, au moment de la déclaration de guerre, en septembre 1939, Pétain avait refusé d'entrer dans son gouvernement, un coup dur pour le président du Conseil qui cherchait à enrôler le prestige du Maréchal au service de l'effort de guerre. Ce refus avait-il des implications plus troubles ? Pétain attendait-il le jour où il pourrait prendre le pouvoir ? Cette hypothèse est renforcée par une autre information tirée du journal tenu par Anatole de Monzie, l'un des ministres de Daladier. Selon Monzie, Pétain aurait déclaré début mars 1940 : « Ils auront besoin de moi dans la deuxième quinzaine de mai. » N'était-il pas suspect qu'il ait su dès le mois de mars qu'une catastrophe se produirait en mai ? Cela ne prouvait-il pas qu'il se préparait à jouer un rôle politique[3] ? Tous ces éléments parurent suffisants à un journal pour titrer : « Daladier démontre le complot Pétain[4] ».

L'accusation fait également comparaître, pour quelques minutes seulement, deux fonctionnaires en poste à l'ambassade de France en Espagne sous Pétain. Le seul élément incriminant rapporté par le premier, Armand Gazel, est que Pétain lui a lu à deux reprises une liste de noms (la fameuse liste !) pour le gouvernement qu'il entendait former un jour. Mais quant à l'accusation de comploter contre le régime, Gazel dit : « Il ne m'a pas donné cette impression[5]. » Le second témoin, Albert Lamarle, qui ne cesse à la barre de plier et déplier un immense mouchoir avec lequel il essuie nerveusement ses lunettes, n'a pas grand-chose à dire. À la question de Mongibeaux : « Sur les rapports avec les Espagnols avez-vous quelque chose de vraiment intéressant à nous dire ? », il répond tout simplement : « Non. » Mais il livre un renseignement important. En septembre 1939, Pétain lui avait par erreur remis une lettre en croyant qu'elle traitait des questions économiques dont Lamarle s'occupait. Il s'agissait en fait d'un courrier de Georges Loustaunau-Lacau, un officier de l'armée impliqué dans divers complots antirépublicains, qui contenait ces mots : « J'ai vu le président Laval. […] Il vous propose de former un gouvernement dans lequel il vous débarrasserait du tout-venant[6]. »

La salle d'audience fut parcourue d'un frémissement d'anticipation lorsque l'auteur de cette lettre compromettante, le colonel Georges Loustaunau-Lacau, fut appelé à témoigner. Il représentait pour l'accusation une aubaine inespérée : un « cagoulard » en chair et en os. Si Pétain avait conspiré pour renverser la République, Loustaunau-Lacau l'avait su. Aucun témoin ne fit une impression plus troublante à l'audience que cette silhouette ravagée qui entra péniblement dans le tribunal, appuyée sur une canne. Il avait été libéré deux semaines auparavant du camp de concentration de Mauthausen. Comme d'autres témoins déjà entendus par la cour, Loustaunau-Lacau était un fantôme, mais non de la République celui-là : de l'anti-République, de cette nébuleuse de comploteurs d'extrême droite qui s'étaient retournés contre la démocratie dans les années 1930.

Durant les années 1920, Loustaunau-Lacau fut considéré comme l'un des jeunes officiers les plus brillants de l'armée française. Contemporain de De Gaulle à l'École militaire en 1924, il fut l'un de ses plus proches amis. Tous les deux travaillèrent ensuite à l'état-major personnel de Pétain : de Gaulle dans les années 1920, Loustaunau-Lacau dans les années 1930, décennie au cours de laquelle les trajectoires des deux hommes divergent. La peur du communisme pousse Loustaunau-Lacau dans l'orbite des conspirateurs antirépublicains. Après l'armistice, il reste en France car il soutient les valeurs politiques du régime de Vichy, tout en imaginant pouvoir dans le même temps agir contre les Allemands. À la fin de l'année 1940, il entre en contact avec de Gaulle, alors à Londres, au nom de leur ancienne collaboration avec Pétain, mais reçoit une réponse ferme : « Tout ce que Philippe a été autrefois ne change rien à la façon dont nous jugeons ce qu'est Philippe dans le présent[7]. »

Loustaunau-Lacau s'aperçoit rapidement que ses activités anti-allemandes sont incompatibles avec son soutien à « Philippe ». Arrêté en 1941, il est déporté en Allemagne après avoir été interrogé par la Gestapo. Devant la cour, il indique, comme profession, « déporté politique ». « Conspirateur professionnel » aurait été plus juste. Comme il avait été proche de Pétain avant la guerre, il apparaissait comme le chaînon manquant qui permettrait à l'accusation de prouver la thèse du complot pétainiste.

Interrogé sur la Cagoule lors des interrogatoires d'instruction, Pétain avait répondu : « Je n'ai jamais connu qu'un cagoulard, c'est Loustaunau-Lacau et quand j'ai su ce qu'il était, je ne l'ai pas gardé vingt-quatre heures auprès de moi[8]. » Affirmer, comme le faisait Pétain, qu'il avait rompu ses relations avec Loustaunau-Lacau en 1938 était un mensonge. Les deux hommes sont restés en contact et il se sont revus dans les premiers temps du régime de Vichy. En témoigne la longue lettre que Loustaunau-Lacau avait adressée au Maréchal le 22 septembre 1939 pour l'informer de la situation à Paris. À la demande de Pétain, il avait rencontré Laval, qui lui avait dit que les jours du gouvernement Daladier étaient comptés – Pétain pourrait ensuite remplacer Daladier et nommer Laval ministre des Affaires étrangères[9].

À son retour de Mauthausen, Loustaunau-Lacau a été interrogé par les magistrats instructeurs qui préparaient le procès. Il a aussi rendu visite à Isorni, qui n'a pas su que faire de lui. D'une part, il semble possédé de rage contre Pétain qui n'avait pas su le protéger des Allemands ; d'autre part, il se méfie d'une Résistance dominée par le Parti communiste. Parce qu'il paraît imprévisible et instable, ni la défense ni l'accusation ne veulent prendre le risque de le faire témoigner. C'est le président du tribunal, Mongibeaux, qui, exerçant ses prérogatives, le convoque. Isorni est sur des charbons ardents à l'idée que Loustaunau-Lacau puisse à tout moment prononcer « une énormité » et il a « toutes les peines du monde à le dissuader de violences contre le Maréchal[10] ».

Resté assis, Loustaunau-Lacau délivre son témoignage d'une voix atone, le regard fixé au loin, comme s'il discernait des conspirations invisibles à ceux qui l'entourent. Il débute ainsi :

> Je ne dois rien au maréchal Pétain, mais cela ne m'empêche pas d'être écœuré par le spectacle de ceux qui, dans cette salle, essaient de refiler à un vieillard presque centenaire l'ardoise de toutes leurs erreurs […] Je viens affirmer ici, sous la foi du serment, que le Maréchal n'a jamais fait partie de la Cagoule sous une forme quelconque, à titre quelconque, car s'il en avait été ainsi, je l'aurais su.

Un bon début pour la défense.

Ensuite, pour ceux que ne connaissent rien au labyrinthe des conspirations d'avant-guerre, Loustaunau-Lacau décrit le réseau qu'il avait mis en place dans l'armée pour contrer les infiltrations communistes :

> De tout cela, qu'a su le maréchal Pétain ? Rien. Pourquoi l'aurait-on mis au courant de notre activité clandestine, dans les casernes ? Manque de confiance ? Non. Crainte surtout qu'il ne se trompât de dossier. Ou que son absence de mémoire, parfois totale, se traduisît quelque jour par une gaffe énorme.

Peu flatteur pour Pétain, mais nouveau coup gagnant pour la défense.

Loustaunau-Lacau en arrive alors aux relations entre Pétain et Laval. Il rappelle une réception au Quai d'Orsay en 1934 au cours de laquelle le président du Conseil, Gaston Doumergue, prenant Pétain à part, lui avait glissé : « La République est pourrie ; ils n'ont plus personne, mais il y a encore celui-là », en désignant Laval.

> Cette phrase, […] il me l'a redite, souvent au cours de nos entretiens, ou de nos promenades, avec cette obstination qu'ont les vieillards de répéter certaines choses qui finit par tourner au réflexe. Je la tiens pour importante.
> Aucun doute que M. Laval voulait se servir un jour ou l'autre d'un képi glorieux pour coiffer une de ses combinaisons politiques. Aucun doute non plus que le maréchal Pétain voyait dans cet homme à l'intelligence féline, dans cet admirable manieur de pâte humaine, un conseiller pour certaines heures. Cela n'est jamais allé plus loin.

Enfin, Loustaunau-Lacau en vient à la rencontre avec Laval rapportée dans la fameuse lettre de septembre 1939. Pétain lui aurait demandé de sonder comment Laval jugeait la situation politique : « "La situation, me répondit M. Laval, elle est bien simple. Il faut se séparer de Daladier. […] Vous direz au Maréchal que ce Daladier, c'est un fumier, c'est un salaud[11]." »

Comme Loustaunau-Lacau vivait dans son propre monde de paranoïa, la fiabilité de son témoignage était incertaine. Pour autant, cette conversation, même véridique, ne représentait guère un complot visant à faire tomber la République. Loustaunau-Lacau quitta le tribunal en boitant et, selon les termes d'Isorni, « retourn[a] à son mystère[12] ». Les avocats de la défense pouvaient respirer plus librement.

Ayant échoué à démontrer l'existence d'un complot, André Mornet fit une annonce surprenante le lendemain : « Il est temps que le procès Pétain commence. Un témoin disait hier que le procès qui se débattait ici, c'est le procès de l'armistice ou de la capitulation. Eh bien non, ce n'est pas le procès de l'armistice. Ce n'est pas davantage le procès du vote du 10 juillet 1940. » La défense s'empressa de demander si le tribunal abandonnait également l'accusation portée contre Pétain d'avoir comploté pour prendre le pouvoir. Mornet resta évasif :

> Ce que je n'abandonne pas, c'est l'attentat contre la République qui a été commis le 11 juillet 1940 et peu importe qu'il ait été précédé d'un complot pour lequel je reconnais que je n'ai pas des éléments de nature à préciser le rôle des personnages qui y ont pris part.

Cet aveu étonnant laisse entendre que la première semaine a été du temps perdu. Le président Mongibeaux était apparemment parvenu à une conclusion similaire :

> Depuis presque le début, nous assistons à une sorte de recherche de responsabilités [sur les conditions dans lesquelles l'armistice a été voulu et signé], les militaires rejetant la responsabilité sur les civils, les civils rejetant la responsabilité sur les militaires. [...] Je voudrais que nous en arrivions à ce qui me paraît être l'accusation essentielle : celle avec laquelle le maréchal Pétain aura à se débattre : c'est celle de savoir [...] ce qu'il a fait du pouvoir à partir du 10 juillet 1940[13].

À la perspective que le procès allait enfin sortir de l'ornière des événements de juin et juillet 1940, le soulagement fut général.

Un diplomate et un militaire

Bien que l'accusation se soit focalisée sur le « complot » et l'armistice, elle avait convoqué deux témoins pour parler de la période après juin 1940. Ces deux personnalités, un général et un diplomate, étaient peu connues du grand public, mais elles avaient toutes deux servi le régime à ses débuts : le général Paul-André Doyen avait représenté la France à la commission d'armistice de Wiesbaden jusqu'en juillet 1941, tandis que François Charles-Roux avait été secrétaire général du ministère des Affaires étrangères de mai à octobre 1940.

Le général Doyen décrit ses premières rencontres avec ses homologues allemands au sein de la commission d'armistice, l'organisme chargé de l'application et du contrôle de la convention. Lors d'une réunion le 15 septembre 1940, il est confronté à une demande des Allemands qui veulent prendre le contrôle de mines de cuivre situées en Yougoslavie mais appartenant à la France. Alors que Doyen répond que cela dépasse les exigences fixées par la convention, il s'entend répondre : « Mais vous ne vous rendez pas compte que la France est vaincue et que si elle ne veut pas faire tout ce que l'Allemagne lui dit de faire, au traité de paix elle sera brimée ? » Il n'a pas plus de succès lorsqu'il tente de contester une violation encore plus flagrante de l'armistice : l'annexion de l'Alsace-Lorraine et la nomination de deux gauleiters qui y lancent une politique de germanisation forcée. Quand Doyen élève une protestation au nom du gouvernement français, le général commandant les forces d'occupation allemandes en France, Otto von Stülpnagel, se lève, furieux, et le rabroue sans ménagement : « Sept générations de Stülpnagel ont fait la guerre à la France. Il faut que la mienne soit la dernière. »

Ce qui inquiétait le plus Doyen, c'était la réaction de Vichy :

> Je me suis vite aperçu que deux politiques se sont trouvées face à face : la politique que nous menions à la commission de Wiesbaden, politique toute de résistance à l'Allemagne dans tous les domaines, et la politique que menait le gouvernement de Vichy qui était une politique toute différente, et qui consistait à aller à Paris démolir tout ce que nous faisions à Wiesbaden – la politique de Laval.

Lorsque Doyen mit en garde Pétain contre le fait que Laval l'entraînait sur une voie dangereuse, il s'entendit répondre : « Cet homme est un fumier. » À son grand soulagement, le « fumier » fut limogé le 13 décembre 1940. Mais on lui demanda alors de transmettre à Hitler une lettre de Pétain l'assurant que « le renvoi de Laval ne signifi[ait] pas la fin de la politique de collaboration ». Lorsque l'amiral François Darlan, successeur de Laval, rencontra Hitler à Berchtesgaden en mai 1941, Doyen sollicita un nouvel entretien avec Pétain : « Je dois avouer que je ne trouvai pas cette fois la réaction que j'avais trouvée lorsque je lui avais parlé de M. Laval. »

Les mois suivants furent marqués par « toutes les grandes trahisons », dont la plus grave consista à permettre aux Allemands d'utiliser les aérodromes français en Syrie. Enfin, en juillet 1941, Doyen apprit que ses services n'étaient plus requis. Il rédigea un long rapport pour le gouvernement, dans lequel il prévenait qu'il n'y avait rien à espérer de l'Allemagne. Lorsqu'il alla prendre congé du Maréchal, ce dernier lui déclara : « J'ai lu votre note avec beaucoup d'attention et je partage votre opinion. »

En l'espace de sept mois, Doyen semblait ainsi avoir rencontré trois Pétain différents : lequel était le vrai[14] ?

Le témoin suivant est donc Charles-Roux : une caricature du diplomate professionnel, le Monsieur de Norpois de Proust ressuscité. Ses interlocuteurs devaient déchiffrer le sens de ses propos sous une épaisse couche d'euphémismes ; chaque protagoniste, à commencer par le « chancelier Hitler », se voyait dûment affublé de son titre officiel, tandis que les événements dramatiques de 1940 se perdaient dans un labyrinthe de parenthèses, de conditionnels et de périphrases. L'incertitude des Français quant à l'entrée en guerre de l'Espagne se traduisait, dans l'idiome de Charles-Roux, par : « Ces informations justifiaient ce que j'appellerai une certaine perplexité. »

Charles-Roux commence par le jour où il apprend, après la démission de Reynaud, que Laval, à qui l'on a promis un portefeuille dans le gouvernement de Pétain, tient à obtenir le ministère des Affaires étrangères :

> À Bordeaux circulaient des propos de lui qui vantaient la nécessité, l'intérêt […] d'un revirement, d'un renversement des alliances […] Enfin, son nom était si impopulaire en Angleterre qu'il mettrait un coefficient d'anglophobie sur toute espèce d'initiative que prendrait le nouveau gouvernement [traduction en français courant : « J'étais inquiet car, tant qu'un armistice n'avait pas été signé, il ne fallait pas couper les ponts avec Londres »].

Charles-Roux déclare à Weygand que, si Laval devient ministre des Affaires étrangères, il démissionnera. Weygand transmet le message à Pétain et revient avec une nouvelle rassurante : Laval ne se verra pas offrir le poste. « Effectivement, après à peine quelques minutes, la porte de la pièce voisine s'ouvrit, M. Pierre Laval traversa notre salon en grommelant et s'en alla en claquant les portes » – exemple parmi d'autres de la facilité avec laquelle Pétain pouvait être influencé par la dernière personne à qui il avait parlé.

Ensuite, Charles-Roux fait une description vivante et détaillée du déroulement des négociations de l'armistice. Pour humilier les Français, les conditions allemandes leur ont été présentées à Rethondes, près de Compiègne, dans le wagon même où avait été signé l'armistice de 1918. Le 21 juin 1940, le général Weygand, à Bordeaux, reçoit un appel téléphonique du général Huntziger, chef de la délégation française : « Je suis dans le wagon. » « Mon pauvre ami », lui répond Weygand. Le général Huntziger reprend : « Je vais vous téléphoner les conditions d'armistice. Elles sont rigoureuses mais ne contiennent rien de déshonorant. »

Charles-Roux poursuit ainsi le récit :

> Pendant le reste de la journée, je n'en sus pas davantage.
>
> Le soir à dix heures, je fus convoqué au quartier général du général Weygand. [...]
>
> Les conditions d'armistice étaient arrivées. On était en train de les dactylographier et l'on apportait une à une les pages au fur et mesure qu'elles étaient tapées.
>
> J'arrivai un tout petit peu en retard, de sorte que les deux premières pages avaient commencé à circuler de mains en mains, et on les lisait.
>
> Lorsque j'entrai, le premier nom géographique que j'étendis fut Saint-Jean-Pied-de-Port. Je n'en crus pas mes oreilles.
>
> Saint-Jean-Pied-de-Port évoquait pour moi le Pays basque. Je regardai la carte sur laquelle on traçait au crayon bleu, au fur et mesure, la ligne de démarcation. Et, en effet, je vérifiai que tout le littoral de l'Atlantique et de la Manche était dans la zone occupée [...] Je m'écriai alors qui si les conditions étaient celles-là, il valait mieux aller en Afrique.
>
> Le Maréchal, très doucement, me fit comprendre que la question était close.

Charles-Roux resta à son poste pendant quelques mois encore, au service du ministre des Affaires étrangères, Paul Baudouin, tout en sachant que le contrôle de la politique étrangère passait progressivement aux mains de Pierre Laval qui avait établi des contacts personnels avec Otto Abetz, l'ambassadeur d'Allemagne à Paris. C'est par la voie détournée de l'ambassadeur du Brésil à Vichy que, le 23 octobre 1940, Charles-Roux apprit que Laval avait vu Hitler à Montoire, en prélude à la rencontre avec Pétain :

Et voilà le seul détail, assez pittoresque, que j'ai appris sur la manière dont M. Laval a rendu compte de cette entrevue entre lui et Hitler, à Montoire.

Il a prétendu être parti de Vichy en croyant rencontrer seulement M. von Ribbentrop. Puis, arrivé à Paris et ayant, en effet, rencontré M. von Ribbentrop, il est monté en automobile avec lui, ils sont partis pour la province, et M. von Ribbentrop lui a dit :

« Savez-vous qui vous allez rencontrer ? »

M. Laval a répondu : « Non. »

Et Ribbentrop lui a dit :

« Vous allez rencontrer le chancelier Hitler. »

À quoi Laval a répondu : « Sans blague » [Selon d'autres témoignages, Laval se serait écrié : « Merde alors ! »][15].

Charles-Roux démissionna deux jours plus tard.

Le maréchal silencieux

En quittant la salle d'audience, Charles-Roux s'arrête pour serrer la main de Pétain – un geste qui choque de nombreux observateurs. *L'Humanité* s'insurge : « Charles-Roux serre au passage la main de son ancien maître Bazaine-Pétain […] Scandale sans précédent dans un procès de haute trahison[16] ! » Il ne s'agissait que d'un réflexe de diplomate – Charles-Roux aurait serré la main d'Hitler – car, sous ses euphémismes feutrés, son témoignage avait été dévastateur.

La plupart des témoins font semblant d'ignorer la présence de Pétain, même s'ils doivent se glisser devant lui pour entrer et sortir de cette minuscule salle d'audience. Chaque fois l'accusé – « avec une grande courtoisie » dira Isorni – tire contre ses genoux la petite table devant lui pour les laisser passer. Lorsque Jules Jeanneney, un octogénaire qui connaît Pétain depuis plus longtemps que tous les autres, quitte la cour, ce dernier se lève à moitié pour le saluer. C'est la première fois qu'il agit ainsi pour un témoin. Jeanneney répond par une infime inclinaison, tout en regardant droit devant lui.

Les témoins, qui s'expriment le dos tourné à Pétain, semblent souvent n'avoir pas conscience de la présence du vieil homme assis à un ou deux mètres derrière eux. À une exception près. Lorsque Léon Blum, répondant à la question posée par Payen de savoir si Pétain est un traître, parle du « mystère » Pétain, sa voix tombe si bas que Mongibeaux lui demande de se retourner et de s'adresser à la salle. Ce faisant, Blum s'avance légèrement jusqu'à se retrouver juste en face de Pétain, avec uniquement la petite table pour les séparer. Joseph Kessel écrit : « M. Léon Blum s'était tourné vers l'accusé et le considérait avec une attention intense. Le maréchal Pétain, lui aussi, contemplait M. Léon Blum fixement. [...] Alors on a vu la main du maréchal Pétain se lever. Il ne desserra pas ses lèvres pales. Aucun muscle de sa figure ne remua. Mais, de sa vieille main pesante, il fit par deux fois un signe qui disait : "non !"[17]. »

Mais, la plupart du temps, Pétain, affalé dans son fauteuil, paraît indifférent, impassible, dans un autre monde. On le dirait inconscient de ce qui se passe autour de lui, n'était le clignement rapide de ses yeux. Il semble être assis dans ce fauteuil depuis toujours, à jouer avec ses gants, à caresser son képi, à pétrir les accoudoirs, à serrer et desserrer ses mains tavelées, le menton tombant sur sa poitrine quand, de temps à autre, le sommeil le rattrape dans la chaleur étouffante de la salle d'audience. Roger Martin du Gard qui assiste à une audience du procès grâce à un laissez-passer obtenu par son ami André Gide scrute le Maréchal de son œil de romancier. Il tente à son tour de percer le mystère Pétain. Il n'a aucun préjugé favorable envers cet « homme néfaste dont la responsabilité personnelle dans les malheurs de la France est accablante » mais il est impressionné par son apparence de « calme, d'assurance intérieure, et de total détachement. L'indifférence courtoise d'un homme qui n'est déjà plus de ce monde ». Il trouve que Pétain a gardé « l'apparence d'un homme de soixante-cinq ». Mais derrière ce masque ?

> À certains moments, très courts, cette belle apparence fléchit. Je me souviens d'un de ces moments. L'audience durait déjà depuis deux heures. Je ne quittais guère Pétain des yeux, et je n'avais surpris aucun signe de lassitude. Brusquement le corps s'est affaissé, les lèvres se sont entrouvertes, le regard, devenu terne, s'est soudain fixé hypnotiquement sur le majestueux képi rouge et or posé devant lui sur la table ; lentement, il s'est détaché du dossier de son fauteuil, s'est penché en avant, a saisi d'un geste un peu tâtonnant son képi entre ses deux mains, l'a posé sur ses genoux sans cesser de le considérer fixement, l'a caressé machinalement. Un geste de vieillard gâteux. Ça n'a duré que deux minutes ; mais pendant ces deux minutes, il est évident qu'il n'a pensé qu'à son beau képi rutilant et qu'il avait complètement oublié où il était. Puis il s'est ressaisi, a paru tout à coup sortir de catalepsie[18].

Un jour, alors que les photographes s'accroupissent à ses pieds pour leurs clichés habituels avant le début de l'audience, Pétain laisse percer un accès d'irritation, agitant ses gants pour les chasser, comme des mouches. Un journaliste raconte la scène : « Son visage s'était animé, la mine était impérieuse. L'homme à l'accoutumé absent, retrouvait soudain un geste d'autorité toute militaire. » Mais il retombe vite dans sa torpeur habituelle, conservant un comportement impénétrable. Madeleine Jacob met en garde ses lecteurs contre tout sentiment de respect ou de pitié : « On nous parle du visage marmoréen. Non. Un visage de bois, un visage de paysan madré, un visage de "faux témoin", un visage sans noblesse. C'est le visage d'un traître [...] Comment ne pas trouver le mensonge et la ruse en chaque trait, en chaque clignotement de paupière. L'homme paraît enfermé en lui-même, égoïstement. Il feint l'absence[19]. » Un autre journaliste, essayant à la fin de la première semaine de percer le mystère de cet « homme indéchiffrable », écrit : « Pétain est-il un homme comme les autres ? Ou bien n'est-ce qu'une légende dont les dorures s'écaillent et tombent [...] une sorte de duperie collective soudain vidée de la mensongère substance qui l'alimentait[20] ? »

15. Pétain, furieux, agite un gant pour chasser un photographe importun.

Certains observateurs se demandent si Pétain, tout simplement, entend ce qui se dit. De fait, il saisit bien les débats. Il déclare un jour à son gardien, Joseph Simon : « C'est dur de rester impassible. Je ferai tout ce que je pourrai pour conserver mon calme, mais ce sera très dur. Dire que j'ai trahi la France, c'est épouvantable, terrible, c'est honteux[21]. » À trois reprises, son masque d'apparente impassibilité faillit tomber, à la grande inquiétude de ses avocats. Le premier incident a lieu pendant le témoignage d'Édouard Daladier, après la question d'un juré sur le fameux télégramme de Pétain à Hitler après le raid allié sur Dieppe en août 1942. Isorni, Lemaire, Payen et Mongibeaux se lancent dans une discussion absconse pour déterminer si ce télégramme a bien été envoyé. Pendant ce temps, Pétain s'agite ouvertement ; il rougit ; il semble sur le point de se lever. Ses avocats se penchent vers lui pour le calmer. Payen lui murmure de manière audible : « Ne dites rien, ne répondez pas. » Comme il est évident pour tout le monde que Pétain a nettement entendu quelque chose, un juré (Ernest Perney) intervient :

> Perney : M. le Maréchal, qui entend très bien, me semble-t-il, ne répond pas aux questions posées. Son honneur est en jeu. C'est lui qui peut nous fournir une explication probante ici et l'interprétation du télégramme. [...]
>
> Payen : Il l'a donnée pendant l'instruction.

Des cris et des huées s'élèvent dans la salle. Mais Pétain a retrouvé son calme. Lorsque Payen répète la question, le Maréchal répond : « Comment donner les explications ? Je n'entends pas parce que je suis très dur d'oreille. Je n'ai rien entendu, je ne sais même pas de quoi il s'agit[22]. »

Cet incident prouve une chose : Pétain entend quand il le veut. Sa surdité est parfois tactique. Un incident similaire se produit plus tard dans la journée, lorsqu'on évoque cette liste de ministres que Pétain aurait tirée de sa poche pour le président Lebrun. Le juré Jean Pierre-Bloch saute sur l'occasion : « Nous sommes au cœur même du débat, de l'accusation de complot contre la République. [...] J'estime qu'il est important de demander à nouveau à l'accusé depuis combien de temps il avait cette liste ministérielle prête. » Mongibeaux demande à « l'accusé » de se lever. Comme Pétain ne semble pas avoir entendu, le policier posté à ses côtés reçoit l'ordre de le faire se lever :

> Pétain : Je ne peux pas répondre puisque je n'ai pas entendu.
>
> Mongibeaux : Je répète la question : depuis combien de temps aviez-vous préparé la liste du conseil des ministres que vous deviez proposer à M. le président Lebrun ?
>
> Pétain : Quelle était la question ?

Payen la répète à nouveau :

> Pétain : D'abord j'ai pu réfléchir à quelques noms, mais la liste que j'ai proposée n'a pas été celle… c'est-à-dire que la liste que j'avais dans ma poche n'était pas celle qui a été réalisée. J'ai répondu.
>
> Pierre-Bloch : Je pense que ce n'est pas la réponse à la question que j'ai posée.
>
> Mongibeaux : Je ne peux pas obtenir davantage[23].

Rien au cours de la première semaine ne semble plus affecter Pétain que le court témoignage de Michel Clemenceau, qui n'est ni un homme politique, ni un militaire, ni un diplomate[24]. Il est le fils de Georges Clemenceau, le « père la Victoire » qui a gouverné la France pendant la dernière année de la Première Guerre mondiale. Il ne se trouvait pas au tribunal du fait de sa ressemblance, frappante, avec son père, mais pour évoquer la mémoire de Georges Mandel, le plus proche collaborateur de Clemenceau pendant la Grande Guerre, exécuté par la Milice dans les dernières semaines du régime de Vichy, le 7 juillet 1944. Parce que Mandel était juif, l'extrême droite l'avait accusé d'avoir entraîné la France dans la guerre pour ses coreligionnaires. Dans le gouvernement Reynaud, cette grande figure de la droite avait été l'opposant le plus farouche à l'armistice. Il avait quitté Bordeaux sur le *Massilia*, pour être arrêté à son retour en France. Lorsque les Allemands envahissent la zone libre, il est déporté en Allemagne et emprisonné aux côtés de Léon Blum. Lors de leur détention, ces deux hommes politiques juifs si différents l'un de l'autre, l'intellectuel socialiste subtil et généreux et le patriote conservateur intransigeant et cynique, deviennent proches. Après l'assassinat de l'ultra-collaborateur Philippe Henriot par des résistants en juin 1944, Mandel est extrait de sa prison, ramené en France et assassiné.

Michel Clemenceau s'était rendu au fort du Portalet où Mandel était interné en 1941. Décrivant ses efforts pour intervenir en sa faveur auprès de Pétain, il raconte au tribunal qu'avant de l'admettre en présence du Maréchal, l'aide de camp de Pétain lui avait fait une demande déconcertante : « Vous allez voir le Maréchal ? Dites-lui donc ce qui se passe ici […] Le Maréchal n'a pas confiance dans les gens qui l'entourent, il ne les croit pas. Il reste pendant des heures assis à sa table, probablement songeant aux graves questions de guerre, de diplomatie et de politique, mais il n'a point l'air de s'intéresser à ce qui se passe autour de lui. » Pétain reçut Michel Clemenceau avec amabilité et l'invita à rester dîner. Clemenceau refusa :

« Je viens de passer deux jours avec les deux malheureux que vous avez internés au fort de Portalet illégalement ; si j'ai partagé leur gamelle pendant deux jours, ce n'est pas pour m'asseoir ensuite à votre table [...] Je ne mange pas à deux râteliers. »

« C'est dommage, nous aurions pu nous dire des choses intéressantes. »

Et comme le silence se prolongeait, je lui dis : « Des choses intéressantes ? Mais nous pouvons les dire tout de suite. »

Pétain se lança alors dans la défense de sa politique. La conversation entre les deux hommes tourna au vinaigre. Clemenceau quitta les lieux et ne revit plus jamais Pétain.

Pour discréditer ce témoignage Payen rappelle que Pétain avait protesté contre la déportation de Mandel. Clemenceau rétorque que la lettre de Pétain n'avait été envoyée qu'après que lui-même l'avait imploré par écrit de mettre Mandel à l'abri avant l'arrivée des Allemands. Il démontre clairement que Pétain était indirectement responsable de la mort de Mandel et qu'il n'avait pas levé le petit doigt pour le sauver. Pendant ces échanges à l'audience, la journaliste Francine Bonitzer voit Pétain « rougir, s'agiter et secouer sa main tremblante dans un geste éperdu de dénégation. "Non, non", criait toute sa personne ». Peut-être la présence de Michel Clemenceau avait-elle ravivé chez Pétain le souvenir de George Clemenceau et des jours glorieux de la Grande Guerre ; peut-être se sentait-il coupable de la mort de Mandel. Son agitation était si patente que lorsque Clemenceau eut fini de parler, un juré demanda si Pétain souhaitait ajouter un commentaire. Mais le moment était passé, il refusa de répondre. « On eut l'impression de tirer l'accusé d'un cauchemar. Détendu subitement, il reprit son visage immobile, reposa ses mains sur les genoux et demeura muet[25]. »

« *Le procès de Pétain me donne littéralement la nausée* »

« Dimanche 29 juillet. Enfin un jour sans voir Pétain ! » Jacques Lecompte-Boinet n'est sans doute pas le seul, parmi les jurés, à éprouver un sentiment de soulagement en ce premier dimanche du procès. Pour lui, cependant, cette journée sans Pétain n'est pas pour autant un jour de congé. En tant que membre de l'Assemblée consultative, il a le droit d'assister à la dernière journée du débat sur la nouvelle Constitution. De Gaulle doit se présenter en personne pour défendre son projet. Lecompte-Boinet, qui veut lui parler d'un autre sujet, l'attrape dans un couloir :

Il me prend par le bras et me dit : « Vous n'avez pas envie de pisser ? Parce que moi, à la fin je n'en peux plus. » Et c'est ainsi que mon entrevue avec de Gaulle se déroule aux chiottes, ce qui est inconfortable intellectuellement parlant.

Normalement il est de glace, alors, comme on disait dans ma jeunesse, quand on se trouve devant le marbre, c'est encore plus réfrigérant[26].

Nous ne savons pas si les deux hommes ont parlé du procès, mais nous savons que Lecompte-Boinet était de plus en plus mécontent de la partialité manifestée par de nombreux jurés. Cela l'irritait suffisamment pour qu'il approche Payen pendant une suspension d'audience. Il écrit dans son journal :

J'ai dit au bâtonnier Payen : « Ne croyez pas que tous les jurés soient partiaux : je suis venu ici avec le désir très net de me former un jugement et non pas de rendre un jugement élaboré en avance. D'autre part je regrette qu'on parle si peu de Pétain dans le procès, car pour moi la question se pose ainsi : d'un côté de la balance, les faits reconnus (déshonneur infligé à la France, mauvais armistice, recrutement de la milice et de la LVF [Légion des volontaires français contre le bolchevisme], le STO [Service du travail obligatoire], l'Alsace-Lorraine…) ; de l'autre, les services réellement rendus par Pétain. Savoir si ces services peuvent équilibrer l'autre plateau. » Et Payen m'a répondu : « Je suis heureux de savoir qu'il existe un juré comme vous, qu'il en existe au moins un et lorsque je parlerai, je saurai qu'il y a au moins un juré qui m'écoute. »

Selon les rapports reçus par le gouvernement, la majeure partie de l'opinion publique, qui avait attendu le procès avec impatience, ressent maintenant une « lassitude générale » et espère que la procédure va se terminer au plus vite. Elle considère que le procès donne une mauvaise image de la France à l'étranger. Susan Mary Jay, qui travaille à l'ambassade des États-Unis, écrit à une amie restée outre-Atlantique :

Le procès de Pétain me donne littéralement la nausée. Tu auras tout lu dans les journaux à ce sujet, mais il est extrêmement désagréable de passer des journées entières dans cette petite salle d'audience ; pourtant, on ne voudrait pas rater cela, c'est une fascination malsaine. Bien sûr, je ne devrais pas être là ; chaque ambassade dispose d'un billet qu'il faut batailler pour obtenir, mais un fonctionnaire m'a donné le sien parce qu'il ne voulait pas voir cela […] Il ne voulait pas revivre la déliquescence de la démocratie française dans une salle d'audience surchauffée […] J'écoute les anciens membres du gouvernement se lever jour après jour pour rejeter toute responsabilité et faire pleurer tout le monde [...] avec des descriptions émouvantes de la façon dont le pays a été plongé dans un bain de poison par l'infâme trahison du maréchal Pétain. Parfois, ils s'éloignent tellement du sujet que le Maréchal n'est pas mentionné du tout. Le témoin n'est jamais interrompu dans son monologue et il n'y a pratiquement pas de contre-interrogatoire. Le Maréchal est assis là, l'air extrêmement alerte, et domine en quelque sorte la procédure en restant silencieux[27].

Roger Martin du Gard ressent le même malaise :

> Ces débats n'ont aucune tenue. Le tribunal, les jurés, font penser à une meute qui se rue à la curée. L'aspect de la salle est repoussant. Les journalistes papotent, baillent, regardent impatiemment l'heure ; les avocats massés dans le fond entrent et sortent, causent, ricanent. Dans la tribune, le public s'évente et bafre des sandwiches. Je me suis vraiment demandé, à plusieurs reprises, si je n'étais pas le seul de tout l'auditoire à avoir conscience de la *tragédie historique* qui se dénoue là ![28]

La presse résistante est unanime dans son mépris des revenants de la Troisième République : « C'est curieux ces vieillards qui viennent se plaindre de s'être fait rouler comme des petits enfants par le nonagénaire de l'infâmie[29] », commente ainsi *Franc-Tireur*. « On ne désarmera pas les fidèles de Pétain en leur opposant des hommes d'un régime qui, lui aussi, a capitulé[30] », estime pour sa part *Combat*. Jean Schlumberger émet l'hypothèse un peu hérétique que les derniers instants de la Troisième République n'intéressent pas grand monde : « Ayons la franchise de le dire : si la France avait eu en Vichy sa dernière forteresse, si elle s'y était senti défendue pied à pied, par un homme prêt à se laisser ensevelir sous les décombres plutôt que de céder [...] elle aurait bel et bien passé par-dessus les irrégularités de la prise de pouvoir[31]. » Comme souvent, c'est François Mauriac qui met le doigt sur les raisons du malaise que beaucoup éprouvent. La collaboration, souligne-t-il, était peut-être la conséquence logique de l'armistice, mais l'armistice était sans conteste la conséquence logique de Munich. Et rares étaient ceux qui n'avaient pas soutenu Munich :

> Nous serions des hypocrites si, avant de mêler nos voix à toutes celles qui l'accusent, chacun de nous ne se demandait : qu'ai-je dit, qu'ai-je écrit ou pensé au moment de Munich ? De quel cœur ai-je accueilli l'armistice ? [...] Ne reculons pas devant cette pensée qu'une part de nous-même fut peut-être complice, à certaines heures, du vieillard foudroyé[32].

Dans le climat politique de la Libération, alors que les déportés des camps de concentration continuaient de revenir, aucun journal ne pouvait aller plus loin dans l'expression d'une opinion positive sur Pétain. Mais les rapports que les préfets envoyaient régulièrement à Paris sur l'état d'esprit de la population suggèrent qu'il jouissait encore d'un soutien au sein de la paysannerie, de certaines parties des classes moyennes et supérieures et des milieux catholiques. Dans plusieurs départements, il fallut empêcher des prélats trop zélés d'organiser des messes pour Pétain. Un rapport envoyé de Rouen indique que ses sympathisants « ne font connaître leur point de vue qu'autour de la table de famille et dans les conversations entre amis [...] Mais ni dans les lieux publics ni dans la rue les ex-amis du Maréchal ne s'aventurent à extérioriser leurs sentiments[33] ».

Les nombreuses lettres hostiles reçues par Louis Marin après sa déposition entrouvrent une fenêtre sur ce monde caché du ressentiment et de la nostalgie pétainistes. Certaines, menaçantes et injurieuses, sont rédigées en majuscules rageuses :

> LE PEUPLE NE S'Y TROMPE PAS ET VOUS DÉSIGNE DÉJÀ UNE POTENCE. VOUS AUREZ LE SORT QUE VOUS MÉRITEZ VIEILLE FRIPOUILLE. VIVE DE GAULLE. VIVE PÉTAIN.

> CE QUE HITLER DOIT RIGOLER DANS SA TOMBE EN SONGEANT À DES PAUVRES COUILLONS COMME VOUS. PAUVRES IDIOTS COMME TOI QUI PAR VANITÉ BLESSÉE FONT LE LIT DU COMMUNISME.

> GOUJAT ! VOTRE ATTITUDE NE NOUS A PAS ÉCHAPPÉ. VOUS RECE-VREZ UNE CORRECTION MAGISTRALE.

> QUELLE GAFFE VOUS AVEZ COMMISE EN TÉMOIGNANT CONTRE LE MARÉCHAL PÉTAIN OU ALORS C'EST UNE INFAMIE DE VOTRE PART[34] ?

Beaucoup de missives de cette veine insultent Marin en le traitant de franc-maçon et de traître. D'autres lettres sont rédigées avec plus de tristesse que de rage par d'anciens membres de son parti (la Fédération républicaine), qui présentent leur démission après des décennies d'adhésion. L'un écrit ainsi :

> Ne croyez-vous pas qu'en France il y ait eu plus d'hommes qui se sont trompés en croyant qu'une collaboration était possible avec les Allemands – surtout avant que ceux-ci nous aient révélé le raffinement de leur cruauté – que d'hommes qui ont eu réellement l'intention de trahir ? Et ne croyez-vous pas aussi que vis-à-vis de l'étranger il aurait

été meilleur pour notre réputation de justement montrer que ces hommes se sont trompés au lieu d'étaler une floraison de traîtres dans toutes les classes de la société [...] Ainsi je souhaite de tout mon cœur qu'il y ait des hommes en France qui demandent maintenant le procès de ceux qui avaient la responsabilité de la France au début de juin 1940 et qui, pour se sauver plus vite, n'ont pas hésité à se décharger sur un homme de plus de quatre-vingts ans[35] !

Il arrive que ces opinions se manifestent à l'audience. Chez les spectateurs dans la galerie, dont beaucoup de femmes, il y a clairement de la sympathie pour le Maréchal. Lorsque Blum quitte le tribunal et serre la main de Reynaud et Daladier, venus l'écouter et assis sur le banc des témoins, une voix s'écrie depuis la tribune : « Les salauds[36]. » Mais, en général, après les débordements du premier jour et malgré, de temps à autre, des interventions véhémentes des jurés, le procès se déroule dans le calme. Le journaliste Géo London, habitué des tribunaux et des Parlements, remarque qu'entre les séances l'atmosphère ressemble à celle qui régnait avant la guerre dans les couloirs de la Chambre des députés : « Des groupes se forment ; on discute ; on échange des impressions comme on faisait jadis après un débat parlementaire. L'or des képis, le pourpre des toges colorent cette scène curieuse[37]. » Après leur accrochage houleux lors de l'audition du président de la cour de Riom, Pierre Caous, Mornet donne à Isorni une petite tape amicale sur l'épaule en marmonnant : « Ce cher vieil Isorni. » Même Reynaud, après avoir été interrogé sans aménité par Isorni, vient le féliciter d'avoir été « un adversaire loyal ». Les deux hommes se connaissaient bien puisque la fille de Reynaud s'était liée d'amitié avec Isorni, ayant épousé un avocat de ses amis[38]. Dans tous les procès, les protagonistes se livrent parfois à des manifestations d'outrage feintes. Au procès de Brasillach, Isorni, avocat de la défense, était un proche ami de Marcel Reboul, le procureur ; les deux hommes, qui habitaient le même immeuble, empruntaient parfois le même autobus pour se rendre au tribunal[39]. Les personnages de ce drame de la Haute Cour étaient tous issus d'un milieu commun : cet épisode de la guerre civile française restait une affaire policée.

Qu'a révélé la première semaine du procès ? Aucun des témoins de l'accusation, à l'exception de Blum, n'est allé jusqu'à affirmer franchement que Pétain était un traître ou que l'armistice avait été une trahison (comme le pensait de Gaulle). Un certain nombre de faits ont été clairement établis : Pétain avait sapé les efforts de Reynaud pour éviter un armistice ; il était revenu sur sa promesse de permettre aux ministres de quitter Bordeaux ; le *Massilia* s'était transformé en piège. Il n'y pas d'unanimité sur la légalité du vote des pleins pouvoirs, mais tout au moins est-on d'accord qu'il avait été « extorqué ». Jusqu'alors, on a peu parlé de la période qui avait suivi l'armistice. La plupart des témoins ont déjoué les tentatives du bâtonnier Payen pour faire porter à Laval le chapeau des actes les plus contestés de Pétain, mais personne ne s'est risqué à donner un avis tranché sur la nature des relations entre les deux hommes. Et après une semaine flotte toujours autour de Pétain ce « mystère » dont a parlé Léon Blum. Lors d'une réunion, le général Doyen avait croisé un Pétain plutôt hostile à la collaboration ; lors d'une autre, un Pétain plutôt favorable. La deuxième semaine du procès allait-elle apporter plus d'éclairages ?

Curieux ce Procès !

On entend

PAUL REYNAUD (le rat pesteux) : il parle de lui...
DALADIER : il parle de lui...

Il est vrai qu'en 1940 ils ont fait assez triste figure et sentent qu'ils ont pas mal de choses à « expliquer »...

Mais les Français oublient si vite ! Après quatre ans, on peut venir leur raconter ce qu'on veut et ils le croient :

- que la France avait des chars et des avions à ne savoir qu'en faire,
- que la République avait bien préparé la guerre,
- qu'il n'y a pas eu d'exode,
- que Daladier et d'autres n'ont rien signé à Munich ni à Paris avec le boche,
- que Thorez est parti le premier au front en 1939,
- que Pétain a perdu la bataille de Verdun...

ALBERT LEBRUN vient déposer qu'aux conseils des ministres qui ont précédé l'armistice, il y avait des partisans de la continuation de la lutte (des résistants) et il y avait des gens qui, comme le Maréchal PÉTAIN, voulaient demander l'armistice. Alors un membre de la Cour de Haute-Comédie lui demande : **« Pourquoi, pour remplacer Reynaud, n'avez-vous pas fait appel à un résistant plutôt qu'au Maréchal Pétain ? »**.

En somme, pourquoi?...

16. « Curieux ce Procès ! » Tract qui dénonce les anciens parlementaires qui ont témoigné contre Pétain au cours de la première semaine.

Chapitre 13

« Vous ne me ferez jamais dire
que le Maréchal est un traître »

Lorsque le premier témoin de la défense, le général Weygand, commandant en chef dans les dernières semaines de la bataille de France, arrive au tribunal le mardi 31 juillet au matin, la cour a déjà beaucoup entendu Paul Reynaud s'exprimer à son sujet. Et Reynaud est de nouveau présent, son carnet ouvert devant lui, à guetter toute atteinte à sa réputation. Ce n'est pas la première fois que les deux hommes se croisent depuis juin 1940. Ils se sont déjà retrouvés dans le même camp d'internement en Autriche. Les Allemands n'auraient pu inventer de torture psychologique plus raffinée que de forcer à se côtoyer ces deux hommes, dont la haine réciproque n'était en rien atténuée par leur destin commun de victimes du nazisme. Au camp, Reynaud avait refusé d'adresser la parole à Weygand, et encore plus de lui serrer la main. L'entourage de l'ancien président du Conseil et celui de l'ancien commandant en chef ne prenaient pas leurs repas ensemble. Un jour que Reynaud était passé à côté de Weygand en l'ignorant, ce dernier avait murmuré : « Voyou[1]. » Cette fois, Reynaud n'avait pas l'intention de se taire.

Weygand arrive directement de l'hôpital militaire du Val-de-Grâce, à Paris, où il est hospitalisé dans l'attente de son propre procès. De très petite taille, ratatiné, la peau jaune tendue sur son visage comme un parchemin, il entre dans la salle d'audience en s'appuyant lourdement sur une canne. En passant devant Pétain, le vieux général s'arrête pour claquer des talons et s'incliner. Pétain, quelque peu décontenancé, répond par un hochement de tête. Invité à s'asseoir en raison de son âge, Weygand reste debout tout au long de son intervention. Dans son costume civil, il ressemble plus à un avocat qu'à un soldat. Au fur et à mesure qu'il déroule son témoignage, il devient clair que, sous l'apparence d'un vieillard, l'ancien commandant en chef a gardé l'esprit vif et un tempérament volcanique.

Weygand était un homme simple. Un certain mystère entourait sa filiation. Né à Bruxelles, il aurait été le fils illégitime de l'impératrice du Mexique, fille du roi des Belges, ce qui signifiait que l'armée était la seule vraie famille qu'il ait jamais eue. Il en avait pleinement intériorisé les valeurs, les préjugés et les codes. Pendant la Première Guerre mondiale, au sein de l'état-major du maréchal Foch, il avait acquis une réputation de brillant officier d'état-major. Comme Foch, il ne cachait pas ses opinions politiques antirépublicaines, qui se manifestèrent lors d'un échange avec Reynaud en juin 1940. Reynaud ayant suggéré qu'il n'y avait rien de honteux à suivre la solution adoptée par les Hollandais (dont l'armée s'était rendue tandis que la reine était partie avec son gouvernement à Londres), Weygand avait répliqué qu'aucun homme politique de la Troisième République ne pouvait se prévaloir de la légitimité d'une monarchie ancestrale. Le mépris de Weygand pour les parlementaires était profond. Lorsque, avant son audition, Isorni le mit en garde contre Reynaud, qui serait à l'affût pour le prendre en défaut, Weygand répondit qu'il n'attendait que cela : « Rassurez-vous, je vais l'écrabouiller[2]. »

Si la responsabilité de Weygand dans la signature de l'armistice est incontestable, sa position à l'égard du régime de Vichy a été nuancée. Il soutient la politique conservatrice du régime. Déplorant l'opposition de De Gaulle à l'armistice, il considère ce dernier comme un traître pour avoir défié le gouvernement légal de la France, mais il s'oppose également à la politique pro-allemande de Laval. En septembre 1940, Weygand est nommé à la tête de l'armée de Vichy en Afrique du Nord, un poste qui lui confère une influence considérable. Bien que l'armistice ait limité les effectifs de l'armée française, l'Allemagne avait intérêt à ce que les forces françaises en Afrique du Nord soient suffisamment puissantes pour empêcher les Alliés d'y pénétrer, malgré le risque que ces mêmes forces soient un jour utilisées contre elle. Quant aux Alliés, ils nourrissaient l'espoir que Weygand rompe avec la neutralité de Vichy et se rallie à eux. Weygand ne franchit jamais ce pas, mais cela n'apaisa pas les soupçons des Allemands à son égard, et Pétain fut finalement contraint, sous leur pression, de le démettre de ses fonctions en novembre 1941.

La première partie du témoignage de Weygand consiste davantage à attaquer Reynaud qu'à défendre Pétain. L'ancien général en chef rappelle à la cour que Reynaud l'a placé à la tête de l'armée en plein désastre militaire – le jour même où des fonctionnaires du ministère des Affaires étrangères, en panique, brûlaient des documents dans la cour du Quai d'Orsay. Celui qui accepte le commandement des armées dans des circonstances aussi tragiques peut-il être accusé de nourrir des ambitions personnelles ? C'est le moment que choisit Weygand pour faire le récit détaillé de ses tentatives pour redresser la situation : « On pourrait croire cependant, à lire certains comptes rendus qui je lis dans des journaux, que véritablement il n'y avait pas de bataille, qu'il n'y avait qu'un maréchal et un général en chef qui ourdissaient leur complot dans la nuit. » Ce n'est qu'après que les Allemands ont percé la nouvelle ligne de défense qu'il avait établie derrière la Somme et l'Aisne que Weygand a informé Reynaud, le 12 juin, qu'un armistice était inévitable. Il réfute l'affirmation de Reynaud selon laquelle il aurait fait passer l'« ordre » avant l'« honneur ». Où était l'« honneur » dans l'instruction donnée par Reynaud le 15 juin d'ordonner la capitulation des armées ?

> Je refuse et je dis à M. Paul Reynaud que je me refuserai toujours, et quoiqu'il arrive, à couvrir nos drapeaux de cette honte. [...] Qu'il n'y avait pas de force humaine qui me fasse signer la capitulation d'une armée qui venait de se battre comme elle avait fait.

C'est là que Weygand retourne la situation contre son accusateur :

> M. Paul Reynaud dans sa déposition a dit qu'après avoir appelé le Maréchal et moi-même dans les circonstances que j'ai dites, il l'avait regretté ; il nous avait appelés quand même.
>
> Il a dit qu'après avoir constaté que j'étais trop pusillanime [...] et insuffisant, il avait pensé à me remplacer ; il y a pensé ; il ne l'a pas fait.
>
> Enfin, à la fin de cette journée du 16 juin, il a démissionné. Il a demandé au président de la République que ce soit le maréchal Pétain qui prenne le gouvernement ; en demandant cela, il savait que le gouvernement qui allait prendre l'autorité en France était un gouvernement qui allait demander l'armistice.
>
> Alors, Messieurs, je ne comprends plus, je ne comprends plus !
>
> Je vois là une très grande faiblesse [...] Et, Messieurs, de l'autre côté, du côté du commandement, on trouve une certaine fermeté à maintenir la ligne de conduite dans laquelle il s'est arrêté[3].

Avec la deuxième partie du témoignage de Weygand, la cour a l'occasion d'entendre pour la première fois une argumentation

décomplexée en faveur de l'armistice. Selon le général, une capitulation de l'armée sans un accord simultané entre les gouvernements
pour mettre fin aux hostilités (c'est-à-dire sans armistice) aurait livré
la France à l'ennemi : elle aurait subi le même sort que la Pologne
ou la Hollande, « de l'avis de tous le pays envahi qui a le plus
souffert ». Est-ce que de telles souffrances auraient été justifiées si
au moins un gouvernement français avait continué à opérer depuis
l'Afrique du Nord ? Pour Weygand, une telle idée relevait du fantasme : l'Afrique du Nord manquait de défenses antiaériennes et
d'artillerie lourde ; le temps manquait pour y transporter des troupes
et du matériel depuis la métropole ; l'Allemagne aurait envahi
l'Afrique du Nord par l'Espagne, avec le soutien de l'Italie depuis
la Libye. Weygand demande donc à la cour : « Peut-on dire qu'en
perdant par la capitulation, l'honneur et le territoire français [...]
on aurait gardé l'Afrique ? Je dis : non, on aurait perdu l'honneur,
le territoire français et l'Afrique[4]. »

Il fait aussi valoir qu'un effet secondaire majeur de l'armistice
a été d'empêcher les Allemands de prendre pied en Afrique du
Nord : « Lorsque les Alliés sont arrivés en Afrique du Nord, on a
trouvé une Afrique qui était libre ; on a trouvé une armée africaine
et le noyau de l'armée [qui a combattu plus tard] en Sicile, puis en
Italie, puis dans le sud de la France et en Alsace, et qui a traversé
le Rhin et le Danube. » L'armistice n'aurait donc pas seulement
protégé le pays, il aurait aidé les Alliés à gagner la guerre. Cet
argument est repris le lendemain par le général Alphonse Georges,
commandant en chef du front du Nord-Est en 1940, qui déclare
qu'en 1944 Churchill lui aurait dit : « En juin 1940, après la bataille
du Nord, l'Angleterre n'avait plus d'armes [...] L'armistice nous a,
en somme, rendu service. Hitler a commis une faute en l'accordant.
Il aurait dû aller en Afrique du Nord, s'en emparer pour poursuivre
sur l'Égypte. Nous aurions eu alors une tâche plus difficile[5]. »

Churchill avait-il vraiment dit cela ? Ce n'est en tout cas pas ce
qu'il écrirait plus tard dans ses Mémoires. S'il avait avancé cette
idée, c'était probablement dans un moment de colère provoqué
par son irritation récurrente contre de Gaulle. Quoi qu'il en soit,
l'argument selon lequel l'armistice avait aidé les Alliés à gagner
la guerre devint au fil des ans un élément essentiel de la défense
pétainiste. Et l'occasion était trop belle d'enrôler Churchill dans
cette cause.

Une fois son témoignage terminé, Weygand est soumis à un feu roulant de questions de la part de Mongibeaux et des jurés. Weygand n'avait-il pas sous-estimé les capacités de résistance des Britanniques, comme l'indiquait sa remarque, si tristement célèbre, selon laquelle l'Angleterre aurait bientôt le cou tordu comme un poulet ?

> Je donne un démenti formel à ces paroles [...] Mais que j'aie été sûr, que j'aie affirmé, comme certains prétendent l'avoir fait au mois de juin 1940, que la victoire anglaise était une chose certaine. Ah ! non, Messieurs, cela, je ne l'ai pas affirmé. Je ne suis pas assez prophète pour cela. À ce moment-là, l'Angleterre était dans la guerre. La Russie était alliée à l'Allemagne. L'Amérique n'était pas dans la guerre.

La riposte évidente était que « certains » n'avaient pas seulement « prétendu » avoir fait cette prophétie en 1940 : c'était bien ce que de Gaulle avait affirmé le 18 juin 1940. Les relations entre Weygand et de Gaulle se trouvent d'ailleurs à l'arrière-plan d'une question, apparemment innocente, posée par le juré Jean Pierre-Bloch, qui demande si Weygand a reçu des lettres de Londres en 1940 :

> Weygand : Je vous serais très reconnaissant puisque vous voulez que je parle sans réticence, de parler vous-même sans réticence [...] Je ne comprends pas votre question. C'est un guet-apens.
> Pierre-Bloch : Les chefs de la France combattante de Londres vous avaient fait parvenir des lettres à Alger.
> Weygand : Mais qui, Monsieur ? [Weygand connaissait pertinemment la réponse.]
> Pierre-Bloch : Est-ce que vous avez reçu une lettre du général de Gaulle ?
> Weygand : Oui.
> Pierre-Bloch : Qu'est-ce que vous en avez fait ?
> Weygand : Je l'ai gardée. C'est une lettre qui terminait par ces mots : « Je vous envoie mes respects si la réponse est oui. » Eh bien, non. On ne m'écrit pas comme ça[6].

En prononçant ces mots, Weygand, connu pour son caractère irascible, frappa le sol de sa canne. La lettre en question invitait, d'un ton glacial, Weygand à rejoindre la France Libre de De Gaulle, ce dernier sachant bien que Weygand n'avait aucune intention de le faire.

Un autre juré (Marcel Lévêque) aborde alors ce qu'il appelle le « cœur de la question » :

Lévêque : Vous avez dit tout à l'heure : l'armistice n'est pas la paix. Nous étions donc toujours en guerre. Que pensez-vous de l'effroyable trahison de votre chef, le maréchal Pétain, qui a créé des légions qui devaient se battre contre les Alliés qui étaient toujours nos alliés, et qui a donné l'ordre de se battre, car il l'a donné. Après le 8 novembre 1942 il a dit, nous sommes attaqués, nous nous défendrons [...] Qu'en pensez-vous ? Parce que c'est là tout le procès !

Weygand : Non, M. le juré, ce n'est pas tout le procès. Tout le procès, c'est : l'armistice ou la capitulation.

Lévêque : Oh non ! [*Protestations dans la salle.*] [...] La question, c'est la trahison.

Weygand : Non, Monsieur. En tout cas, en parlant du maréchal Pétain, jamais on ne me fera prononcer un mot pareil, parce que ma conscience se refuse [...] J'ai parlé tout à l'heure de la Légion des volontaires contre le bolchevisme [LVF], j'ai dit que c'était une question que je réprouvais, et que les militaires qui auraient porté l'uniforme allemand étaient, à mes yeux, des militaires déshonorés.

Lévêque : Et le Maréchal qui était leur chef, aussi.

Weygand : Je ne parle pas du Maréchal. Je parle de votre question. Vous en tirerez les conclusions que vous voudrez. Vous ne me ferez jamais dire que le Maréchal est un traître[7].

Pétain parle

Selon Léon Werth, Weygand, le visage crispé, crie ces derniers mots violemment à travers le prétoire. Aussitôt, à la grande frayeur de ses avocats qui tentent désespérément de le faire taire, Pétain se lève brusquement pour prendre la parole :

> Je n'ai jamais regretté autant qu'aujourd'hui d'être dur d'oreille. J'entends quelquefois prononcer mon nom, j'entends des morceaux de réponse, mais je ne peux pas complètement lier la conversation. Aussi je ne puis pas y prendre part. Et cependant, dans ce que j'ai suivi en particulier du général Weygand, parce que j'étais le plus près de lui, il m'a semblé qu'il suivait complètement ma doctrine.

Mongibeaux, ravi de cette brèche dans le mur du silence, s'empare de l'occasion :

> Mongibeaux : Il a dit que ceux qui avaient servi sous l'uniforme allemand s'étaient déshonorés, et M. le juré a dit que si ceux qui avaient servi sous l'uniforme allemand s'étaient déshonorés, celui qui les

avait couverts... le chef qui s'était associé à eux... euh... avait évidemment eu une attitude qui pouvait être considérée comme critiquable. Est-ce que vous êtes en mesure de fournir des explications sur ce point ?
Weygand : Moi ?
Mongibeaux : Non, le Maréchal, puisque le Maréchal a répondu.
Pétain : Je n'ai pas entendu[8].

L'occasion était passée.

Reynaud, qui a griffonné furieusement pendant tout le témoignage de Weygand, obtient le droit de répondre. Il revient sur les arguments de l'ancien commandant en chef : pourquoi lui, président du Conseil, n'a-t-il pas limogé Weygand ? Parce qu'il avait limogé le général Gamelin quelques jours auparavant, et que cela aurait porté un coup trop dur au moral des troupes s'il avait, si rapidement, renvoyé le nouveau commandant en chef. A-t-il ignoré les souffrances de l'armée française ? Au contraire : sa solution d'un cessez-le-feu immédiat était « une solution beaucoup plus humanitaire » puisqu'elle aurait immédiatement mis fin aux combats.

Weygand se lève à nouveau d'un bond :

> Weygand : Voici une nouvelle manœuvre en présence de laquelle nous nous trouvons : il ne s'agit plus de capituler, il s'agit de cesser le feu.
> Reynaud : C'est la même chose dans mon esprit.
> Weygand : Appelons cela par son nom : capituler, c'est-à-dire, capituler sans conditions. Ce n'est pas du tout la même chose. Pour cesser le feu, il faut être deux, l'un qui cesse le feu et l'autre qui continue. [...]
> Reynaud : On a cessé les hostilités en demandant un armistice. La capitulation est inscrite dans l'une des clauses de cet armistice et on ne l'a pas trouvée déshonorante. [...] Quoi qu'il en soit, il en reste ceci : c'est que l'armistice a eu une double conséquence. D'une part il a fait sortir la flotte française du camp des Alliés. [...] Et le second [point], c'est que l'armistice a été demandé contrairement à la parole donnée[9].

Alors que les deux hommes rejouent les arguments qu'ils ont échangés cinq ans plus tôt, ils semblent presque irrités d'être de nouveau interrompus par Pétain.

En effet, au moment où Reynaud revient sur l'idée que l'armistice a été un manquement à l'honneur vis-à-vis de la Grande-Bretagne, Pétain se lève pour demander si, oui ou non, à Cangé, Churchill n'a pas

déclaré : « Nous n'en voulons pas aux Français de demander l'armistice. » Sa mémoire est défaillante et, par souci de vérité, Weygand doit
le désavouer. Le Maréchal retombe alors dans sa torpeur habituelle.
On comprend pourquoi ses avocats préféraient qu'il se taise.

Reynaud et Weygand reprennent alors leur interminable querelle.
Paradoxalement, si les deux hommes se détestent, ils partagent une
conviction : l'armistice est la clé de tout. Alors que Reynaud se
lance dans une nouvelle démolition de la conduite de Weygand en
1940, ce dernier lâche un ricanement de mépris (que le sténographe
du tribunal note « Pfft !! ») et crache : « Fini[10] ? »

« On sentait, en vérité, on sentait physiquement la haine circuler
dans le prétoire », écrit Joseph Kessel dans *France-Soir*. Lorsque
Reynaud en a terminé, Mongibeaux accorde à Weygand une ultime
intervention, en précisant que ce devra être la dernière, sinon « nous
avons encore la perspective de rester peut-être trois semaines ». Les
derniers mots de Weygand, non dénués de vérité, sont dévastateurs :

> Notre échange a été à peu près jusqu'au point où peut aller la
> violence tempérée par une bonne éducation. Messieurs, tout cela
> s'explique. M. Paul Reynaud a appelé, dans un moment de détresse
> où ses épaules trop faibles étaient incapables de supporter le poids
> dont elles s'étaient avidement chargées, le maréchal Pétain et moi,
> bien heureux de nous trouver. [...] Quand on est avide d'autorité on
> doit être avide des responsabilités. Eh bien, M. Reynaud n'est pas
> avide des responsabilités. [...] Dans cette affaire, M. Paul Reynaud,
> président du Conseil, dans des circonstances graves, a fait preuve du
> crime le plus grave que puisse commettre un chef de gouvernement,
> il a manqué de fermeté et il n'a pas suivi les grands ancêtres. [...] Et
> il ose dire ce qu'il dit, et nous accuser, nous – des hommes comme
> nous ! – de trahison[11].

Des cris retentissent dans la salle d'audience. Mongibeaux met
fin à la discussion. Encore un fois Reynaud a desservi sa propre
cause. Comme l'écrit de lui un observateur qui est loin d'être un
admirateur de Weygand : « Le ton des joutes parlementaires. Une
attitude de cabot vaniteux et suffisant. La lèvre ironique. L'air de
s'amuser à ce jeu. Un roquet qui aboie aux jambes du général, qui
cherche à être mordant, à faire rire l'auditoire par des saillies de
mauvais goût ». Weygand retourne à l'hôpital militaire du Val-
de-Grâce pour y attendre son propre procès où Reynaud tentera
certainement de poursuivre sa vendetta.

Une lettre d'Amérique

Le lendemain, mercredi 1er août, débute par la lecture d'une lettre de l'ancien ambassadeur des États-Unis à Vichy, l'amiral William Leahy. Aucun pays étranger ne suit le procès de Pétain avec autant d'intérêt que les États-Unis. Il faut dire qu'aucun aspect de la politique américaine pendant la guerre n'avait été plus controversé que son attitude à l'égard de la France[12]. Le président Roosevelt avait tenté de normaliser les relations avec Vichy et amener ses dirigeants à se distancer de l'Allemagne. C'était une raison de sa méfiance à l'égard de la France Libre. Lorsque, en décembre 1941, une flottille de la France Libre reprend le contrôle de l'archipel de Saint-Pierre-et-Miquelon, au large des côtes de Terre-Neuve, le secrétaire d'État américain, Cordell Hull, condamne cette action des « soi-disant Français Libres ». Cette phrase suscite l'indignation de l'opinion publique américaine, les journaux se moquant du « soi-disant » secrétaire d'État. Ce soutien populaire à de Gaulle est illustré par le succès du film *Casablanca*, sorti en novembre 1942. À la fin, Humphrey Bogart quitte le Maroc, contrôlé par Vichy, pour rejoindre les forces de De Gaulle au Congo. Il est accompagné par le chef de la police locale, joué par Claude Rains, qui, ayant rompu avec ses supérieurs vichystes, jette une bouteille d'eau de Vichy à la poubelle.

La cour que Roosevelt faisait à Vichy l'avait conduit à y envoyer son ami Leahy comme ambassadeur en décembre 1940. Leahy reste en poste dix-huit mois, jusqu'au retour au pouvoir de Laval en avril 1942. Mais, même après son rappel à Washington, les États-Unis laissent sur place deux chargés d'affaires, provoquant des frictions avec les Britanniques, qui soutiennent de Gaulle depuis 1940 – malgré d'occasionnels accès de gaullophobie chez Churchill. Lorsque, dans les semaines précédant le procès de Pétain, la presse américaine rapporte largement les affirmations du professeur Rougier selon lesquelles il se serait rendu à Londres pour le compte de Pétain, Churchill déclare au Foreign Office, inquiet, que les Américains ne sont pas en position de leur jeter la pierre : « Leahy était sous la coupe du maréchal Pétain à Vichy [...]. J'ai le brouillon du message que Roosevelt avait l'intention de diffuser à la radio la veille de l'opération Torch [le débarquement américain en Afrique du Nord le 8 novembre 1942] et qui s'adressait au maréchal Pétain en ces termes : "Mon cher ami, grand héros respecté de Verdun" ou quelque chose dans le genre. J'ai eu du mal à le persuader de retirer cette phrase, car elle aurait déclenché des insultes en France[13]. »

À la Libération, la politique de Roosevelt a laissé en France un lourd passif de suspicion à l'égard des États-Unis. De son côté, le président Truman a hérité de la méfiance de Roosevelt à l'égard de De Gaulle – « Je n'aime pas ce fils de pute », aurait-il déclaré un jour –, mais, maintenant que ce dernier dirige la France, il doit s'en accommoder[14]. Le procès de Pétain menace donc de faire ressurgir un passé embarrassant.

Le 10 juin 1945, depuis sa cellule du fort de Montrouge, Pétain écrit directement à l'amiral Leahy pour lui demander de témoigner à son procès :

> La victoire a enfin couronné les efforts des Alliés […] Le joie que m'a fait éprouver ce grand événement se couvre maintenant, pour moi, d'une ombre qui devient chaque mois plus épaisse […] Et je suis maintenant dans la situation d'un accusé qui aurait trahi sa Patrie alors que j'ai tout fait pour la défendre[15].

Dans ses Mémoires, Leahy écrit : « Il m'a été difficile de répondre à cette lettre[16]. » Désormais commandant en chef de l'armée et de la marine américaine, il était inconcevable qu'il témoigne en personne. Alors que ses Mémoires suintent le mépris à l'égard de la plupart des dirigeants de Vichy (Laval est comparé au violent Peter le Noir, l'amiral Darlan au personnage de Disney Popeye le marin) mais aussi de De Gaulle, « chef auto-proclamé des Français », Leahy se montre nettement plus enthousiaste à l'égard de Pétain, « mon bon ami de l'époque de Vichy ». Si Pétain avait lu les rapports confidentiels que Leahy envoyait à Roosevelt, il aurait peut-être hésité à solliciter son soutien au printemps 1945. Peu après son arrivée à Vichy, Leahy décrit en effet le Maréchal comme un « vieil homme faible et effrayé, entouré de conspirateurs qui ne pensent qu'à leurs intérêts ». Il fustige les « réactions de mollusque » des dirigeants de Vichy[17]. Néanmoins, à ses yeux, Pétain est clairement plus une victime qu'un traître. Dans une réponse alambiquée, il fait ce qu'il peut pour répondre aux attentes du Maréchal[18] :

Mon cher maréchal Pétain,
Votre lettre datée du 10 juin m'a été remise aujourd'hui par une connaissance commune et j'apprends par elle la triste situation dans laquelle vous vous trouvez comme suite au développement des événements d'Europe qui, dans leur aspect favorable, ont amené la libération de la France et la destruction des barbares nazis. Vous comprendrez qu'il m'est impossible, en ma qualité de chef d'état-major, d'être impliqué à aucun degré dans la controverse interne française dans laquelle vous êtes mêlé. Je n'ai aucune information quant au détail des charges auxquelles vous devez répondre. Ma connaissance de votre attitude personnelle et officielle vis-à-vis des Alliés et vis-à-vis des puissances de l'Axe est strictement limitée à la période de janvier 1941 à avril 1942, pendant laquelle j'ai eu l'honneur d'être l'ambassadeur des États-Unis en France. Pendant cette période, j'ai tenu en très haute estime votre amitié personnelle et votre dévouement au bien du peuple français. Vous m'avez souvent exprimé votre espoir fervent de voir annihiler les envahisseurs nazis.
Pendant cette période, vous avez à diverses occasions, et à ma demande, agi contre les désirs de l'Axe et favorablement à la cause alliée. Dans tous les cas où vous n'avez pas accepté mes recommandations de vous opposer aux puissances de l'Axe en refusant leurs demandes, la raison en était qu'une telle action positive aboutirait à une oppression supplémentaire de votre pays par les envahisseurs. J'avais alors et j'ai maintenant la conviction que votre but principal était le bien et la protection du peuple abandonné de France. Il m'était impossible de penser que vous ayez d'autres préoccupations.
Cependant, je dois en toute honnêteté répéter mon opinion exprimée à vous-même à l'époque, qu'un refus positif de faire la moindre concession aux demandes de l'Axe, qui pouvait amener immédiatement des haines supplémentaires à votre peuple, n'en aurait pas moins, à la longue, été avantageux pour la France.
Avec l'expression de mes sentiments personnels et avec les vœux que votre activité dans la période d'occupation par l'ennemi puisse être évaluée à sa juste valeur par le peuple de France, je demeure très sincèrement vôtre[19].

Après la lecture de la lettre, Mongibeaux attire l'attention de la cour sur un point essentiel : « Je crois qu'il est dit que le refus définitif aux exigences de l'Axe aurait mieux valu. » Payen réplique qu'il y a « dix phrases desquelles il résulte que le maréchal Pétain a toujours agi pour le bien de la France ». « Dix » est un chiffre exagéré. On pouvait plutôt parler d'un match nul. Leahy avait apaisé sa conscience. Il n'avait pas beaucoup aidé Pétain.

En attendant... Laval

La lettre de Leahy ne retint pas longtemps l'attention de la cour. Elle avait désamorcé une situation potentiellement embarrassante et ne suscitait que peu l'intérêt. Mais rien de ce qui se passa alors au tribunal ne put rivaliser avec l'information incroyable qui parvint de l'extérieur : Pierre Laval serait très bientôt de retour en France. Depuis la fin de l'aventure de Sigmaringen, on avait peu entendu parler de lui. D'ailleurs, on n'avait pas non plus beaucoup entendu parler de lui à Sigmaringen. Solitaire, se tenant à l'écart de Pétain comme de Brinon, il avait passé ses journées à griller cigarette sur cigarette, à ruminer sur l'ingratitude des hommes et à préparer sa défense. Céline, qui le soignait pour un ulcère, était le destinataire de ses interminables monologues d'autojustification. Comme la présence morose de Laval sapait le moral du pseudo-gouvernement de Brinon, les Allemands finirent par l'installer dans une autre résidence à quelques kilomètres de là. La fin approchant, Laval prépara sa fuite. S'étant vu refuser l'entrée en Suisse, il réussit à gagner l'Espagne à bord d'un avion allemand.

Sa présence en Espagne embarrasse Franco. On lui propose alors de partir pour l'Irlande, dont le gouvernement a accepté de l'accueillir. Laval répond : « Un président du Conseil français n'est pas un commis voyageur. » Il est hébergé au fort de Montjuïc à Barcelone pendant que diplomates espagnols et français cherchent une solution. Les Français veulent le récupérer, mais il n'existe pas de traité d'extradition avec l'Espagne. Finalement, il est convenu que Laval sera emmené par avion en zone d'occupation américaine en Autriche, où il pourra être remis aux Français. Il atterrit près d'Innsbruck le mercredi 1er août. Le lendemain, il est de retour en France.

Les avocats de la défense de Pétain prétendent qu'il serait irrégulier de convoquer Laval sans une enquête préliminaire complète menée par un juge d'instruction. Ce combat d'arrière-garde n'est que de pure forme. Il est inconcevable que les juges renoncent à entendre le chef du gouvernement de Vichy, lequel est cité à comparaître le vendredi 3 août, lendemain de son arrivée sur le sol français. Entre-temps, durant deux jours de chaleur étouffante, et alors que tout le monde ne pense qu'à Laval, une cour en sueur doit subir un cortège de six comparses du régime de Vichy, dont trois généraux et un diplomate. Mais le dernier de ces six témoins, Charles Trochu, homme politique de droite ayant siégé au conseil municipal de Paris, apporte au moins la lumière sur une journée particulièrement dramatique de l'histoire de Vichy.

Au cours de l'été 1941, à la suite de l'offensive d'Hitler contre l'Union soviétique, les résistants communistes avaient lancé une campagne d'attaques directes contre les officiers allemands. Le 20 octobre, le commandant des troupes d'occupation de Nantes est assassiné puis, le 21, c'est au tour d'un autre officier allemand à Bordeaux. Hitler exige des représailles immédiates. Les 22 et 24 octobre, les Allemands exécutent quatre-vingt-dix-huit otages français et annoncent que cent autres exécutions suivront. Cette politique de représailles dément, d'une manière sanglante, l'argument que Pétain serait un bouclier protégeant le pays contre l'occupant. En réponse, ses conseillers concoctent un plan spectaculaire. Le Maréchal va annoncer à la radio qu'il se livrera aux Allemands en tant qu'otage, se présentant devant la ligne de démarcation pour se constituer prisonnier. Pétain embrasse cette idée avec enthousiasme. Certains membres de son entourage, saisis d'un zèle sacrificiel, proposent de l'accompagner, dont Trochu. Il aborde Pétain au moment où ce dernier part déjeuner :

> « Est-ce que vous nous autorisez à monter dans votre train cet après-midi [...] pour nous présenter en même temps aux Allemands ? » Le Maréchal m'a répondu : « D'accord. Allez faire vos valises. À tout à l'heure. » Je ne dis pas que nous étions extrêmement joyeux mais nous sommes partis faire nos valises. Nous attendons toute la journée à l'hôtel du Parc.

Le soir même, Trochu apprend que le Maréchal a été dissuadé d'exécuter son plan, bien que la nouvelle de ses intentions ait fuité. Pétain avait donc réussi l'exploit de manifester sa compassion pour les Français sans prendre de risques personnels. Les exécutions d'otages se poursuivirent.

Il s'agissait d'une des nombreuses anecdotes racontées par Trochu pour dépeindre un Pétain animé de bonnes intentions mais entouré de conseillers soit qui sapaient sa volonté, soit qui exploitaient son inexpérience politique :

Quel que soit l'aspect de jeunesse d'un homme, quel que soit son prestige, on ne confie pas les destins d'un grand pays comme la France à un novice de quatre-vingt-cinq ans [...] Dans le royaume de Vichy les choses se passaient en général comme dans ces royaumes nègres de l'Afrique équatoriale, où ce n'est pas en réalité le roi qui gouverne, surtout quand ce roi est très vieux, mais le Grand Sorcier. Et le Grand Sorcier s'est appelé Pierre Laval [...] qui lui du moins avait le physique de l'emploi[20].

Trochu était un bon conteur. Il parvint même à faire rire une salle d'audience fatiguée. Mais, lorsqu'il eut terminé, Pétain et au moins trois jurés s'étaient assoupis. Tout le monde attendait l'apparition, le lendemain, du « Grand Sorcier ».

Chapitre 14

Pierre Laval en vedette

Pendant dix jours, Philippe Pétain, bien que physiquement présent, avait souvent semblé absent de son propre procès. Et, pendant ces mêmes dix jours, Pierre Laval, bien que physiquement absent, avait souvent semblé présent. Payen ne laissait pas passer une occasion d'inciter les témoins à faire de l'ancien chef de gouvernement le bouc émissaire. La cour l'avait entendu qualifié tour à tour de « fumier », de « mauvais génie » de Pétain, de « Grand Sorcier » de Vichy. Weygand fit sourire quand il déclara : « Laval qui était – je cherche une expression convenable... » ; et Mongibeaux fit rire le public en renchérissant : « Nous ne sommes pas habitués, en parlant de M. Laval, à entendre des expressions convenables. »

Le vendredi 3 août, les journalistes qui se pressent au tribunal ne sont pas déçus. Présent en chair et en os, Pierre Laval correspond parfaitement au rôle diabolique qu'on veut lui faire jouer. L'observant au tribunal, Joseph Kessel ne peut s'empêcher une comparaison avec le beau et noble visage du Maréchal assis juste derrière lui :

> L'étrange créature. [...] Sa laideur est presque fascinante. Cette laideur qui, avec ses énormes oreilles, sa grosse lèvre fléchissante, ses yeux reptiliens, ses bras qui ne se décollent jamais du corps, ses mains trop faibles et trop petites, fait songer à quelque animal sans noblesse[1].

Un autre journaliste résume, de façon lapidaire : « Cravate blanche, dents noires[2]. »

Depuis son enfance, la laideur de Pierre Laval demeure une source de fascination. Elle a fait de lui un outsider et a aiguisé son appétit de réussite. Petit, il était surnommé « le Jamaïck » en raison de sa peau foncée, de ses lèvres épaisses et de ses paupières tombantes. Pétain, fier de sa belle figure de Français du Nord, aux yeux bleus, disait de lui : « Laval a une sale gueule. » On racontait que sa mère devait avoir du sang étranger pour expliquer l'apparition de cet enfant disgracieux dans cette région si typiquement « française », cette Auvergne granitique où les Gaulois avaient tenu tête aux Romains. Les origines auvergnates de Laval, homme du peuple enraciné dans la paysannerie, font partie de son mythe.

En réalité, ses origines n'étaient pas aussi modestes qu'il se plaisait à le laisser entendre. Son père, un aubergiste de Châteldon, petite ville proche de Vichy, jouissait d'une prospérité confortable ; cependant, socialement et culturellement, sa famille était à mille lieues de la bourgeoisie. Bien que ses parents aient été assez aisés pour lui offrir une éducation au lycée, Laval dut financer la suite de ses études en travaillant comme surveillant dans un lycée fréquenté par des élèves fortunés. Ainsi, contrairement à Herriot et Daladier, il n'était pas un brillant boursier ayant réussi grâce à la méritocratie républicaine, mais un self-made-man qui ne devait rien à personne. Il s'était élevé grâce à son travail acharné, son intelligence naturelle, sa ruse et sa détermination.

Devenu avocat, Laval s'inscrit au barreau de Paris en 1909. Il se spécialise dans la défense des grévistes et des syndicalistes à une époque où la gauche est fortement antimilitariste. Pour lui, il s'agit moins d'un engagement idéologique que d'une identification instinctive avec ces gens du peuple qui sont la chair à canon des guerres. En 1914, Laval est élu député socialiste d'une circonscription ouvrière à Saint-Denis, dans le nord de Paris. Tout en s'ancrant politiquement à gauche, il commence à s'élever dans l'échelle sociale. En 1909, il avait épousé la fille du médecin et maire de Châteldon. C'était le signe qu'il était vu comme un jeune homme plein d'avenir. Ce fut aussi un mariage d'amour. Laval et sa femme étaient profondément attachés l'un à l'autre ; elle l'admirait aveuglement. Jusqu'au moment où ils descendirent ensemble de l'avion qui les ramenait à Paris à l'été 1945, ils n'avaient jamais été séparés plus de quelques jours.

À la Chambre des députés après 1914, Laval s'associa à l'aile la plus antimilitariste de la SFIO tout en prenant ses distances avec le défaitisme pur et dur. Lorsque les socialistes durent se positionner à l'égard de la révolution bolchevique, il fut parmi les adversaires, une étape dans son évolution de l'extrême gauche vers la droite. Comme l'a formulé son biographe le plus récent, « il cesse d'être internationaliste lorsque la révolution vient de l'étranger[3] ». Comme de nombreux socialistes, Laval perdit son siège lors de la vague conservatrice aux élections de 1919. Lorsqu'en 1923 il est élu maire d'Aubervilliers, ville ouvrière de la banlieue parisienne, il se qualifie de « socialiste indépendant ». Désormais, il siégera en tant que « non-inscrit » et n'appartiendra plus jamais à aucun parti. Aubervilliers reste son fief électoral, même s'il évolue vers la droite, ce qui ne pose pas de problème car Laval, praticien hors pair de la politique du terrain, est toujours prêt à serrer une main ou prendre un verre, jamais trop occupé qu'il ne puisse recevoir un électeur en quête d'une faveur.

Dans les années 1920, il devient immensément riche. Personne ne sait exactement d'où lui vient cette fortune, en tout cas certainement pas de sa seule activité d'avocat. La vénalité fait partie intégrante de la vie politique sous la Troisième République, mais Laval la pratique avec maestria. Il s'installe dans une élégante villa du 16ᵉ arrondissement de Paris et achète le château de Châteldon, ainsi que deux sources locales d'eau minérale. Il crée également un petit empire médiatique en acquérant une station de radio et deux journaux en Auvergne. Un temps, il possède aussi un domaine en Normandie où il joue au gentleman-farmer et veille sur son bétail. À Sigmaringen, ses seuls moments de plaisir seront ses promenades dans la campagne au cours desquelles il évaluera les troupeaux et observera les techniques agricoles.

Malgré son nouveau mode de vie, ses tentatives d'élégance vestimentaire et ses sempiternelles cravates de soie blanche, la mue bourgeoise de Laval est superficielle. Ses costumes semblent toujours mal ajustés, ses ongles jamais propres. Il préfère dîner modestement chez lui avec sa femme plutôt que de s'afficher dans le beau monde. Le prestige social qui lui échappe lui est conféré par sa fille Josée adorée. Habillée par les plus grands couturiers, elle fréquente les casinos de la Côte d'Azur ; elle fait de la voile à Biarritz et du ski dans les Alpes ; elle assiste aux vernissages d'expositions et aux soirs de premières à Paris. En 1935, elle épouse le comte René de Chambrun, surnommé « Bunny ». Descendant du marquis de La Fayette du côté paternel, il possède la double nationalité franco-américaine. Son père, général, est un proche de Pétain. Ce dernier, parrain de Bunny, le traite presque comme un fils. De telles relations étaient inestimables pour Laval.

Son cheminement de l'extrême gauche vers la droite est si lent que lorsqu'en 1931 il devient président du Conseil pour la première fois, dans un gouvernement de centre droit, personne ne sait s'il est là comme un alibi de gauche pour la droite ou comme un cheval de Troie de la gauche au sein de la droite. On a souvent remarqué que son nom était un palindrome. L'ascension politique de Laval est difficile à expliquer car, à côté de sa grande souplesse politique, il ne possédait aucun talent d'orateur ou d'écrivain ; il ne lisait pas ; son ignorance en matière d'histoire, de géographie et de littérature était légendaire. Pierre Tissier, un haut fonctionnaire qui avait travaillé à ses côtés dans les années 1930, propose deux explications à cette réussite. Tissier ayant été l'un des premiers à rejoindre de Gaulle à Londres, son livre (*I Worked with Laval*, « J'ai travaillé avec Laval »), publié en 1942, n'est pas l'œuvre d'un homme bien disposé à l'égard de son sujet. Sa description des qualités de Laval n'en est que plus convaincante : « Il peut paraître paradoxal de parler de son charme. Il était pourtant bien réel. Personnellement, bien que le connaissant assez et sachant ce que valaient ses convictions, je n'ai jamais pu m'empêcher d'y succomber[4]. »

Si Laval était peu doué pour séduire un large public par son éloquence ou ses arguments, il se trouvait très à son aise dans le face-à-face. La deuxième observation de Tissier concerne sa vivacité d'esprit : « Son intelligence très vive lui permet de comprendre très rapidement la question la plus compliquée. Souvent, lorsque je l'accompagnais au Sénat ou à la Chambre [...] il me suffisait de lui souffler quelques mots sur un problème qu'il ignorait complètement pour qu'aussitôt il s'étende longuement sur le sujet sans commettre d'erreur[5]. » Laval aimait à faire de son ignorance une vertu. « Je connais moins l'Allemagne que Daladier parce que lui, c'est son métier », dit-il un jour : « il est professeur d'histoire. [...] Mais je connais les hommes. Croyez-moi, ils sont toujours les mêmes »[6].

Lorsqu'il devient président du Conseil pour la deuxième fois, en 1935, Laval est fermement ancré à droite tout en restant fidèle à son pacifisme de jeunesse, la seule conviction qu'il ait jamais eue. En cette année d'intense activité diplomatique, son obsession est de sauvegarder la paix. Il courtise les dirigeants du régime nazi mais, pour assurer ses arrières, il tente aussi d'isoler l'Allemagne en tendant la main à l'Italie fasciste. Il laisse à Mussolini les coudées franches pour poursuivre ses ambitions impériales en Afrique. Avec moins de conviction, il signe également un pacte avec l'Union soviétique. En un an, Laval a donc rencontré Göring, Mussolini et Staline (dans le cas du dirigeant soviétique, il est le premier président du Conseil français à l'avoir fait) : une *annus mirabilis* pour ce fils d'aubergiste de Châteldon. Il en retire la certitude qu'en tant que négociateur il marche sur l'eau. Cependant, un axe de sa politique – se concilier Mussolini – s'effondre lorsque le gouvernement britannique et les antifascistes français le contraignent à revenir sur son soutien à l'invasion italienne de l'Éthiopie. Lorsque le Front populaire remporte les élections en 1936, Laval est persuadé que sa politique a été sabotée par les Britanniques (à qui il ne le pardonnera jamais) et par les idéalistes français qui placent leurs convictions au-dessus des intérêts du pays.

Tout cela le rend de plus en plus amer à l'égard de la classe politique de la Troisième République, mais ne signifie pas qu'il se rallie aux idées antirépublicaines qui gagnent du terrain en France au cours de la décennie – Laval est imperméable aux idéologies. Mais il capte l'air du temps. Après la défaite de la France dans une guerre qu'il n'a jamais soutenue – pour lui aucune cause, aussi noble soit-elle, ne justifie une guerre –, il voit l'occasion de se venger des hommes politiques qui ne l'ont pas écouté. Considérant sa politique de collaboration avec l'Allemagne dans la lignée de son opposition de toujours à la guerre, il est convaincu qu'il va pouvoir rouler Hitler dans la farine comme auparavant ses adversaires français. « Quand on a raisonné pendant des années avec des paysans d'Auvergne », déclare-t-il un jour, « on n'a pas besoin de connaître d'autres gens. Hitler est un enfant comparé au brigadier de Puy-Guillaume »[7].

Sous l'Occupation, Laval ne se fait certainement pas d'illusions sur son impopularité auprès de l'opinion publique. En 1942, après le discours polémique dans lequel il déclarait « souhaite[r] la victoire de l'Allemagne », Weygand lui avait dit : « Monsieur Laval, vous avez contre vous 95 % des Français » ; ce à quoi il avait répondu : « Vous plaisantez ! Dites plutôt 98 %, mais je ferai leur bonheur malgré eux[8]. » Il est donc surprenant qu'il ait refusé la possibilité de se réfugier en Irlande lorsqu'elle lui a été offerte. Mais, outre son orgueil, son inébranlable confiance en soi l'avait convaincu qu'il avait une chance. Cynique à l'égard de l'humanité, il croyait en sa bonne étoile. Durant ses derniers mois à Vichy, il avait passé plus de temps avec son astrologue qu'avec ses ministres, et les prévisions étaient encourageantes. Malgré cela, il conservait toujours une fiole de cyanure dans la poche du manteau de fourrure que Staline lui avait offert et dont il ne s'était jamais séparé. Il avait passé les mois à Sigmaringen à peaufiner sa défense. Le procès Pétain lui offrait l'occasion de tâter le terrain et de tester ses arguments avant son propre procès.

Avant son apparition devant le tribunal, Laval est handicapé par le fait qu'il a, pendant les derniers mois, été coupé des nouvelles françaises. À son retour, il n'est pas autorisé à voir sa fille, Josée, qui aurait pu le renseigner. Par chance, à la prison de Fresnes, il se retrouve dans la cellule mitoyenne de celle de Bernard Ménétrel, l'ancien médecin et proche conseiller de Pétain. Ils parviennent à entamer une conversation. Les deux hommes, qui s'étaient détestés à Vichy, sont désormais deux survivants d'un naufrage, accrochés au même radeau, avides d'échanger leurs impressions. Laval cherche à tout prix à obtenir des informations sur le procès, Ménétrel à savoir ce que Laval compte dire sur Pétain[9].

Le soir précédant sa comparution, Laval est transféré de Fresnes au Palais de justice, où il passera deux nuits dans une cellule du dépôt. Le geôlier de Pétain, Joseph Simon, est chargé de le surveiller. Laval, fumeur compulsif dépendant à la nicotine, réclame des cigarettes et des journaux. La première demande est accordée, la seconde refusée. Simon trouve Laval tour à tour obséquieux, craintif et menaçant, alternant fanfaronnade et auto-apitoiement : « Je suis curieux de connaître la température de la salle, parce qu'au fond, je viens déposer ici alors que je ne sais pas du tout de quoi il s'agit. Et le vieux ? Est-ce qu'il a dit du mal de moi ? Parce que, alors, je le tue net. Il ne faut pas oublier que le vieux avait donné des ordres pour que les maquisards soient arrêtés et pendus aux portes et fenêtres[10]. »

Laval commence sa défense

Le jour de la comparution de Laval, la salle d'audience ressemble à un théâtre un soir de première, avec l'ancien chef de gouvernement en vedette. Un journaliste décrit l'événement comme une « conférence de presse spéciale au profit de Laval[11] ». Même Albert Camus fait à cette occasion sa seule apparition publique au procès[12]. Pétain, qui tripote machinalement la boucle de son ceinturon et le ruban de sa médaille militaire, semble plus agité que d'habitude. L'impression est fondée. Joseph Simon avait observé la veille que Pétain était « catastrophé » par le retour de Laval et, d'après Isorni, « on devinait en lui une sorte de crainte de Pierre Laval. Il le détestait, l'admirait, le redoutait à la fois »[13]. Avant son départ de l'Espagne, Laval avait tenu aux journalistes des propos menaçants, disant que c'était lui, pas Pétain, qui avait sauvé les vies de Blum, Daladier et Reynaud, et qu'il ne voulait plus jouer le rôle de bouc émissaire.

Personne ne savait si l'apparition de Laval allait jouer en faveur de Pétain ou contre lui. La presse communiste dénonçait le risque de voir les crimes du premier détourner l'attention du « vieux traître » : « Y sont deux, ça fait 24 balles[14]. » Les avocats de Pétain également sont inquiets. Avant le début du procès, Isorni avait rencontré Josée et lui avait assuré qu'il ne ferait pas de son père un bouc émissaire. Mais, outre le fait que Josée n'a pas pu communiquer cette information à son père, Payen ne suivait manifestement pas la même ligne que son confrère. Ce que la défense ignorait, c'est si Laval se considérait comme un témoin à décharge ou à charge. Allait-il prendre ses distances avec Pétain ? Ou bien allait-il se cacher derrière lui au risque de les faire sombrer tous les deux ? Laval lui-même n'avait peut-être pas encore pris sa décision.

Il entre au tribunal accompagné de cinq policiers, serrant contre lui un petit porte-document, sa cravate blanche mal nouée et sale, son costume froissé comme s'il l'avait gardé toute la nuit. Le porte-document contient quelques papiers qu'il consulte de temps en temps, mais peut-être ne sert-il qu'à lui donner une contenance, lui rappeler une époque plus heureuse : y est inscrite en lettres d'or la mention « Pierre Laval, Président du Conseil, janvier 1931 » – l'année où il a occupé cette fonction pour la première fois et où, comme « homme de l'année », il a fait la couverture du magazine *Time*. Passant devant Pétain sans le regarder, et aveuglé par les flashs des photographes, Laval jette des coups d'œil nerveux autour de lui, cherchant du réconfort dans des visages qu'il connaît. Lecompte-Boinet le compare à « une bête traquée entrant dans une arène ou un prisonnier qui n'a pas vu la lumière depuis longtemps […] qui, baigné encore de l'atmosphère germanique retrouvée en Espagne, se voit replacé tout d'un coup dans la France victorieuse, plongé dans une France qui le hait, amené au cœur même de ce qu'il a toujours appelé l'ennemi, parmi les "terroristes", parmi la Résistance[15] ». Un journaliste relève : « Ses yeux sombres, perçants, vigilants, effrayés, parcouraient la cour pour sonder l'humeur[16]. » Tous sont surpris de voir combien il a vieilli. Ainsi Janet Flanner :

Portant à la main son chapeau gris et son porte-document brun usé,
l'air égaré, il demande à voix basse où se trouve la barre des témoins,
et lorsqu'il voit qu'il ne s'agit que d'un fauteuil canné et sculpté, il y
dépose son chapeau et son porte-document et reste debout. Au début,
il paraît méconnaissable. Les rondeurs de son visage ont disparu. Ses
cheveux mauresques et gras sont maintenant secs et gris. Sa moustache
a pris la couleur du tabac. Ses dents tachées et tordues forment un
arrière-plan sombre et caverneux à ses lèvres épaisses. Avant qu'il
ne prenne la parole, c'est un autre homme que celui qu'on a annoncé
comme l'infâme Pierre Laval […] Au-dessus de sa traditionnelle cravate
blanche, son col blanc fripe autour d'un cou maigre qui pend comme
les caroncules d'un dindon[17].

17. Laval, amaigri, lors de son témoignage le 4 août.

Pour sa première question, Mongibeaux n'aurait pu faire plus simple : quand les relations politiques de Laval avec Pétain ont-elles débuté ? Il demande au témoin d'être bref, mais, quinze minutes plus tard, Laval n'a pas encore commencé à répondre à la question. Il est plongé dans un récit détaillé de ses efforts pour éviter une guerre européenne en se conciliant les bonnes grâces de Mussolini dans les années 1930, une politique que les Britanniques et les antifascistes français ont, selon lui, sabotée. À mesure qu'il s'échauffe et revit ses jours de gloire, Laval perd son air hagard et commence peut-être à croire que son éloquence enjôleuse va de nouveau séduire.

Toutes les tentatives de Mongibeaux pour le ramener à la question initiale restent vaines. Prenant confiance, Laval commence à montrer des signes d'agressivité :

> Mongibeaux : Je vous interromps encore une fois...
> Laval : Je m'excuse d'avoir été trop long. Si les choses que j'ai dites ne sont pas intéressantes et n'intéressent pas le public, je m'en excuse...
> Mongibeaux : Je suis sûr qu'elles intéressent le public mais...
> Laval : Elles intéressent en tout cas les Français... [*Protestations*].

C'est un faux pas tactique, et Laval se reprend immédiatement :

> Je ne dis pas que vous ne l'êtes pas. Je dis qu'elles intéressent les autres Français. Je n'ai pas l'habitude de tenir des propos insolents. [...]
> Eh bien, M. le Président, je me disais que des gouvernements qui veulent se soucier des régimes intérieurs des autres pays exposent la paix, et je pensais que le Maréchal, qui avait une grande autorité, un grand prestige, pourrait peut-être faire le redressement de notre situation à l'extérieur. [...] Voilà comment j'en étais arrivé à concevoir l'idée du maréchal Pétain au pouvoir[18].

Finalement, Laval en vient à la question. Il ne nie pas avoir espéré qu'un jour Pétain arrive au pouvoir, mais, affirme-t-il, ils ne se voyaient que rarement :

> Laval : Je ne peux pas inventer devant vous un roman pour être agréable à ceux que ce roman intéresse parce que je serais obligé de le fabriquer de toutes pièces.
> Mongibeaux : Je ne vous demande pas un roman, je vous demande d'une façon précise si vos relations ont été suivies ; je ne vous demande pas le nombre de vos conversations, mais je vous demande si vos relations ont été fréquentes.

> Laval : Elles ont été très espacées. Il m'est arrivé quelquefois d'aller
> le voir à l'hôtel des Invalides pour bavarder avec lui. Mais je ne
> peux pas vous dire à quel moment, à quelle date[19].

Perturbé par le fait que Laval élude ses questions, Mongibeaux commet une erreur concernant les responsabilités officielles de Pétain dans l'entre-deux-guerres. Laval le regarde avec satisfaction se prendre les pieds dans le tapis. Dans la salle se trouve un jeune avocat, Albert Naud, qui sera plus tard l'avocat de Laval lors de son procès. Rien ne prédisposait Naud en faveur de Laval, mais il fut fasciné par sa performance : « Tour à tour pathétique, drôle, émouvant, finaud, s'aidant de la voix qui n'est pas sans beauté, s'aidant de ses mains merveilleuses pour affirmer, réfuter, blâmer, convaincre[20]. »

Laval demande une courte pause pour reprendre son souffle et réclame un verre d'eau. On lui apporte une bouteille (un journaliste à l'œil perçant remarque qu'il ne s'agit d'eau ni de Vichy ni de Châteldon !). Pendant la suspension, il commence à discuter avec des journalistes qu'il reconnaît et qui sont assis près de lui. « À quels journaux appartenez-vous donc ? », demande-t-il à Madeleine Jacob, ainsi qu'à son voisin. « Je ne connais plus personne... Il y a si longtemps que j'ai quitté Paris[21] ! » C'est un Laval fidèle à lui-même qui se manifeste là, cherchant du soutien auprès de visages familiers, essayant de séduire, mais découvrant aussi combien le monde a changé. Léon Werth commente : « On se croirait un instant dans un petit bistrot de village, à une de ces réunions à la fois électorales et intimes où tout le monde se connaît, où le notaire et son fermier écoutent, bouche bée sans intervenir, un candidat qui est du pays[22]. »

Jusque-là, il n'y avait rien eu pour inquiéter les avocats de la défense. Mais quand Laval aborde sa première période de gouvernement sous Pétain, il s'engage sur un terrain plus périlleux. On l'interroge sur les capacités de Pétain en tant que chef :

> Laval : J'avais la conviction qu'il était apte, la conviction qu'il était
> le seul apte, la conviction qu'en France, à ce moment, il n'y avait
> aucune autre personnalité qui pouvait remplir la mission que lui [...]
> Mongibeaux : Quelle mission ? Une mission de façade ou une mission
> réelle ?

> Laval : M. le Président, mission de façade, mission réelle... [...] Je pensais que le maréchal de France aurait été un chef d'État d'une haute qualité et jouissant d'une grande autorité en France et à l'étranger.
> Mongbibeaux : Sans gouverner ?
> Laval : Je pensais qu'il aurait laissé le gouvernement gouverner sous son contrôle.

Mongibeaux le presse plus avant sur la responsabilité de Pétain dans les mesures prises par Vichy :

> Laval : On allait trouver le Maréchal et il disait : « D'accord. »
> Mongibeaux : Il disait : « D'accord. »
> Laval : Je le présume ; je n'y étais pas [...] Mais je présume qu'il lui disait, comme à moi : « D'accord. »
> Mongibeaux : Le connaissant très bien, vous vous rendiez compte que, généralement, par faiblesse, par ignorance, par inexpérience politique, il se mettait assez facilement d'accord, même sur des mesures graves ?
> Laval : Vous pouvez, M. le Président, faire un monologue ; cela je pourrais le dire moi-même [...] Ce n'est pas que je refuse de répondre et je crois même être assez prolixe, mais je ne réponds que pour ce qui me concerne. [...]
> Mongibaux : Quand vous lui exposiez quelque chose d'important, aviez-vous l'impression qu'il était en mesure de discuter ? [...]
> Laval : Il faisait des réserves, je lui expliquais les difficultés et nous finissions par trouver une formule d'accord. [...]
> Mongibaux : Il avait une volonté et une lucidité parfaites ?
> Laval : C'est sûr[23].

Au cours de cet échange, Laval prend ses distances avec les premières mesures répressives prises par le régime contre les francs-maçons et les juifs. C'était dans son intérêt, mais ce n'était pas infondé : Laval avait joué un rôle clé dans l'opération visant à donner les pleins pouvoirs à Pétain, mais utiliser ces pouvoirs pour mettre en œuvre une contre-révolution conservatrice ne l'intéressait pas. Ce qui l'intéressait, c'était la collaboration avec l'Allemagne.

Montoire

La collaboration amène Laval à la tristement fameuse poignée de main de Montoire :

Je n'ai pas demandé d'aller à Montoire. Un jour j'ai été informé par l'ambassadeur d'Allemagne [Otto Abetz] que M. von Ribbentrop venait en France et que j'aurais ainsi l'occasion d'avoir un entretien avec lui [...] On m'a prévenu, de l'ambassade de l'Allemagne, que je devais me trouver, le lendemain matin vers 10 heures, rue de Lille, avec une valise et que je n'avais pas besoin de ma voiture. J'ai compris, puisqu'on me disait de prendre une valise, que l'entrevue n'aurait pas lieu à Paris, qu'elle durerait au moins un jour et que je devrais passer la nuit hors de l'hôtel Matignon.

Je suis arrivé à l'ambassade. J'ai vu, comme je ne l'avais jamais vu, à ce degré, des uniformes, des voitures, tout un remue-ménage qui signifiait un déplacement fort important.

Je suis monté dans la voiture de l'ambassadeur, et j'ai dit : « Où allons-nous ? »

Il m'a dit : « Je n'en sais rien. [...] Il y a une voiture pilote qui nous conduit. »

Quand nous arrivons à la hauteur de Rambouillet, il était 11 heures ou 11 heures et demie du matin, je dis à l'ambassadeur : « Ce n'est pas au château de Rambouillet. »

Il m'a dit : « Pas du tout ! C'est beaucoup plus loin. » « Mais où déjeunerons-nous ? » Il me dit : « À Tours. » J'ai compris que c'était à Tours. C'était le seul moyen de savoir où j'allais.

On arrive à Tours. Nous y déjeunons. Je dis : « Où est M. von Ribbentrop ? » L'ambassadeur me répond : « Il n'est pas là. Mais nous allons, à 5 heures, encore repartir pour une destination autre ; je ne sais pas où, mais il y a la voiture pilote qui nous conduit. »

Vers 6 heures ou 6 heures et demie, nous avons pris notre voiture. La voiture m'a conduit dans une direction que j'ignorais. Je ne connaissais pas spécialement cette région. Toujours est-il qu'à partir d'un certain moment, je voyais beaucoup de sentinelles derrière les arbres ; et au fur et à mesure qu'on avançait, augmentait le nombre de sentinelles. [...]

Mais après avoir passé le pont de la Loire, M. Abetz me dit : « Je dois vous prévenir – je n'ai pas pu le faire jusqu'à présent parce que je n'avais pas l'autorisation – ce n'est pas seulement M. Ribbentrop que vous allez voir, c'est le chancelier Hitler. »

Au cours de cette conversation, Laval apprend qu'Hitler a souhaité rencontrer Pétain en revenant de son entrevue avec Franco. Laval n'a pas l'intention de dédouaner Pétain :

Mongibeaux : Le Maréchal y est-il allé de son plein gré ?
Laval : De son plein gré, je ne l'ai pas emmené de force.
Mongibeaux : Sans l'emmener de force, il a pu se montrer plus ou moins réticent, il a pu faire des objections. [...]

Laval : Je comprends bien votre position qui n'est pas la mienne. Vous voulez me faire dire des choses que vous désirez savoir. Mais, moi, je ne peux que dire ce que je sais. Ce que je sais, c'est que le Maréchal, informé par moi du désir exprimé par Hitler d'une entrevue pour le lendemain, ce désir a été accepté par lui sans difficulté.

Montoire était-il le prélude à un renversement d'alliances ?

Laval : Comment osez-vous parler de renversement d'alliances quand nous sommes au mois d'octobre 1940 ? Je voudrais que chacun mette les pieds sur la terre solide. Au mois d'octobre 1940, où était l'Angleterre ? L'Amérique n'était pas entrée dans la guerre. Les Russes étaient aux côtés des Allemands. Croyez-vous qu'un homme de bon sens pouvait imaginer autre chose que la victoire de l'Allemagne ? [*Protestations*] [...] Je m'excuse si je dis quelque chose qui vous blesse, je parle avec des faits du moment.

Mongibeaux : Vous acceptiez, le Maréchal acceptait, de changer de camp ?

Laval : Mais nous n'avions plus de camp, l'armistice était signé.

Mongibeaux : Vous êtes un juriste. Vous savez que l'armistice est une suspension d'armes, ce n'est pas la paix. [...]

Laval : Je sais bien que ce que je dis peut choquer ou blesser, mais je voudrais tout de même qu'on juge avec l'impression du moment – non pas du mois d'août 1945 – mais du mois d'octobre 1940.

L'intérêt de la France, à ce moment-là, eût été d'évidence de trouver avec l'Allemagne, une formule qui nous fasse échapper aux conséquences de la défaite[24].

Puis Laval en vient à son limogeage du 13 décembre 1940, qui le taraude encore comme s'il datait d'hier. Il reste convaincu que son renvoi a changé le cours de l'histoire, qu'il était à la veille d'une percée dans ses relations avec l'Allemagne. Le contexte de l'événement est l'offre saugrenue d'Hitler de restituer à la France les cendres de l'Aiglon (le duc de Reichstadt), mort en exil en Autriche en 1832, pour qu'elles soient inhumées aux cotés de celles de son père, Napoléon. La date qui a été choisie est le 15 décembre 1940, cent ans jour pour jour après le retour des cendres de Napoléon aux Invalides. Laval se trouve à Paris lorsqu'il apprend l'initiative d'Hitler :

Étant donné le caractère d'Hitler, j'ai pensé que c'était là un de ces gestes sentimentaux dont il était parfois coutumier à côté d'initiatives moins sentimentales.

L'ambassadeur de l'Allemagne me dit : « Il faudrait que le Maréchal assiste. » J'ai dit : « Quand ? » C'était après-demain, enfin dans
un délai très proche, c'était à deux jours ; il faisait une température
effroyable, un des hivers le plus rigoureux que nous ayons vus. Le
Maréchal est âgé ; je dis moi-même spontanément à l'ambassadeur :
« Vous me chargez là d'une communication bien désagréable […]
Je ne sais pas s'il viendra. » Il me répond : « S'il ne vient pas […] le
chancelier Hitler prendra ça comme une injure personnelle. »

Laval se précipite donc à Vichy pour convaincre Pétain de
l'importance du geste. La première réaction de ce dernier est
de refuser, puis il accepte. L'étape suivante consiste à déterminer
où Pétain séjournera à Paris. Il est décidé que le Maréchal logera
à l'hôtel Matignon, seule résidence qui puisse être suffisamment
chauffée. C'est là que Laval réside lorsqu'il est à Paris : « Je dis
au Maréchal : "Je vais partir avant vous, je vais retirer tout ce qui
est à moi dans l'appartement pour que vous y soyez chez vous,
à votre aise." » Les deux hommes dressent la liste des personnes
à inviter au déjeuner qui suivra la cérémonie : « La conversation
avait été des plus courtoises. Je n'avais vraiment aucune raison
d'imaginer que le Maréchal préparait contre moi pour le jour même
mon arrestation. Pour vous dire vrai, je crois que lui-même n'y
pensait pas à ce moment-là. » De manière inattendue, un conseil
des ministres est convoqué le soir-même :

> J'arrive au conseil des ministres. Je demande à mon voisin de gauche
> et à mon voisin de droite : « Pourquoi sommes-nous réunis ? » « Je ne
> sais pas », m'a-t-on répondu.
> J'ai vu tout de même que certains ministres avaient des figures
> étranges, vraiment étranges. Le Maréchal entre assez pâle, flanqué de
> M. Baudouin, et dit : « Je vous demande, Messieurs, de signer tous
> votre démission. »
> J'ai eu une seconde d'hésitation, et j'ai pensé à ne pas signer
> parce qu'après tout je dis : Je suis le successeur, j'ai un Acte consti-
> tutionnel. […] Enfin j'ai signé tout de même. Je n'ai pas pensé que
> c'était pour moi.

Quelques minutes plus tard, Pétain revient pour annoncer que
deux démissions ont été acceptées, dont celle de Laval.

> J'ai essayé de revoir le Maréchal, de lui parler. On m'a dit qu'il
> n'était pas visible. Le général Laure m'a tout à fait interdit la porte du

> Maréchal que je ne voulais pas forcer d'ailleurs. Je suis allé dans mon
> bureau : j'ai commencé à ramasser mes papiers, à faire mes paquets.
> J'ai l'habitude, M. le Président, de quitter les ministères et d'y revenir.
> Je sais donc qu'il faut faire ses paquets[25].

Mais il ne s'agit pas seulement d'un remaniement ministériel.
Quelques heures plus tard, Laval est assigné à résidence. Les Allemands finissent par intervenir pour le faire libérer, et Laval passe
les dix-huit mois suivants à Paris à entretenir sa rancœur.

Cette révolution de palais est l'un des événements marquants
du régime de Vichy. Mais le point crucial dont Laval avait besoin
pour sa défense – et qui rendait bien peu service aux défenseurs
de Pétain – était que son arrestation avait été la conséquence de
querelles intestines, de jalousies qu'il avait suscitées, d'incompati-
bilités entre lui et Pétain : « Je n'ai pas été arrêté pour des raisons
de politique extérieure. » En d'autres termes, l'arrestation de Laval
ne constituait pas un désaveu de la collaboration. Même si Laval
estimait qu'il aurait poursuivi la collaboration plus efficacement
que ses successeurs, il voulait que tout le monde sache que Pétain
était pleinement impliqué dans cette politique.

« *Je souhaite la victoire de l'Allemagne* »

L'interrogatoire porte ensuite sur la période postérieure à
avril 1942, lorsque Laval revient au gouvernement sous la pression
des Allemands. Deux mois plus tard, le 22 juin, dans un discours
radiodiffusé, il prononce la phrase la plus choquante de toute sa
carrière politique : « Je souhaite la victoire de l'Allemagne, parce
que, sans elle, demain, le communisme s'installerait partout en
Europe. »

Laval ne nie pas avoir prononcé ces mots, pas plus qu'il ne
nie avoir conscience de leur gravité : « J'ai rédigé mon texte,
sachant que cette phrase allait blesser des Français, qu'elle serait
comme une goutte d'acide sulfurique qui allait tomber sur l'épi-
derme de gens qui souffraient. » Personne dans la salle n'avait
oublié le moment douloureux où il avait entendu ce discours.
Léon Werth, assis sur les bancs de la presse, demeurait pour sa
part dans un village du Jura. Le soir du 22 juin 1942, il écrit
dans son journal :

J'ai décidé d'aller, ce soir, entendre Laval à la ferme. [...] Il fait effort pour ne pas enfler le ton, ne pas vibrer, pour être simple. Mais les R sont gras. Il rentre sa vulgarité, comme on rentre son ventre. [...] Il dit : « Je souhaite la victoire de l'Allemagne, parce que, sans elle, le bolchevisme, demain, s'installerait partout. » L'argument, le « parce que » – et même peut-être pour ceux qui ont la terreur du spectre bolcheviste – est ici trop faible pour compenser le « je souhaite ». Ce « je souhaite la victoire de l'Allemagne » anéantit tout argument, donne un choc. On n'entend plus, on ne retient rien d'autre. On savait que Laval souhaitait la victoire de l'Allemagne. On n'eût pas cru possible qu'il le dît aussi brutalement et publiquement[26].

La question, pour le tribunal, était de savoir ce que Pétain avait pensé de ce discours. Laval répond longuement :

Ce jour-là, pressé par je ne sais quoi, et tenant pour je ne sais quelle raison à prononcer le jour même ma déclaration radiodiffusée, je l'ai écrite et je n'ai pas, comme je le faisais auparavant, laissé passer une nuit ou deux nuits sur un papier, car j'ai toujours remarqué qu'on rectifie toujours un document quand on le relit après vingt-quatre ou quarante-huit heures. Cette fois-là je ne l'ai pas fait [C'était inexact, mais la cour ne pouvait pas le savoir]. [...]

Je lis alors mon papier à M. Rochat, secrétaire général aux Affaires étrangères. Il a été autrefois mon chef de cabinet ; il a son bureau à côté du mien, je le vois fréquemment. C'est un homme pondéré, honnête, français, un fonctionnaire de la plus haute qualité. [...]

Quand j'arrive à la phrase : « Je crois et je souhaite la victoire de l'Allemagne parce que, sans elle, demain, le communisme s'installerait partout en Europe », il me dit : « M. le Président, à votre place, je ne la prononcerais pas. » « Pourquoi ? » « Vous n'êtes pas obligé de la prononcer parce que la France est en position d'armistice. »

Je réponds à Rochat : « Vous avez certainement raison, mais cette phrase, moi, je la prononce pour d'autres raisons politiques. Il s'agit par un mot, par un geste, par un éclat, par quelque chose, de provoquer de la part de l'Allemagne un mouvement qui l'empêche de dire que le gouvernement français doit être molesté. »

Le raisonnement de Laval était que ce « geste » était le prix à payer pour gagner la reconnaissance des Allemands en vue de futures négociations.

Mais je dis tout de même à Rochat : « Puisque vous me faites cette observation [...] nous allons monter ensemble chez le Maréchal. »

> Le Maréchal me dit : « Vous n'êtes pas un militaire, vous n'avez pas le droit de dire "je crois". Vous n'en savez rien. [...] À votre place je supprimerais "je crois". » Alors j'ai retiré « je crois » et j'ai laissé « je souhaite ».
>
> Le Maréchal ne s'est donc pas indigné. Si le Maréchal m'avait dit : « Cette phrase me blesse », alors je lui aurais fait valoir les raisons pour lesquelles je la prononcerais ; je l'aurais peut-être prononcée quand même, mais peut-être aussi ne l'aurais-je pas prononcée[27].

Laval, qui parle depuis plus de quatre heures interrompues par une seule courte pause, se fatigue. À plusieurs reprises, il a appelé Mongibeaux « Monsieur le Maréchal » au lieu de « Monsieur le Président ». Il a également commis un lapsus révélateur lorsqu'il a parlé du Jour J comme de « l'agression en Normandie ». Devant l'éclat de rire général, il s'est corrigé : « Je vous demande pardon, mais je parle depuis longtemps, et notez que je ne pensais pas à une agression, que j'entendais bien dire le débarquement en Normandie. » Il était temps d'arrêter.

Malgré ces faux-pas, la prestation de Laval a été habile. Il a évité de critiquer Pétain directement, tout en se désolidarisant de certaines de ses mesures. En même temps, il a montré que le Maréchal n'était pas moins impliqué que lui dans la politique de collaboration.

Après son départ, on demande à Pétain, comme à l'accoutumée, s'il a un commentaire à faire. Et pour une fois, c'est le cas :

> J'ai eu une réaction très violente quand j'ai entendu, dans le discours, cette phrase de M. Laval : « Je souhaite la victoire de l'Allemagne. »
>
> Il a dit, tout à l'heure, qu'il était venu me trouver avec M. Rochat pour me montrer cette phrase. Eh bien, jamais M. Rochat n'aurait accepté de maintenir cette phrase, et j'étais d'accord avec lui.
>
> Et puis, alors, quand je l'ai entendu à la radio – je crois que c'était fait, qu'il avait arrangé l'affaire – quand j'ai entendu que cette phrase était répétée à la radio, j'ai bondi. Je ne me suis pas rendu compte, je croyais que c'était supprimé et je suis navré qu'elle soit restée.

Pétain, dont la surdité avait miraculeusement disparu, venait de poignarder Laval dans le dos dès sa sortie de la salle d'audience. Qui disait la vérité[28] ?

Laval passe une deuxième nuit dans une des cellules du dépôt. Simon le trouve satisfait de sa performance :

Est-ce que je n'ai pas été trop cafouilleux ? Vous avez vu les jurés de l'Assemblée, mes anciens collègues du Sénat et de la Chambre des députés, comme ils étaient de cœur avec moi. Je suis sûr qui si j'avais été libre, ils m'auraient dit : « Alors Pierrot, on va casser la croûte ? »

Il se répand en souvenirs de sa jeunesse, évoque son patriotisme et déclare : « Une chose est certaine, c'est que l'Histoire m'approuvera. » Pour la première fois, il est autorisé à voir sa fille, Josée, qui lui apprend que ce n'est pas le plan d'Isorni de faire de lui un bouc émissaire. Pendant ce temps, dans une autre partie du Palais de justice, la Maréchale déclare à Simon que Laval est « un affreux bicot qui aurait dû se rendre au Maroc où il aurait pu vendre des "tapis missé" arabes de basse classe[29] ».

Le lendemain, l'effet de nouveauté s'étant estompé, la salle d'audience est moins bondée. Laval y entre, comme la veille, à petits pas inquiets, un peu fripé, mais il semble plus assuré. À un moment, il proteste avec colère contre la présence d'un photographe accroupi devant lui pendant qu'il parle. Comme l'audience précédente s'était terminée sur son « souhait » d'une victoire allemande, il commence par affirmer avec force qu'il s'est toujours opposé à toute collaboration *militaire*. Cela amène tout logiquement la cour au télégramme de Dieppe en août 1942, auquel l'accusation s'accroche comme à une pièce à conviction capitale pour prouver la culpabilité de Pétain.

Le problème, c'est qu'il existe deux télégrammes : l'un, dont personne ne conteste l'existence, félicitant les Allemands d'avoir repoussé l'attaque des Alliés, et l'autre dans lequel le gouvernement français propose de se joindre à l'Allemagne pour défendre le territoire national. Concernant le premier télégramme, Laval reconnaît volontiers que les Allemands ayant eux-mêmes félicité la population de Dieppe pour son comportement exemplaire (du point de vue allemand !), il avait espéré négocier quelques faveurs en retour. Mais il affirme ne rien savoir du second, et insiste sur le fait que son contenu est contraire à son opposition à toute collaboration militaire. Le tribunal s'en trouvait réduit à le croire sur parole, ce qui n'empêcha pas les avocats de s'égarer dans des querelles interminables sur l'envoi du télégramme. Madeleine Jacob commente moqueuse que « la discussion devient postale ». En fin de compte, le mystère resta entier : le second télégramme avait-il été communiqué aux Allemands ? Pétain l'avait-il vraiment signé[30] ?

Une fois le sujet épuisé, Laval doit prouver que son discours controversé de juin 1942 lui a permis de gagner en influence dans ses négociations pour protéger la population française. Dans la mesure où on aborde ici les heures les plus douloureuses de l'Occupation, l'argument est difficile à soutenir. Au cours de cette période, Laval avait été soumis à des demandes de plus en plus pressantes des Allemands pour fournir de la main-d'œuvre aux usines allemandes. Il avait d'abord tenté d'instituer un système de volontariat prévoyant la libération d'un prisonnier de guerre pour trois volontaires envoyés en Allemagne. Ce système, la Relève, n'ayant pas permis d'obtenir les effectifs souhaités, il avait été remplacé par un système de conscription obligatoire, le Service du travail obligatoire (STO). Laval assure à la cour qu'il avait averti le gauleiter Fritz Sauckel que le STO était le plus sûr moyen d'encourager les Français à rejoindre la Résistance, mais il n'avait pu négocier qu'une réduction des quotas demandés. Sa défense principale consiste à affirmer que la proportion de travailleurs déportés de France en Allemagne a été inférieure à celle envoyée de Belgique ou de Hollande. Le tribunal n'a aucun moyen de vérifier cette affirmation, et il lui est donc difficile de la contester. Mais il n'est pas possible de contester la réalité d'une répression toujours plus brutale imposée par le régime de Vichy à partir de 1943 : la création de la sinistre Milice en janvier 1943, la nomination de Joseph Darnand comme ministre de l'Intérieur en janvier 1944, la création de cours martiales pour contourner les tribunaux en juin, l'assassinat de Mandel en juillet. La défense de Laval est un aveu révélateur de l'échec de Vichy :

> Nous étions dans la période tragique où l'autorité du gouvernement n'existait presque plus. Nous n'étions pas libres, et le Maréchal n'était pas libre. Le ministre allemand venait frapper à sa porte en lui disant : « Faites un message. » Le Maréchal me parlait de ce message. Nous résistions, et finalement, il était obligé de céder[31].

Mongibeaux l'interrompt pour rappeler que, lors de la signature de l'armistice, Pétain avait déclaré aux Français : « Le gouvernement reste libre, la France ne sera administrée que par des Français. » L'argument lavalien selon lequel son discours de juin 1942 lui avait valu la bienveillance des Allemands ne tenait plus.

Tout au long de cette partie de son témoignage, Laval n'a jamais laissé passer une occasion de souligner que Pétain avait été pleinement impliqué dans toutes les décisions :

> Mongibeaux : Je voudrais savoir quelles réactions a eues le Maréchal quand il a entendu parler de ces choses abominables qui se sont passées dans plusieurs villages de France ?
> Laval : Quand Darnand a été nommé, il n'a pas paru particulièrement mécontent. Il le connaissait[32].

Lorsqu'on lui déclare qu'il n'y a plus de questions, Laval se tourne vers la sortie, son porte-document et son chapeau à la main. Soudain, il s'arrête dans son élan, revient au fauteuil des témoins et demande à être rappelé si son nom devait être de nouveau évoqué. Il semble regretter que l'audience soit terminée. Peut-être a-t-il apprécié ces deux jours de retour sous les feux de la rampe. Peut-être préfère-t-il être le centre de tous les regards au tribunal plutôt que de croupir en cellule, sans rien d'autre à faire que de réfléchir à l'imminence de son propre procès. Les dernières paroles de Laval à la cour enfoncent le clou :

> Il n'en reste pas moins que le Maréchal était au courant de tout ce que je faisais d'important, que j'avais avec lui des contacts tous les matins, que je lui rendais compte, que je tenais compte de ses avis, dans la mesure où son expérience le lui permettait [...]. Mais le Maréchal était naturellement au courant.

Tout au long de la deuxième journée de témoignage de Laval, Pétain était resté immobile, comme toujours. Lorsqu'une fois Laval s'était retourné, avec un sourire obséquieux, pour dire quelque chose de favorable à son sujet, le Maréchal avait imperceptiblement levé la main en un geste de reconnaissance à demi méprisant. Passant devant Pétain pour quitter la salle, Laval se pencha vers lui et marmonna entre ses dents noires un « Au revoir, Monsieur le Maréchal » avec son fort accent auvergnat qui lui faisait rouler les R. Pétain, détournant le regard, feignit de ne pas le voir[33]. Même Isorni fut troublé par ce mépris froid : « Dans le geste d'inclination, dans le mot rapidement jeté, il y avait de la compassion, un sentiment – fugitif mais certain – de solidarité et d'entraide qui m'avait paru mériter un meilleur accueil[34]. »

L'affirmation répétée de Laval que Pétain avait toujours été « au courant » était manifestement intéressée, mais les observateurs n'avaient aucun moyen de savoir si elle était fondée. Le procès se heurtait sans cesse à la difficulté d'établir l'implication personnelle réelle du Maréchal dans l'action du régime de Vichy. Avait-il pris des initiatives politiques de son propre chef ? Dans quelle mesure était-il au courant ? D'autres avaient-ils agi dans son dos ? Disposait-il de son libre arbitre ? Quelles étaient, au fond, ses convictions ?

Immédiatement après que Laval a quitté le tribunal, un épisode curieux survient, manifestement mis en scène par l'accusation, pour éclairer ces questions. Un juré demande à la cour d'entendre la lecture du brouillon d'un message de Pétain mentionné dans l'acte d'accusation. Mornet feint de ne pas comprendre : « De quel document est-il question ? Car j'en ai plusieurs. Est-ce le document écrit au crayon, de la main du Maréchal ? » Le juré confirme, et Mornet se met à le lire avec délectation :

> Les nouvelles qui m'arrivent de l'extérieur signalent un mal qui se répand dans nos possessions d'outre-mer et agit sur les foules comme un poison subtil, qui tend à leur faire perdre le sens du réel et à les détourner de leurs devoirs envers la mère patrie. Ce mal s'appelle le Gaullisme du nom de l'ex-général français de Gaulle.

Le texte continuait dans la même veine sur quelques pages, puis s'interrompait au milieu d'une phrase. « Qu'est-ce que c'est que cela ? C'est un message du Maréchal ? », demande Payen.

Mornet : C'est un projet écrit de la main du Maréchal.
Payen : Est-ce qu'il a eu une suite quelconque ?
Mornet : Je n'en sais rien. […]
Pétain : Cela, par exemple, c'est trop fort. […]
Isorni : Il n'y a rien d'écrit sur l'enveloppe ?
Mornet : Il y a : « Document appartenant au docteur Ménétrel. Projet de message contre le Gaullisme, avril 1942, pas prononcé. »
Isorni : Pas prononcé.
Mornet : Pas prononcé, c'est une affaire entendue, mais médité, écrit de la main du Maréchal.
Payen : La tentation n'a jamais été un crime : serait-on poursuivi pour avoir éprouvé une tentation ? On peut avoir une tentation, mais si on n'y succombe pas ?
Mornet : J'estime que des écrits comme celui-ci sont des actes.

Lemaire : Cela juge votre accusation
Isorni : L'acte, M. le Procureur général, aurait consisté à le lire[35].

À un moment de cet échange, Pétain, qui n'est subitement plus sourd, éclate de rire. Après avoir été invitée par la défense à écarter des discours qu'il avait prononcés au motif qu'il avait été contraint de le faire, ou à le disculper de discours prononcés par d'autres (tel Laval), la cour se voyait maintenant proposer un cas inverse : un message que Pétain avait clairement écrit lui-même, mais qui n'avait pas été prononcé.

Quelle que soit l'opinion que l'on se faisait de cet échange, les titres des journaux du week-end démontrèrent que Laval avait fait passer son message :

L'Humanité : « Laval fait l'apologie de sa trahison. Il déclare avoir prononcé avec l'approbation de Pétain-Bazaine sa phrase odieuse : Je souhaite la victoire de l'Allemagne. »

Combat : « Laval déclare que c'est avec l'accord de Pétain qu'il a dit en 1942 "Je souhaite la victoire de l'Allemagne." »

Franc-Tireur : « Le Maréchal est allé à Montoire de son plein gré. »

Ce soir : « Les deux complices se rejettent mutuellement la paternité de la phrase criminelle. »

France-Soir : « Laval affirme que Pétain n'ignorait rien de la colla-boration. »

Pour ses lecteurs de *L'Aurore*, Francine Bonitzer en tire la leçon que la culpabilité de Laval n'a fait qu'accroître celle de Pétain :

Laval n'inspira jamais la confiance. On connaissait sa roublardise, sa lâcheté, sa veulerie [...] Pas un Français, jamais, n'eût suivi Laval seul.
Tandis qu'en l'autre, on croyait [...] C'est lui que nous pensions le plus pur, le plus noble, qui entra dans la collaboration, la main dans la main d'Hitler[36].

Jacques Lecompte-Boinet, juré résistant, continue à lutter avec sa conscience :

[Laval] avait emmené le Maréchal encore une fois avec lui, solidaire à la Haute Cour de celui avec lequel il avait été solidaire à Vichy ; ou bien ils s'en tireront ensemble ou bien ensemble ils seront condamnés. Les défenseurs maintenant ne peuvent plus invoquer le mauvais génie qui a entraîné le Maréchal dans le mal ; il ne leur reste plus qu'à plaider que cela n'était pas le Mal.

Puis ses réflexions prennent une autre direction :

> Pourquoi ne pas dire que ce soir, je comprends mieux la position réaliste de Laval que la position violente et sentimentale des jurés qui m'entourent. Ont-ils vraiment trahi la France, ces deux complices ? Ont-ils vraiment fait du mal à la France ?
>
> À leur actif, il y a certainement un lourd plateau chargé de tous les Français à qui cette attitude aura évité la déportation [...] de toutes les vies que cette politique aura épargnées à la France, et je pense à la réflexion du Foreign Office à Londres, au début de 1944 : « Pourquoi êtes-vous antipétainiste ? Comparez la situation matérielle de la France et celle de la Hollande par exemple. »
>
> Mais sur l'autre plateau, il y a des biens immatériels que cette politique nous a fait perdre et d'abord cette unité française, unité spirituelle beaucoup plus qu'unité territoriale, tellement gâchée dès l'origine qu'elle est encore en péril à l'heure actuelle, justement à cause de ce procès. Il y a en dehors de cette idée trop confuse de l'honneur français, un intérêt français qui a été saccagé : si les Alliés devaient gagner la guerre, il eût mieux valu un gouvernement français, un gouvernement légal pour représenter la France auprès des Alliés, surtout lorsqu'on songe au mal qu'eut de Gaulle pour faire respecter la France, justement parce qu'on lui disait : « Mais il y a Pétain[37]. »

Quelques jours plus tard, Lecompte-Boinet va devoir voter sur le sort de Pétain. Il n'a pas alors encore pris sa décision.

Chapitre 15

Généraux et fonctionnaires

Après l'excitation suscitée par la comparution de Pierre Laval, la dernière semaine du procès voit la tension et l'intérêt retomber. Dans les couloirs du Palais de justice, avocats et journalistes bavardent en s'interrogeant sur sa date de fin. Les vacances d'août approchant, des places restent vides dans la salle. Pour la première fois depuis son commencement, le procès est délogé de la une des journaux par l'actualité internationale. La conférence de Potsdam est enfin terminée. La France se voit accorder une zone d'occupation en Allemagne, ce qui n'efface pas entièrement l'humiliation de ne pas avoir été consultée. Un journal de la Résistance écrit :

> Les Trois·Grands ont décidé, à Potsdam, du statut futur du monde, sans qu'ils eussent la France comme partenaire […] au moment que, sur les bords de la Seine, dans le berceau même de notre cité, nous assistions à des débats qui, pour aussi nécessaires qu'ils puissent être, n'en sont pas moins pitoyables […] Ce sont des fantômes qui parlent en traînant leurs chaînes, mais la France dans tout cela[1] ?

Le lundi 6 août, la conférence de Potsdam est éclipsée par la nouvelle qu'une bombe atomique a été larguée sur Hiroshima. Les éditorialistes, délaissant le procès, se penchent sur les conséquences de l'événement pour l'avenir de l'humanité. Pétain lui-même, momentanément distrait de son sort, déclare à Joseph Simon qu'il pourrait « faire une étude sur les nouvelles conditions de la guerre[2] ».

À l'origine, douze audiences avaient été prévues, mais le procès entre dans son treizième jour et il reste à entendre de nombreux témoins de la défense. Il ne s'agit pas de personnalités connues, ce qui accroît encore le désintérêt du public. « Le procès Pétain », rapporte un journaliste, « ressemble de plus en plus à ces spectacles de saison d'été qui, très courus dans leur nouveauté, alors que jouent les vedettes, voient des vides se creuser dans la salle, au fur et à mesure que les doublures prennent possession des rôles principaux »[3]. De nombreux hauts responsables de Vichy ne sont pas disponibles pour venir témoigner : l'amiral Auphan, ancien ministre de la Marine, est entré en clandestinité, tout comme le fameux Raphaël Alibert. L'ancien secrétaire général aux Affaires étrangères Charles Rochat, dont le nom a été évoqué à propos du discours de Laval souhaitant la victoire de l'Allemagne, est en exil en Suisse. Autre absent de taille : l'amiral Darlan, le personnage le plus important du régime après Pétain et Laval, assassiné en décembre 1942. La cour entendit par conséquent peu parler du moment où Vichy s'était le plus rapproché d'une collaboration militaire avec l'Allemagne, après lui avoir offert d'utiliser les bases aériennes syriennes, en mai 1941[4].

De nombreux témoins qui attendent leur propre procès sont extraits de la prison de Fresnes pour venir témoigner à celui de Pétain[5]. Pendant l'Occupation, des résistants et des criminels de droit commun avaient été détenus dans cette prison de la proche banlieue parisienne. À la Libération, les premiers avaient été remplacés par des collaborateurs, mais les « droit commun » étaient restés. Comme un ancien collaborateur a pu l'écrire, décrivant son expérience à Fresnes :

> Il y avait là pêle-mêle des préfets, des gouverneurs, des ministres, des ambassadeurs, des généraux, des amiraux, des écrivains, des as de l'aviation, des journalistes, des chanteurs de charme, des prélats, des industriels, des banquiers, des magistrats, des professeurs de médecine ou de chirurgie, des champions de boxe ou de judo, des agents de police, des militants politiques, des acteurs connus, des artistes de cinéma, mais aussi un certain nombre de tire-laine, de truands et de trafiquants de toutes sortes[6].

Gardiens et détenus ordinaires profitaient de l'occasion pour collectionner des autographes[7].

Parmi ces naufragés abandonnés par le reflux de la collaboration, ceux qui attendaient d'être jugés par la Haute Cour formaient une aristocratie carcérale. Regroupés dans un même bâtiment, ils constituaient une petite communauté aux liens forts. Dès sa première nuit en prison, Laval, nous l'avons vu, peut communiquer aisément avec Bernard Ménétrel, mais il est si bavard que le médecin demande à changer de cellule. À Fresnes, le bouche à oreille fonctionne bien. Les prisonniers suivent le procès de Pétain avec fébrilité et s'accrochent à toutes les rumeurs encourageantes car ils savent que leur sort est lié à celui du Maréchal. Xavier Vallat, premier commissaire aux questions juives de Vichy, raconte à ses codétenus qu'au moment des actualités cinématographiques les extraits du procès montrant Daladier et Reynaud seraient hués, alors que Pétain serait acclamé – ce que ne confirment pas les rapports de police[8]. En attendant, les prisonniers de Fresnes peaufinent leurs arguments, rassemblent des statistiques, collationnent des documents et épluchent les journaux pour jauger l'atmosphère de la cour.

La première semaine, les vieux routiers de la Troisième République avaient provoqué des sentiments mitigés, mais au moins ils savaient retenir l'attention d'un public. Les revenants de Vichy, en revanche, avaient vécu entièrement dans l'ombre du Maréchal. Isorni écrit : « Après une audience morne consacrée à des témoins à décharge dont la bonne volonté ne suffisait pas à remplacer les moyens oratoires, [Pétain] me prit par le bras et me confia à l'oreille : "Mauvais programme aujourd'hui ! J'espère que vous avez fait quelque chose de mieux pour demain !" » Lemaire, épuisé par la chaleur, cédait parfois à la somnolence. Il soupira un jour : « Isorni, je m'ennuie[9]. » La défense faisait de son mieux pour animer les audiences. « Il faut varier nos programmes », dit Isorni à un journaliste, « un civil, un général ». « Oui, panachons, panachons », approuve Payen[10]. La défense va jusqu'à faire témoigner un prince Bourbon, François-Xavier de Bourbon-Parme, prétendant au trône d'Espagne, qui s'était installé en France après son expulsion d'Espagne en 1938. Actif dans la Résistance française, il avait été arrêté par les Allemands en 1944 et condamné à mort. Grâce, semble-t-il, à une intervention de Pétain, la sentence n'avait pas été exécutée.

Mais, en dehors de cet interlude d'exotisme aristocratique, la cour doit supporter un défilé de généraux soporifiques et de bureaucrates ennuyeux qui ont servi Vichy à différents échelons de la hiérarchie. Certains, comme Jean Berthelot, ancien ministre des Communications, respirent l'autosatisfaction lisse du haut fonctionnaire de carrière convaincu qu'il n'a rien à se reprocher. D'autres, comme le général Bergeret, ancien ministre de l'Air, sont visiblement mal à l'aise. Malade, ce dernier a été extrait d'un hôpital pénitentiaire pour être présenté à l'audience. Secoué par la toux, il se tortille sur son siège pendant l'interrogatoire. D'autres témoins encore sont d'une agressivité truculente : ainsi Marcel Peyrouton, ancien

18. François Charles-Roux

19. Fernand de Brinon

20. Marcel Peyrouton

21. Pierre Mongibeaux (en haut)
et André Mornet (en bas)

18, 19, 20 et 21. Croquis d'audience II.
François Charles-Roux, Marcel Peyrouton, Fernand de Brinon, Pierre Mongibeaux (en haut)
et André Mornet (en bas)

ministre de l'Intérieur, un homme trapu, les bras croisés par défi, qui donne comme adresse personnelle « la prison de Fresnes ». Selon Madeleine Jacob : « Une certaine élégance de gangster, la voix vulgaire et qui traîne sur les mots. Une belle brute quand il doit se mettre en colère[11]. » Habitué à donner des ordres sans scrupules de conscience, Peyrouton était visiblement irrité par les questions des jurés, dont beaucoup se seraient retrouvés en prison pour moins que cela deux ans plus tôt. « Est-ce que c'est mon procès, ou est-ce que je suis ici comme témoin ? », s'exclame-t-il à un moment.

Tous ces témoins se présentent comme apolitiques, animés par leur sens du devoir et leur patriotisme, et affirment avoir travaillé, dans le cadre de l'armistice, à la défense des intérêts de leur pays. Interrogé sur la justification des mesures prises par Vichy contre les juifs et les francs-maçons, Peyrouton, ancien administrateur colonial de haut rang sous la Troisième République, déclare à la cour : « Je ne me posais pas ces questions. Je vous l'ai dit et je le répète : je ne suis pas républicain, je ne suis pas antirépublicain ; je suis un agent du gouvernement français, je suis un fonctionnaire[12]. »

Berthelot, quant à lui, se présente comme un pur technicien qui ne s'est préoccupé que de protéger le réseau ferroviaire français contre les Allemands. Il expose à la cour un bilan statistique exhaustif de tous les ponts reconstruits et de chaque locomotive remise en service. Soudain, il s'écrie, tirant momentanément le public de sa somnolence : « Les Allemands ont encore capitulé. » Mais on comprend vite que la « capitulation » en question n'avait consisté qu'à retirer une instruction d'ordre technique relative au trafic ferroviaire. Au bout d'un moment, Mongibeaux n'y tient plus : « Est-il nécessaire de préciser le nombre de voies, de wagons, de ponts ? C'est la question que je pose ? » Mornet le soutient : « Je suis d'accord pour reconnaître que, dans l'intérêt de la population, on a freiné tant qu'on a pu ; c'est entendu. Au point de vue de l'intelligence avec l'ennemi, j'envisage la question d'un point de vue beaucoup plus haut. » Le « point de vue beaucoup plus haut » était précisément ce que ces témoins souhaitaient éviter[13].

Aucun d'eux n'avait de sympathie pour l'Allemagne, mais leur posture apolitique dissimulait une attirance pour l'autorité et une impatience à l'égard des compromis de la démocratie ; en somme une sympathie profonde pour les valeurs du régime de Vichy. Or des bureaucrates efficaces peuvent se révéler plus meurtriers que des fanatiques désorganisés. Ces hommes ne s'étaient peut-être pas réjouis de la défaite de leur pays, mais l'événement leur avait offert des opportunités politiques. Et, tous, ils vénéraient Pétain. On entendit beaucoup de claquements de talons, on vit beaucoup de saluts et de courbettes durant ces audiences. Comme le raconte Léon Werth : « Le général Lafargue fait au Maréchal un salut insistant et plongeant. Que de nuances comporte un salut ! Weygand avait salué respectueusement, certes, mais avec une hautaine réserve diplomatique[14]. » On se prosternait comme devant une icône. Même Pétain semble trouver l'adulation excessive et un jour il interrompt un témoin avec irritation : « Ça suffit… c'est tout… c'est très bien… » En une autre occasion, alors qu'un général n'en finit pas de disserter sur les tactiques militaires des années 1930, on l'entend marmonner : « Voyons, assez de tactique[15]… »

Le général Campet, destinataire de cette réprimande, avait été chef du cabinet militaire du Maréchal pendant trois ans. Caricature du dévot pétainiste, il brosse le portrait d'un maréchal à la générosité sans bornes, qui n'aurait jamais cru à une victoire de l'Allemagne. Les yeux embués de nostalgie au souvenir de la belle éloquence des discours de Pétain, Campet vend cependant la mèche dans sa conclusion : « Les questions de sentiment ne se posaient pas pour le Maréchal, seules les questions de raison importaient. Il ne s'agissait pas de savoir si le Maréchal désirait la victoire des Alliés ou des Allemands, mais de savoir qui l'emporterait dans la guerre de façon à se raccrocher au vainqueur et à profiter de la victoire du vainqueur[16]. »

Les mêmes arguments sont recyclés à l'infini. Ils constitueront l'essentiel de la défense pétainiste pour les cinquante années à venir. Le général Lafargue, d'une suffisance qui confine à la bêtise, présente Pétain comme un Vercingétorix du xxe siècle ayant adopté la tactique rusée de la duplicité, à l'encontre de la tradition de bravoure du pays. Il déclare à la cour : « Si Montoire et la collaboration n'avaient pas existé, je dirais même qu'il aurait fallu les inventer pour nous couvrir[17]. » De nombreux témoins soulignent que les Allemands avaient surnommé Pétain « le vieux renard » et reconnaissaient qu'il les avait astucieusement déjoués tout en permettant à ses subordonnés de poursuivre une résistance secrète. Un ancien préfet de Vichy, Louis François-Martin, affirme avoir accepté ce poste pour protéger la population des Allemands, dans le cadre de ce qu'il appelle la « résistance défensive ». Il est convaincu d'avoir su interpréter les vraies volontés de Pétain, même s'il admet qu'elles étaient difficiles à déchiffrer :

> Sa pensée était souvent dissimulée sous le voile de la complexité des apparences et les contradictions, mais c'était précisément à nous, les exécutants, qu'il appartenait de la dégager de ces contradictions, d'en extraire, si je peux employer cette expression, les moyens d'action[18].

Pour finir, de nombreux témoins déploient l'argument du sacrifice. « Il fallait quelqu'un qui fût capable d'encaisser et avaler non pas que des couleuvres, mais des vipères, des pelotes d'épingles et de porter une couronne d'épines[19] », déclare ainsi le général Lafargue. Pour expliquer pourquoi Pétain n'avait pas saisi l'occasion de rejoindre les Alliés en Afrique du Nord après novembre 1942, le général Serrigny affirme quant à lui qu'il avait supplié le Maréchal de quitter la France à ce moment-là, mais que ce dernier avait refusé car il estimait que sa mission était de rester auprès de son peuple. Serrigny ajoute :

> J'ai échoué dans ma mission que je m'étais librement donnée [...] Mais reconnaissez tout de même qu'il y a quelque chose de grandiose, qu'il y a quelque chose d'émouvant dans ce geste d'un homme qui reste pour tenir un serment et pour s'efforcer d'empêcher son peuple de souffrir.
> À la couronne de gloire que je lui offrais et qu'il lui était si facile de saisir, il a préféré une couronne d'épines. C'était tout de même un beau sacrifice[20].

Ces témoignages ont un impact. Dans *Le Figaro*, Jean Schlumberger écrit que la cour se voit présenter des événements « en leurs trois dimensions avec leur inextricable mélange de bien et de mal » ; si Vichy abritait un « grouillement de figures sinistres », il y en avait aussi eu d'autres qui travaillèrent à sauver la France du « joug d'une honte absolue et totale »[21]. De même, selon Maurice Clavel :

> Les témoins de la journée d'hier n'étaient pas de grands personnages [...] Mais qu'ils l'aient voulu ou non [...] [ils] ont fait surgir dans une pleine lumière tragique le heurt des idées éternelles, et toutes vraies sans doute, qui s'affrontent en ce procès [...] Des antinomies aussi vieilles que celles d'Antigone et encore plus désespérément contradictoires ; car, si chacun sait maintenant qu'il vaut mieux enterrer son frère qu'obéir aux interdictions de la cité, nous ne savons pas encore s'il fallait partir ou rester en France, s'il fallait choisir l'honneur ou la charité.

Les passions se mettent de la partie et l'obscurcissent : partir devient
une fuite, rester une abjection [...] Si ceux qui choisirent l'honneur ont
eu raison de le faire, que penser de ceux qui sacrifièrent leur honneur
à l'atténuation des malheurs de leurs compatriotes ?

S'ils avaient le droit de le faire, avaient-ils le droit de perdre, en
même temps que leur honneur, celui de la France elle-même ? [...]
Le procès du maréchal Pétain n'est pas « historique » mais « métaphysique » ; et telle est la nature de cette angoisse qui nous tient et nous
divise à l'intérieur de nous-mêmes[22].

Madeleine Jacob, de son côté, ne trouve aucune métaphysique
dans le procès : « L'enfer vrai, réel, vécu, subi par tous dans ce
pays [...] ce n'est paraît-il qu'un enfer pavé de bonnes intentions.
Quand un criminel tue en arguant d'intentions pures, on l'exécute.
Pétain a tué la France. En soupirant. On ne juge pas quelqu'un sur
ses soupirs mais sur ses actes[23]. » Quant à Léon Werth, il n'est
pas convaincu par la manière dont ces témoins ont dépeint une
sorte de « Pétain antipétainiste » : « Leurs constructions fragiles et
floues, mais accumulées, nous ont baignés dans un monde irréel.
On se demande si l'histoire ne niera pas que ce vieillard au képi
n'ait jamais existé, ne fera pas de lui un être imaginaire, créé par
la fantaisie des chroniqueurs[24]. »

Doubles jeux et messages secrets

Outre ces arguments d'ordre général présentant Pétain comme
un martyr, la cour est aussi entretenue de deux questions qui ali-
menteront pendant des années l'apologétique vichyste : le prétendu
« double jeu » de Pétain, qui aurait maintenu des contacts clandestins avec les Britanniques, et les « messages secrets » qu'il aurait
envoyés pour soutenir les débarquements alliés en Afrique du Nord
en novembre 1942.

Les tenants du double jeu attendaient avec impatience des révélations sur la visite que Louis Rougier avait effectuée à Londres
en octobre 1940 afin de négocier, affirmait-il, un accord secret
avec Churchill. Depuis des semaines, le Foreign Office s'affairait
pour réfuter les affirmations de Rougier, ce qui avait nécessité
un long travail archivistique car l'universitaire n'avait laissé que
de rares traces de son passage éclair à Londres. Il fut établi qu'il
s'était bien rendu dans la capitale britannique ; et qu'il avait bien
rencontré Churchill le lendemain de Montoire. Mais affirmer

qu'il avait négocié un « accord secret » s'avérait une version très exagérée de ce qui s'était effectivement passé pendant son séjour outre-Manche. La pièce à conviction publiée par Rougier dans son livre était, selon Sir Alexander Cadogan, sous-secrétaire d'État permanent au Foreign Office, « la falsification éhontée d'un document britannique[25] ». Les annotations que Rougier présentait comme de la main de Churchill avaient en réalité été apportées par William Strang, un haut fonctionnaire du Foreign Office. Une fois les faits laborieusement établis, les Britanniques publient, à la veille du procès, un rapport fouillé pour réfuter les allégations de Rougier[26].

Qu'il soit mythomane ou simplement menteur, Rougier continue à s'agiter comme une mouche enragée à New York, répétant son histoire à qui veut l'entendre. Ce qui embarrasse les Britanniques, c'est que la presse s'y intéresse beaucoup, peut-être parce que l'affaire permet d'occulter les relations que les États-Unis avaient entretenues avec Vichy. Le 21 juillet 1945, le *New York Times* titre : « Rougier réaffirme qu'il a mené des négociations secrètes entre Vichy et la Grande-Bretagne, remettant en cause la déclaration du Foreign Office » ; et, le 7 août, « Rougier accuse la Grande-Bretagne de falsification ».

L'universitaire ne se trouvant pas en France, c'est à l'amiral Fernet, ancien conseiller de Pétain, qu'il revient de donner sa version des événements. Fernet confirme que le Maréchal a reçu Rougier avant et après sa visite à Londres et qu'il a donné son « approbation entière » à ce qui avait été convenu. Mais, pressé de détailler la teneur de cet « accord », l'amiral n'a aucun éclaircissement à apporter : « À la distance où je suis dans le temps de cet entretien, étant donné que je n'étais que le collaborateur du Maréchal pour l'exécution de ses audiences, je n'ai pas scruté, à ce moment-là, exactement tous les termes des papiers Rougier[27]. »

En fin de compte, ce que la cour découvre de la mission Rougier est aussi décevant que la mission elle-même. Mais la défense a une deuxième carte dans sa manche, un autre professeur de philosophie qui va venir raconter à l'audience une autre « mission secrète ». Il s'agit de Jacques Chevalier, conservateur, catholique, et éphémère secrétaire d'État à l'Instruction publique, convoqué pour parler non d'éducation mais des relations de Vichy avec la Grande-Bretagne. Il se targuait d'une amitié « intime » avec l'ancien ministre britannique des Affaires étrangères Lord Halifax, qu'il connaissait depuis leur année commune d'études à Oxford en 1904. Tel est le récit que l'on peut tirer du témoignage de Chevalier :

> 4 décembre 1940 : à 10 h 45, Chevalier reçoit la visite du diplomate canadien Pierre Dupuy, porteur d'un message personnel de Lord Halifax indiquant que, bien que l'armistice ait imposé un « état de tension artificielle » entre les deux pays, le gouvernement britannique souhaite renouer le contact.
>
> 5 décembre : à 15 heures, Chevalier soumet la proposition à Pétain, qui l'approuve, se contentant de remplacer l'expression « tension artificielle » par « froideur artificielle ». Dans la soirée, Chevalier et Dupuy élaborent un « projet d'accord » : si Vichy garantit que l'Allemagne n'aura pas accès à ses colonies, les Britanniques assoupliront leur blocus économique de la France.
>
> 6 décembre : Chevalier et Dupuy voient Pétain ensemble ; le « projet » est accepté.
>
> 7 décembre : Dupuy part pour Londres.
>
> 9 décembre : un message est reçu de Londres disant « Tout va bien », ce qui signifie que l'accord a été approuvé[28].

La cour n'avait aucun moyen d'évaluer la part de vérité dans cet exposé. En fournissant des détails aussi précis sur ses rencontres, Chevalier donnait un air de vraisemblance à ses souvenirs. Il est difficile de remettre en cause le témoignage d'une personne qui fournit non seulement la date, mais aussi la minute exacte à laquelle un événement a eu lieu.

On pouvait en tirer deux conclusions, guère utiles à la défense. Premièrement, si Chevalier avait été approché par les Britanniques, cela signifiait qu'il n'y avait pas eu d'accord Rougier : pourquoi en négocier un autre pour parvenir aux mêmes fins ? Deuxièmement, même si le message « Tout va bien » avait réellement existé, il n'aurait pu constituer la ratification formelle d'un accord : il était inconcevable qu'une proposition ait pu être transmise, déchiffrée, discutée et approuvée en deux jours.

Que Londres et Vichy aient tous deux voulu éviter un conflit ouvert et parvenir à un *modus vivendi a minima* n'avait rien à voir avec l'existence d'un « double jeu » par lequel Pétain aurait agi secrètement contre l'Allemagne. Pour autant, même si les « révélations » de Chevalier ne pesaient guère, apprendre que des contacts avaient existé entre Vichy et Londres représentait, dans le monde manichéen de 1945, une surprise. À la fin du procès, un diplomate britannique nota avec soulagement : « Je pense que nous avons de la chance que le procès n'ait rien révélé de plus sur les relations franco-britanniques[29]. »

Restaient à examiner les prétendus « messages secrets » à destination de l'Algérie : allaient-ils s'avérer plus utiles à la défense que le « double jeu » imaginaire ? La responsabilité de raconter les faits revient à Édouard Archambaud, un jeune capitaine de vaisseau dont personne n'a jamais entendu parler. Il n'est cité à comparaître que parce que son supérieur, l'amiral Auphan, ancien ministre de la Marine de Vichy, est en fuite. Archambaud avait été à ses côtés au moment clé du régime de Vichy : les débarquements américains en Afrique du Nord. Pétain aurait alors pu décider de se rallier à la cause des Alliés, mais il avait choisi de ne pas le faire. La déception suscitée par la réaction de Vichy avait été rappelée par Daladier, dans une émouvante envolée, à la fin de son témoignage au cours de la première semaine :

> Quand j'ai appris que, le 8 novembre, les Américains et les Anglais débarquaient en Afrique du Nord, je me tournai, derrière les barreaux de ma cellule, vers la direction de Vichy, espérant que j'allais recueillir à travers l'espace un cri qui aurait annoncé la révolte finale d'une âme, d'une âme française [...] Mais rien ! Pas un geste ! Rien[30] !

Même les plus ardents défenseurs de Pétain peinent à expliquer son silence.

L'opération Torch, le 8 novembre 1942, ne s'était pas déroulée aussi bien que les Alliés l'avaient espéré. Dans les semaines précédentes, les Américains étaient secrètement entrés en contact à Alger avec un groupe de personnalités (« les Cinq ») chargées de neutraliser l'opposition au moment du débarquement. Ils avaient également prévu de s'appuyer sur le général Henri Giraud. Fait prisonnier par les Allemands lors de la bataille de France en 1940, ce dernier était devenu un héros après son évasion en avril 1942. D'un patriotisme et d'un conservatisme sans faille, on espérait qu'il serait mieux accueilli par les officiers de l'armée française en Afrique du Nord que le « traître » de Gaulle. Mais le complot des Cinq tourne court par manque de coordination, tandis que Giraud est bloqué à Gibraltar, où il essaie de persuader les Américains de lui accorder un rôle plus important. Tout va donc dépendre de l'attitude de Vichy : le régime saisira-t-il l'occasion de se rallier aux Alliés, en donnant l'ordre à ses troupes en Afrique du Nord de ne pas tirer sur les Américains, au risque de provoquer des représailles allemandes en France métropolitaine ? Quoi qu'il en soit, la neutralité bancale de Vichy devient insoutenable : il faudra choisir. Pétain est tiraillé entre ceux qui, comme Laval, veulent se concilier les Allemands et ceux qui veulent rejoindre les Alliés.

En fin de compte, Vichy perd sur les deux tableaux. Ses forces en Afrique du Nord reçoivent l'ordre de résister aux Alliés, mais sans pour autant rassurer Hitler sur la fiabilité de la France. Le 11 novembre, le Führer donne l'ordre à son armée de s'emparer de la zone libre pour protéger la côte méditerranéenne. Pétain enregistre un message de protestation, diffusé à intervalles réguliers sur les ondes. Entre-temps, l'amiral Darlan, alors l'un des principaux dirigeants de Vichy, qui se trouve en Afrique du Nord au chevet de son fils malade, arrive à la conclusion qu'il est inutile de résister aux Américains. Après avoir tergiversé pendant deux jours, il change de camp et signe un cessez-le-feu. Il affirme que, depuis l'occupation de la zone libre, Pétain n'est plus libre et qu'il approuve d'ailleurs en secret cette décision. La confusion qui règne pousse Churchill à railler : « Si l'amiral Darlan devait tirer sur le maréchal Pétain, il le ferait sans doute au nom du maréchal Pétain. »

En une semaine, Vichy a perdu son empire en Afrique du Nord et la zone libre en métropole. Quelques jours plus tard, elle perd également sa flotte, qui se saborde le 28 novembre plutôt que de tomber aux mains des Allemands. De nombreux conseillers de Pétain le pressent de partir pour l'Afrique du Nord. De Gaulle lui-même commentera plus tard : « Je ne comprendrai jamais pourquoi le Maréchal n'est pas parti à Alger au mois de novembre 1942. Les Français d'Algérie l'eussent acclamé, les Américains l'eussent embrassé, les Anglais auraient suivi [...]. Le Maréchal serait rentré à Paris sur son cheval blanc[31]. »

Avant la comparution d'Archambaud, le tribunal a déjà entendu deux témoins affirmer que Pétain avait secrètement approuvé les initiatives de Darlan, mais sans en apporter la preuve[32]. Archambaud était présent au tribunal pour fournir des détails. Voici le récit qui a pu être reconstitué à partir de son témoignage dense et compliqué[33] :

8 novembre : la nouvelle du débarquement en Afrique du Nord parvient à Vichy au petit matin. Le gouvernement décide de laisser Darlan organiser au mieux la situation sur le terrain.

La plupart des membres du gouvernement veulent rejeter la demande des Allemands de survoler l'espace aérien français et d'utiliser des bases aériennes en Tunisie, mais l'autorisation est accordée par un télégramme envoyé par Laval.

« Je crois », déclare Archambaud, « que cela s'est passé dans la nuit à Châteldon [la résidence de Laval près de Vichy] sans que le Maréchal fût au courant ».

9 novembre : les forces françaises en Afrique du Nord étant débordées par les Américains, Darlan demande à Vichy comment il doit répondre à la demande américaine de cessez-le-feu. La réponse est que Darlan ne doit pas répondre. Cette réponse a été donnée sur l'insistance de Laval, qui part alors pour Munich rencontrer Hitler. Si ce dernier considère que les Français ne sont pas dignes de confiance en Afrique du Nord, Laval n'aura aucune marge de négociation pour empêcher les représailles allemandes en France métropolitaine.

10 novembre : dans la matinée, Darlan envoie à Vichy les conditions de cessez-le-feu proposées par les Américains. Auphan et Weygand veulent que Pétain accepte, mais, après un coup de téléphone furieux de Laval depuis l'Allemagne, Pétain réitère son ordre à Darlan : « J'avais donné l'ordre de défendre l'Afrique du Nord. Je réitère cet ordre. » Au même moment, Pétain ordonne à Auphan d'envoyer son *premier* message codé secret à Darlan : « Comprenez que cet ordre [de résistance] était nécessaire pour les négociations en cours [celles de Laval avec les Allemands]. »

11 novembre : après avoir reçu le télégramme lui enjoignant de résister (et avant le message secret correctif), Darlan s'est constitué prisonnier auprès des Américains.

Pétain nomme le général Noguès pour le remplacer. Le même jour, malgré les efforts de Laval pour rassurer Hitler sur la capacité des Français à défendre l'Afrique du Nord, des troupes allemandes sont envoyées en zone libre.

12 novembre : journée de confusion extrême en Afrique du Nord ; on ne sait plus très bien qui, côté français, est responsable (si tant est que quelqu'un le soit).

13 novembre : Darlan informe Vichy qu'il est parvenu à un accord avec les Américains pour mettre fin aux combats, terminant son message par les mots « Vive le Maréchal ». Le même jour, Archambaud est chargé d'envoyer un *second* télégramme secret : « Accord intime

du Maréchal et du président [Laval] mais, avant de vous répondre, on consulte les autorités d'occupation. »

16 novembre : Pétain désavoue publiquement Darlan pour avoir passé un accord avec les Américains.
Lors d'un conseil des ministres, Laval déclare qu'il reste attaché à la collaboration. L'amiral Auphan démissionne de son poste de ministre de la Marine. Laval prend le contrôle total du gouvernement.

Probablement personne dans la salle d'audience n'avait pu saisir tous les rebondissements de ce témoignage labyrinthique. Mais l'essentiel était clair : Laval (comme d'habitude) avait été le mauvais génie ; le « vrai Pétain » se trouvait dans les messages « secrets » des 10 et 13 novembre ; et, à partir de cette date-là, le « vrai Pétain » n'était plus libre de ses actes. Comme le résume Archambaud : « Ceux qui avaient été fidèles au Maréchal en 1941 et en 1942 considéreraient que, dorénavant, il était prisonnier et qu'il fallait suivre sa pensée et non ses discours officiels. »

Les « télégrammes secrets » ont été le fonds de commerce de la défense pétainiste pendant des décennies. Les historiens ont longtemps douté de leur existence, et, en admettant qu'ils existent, du sens à leur donner. En 1989, une photocopie du télégramme du 13 novembre est finalement publiée dans une biographie de Darlan[34]. Cela prouvait qu'il avait existé, mais ne disait rien de la façon dont il devait être interprété. En novembre 1942, la situation avait évolué de minute en minute et tant de télégrammes avaient circulé entre Alger et Vichy qu'il était difficile de savoir à quoi Pétain avait secrètement donné son « accord ».

Comme personne dans la salle d'audience ne souhaite accuser Archambaud de mentir, Mongibeaux adopte une autre approche : « Il fallait suivre [la] pensée [du Maréchal] non exprimée et ne pas suivre sa pensée exprimée dans les messages ? »

Archambaud : Oui, cette pensée était assez exprimée par les télégrammes que j'ai chiffrés moi-même.
Payen : Sa pensée exprimée dans les messages secrets.
Mongibeaux : Les messages secrets ne sont plus des messages, il me
   semble[35].

La riposte de Mongibeaux était faible – même secret, un message reste assurément un message –, mais la cour n'aurait pas l'occasion d'entrer dans les détails. Le dossier d'instruction sur les événements de novembre 1942 comprenait des milliers de pages. Il aurait fallu des semaines d'analyse pour savoir ce qui s'était exactement passé. Pour compliquer cette tâche, alors même que le procès était en cours, d'autres documents apparurent sous la forme de notes prises par Ménétrel au cours de cette semaine chaotique de novembre 1942. Versés aux archives de la Haute Cour, ils arrivèrent trop tard pour être utilisés lors des audiences. Ils n'auraient probablement pas été d'une grande utilité. Dans une note du 11 novembre, Ménétrel rapportait comment Pétain avait justifié pour Abetz sa protestation contre l'envoi de troupes allemandes dans la zone non occupée :

> Je protesterai peut-être encore [...]. Mon prestige vous est nécessaire [...] Sans cela, l'Allemagne ne trouvera rien devant elle. Tout aurait pu s'arranger si, dès le début, on avait pu prendre le parti de s'entendre. Les choses peuvent peut-être se réparer. Il faut que vous acceptiez mes petits procédés, mes protestations[36].

S'agissait-il d'un plaidoyer en faveur de la collaboration de la part d'un homme qui croyait encore à la victoire de l'Allemagne ? Ou cherchait-il à se couvrir contre des représailles allemandes ? À quel moment sa véritable pensée s'exprimait-elle : dans la protestation publique ou dans les gages donnés à Abetz en privé ? Double jeu et messages secrets s'emboîtent comme des poupées russes. En vérité, les réactions de Pétain s'expliquent sans doute davantage par la confusion et l'épuisement que par le calcul et la ruse. Le vieil homme, balloté entre des avis contradictoires, soumis à un rythme de réunions qui aurait éprouvé même une personne bien plus jeune, tergiversait sur la meilleure voie à suivre – mais quelque part, il s'accrochait, dans le naufrage de sa politique, au « don de [sa] personne » qu'il avait fait aux Français. Il ne lui restait rien d'autre.

Plutôt que de proposer une exégèse de télégrammes que personne n'a jamais vus, l'accusation tente une approche différente. Mornet lit le procès-verbal du conseil des ministres du 8 novembre 1942, qui prouve que la décision d'autoriser les Allemands à survoler le territoire français et à utiliser les bases aériennes tunisiennes n'a pas été une initiative solitaire de Laval (comme le prétend Archambaud) : elle a été approuvée par Pétain[37]. Une décision encore plus fatidique avait suivi le 10 novembre, qui autorisait les troupes allemandes à débarquer à Tunis, décision acceptée par le Maréchal « mais sous la réserve d'une protestation officielle [...] présentée sous la forme d'une injonction par les Allemands[38] ». Un télégramme envoyé à Tunis le 11 novembre est sans ambiguïté : « Maréchal a décidé de continuer la lutte contre agresseurs anglo-saxons dans la limite des moyens matériels et possibilités[39]. » Vichy avait donc autorisé les Allemands à s'installer en Tunisie pendant que les Américains consolidaient leur position en Algérie et au Maroc. Il faudrait cinq mois de combats pour libérer la Tunisie.

Messages secrets ou pas, Darlan était un opportuniste cynique qui aurait de toute façon changé de camp. Mais, en Tunisie, le malheureux amiral Esteva, fidèle et borné, n'avait pu se résoudre à désobéir. Sa loyauté fut récompensée par un message de félicitations du Maréchal qui se disait « très content » de son attitude[40]. Quelques semaines avant le procès de Pétain, la Haute Cour avait condamné Esteva à la prison à vie pour cet acte d'obéissance. Pas de messages secrets pour Esteva.

Chapitre 16

Les juifs, grands absents

Le sort des juifs est mentionné à deux reprises dans l'acte d'accusation. Un passage fait référence à « l'asservissement de la France à l'Allemagne, asservissement auquel, sur le terrain législatif, le gouvernement de Vichy s'est prêté en calquant sa législation sur celle du Reich, en ne se bornant pas à cela, en mettant hors la loi commune des catégories entières de Français et en organisant la persécution contre elles à l'instar de ce qui se passait sous le régime hitlérien, puis encore en livrant lui-même aux bourreaux les victimes qu'exigeait de lui le Reich ». Un autre passage pose la question : « Comment se justifier d'avoir, au lieu de se retrancher derrière l'impossibilité d'aller à l'encontre de toute la législation, comme de toutes les traditions françaises, édicté ces abominables lois raciales dont il eût cent fois mieux valu laisser aux autorités occupantes le soin d'en appliquer les principes ? » Ces deux phrases alambiquées lient la politique antisémite de Vichy à la collaboration, ce qui s'impose puisque Pétain est accusé d'« intelligence avec l'ennemi ». Mais elles occultent la réalité que ces lois antijuives, contraires à « toutes les traditions françaises », ont été conçues, décrétées et appliquées par un gouvernement français sans pression allemande.

L'acte d'accusation ne définit pas non plus ces « lois raciales ». Vichy avait immédiatement promulgué des mesures de discrimination à l'encontre des juifs distinctes de celles imposées par les Allemands dans la zone occupée. La plus importante était le Statut des juifs, promulgué en octobre 1940, excluant ces derniers de la fonction publique et d'une série d'autres professions. Ce statut était accompagné d'une loi autorisant l'internement des juifs étrangers résidant en zone libre. Lorsqu'en 1942 commencèrent des arrestations de juifs sur ordre de l'Allemagne, ce fut la police française qui s'en chargea[1].

Il est remarquable qu'aucun juif n'ait été en tant que tel invité à témoigner au procès de Pétain[2]. À vrai dire, les voix des victimes ordinaires de l'Occupation – juifs et non-juifs – n'y ont guère été entendues, bien que la cour ait reçu de nombreuses lettres d'associations de déportés demandant à témoigner : la plupart sont restées sans réponse[3]. Janet Flanner raconte avoir vu une vieille dame se présenter aux policiers qui gardaient le Palais de justice : « Transpirant dans son épais manteau de deuil dans la chaleur de l'après-midi, elle expliquait au garde que l'un de ses fils avait été battu à mort par les sbires de Vichy et que l'autre avait péri au camp de concentration de Nordhausen. » L'entrée lui fut refusée car elle ne possédait pas de laissez-passer[4].

Mornet, qui n'aimait pas être détourné de son plan, ne pensait pas que le témoignage des victimes puisse apporter grand-chose. Pour lui, l'objet principal du procès était « moins de rappeler des horreurs que nous connaissons tous[5] » que d'expliquer comment elles avaient pu se produire. Les voix des victimes pouvaient apporter des « impressions d'audience », mais lui-même produirait à la fin, « dans un ordre logique, une série de faits au sujet desquels les documents parleront beaucoup plus haut que les témoins ». Mongibeaux passa outre l'objection de Mornet, et la cour entendit les témoignages rapides de deux anciens résistants, l'un ayant été déporté à Buchenwald, l'autre à Mauthausen. Mais ni l'un ni l'autre n'était juif : aucun survivant de la Shoah, aucun proche d'une victime de la Shoah n'a donc été entendu par le tribunal. En réalité, dans l'immédiat après-guerre, on ne fait pas de distinction entre les « déportés » : le terme désigne indifféremment les juifs et les personnes envoyées en Allemagne pour faits de résistance. Et la plupart des déportés juifs ne sont pas revenus des camps pour raconter leur histoire.

Les historiens ont récemment nuancé l'idée selon laquelle, en 1945, personne ne saisissait la spécificité de la Shoah, ou que les juifs voulaient avant tout se réinsérer dans la société et ne pas attirer l'attention sur eux[6]. Comme la future ministre Simone Veil, survivante d'Auschwitz, l'a déclaré bien des années plus tard : « Si nous n'avons pas parlé c'est parce que l'on n'a pas voulu nous entendre, pas voulu nous écouter. » Il y eut des tensions au printemps 1945 lorsque des juifs tentèrent de récupérer les appartements dont ils avaient été expulsés pendant l'Occupation, S'organisant en associations pour défendre leurs intérêts, les nouveaux propriétaires se présentèrent sans vergogne comme des patriotes qui avaient empêché que ces biens ne tombent aux mains des Allemands. Des violences éclatèrent à Paris où l'on entendit des manifestants crier « À bas les juifs » et « La France aux Français »[7]. Le futur avocat et ministre Robert Badinter a raconté soixante-dix ans plus tard la première fois qu'il était entré dans un palais de justice en 1945 :

> C'est lorsque ma mère a voulu récupérer son appartement confisqué par les Allemands et qu'un occupant refusait de lui rendre. Il a fallu plaider. C'est fin avril 1945. J'étais en première année de droit. Maman a dit : « Viens avec moi. » Le président du tribunal a demandé où se trouvait mon père. Nous ne savions pas encore qu'il était mort à Sobibor. L'avocat a répondu : « Dans un camp de concentration des Allemands. » Alors le président a répliqué : « Cela n'intéresse pas le tribunal[8]. »

Face à cette indifférence et cette hostilité, les représentants juifs font preuve de prudence. À la Libération, la plupart des organisations juives de France, qu'elles soient laïques, religieuses ou sionistes, se regroupent, pour défendre leurs intérêts, au sein d'un organisme commun, le Conseil représentatif des institutions juives de France (CRIF). C'est lui qui est sollicité en mai 1945 par la commission d'instruction de la Haute Cour pour fournir un rapport établissant « la duplicité du gouvernement de Vichy à l'égard des mesure antisémites » et des « documents visant à mettre en lumière le rôle néfaste de Pétain ». Le CRIF missionne l'un de ses membres pour les rassembler mais, deux mois plus tard, peu avant l'ouverture du procès du Maréchal, il constate « l'absence de documentation réunie jusqu'ici pour démontrer la responsabilité de Pétain ». Divisés sur la question de savoir si le CRIF doit demander officiellement à témoigner lors du procès, ses membres décident à une courte majorité de ne pas le faire[9]. L'organisation, préoccupée par les incidents antisémites qui se produisent à Paris, préfère garder profil bas dans l'affaire Pétain[10].

La commission d'instruction avait de son côté constitué un sous-dossier sur la « Question juive », dans le cadre d'un dossier (c'est révélateur) traitant de « l'alignement de la France sur l'Allemagne au point de vue intérieur par l'adoption d'une politique hitléro-raciste[11] ». Ce dossier contient des témoignages poignants. Par exemple, les souvenirs déchirants de l'avocate Jacqueline Lang sur les arrestations de juifs à Marseille en janvier 1943 :

> Nous sommes montés dans ces wagons […] sous les regards narquois et les rires d'officiers allemands, qui prenaient des photos, et des quelques Français qui assuraient la police.
>
> Il était 10 heures du matin. Les wagons furent fermés et plombés ; nous manquions terriblement d'air car tout était clos. Nous étions soixante et une femmes juives et étrangères dans mon wagon ; il n'y avait pas d'eau ; il n'y avait pas de seau […] Malgré nos demandes, en cours de route, et nos indications qu'une femme se mourait et avait besoin de boisson ainsi que de soins, les portes ne furent jamais ouvertes […] Ce n'est que le mardi matin à 10 heures que nous sommes arrivées à la gare de Compiègne après une nuit de délire et d'hallucinations collectives, parmi nous il y avait un cadavre et trois folles.

Elle concluait ainsi : « J'ignore si le maréchal Pétain était mis au courant de ces incidents et ce qu'il a pu connaître de toutes les arrestations des Israélites[12]. »

Plus dévastateur encore – parce qu'il mentionnait nommément Pétain – aurait été le témoignage de l'abbé Glasberg sur le camp de Vénissieux, près de Lyon, où huit cents juifs étrangers avaient été regroupés en août 1942 :

> Le préfet délégué de Lyon, présent à cette opération et entendant les cris des femmes qu'on séparait de leurs enfants, me dit : « C'est abominable ce que nous faisons ! » Je lui ai répondu : « Et pourtant vous le faites. » Alors il me répondit : « Il faut obéir au Maréchal[13]. »

Bien que ces documents n'aient pas été présentés à la cour, la persécution des juifs reçut quelque attention, quoique limitée, durant le procès. Lors des interrogatoires préalables, Pétain avait déclaré : « J'ai toujours, et de la façon la plus véhémente, défendu les juifs ; j'avais des amis parmi eux. » Lorsqu'en mai 1942 les Allemands avaient demandé au gouvernement de Vichy d'imposer le port de l'étoile jaune à tous les juifs vivant en zone libre, comme les Allemands le faisaient en zone occupée, Pétain avait refusé ; il se souvenait également avoir dit à Louis Darquier de Pellepoix, le commissaire général aux questions juives, un homme violemment antisémite : « C'est vous, le tortionnaire » – sans que l'on sache s'il l'accusait de le torturer, lui, par ses demandes incessantes de mesures toujours plus sévères à l'encontre des juifs, ou s'il déplorait le fait que Darquier torturât les juifs[14].

Durant le procès, Jules Jeanneney et Édouard Herriot déclarent qu'ils ont refusé de fournir des listes de parlementaires juifs, comme Vichy le leur demandait[15]. L'antisémitisme est également évoqué pendant trois minutes lors de la déposition de Laval. Le deuxième jour, ce dernier décrit en effet sa réaction lorsqu'en août 1943 les Allemands ont exigé la dénaturalisation de tous les juifs français :

> Je compris très bien ce qu'ils voulaient : aussitôt dénaturalisés, les juifs seraient arrêtés et déportés.
> J'ai dit aux Allemands : « Je refuse. » […]
> Je n'ai pas besoin de vous dire que le Maréchal abondait dans mon sens et a dit : « Je ne le ferai pas[16]. »

La vérité, bien entendu, était beaucoup plus complexe, mais personne ne s'y intéressait assez pour creuser davantage.

Seuls deux témoins sont convoqués pour parler spécifiquement du sort des juifs – et tous deux par la défense ! Le premier est le pasteur Marc Boegner, président de la Fédération protestante de France, qui s'était opposée plus vigoureusement que l'Église catholique aux persécutions antijuives. Accepter de venir témoigner au procès de Pétain avait été une décision difficile pour lui, mais il fut rassuré d'apprendre qu'Isorni avait aussi approché un évêque catholique et le grand rabbin. En fin de compte, aucun ecclésiastique ne fut autorisé par le Vatican à témoigner, et le grand rabbin se récusa également après quelques hésitations. Boegner accepta néanmoins de déposer.

Il décrit les six rencontres qu'il a eues avec Pétain sous le régime de Vichy pour protester contre différentes mesures prises par ce dernier : l'imposition du serment aux magistrats, la persécution des juifs, la remise de réfugiés aux Allemands. Son évocation de chacune des rencontres suit presque exactement le récit de son entretien du 26 juin 1942 avec le Maréchal, juste avant le déclenchement des pires persécutions antijuives :

> Je lui fis part de l'indignation croissante de nos Églises […] Je lui ai donné lecture d'une lettre que le conseil de la Fédération protestante m'avait prié de lui lire et lui remettre. Il l'a reçue avec la courtoisie avec quoi il a toujours accueilli mes démarches ; il l'a écoutée avec la plus grande attention ; il m'a rappelé l'entretien que j'avais eu avec lui au mois de janvier précédent et, une fois de plus, je dois le dire, j'ai eu l'impression d'une impuissance à prévenir, à empêcher de grands

maux que, dans son for intérieur, il appelait par leur nom et condamnait sans réserves[17].

Boegner sera « consterné » lorsqu'il lira dans la presse qu'il n'a pas donné devant la cour une image favorable de l'homme qu'il entendait défendre. Il reviendra dans son journal sur ce qu'il dit à l'audience :

> Me référant à propos des mesures raciales à ma déposition écrite, j'étais convaincu [...] que j'avais dit : « Je ne puis que confirmer... Jamais je n'ai recueilli du maréchal Pétain une parole d'approbation. Il m'a toujours donné l'impression d'être en complet désaccord avec son gouvernement. » Je me suis aperçu tout à coup en essayant de me rappeler mes paroles que cette phrase avait dû tomber[18].

Cette précision n'aurait sûrement rien changé : l'impuissance n'est guère plus défendable que la complicité.

L'autre témoin est Jean-Marie Roussel, un haut fonctionnaire qui a présidé la commission de révision des naturalisations mise en place par Vichy en juillet 1940. La mission de cette commission consistait à examiner toutes les naturalisations accordées depuis 1927, date à laquelle une loi libérale avait régularisé le statut des immigrants arrivés en France au cours de la décennie précédente. Comme beaucoup parmi eux étaient juifs, la création de la commission était une mesure d'antisémitisme à peine déguisé. Quand commencèrent en 1942 les arrestations de juifs étrangers, ses décisions pouvaient avoir des conséquences fatales pour les personnes concernées[19].

Roussel est, selon Isorni, « un personnage effacé et timide s'il en fut [...] tremblant et gris dans son costume étriqué de surnuméraire[20] ». Il raconte au tribunal que l'existence même de la commission démontrait que Vichy avait rejeté les demandes plus radicales de dénaturalisation systématique de tous ceux qui avaient obtenu la citoyenneté depuis 1927. Il déclare avoir accepté cette fonction après avoir reçu l'assurance que ni le gouvernement ni les Allemands n'interféreraient dans ses activités. Pour traiter quelque 250 000 dossiers concernant environ 900 000 personnes, il avait créé trois sous-commissions. Grâce à la « jurisprudence bienveillante, très humaine » de la commission qui n'avait « aucune préoccupation ni raciale ni politique », les sous-commissions n'en dénaturalisèrent « que » 3 %.

Roussel décrit les deux seules rencontres qu'il a eues avec Pétain :

> Mars 1941 : « Il a suivi parfaitement mon exposé, qui a duré une vingtaine de minutes [...] et m'a prié de féliciter et de remercier les membres de la commission [...] de la manière humaine et réellement bienveillante avec laquelle ils avaient agi. »

> 28 août 1943 : inquiet de la rumeur selon laquelle les Allemands vont exiger des dénaturalisations générales, Roussel demande à revoir Pétain. Au cours d'une conversation privée de deux minutes, ce dernier lui assure que le gouvernement de Vichy a rejeté l'injonction allemande. Roussel répond que la commission poursuivra ses travaux mais qu'elle ne dénaturalisera pas les personnes dont l'adresse est connue des Allemands. Pétain fait ce commentaire : « En effet, vous avez raison, et je suis très heureux de savoir que la commission prend ces mesures[21]. »

Une fois le témoignage de Roussel terminé, Isorni s'assure que ses auditeurs ont saisi deux informations clés : la commission de révision des naturalisations a sauvé des vies juives en jouant le rôle de tampon contre les Allemands ; Pétain a explicitement approuvé cette démarche.

Pendant l'audition de Roussel, André Mornet a le regard baissé. Faisant semblant de feuilleter ses papiers, il évite tout contact visuel avec le témoin. Le procureur général d'habitude si féroce ne pose pas de question et semble soulagé de voir partir le témoin. Il y avait une bonne raison à cela. En présentant son témoin, Isorni avait dit avec une certaine mauvaise foi qu'il l'avait convoqué « sans arrière-pensée ». En réalité, Jean-Marie Roussel est au tribunal pour une seule raison : afin de déconcerter Mornet, qui avait présidé l'une des trois sous-commissions de la commission de révision des naturalisations. Ce fut un moment électrique du procès : un témoin extrait de sa cellule à Fresnes où il attendait d'être jugé pour son rôle au sein d'une commission de Vichy se retrouvait à la barre sous le regard d'un procureur général qui avait travaillé avec lui au sein de cette même commission ! Roussel n'eut pas besoin de mentionner le nom de Mornet dans son témoignage. Il savait que tout le monde savait pourquoi Isorni l'avait convoqué au tribunal, et tout le monde savait qu'il savait.

La participation de Mornet à la commission de révision des naturalisations avait déjà été soulevée par la défense lors du procès du général Dentz. Il en avait livré une justification peu convaincante, teintée d'une indignation feinte :

> Oui j'ai fait partie d'une commission sur le sens et sur la portée de laquelle on m'avait trompé, lorsque j'ai dit que j'acceptais d'en faire partie ; pour protester précisément contre les mesures dont on avait entendu parler, mais que je n'aurais pas cru qu'on appliquerait un mois après. Et si je suis resté, c'est au su de tout le monde dans ce palais, et personne ne me démentira, c'est sur la prière même des persécutés, et je me félicite d'en avoir au moins sauvé cinquante pour cent[22].

Mornet n'avait pas de question et Roussel quitta la salle d'audience. Mais il ne vint l'idée à personne, ni au tribunal ni dans la presse, d'interroger l'existence d'une telle commission ou de se demander ce que sa création révélait de la nature du régime de Vichy. Quoi que Roussel ait affirmé quant à l'humanité qui aurait guidé ses délibérations et quoi qu'on ait voulu dire par « l'intérêt supérieur de la France », la commission avait bel et bien dénaturalisé quinze mille personnes. Ce fut l'amorce d'une série de mesures de persécution qui placèrent progressivement les juifs en dehors de la communauté nationale, les excluant de nombreuses professions et les spoliant de leurs biens. Si la création d'une telle commission ne choquait personne, c'est parce que l'idée qu'il existait un problème juif était largement partagée dans les années 1930, en particulier au sein des professions libérales. Les avocats français avaient alors protesté avec véhémence contre l'« envahissement » de leur profession par les juifs, et nombre d'entre eux avaient accueilli favorablement la politique de Vichy à cet égard. C'était le cas du bâtonnier du barreau de Paris, Jacques Charpentier, qui deviendrait une figure majeure de la Résistance, mais qui considérait que les juifs étaient trop nombreux parmi les avocats[23].

Le témoignage de Roussel est accueilli dans l'indifférence. Un article, dans la presse de la communauté juive, fait exception. Le 1er août, avant sa comparution, *Le Réveil des jeunes* (appartenant à la mouvance Bund) dénonce la trahison de Pétain qui avait livré aux Allemands « des femmes, des enfants, des vieillards dont le seul crime était d'être juifs ». *Le Réveil* regrette qu'il n'en ait pas été fait mention au procès, tout en reconnaissant que d'autres articles d'accusation étaient plus importants[24]. Mais le réquisitoire le plus virulent contre la politique antisémite de Vichy paraît sous la plume du poète Henri Hertz dans *La Terre retrouvée*, revue sioniste publiée à Paris. Son article du 25 août avait à l'origine été conçu comme une intervention au procès. Mais lorsqu'il devint évident que le texte paraîtrait en définitive après la fin de celui-ci, il fut officiellement remis à Mornet, à Mongibeaux et aux jurés le 10 août, au dernier jour d'audience. Une lettre d'accompagnement déclarait que ce jour serait désormais une « date historique puisque de la sorte le Judaïsme mondial se trouve être à la barre de ce procès »[25].

Hertz commençait ainsi :

> À l'heure où nous écrivons, aucun juif, semble-t-il, n'a été cité à la barre. Aucun n'a demandé à l'être. Nous ne savons pas quelle part leur fera l'accusation. [...] On doit souhaiter que, dans ce grand procès d'épuration de la France, soit levé le secret où, depuis la Libération, a été mis le problème juif [...] Dans toutes les vérités terrifiantes dont le faisceau forme le procès Pétain, il y une vérité juive. Elle ne se confond avec aucune autre.

Et Hertz concluait :

> Nous, juifs de France [...] nous portons témoignage que l'accusé, par son silence quand il pouvait parler, par son impassibilité quand il pouvait faire un geste, par son mensonge quand il soutient que jusqu'à aujourd'hui il n'a pas su, nous portons témoignage qu'il a accepté et patronné ces tortures d'exception, aboutissement fatal de la législation d'exception, concertée et développée par lui, sciemment et délibérément pendant cinq ans[26].

Chapitre 17

Le comte, l'assassin
et le général aveugle

Alors que le procès touche à sa fin, les débats abordent les derniers jours du régime de Vichy. L'amiral Bléhaut et le général Debeney sont convoqués à l'audience pour raconter l'étrange aventure de Sigmaringen. Debeney décrit de façon saisissante le dernier voyage de Pétain, de Sigmaringen jusqu'en Suisse : l'installation du Maréchal et de sa suite au château de Zeil, envahi de religieuses, d'orphelins et de réfugiés égarés ; le flot des troupes allemandes battant en retraite sous les attaques incessantes des avions alliés ; l'insistance de Tangstein, le chaperon allemand de Pétain, pour que ce dernier se remette en route ; la fin de non-recevoir de Pétain ; l'irruption de l'Allemand dans la chambre du Maréchal, au petit matin, pour lui proposer de le conduire en Suisse ; Pétain refusant de bouger sans assurance officielle que le gouvernement helvétique donnerait son autorisation. Debeney décrit ce qui se déroule ensuite :

> La journée se passe lentement. Nous voyons toujours défiler, à droite et à gauche de la localité, des troupes allemandes en retraite.
> À 18 heures, pas de réponse.
> À 19 heures, pas de réponse.
> À 19 h 30, pas de réponse.
> On se met à table et, vers 20 heures, arrive, coup sur coup, M. von Tangstein et M. le chargé d'affaires de Suisse qui viennent annoncer que la réponse suisse est favorable. Le Maréchal obtient une autorisation de transit à travers la Suisse.

Ce témoignage est conçu pour démontrer que Pétain avait été un prisonnier en Allemagne, qu'il n'avait joué aucun rôle dans les activités du pseudo-gouvernement de Sigmaringen et qu'il avait fait tout ce qui était en son pouvoir pour rentrer en France et défendre son honneur – ce qui conduit à ce commentaire acerbe de Mongibeaux : « Le Maréchal rentre en France pour défendre son honneur. Il est aujourd'hui devant nous et il oppose un mutisme absolu à toutes les questions[1]. » Reste que Sigmaringen était la période qui, dans l'ensemble, posait le moins de problèmes à la défense.

Défendre les neuf mois qui avaient précédé le départ de Pétain pour l'Allemagne s'avérait un tout autre défi. Durant cette période, après la tentative avortée du Maréchal pour se débarrasser de Laval à la fin de 1943, le régime de Vichy entrait dans sa phase la plus violente avec l'arrivée au gouvernement d'ultra-collaborationnistes comme Marcel Déat et Joseph Darnand. Ce sont les mois où la Milice se déchaîne contre les résistants et les juifs, où Georges Mandel et d'autres hommes politiques sont assassinés, où les Allemands commettent de terribles atrocités, dont le massacre de toute la population du village d'Oradour-sur-Glane, dans la Haute-Vienne. Pétain était sans doute un prisonnier dont les moindres faits et gestes étaient surveillés par Cecil von Renthe-Fink, son « geôlier » allemand, mais son nom continuait à couvrir les actions de son gouvernement.

Les avocats de la défense sont troublés d'apprendre que Fernand de Brinon, chef du « gouvernement » de Sigmaringen, et Joseph Darnand, chef de la Milice, vont être entendus par la cour. C'est Brinon lui-même qui a demandé à témoigner. Mornet n'avait pas plus envie que les avocats de la défense de les entendre, l'un étant, selon ses termes, un « homme d'affaires véreux » et l'autre « un assassin », mais Mongibeaux avait insisté. Le public attend avec un frisson d'impatience de découvrir en chair et en os ce sinistre duo, en ce dernier jeudi (9 août) du procès.

Issu d'une famille aristocratique désargentée, le comte de Brinon avait été, pendant l'entre-deux-guerres, un journaliste engagé avec ferveur dans la réconciliation franco-allemande. L'arrivée d'Hitler au pouvoir n'avait pas modifié ses opinions. En novembre 1933, il acquiert une certaine célébrité en devenant le premier journaliste français à obtenir un entretien avec le Führer. La rencontre est organisée par Joachim von Ribbentrop, le ministre des Affaires étrangères d'Hitler, que Brinon connaît pour l'avoir croisé lors de soirées données par un de ses amis, propriétaire des champagnes Pommery. Tel était le milieu dans lequel il frayait. S'ensuivent cinq autres rencontres avec Hitler. En 1937, Brinon fonde le Comité France-Allemagne pour favoriser l'amitié entre les deux pays.

L'idéalisme n'excluant pas la vénalité, il bénéficie de fonds allemands généreux. Ces bonnes relations font de lui le candidat qui s'impose, en juillet 1940, pour représenter le gouvernement de Vichy dans la zone occupée. Seul accroc dans le parcours de Brinon, il a épousé une femme d'origine juive, convertie au catholicisme, qui partage son snobisme aristocratique et ses préjugés sociaux. Sa présence lors des dîners mondains refroidit un peu les convives qui s'amusaient à échanger des plaisanteries antisémites[2]. Lorsque le gouvernement est déplacé à Sigmaringen, l'épouse de Brinon n'est pas autorisée à loger au château. Celui-ci y vit donc avec sa secrétaire, et maîtresse, Simone Mittre.

Son arrivée dans la salle d'audience suscite la même stupéfaction que celle de Laval une semaine plus tôt. Ses traits émaciés n'ont rien à voir avec ceux du personnage mondain que l'on découvrait dans les actualités cinématographiques ou dans les magazines de l'Occupation, assistant à des concerts de gala ou organisant de grandes fêtes où les officiers allemands côtoyaient des vedettes telle Arletty, dans sa somptueuse demeure de l'avenue Foch (confisquée à ses propriétaires juifs). Son trait le plus caractéristique était un nez proéminent qui, à l'époque de sa gloire, avait amené des commentateurs à parler de profil « Bourbon ». Aujourd'hui, au tribunal, sur le visage de cet homme visiblement malade qui marche en s'appuyant lourdement sur une canne, le fameux nez ne fait qu'accentuer combien il est ravagé. « Un traître de mélodrame revu par Dickens[3] », écrit Madeleine Jacob ; « une personnalité particulièrement repoussante[4] », selon l'observateur du Foreign Office. Même l'auteur des rapports arides des renseignements généraux se laissa aller à un moment d'imagination poétique : « Décharné il entre dans la salle, appuyé sur sa canne, avec un regard de vautour affolé[5]. »

Le message clé de la courte déposition de Brinon était simple :

> Le Maréchal était partisan d'un essai de réconciliation avec l'Allemagne, de règlement dans l'honneur et d'un effort de redressement de la France, en liaison si possible (« en liaison » n'est pas exactement le mot, je m'en excuse, je suis fatigué) en négociant avec les autorités allemandes [...] À mon sentiment, il n'a jamais été question de double jeu [...] Dans toutes les conversations que j'ai eues avec le Maréchal, il m'a toujours dit que sa conviction était qu'il fallait pratiquer cette politique-là[6].

Bien qu'ayant évité de prononcer le mot honni de « collaboration », Brinon avait immédiatement impliqué Pétain dans les
actions des derniers jours de Vichy. Seuls deux courts passages
de son témoignage pouvaient réconforter la défense. D'abord, il
confirmait que Pétain avait refusé d'avoir quoi que ce soit à faire
avec le pseudo-gouvernement de Sigmaringen. Ensuite, il affirmait
certes à son tour que le fameux télégramme de Dieppe, qui avait
tant obsédé le tribunal, était authentique et qu'il contenait bien la
signature « Philippe Pétain », mais il ne pouvait exclure la possibilité que Pétain n'en eût pas eu connaissance.

Sur Montoire, Brinon n'apprend rien à la cour qui n'ait pas déjà
été raconté, mais ses souvenirs des événements menant à l'arrestation
de Laval le 13 décembre 1940 sont involontairement révélateurs de
l'amateurisme et du byzantinisme de la politique vichyste. Brinon
avait été étroitement associé à la préparation du voyage prévu de
Pétain à Paris pour la cérémonie de réception des cendres du duc
de Reichstadt. Une fois tous les détails fixés, il quitte Paris pour
Vichy en compagnie de Laval le matin du 13 décembre. Rencontrant
Pétain avant le déjeuner, il lui remet la lettre d'invitation d'Hitler.
Le Maréchal demande alors une carte Michelin pour préparer son
itinéraire, un peu comme s'il s'agissait d'une excursion touristique.
Ils discutent de la liste des invités à la cérémonie. Tout semble en
ordre. Pétain part déjeuner et Brinon ne le revoit pas de la journée.
Puis un conseil des ministres est soudain convoqué :

> Laval est revenu livide, déclarant que le Maréchal l'avait congédié.
> [...]
> Il y avait à ce moment à Vichy un spectacle étrange. Les escaliers
> de l'hôtel du Parc étaient peuplés de policiers amateurs qu'on appelait
> les groupes de protection et M. Laval était inquiet, demandait ce qui
> allait lui arriver. Le soir, j'ai été dîner avec lui au restaurant Chante-
> cler. À la table voisine, il y avait M. Berthelot, qui était ministre des
> Communications [celui-là même qui avait ennuyé la cour à en mourir la
> veille]. M. Laval a dit à M. Berthelot : « Qu'est-ce que vous pensez de
> tout cela ? » M. Berthelot a dit : « Je n'y comprends absolument rien. »

Après le dîner, Brinon est confiné dans sa chambre. Il relate
ainsi la suite des événements :

> Le matin, vers 6 heures, on a frappé à ma porte et on m'a dit :
> « M. l'Ambassadeur, vous êtes libre. »

> J'ai demandé à avoir une trousse de toilette qui était restée dans la voiture de M. Laval, qui avait été saisie. Je me suis préparé. Je suis monté chez M. du Moulin de Labarthète [le directeur de cabinet de Pétain] et je lui dis : « Quels sont ces événements ? »
> Il m'a dit : « C'est l'aboutissement des difficultés dont je vous ai parlé souvent et de la mauvaise atmosphère qui régnait entre M. Laval et le Maréchal. Pour ma part, je déplore ces opérations […] Ce qui vous a été fait est lamentable. »

Avant de repartir pour Paris, Brinon a un dernier entretien avec Pétain. En se remémorant cette conversation, il réitère à l'audience son message clé : « Le Maréchal m'a expliqué qu'il ne pouvait plus vivre avec M. Laval ; qu'il n'y avait aucun désaccord sur la politique étrangère, qu'il fallait bien l'affirmer aux Allemands, que j'avais toute sa confiance[7]. » L'accusation n'aurait pu espérer un témoignage plus accablant.

À peine le comte sorti, voici qu'arrive l'assassin. Il aurait été difficile d'imaginer deux personnalités plus dissemblables, ni deux parcours plus différents ; pourtant tous deux s'étaient retrouvés dans le dernier bastion de l'ultra-collaborationnisme, sur les rives du Danube. Issu d'un milieu modeste, Joseph Darnand n'a pas suivi de longues études. Soldat d'un indéniable courage, il a reçu la médaille militaire des mains de Pétain en juillet 1918, ce qui a scellé sa vénération envers le Maréchal. Tout en dirigeant une petite entreprise de transport pendant l'entre-deux-guerres, il trempe dans la politique d'extrême droite. Pour autant, son évolution vers l'ultra-collaboration n'était pas écrite d'avance. D'autres ayant eu des parcours similaires s'engagèrent dans la Résistance, et Darnand lui-même eut des doutes. En 1943, il envisage la possibilité de rejoindre la France Libre. Mais il est trop tard. De Gaulle aurait lancé à cette occasion : « Alors si demain Darquier de Pellepoix se faisait circoncire, je serais obligé de l'accepter aussi ! »

Ceux qui s'attendaient à voir entrer à l'audience un méchant de pantomime sont déçus. Vêtu d'une veste de tweed et d'une culotte de golf, et non de l'uniforme sinistre de la Milice, Darnand a l'air inoffensif et ressemble plus à un valet de ferme endimanché, selon les termes d'un observateur, qu'au chef d'une organisation qui avait fait régner la terreur. « Un homme d'une force physique considérable et d'une intelligence manifestement limitée », notera-t-on à l'ambassade britannique. Sa voix est étonnamment aiguë. Lors de sa déposition, il se tient droit, les bras le long du corps[8]. On a du mal à imaginer que cet individu à l'allure quelconque a dirigé une organisation dont les membres prêtaient serment d'éradiquer « la démocratie, la lèpre juive et la dissidence gaulliste ».

Darnand décrit la création de la Milice en 1943, « avec l'accord du Maréchal ». Mongibeaux va droit au but :

> Mongibeaux : Le Maréchal savait-il que vous aviez prêté serment de fidélité au Führer ?
> Darnand : Pas encore.
> Mongibeaux : Vous ne l'aviez pas encore prêté ? Quand vous avez prêté serment au Führer, quelle a été la réaction du Maréchal ?
> Darnand : Le Maréchal ne m'en a pas parlé [...] Je ne pense pas qu'il l'ait ignoré. Je n'avais pas que des amis dans son cabinet.

Isorni n'intervient qu'à une seule reprise, pour tenter d'établir que Pétain n'a pas approuvé les crimes de la Milice. Darnand se refuse à entrer dans son jeu :

> Darnand : Jusqu'au dernier jour de notre présence en France, l'année dernière au mois d'août, j'ai été reçu par le Maréchal chaque fois que je l'ai demandé. [...]
> Mongibeaux : Que vous disait-il ?
> Darnand : À sa demande, je lui ai rendu compte de l'activité de la Milice.
> Mongibeaux : Il n'a pas fait de protestation ?
> Darnand : Le Maréchal a toujours été pour moi d'un très bon conseil, m'a toujours prêché la prudence [...].
> Mongibeaux [l'interrompant] : Quand vous outrepassiez ses conseils – parce que la Milice n'a pas été particulièrement prudente ni circonspecte – vous ne receviez pas de blâmes, ni d'observations ?
> Darnand : Je n'ai reçu qu'un seul blâme, c'est celui que le Maréchal m'a adressé le 6 août 1944, alors que les Américains étaient à Rennes, dans une lettre qui doit figurer au dossier[9].

Darnand s'abstient de citer sa réponse à cette lettre :

> Pendant quatre ans j'ai reçu vos compliments et vos félicitations. Vous m'avez encouragé. Et aujourd'hui, parce que les Américains sont aux portes de Paris, vous commencez à me dire que je vais être la tache de l'histoire de France ? On aurait pu s'y prendre plus tôt[10].

Darnand ne resta que dix minutes au tribunal. Personne ne semblait désireux de lui poser des questions, comme si sa simple présence avilissait les débats. Lorsqu'il quitta la salle, les bras ballants comme un écolier, il dut passer devant Pétain, ainsi que tous les autres témoins. Les deux hommes semblèrent à peine se remarquer. Son témoignage fut dévastateur : si personne ne doutait qu'il fût un assassin, il était au moins un assassin honnête.

Pour tenter de contrebalancer l'impact négatif du témoignage de Darnand, la défense appelle à la barre Jean Tracou, un officier de marine qui avait rejoint le cabinet de Pétain en janvier 1944, après l'affrontement spectaculaire au cours duquel les conseillers du Maréchal avaient essayé de monter une opération pour le libérer de Laval. Les Allemands avaient réagi par une lettre féroce de Ribbentrop posant un ultimatum à Pétain : soit il acceptait une série de nouvelles exigences, soit il démissionnait. Tracou en lit des extraits : « Depuis trois ans, il apparaît incontestable que les mesures que vous avez prises comme chef de l'État n'ont eu malheureusement que le résultat trop fréquent de contrarier la collaboration. » Une phrase mentionnait aussi la « résistance permanente » de Pétain au gouvernement allemand. Au cas où le tribunal n'aurait pas compris le message, Tracou explicitait ainsi : Hitler et Ribbentrop avaient eux-mêmes livré à Pétain un « magnifique certificat de résistance ».

Tracou évite de citer la réponse humiliante de Pétain à Ribbentrop, la pièce à conviction à laquelle celui-ci avait été confronté lors du dernier interrogatoire de l'instruction. Mais il y avait plus grave encore : comment défendre le discours invraisemblable prononcé par le Maréchal le 28 avril 1944 dans lequel il louait, moins de deux mois avant le débarquement en Normandie, « la défense du continent par l'Allemagne » contre le bolchevisme et mettait en garde contre la « prétendue libération » que les Alliés préparaient ? Tracou fait de son mieux :

> Je puis vous dire, pour en avoir été le témoin journalier, que ce message est à peu près entièrement de la main de M. Renthe-Fink. Il fut imposé par lui de la première à la dernière ligne. Ce fut une lutte de plus de deux mois autour de ce papier.
>
> Finalement, un jour, il arriva avec un télégramme de Berlin chez le Maréchal – j'étais présent – et lui dit : « M. le Maréchal, assez de tergiversations, il faut choisir : lire le message ou se démettre. »

L'explication de Tracou est globalement fidèle, mais il n'en reste pas moins que Pétain avait prononcé ce discours. Il n'avait pas démissionné. Pour en atténuer la portée, Tracou déroule le répertoire habituel d'anecdotes sur les sentiments secrets du « vieux renard » à l'égard des Allemands. Mais il racle les fonds de tiroir avec celle de l'officier allemand montrant à Pétain une carte des opérations en Normandie après le Jour J – la « prétendue libération » :

> Je voyais qu'il écoutait avec une certaine impatience les explications de cet Allemand, d'autant plus impatient, d'ailleurs, qu'il venait de subir Renthe-Fink auparavant pendant une heure.
>
> À un moment – c'est un détail – un moucheron vint à se poser sur la carte du Maréchal. Il l'écrasa de son doigt, et dit :
>
> « Tiens ! Un boche. Je le tue. »
>
> Je vous garantis que [cet incident], dont je suis le seul témoin, a fait un certain effet, et a fait baisser la température de quelques degrés dans la salle[11].

Le dernier jour

Vendredi 10 août.

La fin est en vue. Il ne reste qu'une journée avant que l'accusation et la défense ne prennent la parole. Avant le défilé des derniers témoins, une lettre du général Alphonse Juin est lue à la cour. Juin est un héros national, l'un des quatre généraux à avoir été élevés à la dignité de maréchal pour leur rôle dans la défaite de l'Axe. Il avait commandé les quatre divisions envoyées en Italie en 1944 qui avaient participé à la libération de Rome en juin.

Camarade de promotion de De Gaulle à Saint-Cyr, Juin faisait partie des rares personnes qui le tutoyaient. Au service de Vichy en tant que commandant en chef des forces d'Afrique du Nord, il s'était efforcé de reconstituer cette armée dans les limites autorisées par les Allemands. C'est à ce titre qu'en décembre 1941 il avait accompagné Brinon à Berlin pour négocier avec Göring. La discussion n'avait pas abouti, les Allemands s'inquiétant du fait qu'une armée française renforcée ne puisse être un jour utilisée contre eux. Le général Juin avait également tenu un rôle clé, aux côtés de Darlan, dans les événements de novembre 1942. Déchiré entre sa fidélité à Pétain et son hostilité envers le Reich, il tergiversa pendant quelques jours. Mais, dès l'occupation de la zone libre par les Allemands, le 11 novembre, il s'engagea ouvertement aux côtés des Américains.

Lorsque de Gaulle arrive à Alger en mai 1943, il tend immédiatement la main à son ancien camarade, désormais commandant de l'armée française en Afrique du Nord. Sa mission est de revenir dans la guerre aux côtés des Américains et des Britanniques. Ce qui provoque quelques grognements du côté des résistants, qui ne lui pardonnent pas sa fidélité originelle à Vichy et ses atermoiements de novembre 1942. Si de Gaulle l'a choisi, ce n'est pas par sentiment – il n'est pas un sentimental –, mais parce que Juin est le mieux placé pour vaincre les réticences des cadres de l'armée en Afrique du Nord à l'égard des Français Libres. Juin avait ainsi servi d'alibi pétainiste à de Gaulle. Les avocats de Pétain espéraient maintenant l'utiliser comme alibi gaulliste.

Juin avait accepté de témoigner pour la défense et affirmer, selon Isorni, que la France « devait plus à l'armée d'Afrique du Nord qu'à ceux qui monopolisaient la Résistance pour avoir tiré quelques coups de mitraillette dans la rue ou tondu des femmes[12] ». Même si Isorni était plutôt optimiste en mettant ces mots dans la bouche de Juin, le simple fait d'entendre une personnalité de sa réputation défendre Pétain aurait représenté une grande réussite pour la défense. Cependant, en tant qu'officier, Juin avait besoin de l'autorisation du général de Gaulle pour témoigner. Elle sembla acquise dans un premier temps, mais, à la dernière minute, Juin fut envoyé en mission en Allemagne afin d'éviter une situation inconfortable – à la fois pour lui et pour de Gaulle. Le coup fut dur pour Isorni, même si Juin accepta malgré tout de répondre par écrit à quelques questions. C'est ce document qui fut lu à l'audience.

Première question : Quelle était la position de l'armée de Vichy en Afrique du Nord avant novembre 1942 ?

> L'armée ne dissimulait pas ses sentiments antiallemands [...] Mais, dans son ensemble, elle voyait dans le vainqueur de Verdun un chef dont le patriotisme ne pouvait être mis en doute et dont elle espérait qu'il donnerait un jour le signal de la reprise du combat. Sans approuver tout ce qui se passait à Vichy, dont elle n'avait du reste que des échos lointains, elle avait pris l'habitude de séparer la personne du Maréchal des actes de son gouvernement.

Deuxième question : Avait-il connaissance de télégrammes secrets à destination de Darlan ?

> Je puis affirmer que les deux télégrammes de l'amiral Auphan
> nous ont été d'un grand secours. Ils nous ont permis d'apaiser un
> grand nombre de consciences tourmentées par le serment [de loyauté
> à Pétain] et encore hésitantes[13].

Bien que cette lettre n'ait pas le même impact qu'un témoignage
à l'audience, la défense n'aurait pu espérer mieux. Si Juin confirmait l'existence des télégrammes « secrets », personne ne pouvait
la remettre en cause. Et, en ne comparaissant pas en personne,
Juin avait échappé à des questions embarrassantes sur son propre
passé. Si, comme l'avait un jour noté Talleyrand, la trahison était
une question de dates, Juin s'était placé du bon côté de l'histoire
– à quelques heures près. Ce qui, pour les défenseurs de Pétain,
soulevait un autre problème : pourquoi Pétain était-il resté du mauvais côté de l'histoire pendant deux ans de plus ?

Les huit derniers témoins étaient des personnages sans envergure,
des figurants, pour la plupart inconnus du public, bien que certains
d'entre eux eussent occupé des postes importants dans l'entourage
de Pétain. Leurs arguments étaient désormais ennuyeusement familiers : le « double jeu », la collaboration comme couverture de la
résistance, la ruse du « vieux renard », l'influence néfaste de Laval,
le sacrifice que Pétain avait fait de sa personne pour protéger les
Français du pire, etc. Le Maréchal, qui avait eu la sagesse de
somnoler pendant la majeure partie de la journée, se réveilla pour
l'audition des deux derniers témoins, tous deux généraux.

Lorsque le général à la retraite Eon s'était manifesté pour témoigner en faveur de la défense, Isorni en était tombé des nues. Eon
affirmait avoir été l'un des premiers officiers à se rallier à la France
Libre à Londres. Entendre un gaulliste de la première heure prendre
la défense de Pétain était un atout formidable, à garder en réserve
pour la fin du procès. Cependant, Isorni avait négligé de se renseigner. Eon avait effectivement rejoint de Gaulle dès juin 1940,
mais il s'était rapidement révélé si excentrique que personne n'avait
su quoi faire de lui. Il passa donc des heures dans l'ascenseur de
Carlton Gardens dans l'espoir d'améliorer son anglais en discutant
avec le garçon d'ascenseur. Il en émergea à la fin de la guerre
avec un accent cockney. Frustré d'être mis à l'écart, il se retourna
contre de Gaulle et devint célèbre pour l'avoir suivi partout pour
conspuer ses discours.

Homme minuscule et paraissant bien plus âgé que ses soixante-six ans, Eon s'incline très bas devant Pétain en entrant dans la salle d'audience. Après plusieurs pirouettes pour repérer où sont assis les juges, il divague de façon incohérente pendant quelques minutes, jusqu'à ce qu'Isorni, alarmé, n'essaie de le remettre sur les rails en lui posant une question sur de Gaulle. Quand Eon répond que l'appel du 18-Juin a été « une déclaration que nous qualifierons de française et de jolie », la salle d'audience part d'un fou rire. Le général, discrètement reconduit vers la sortie, quitte le tribunal, écrit un journaliste, en sautillant comme l'un des sept nains de Disney.

Le dernier témoin, le général de Lannurien, avait été l'élève de Pétain avant 1914 et lui avait souvent rendu visite pendant l'Occupation. Devenu aveugle à la suite des blessures reçues à Verdun en 1916, Lannurien entre dans la salle en faisant résonner la canne blanche qu'il tient devant lui. Son patriotisme irréprochable et ses blessures de guerre font de lui le témoin parfait pour gagner la sympathie du jury. Il va nécessairement faire meilleure impression que le général Eon.

Son témoignage commence bien, mais l'humeur de la cour change lorsque Lannurien se lance dans une célébration du sacrifice sublime de Pétain. Cris et huées fusent, et Mongibeaux ne parvient pas à rétablir l'ordre. C'est alors que Germinal, l'un des jurés suppléants, se lève. Peu de jurés ont participé aussi activement au procès que lui et, pour l'occasion, il avait pris des renseignements :

> Germinal : Avec tout le respect que m'inspire le général pour ses blessures, je lui demanderai ce qu'il pense du maquis, ce qu'il pense de la répression contre les maquisards ?
> Lannurien : Je sais très bien de quoi veut parler M. le juré. Il s'agit de lettres que j'ai écrites au Maréchal.

C'était exact. Germinal lit un extrait d'une lettre que Lannurien a écrite à Pétain le 15 mars 1944, félicitant Darnand pour sa répression du « terrorisme »[14]. Alors que Lannurien tente, toujours sous les hurlements, de s'expliquer pour la première fois du procès, Pétain se lève brusquement de son fauteuil. S'avançant vers Lannurien, qui ne peut pas le voir, il déclare : « Je prends la parole pour une fois, pour dire que je ne suis pour rien dans la présence du général de Lannurien ici. Je ne savais même pas qu'il devait se présenter devant la cour[15]. »

Même Isorni est troublé par cette intervention. Il tentera plus tard de la justifier par le fait que le modeste Pétain avait été embarrassé par l'éloge de Lannurien à son égard. Dans la mesure où il avait écouté le général en silence jusqu'à ce que son nom soit associé à celui de Darnand, il paraît plus plausible que le Maréchal, dont la surdité semblait avoir disparu ce jour-là, ait compris à quel point les commentaires de Lannurien sur l'ancien chef de la Milice risquaient de lui nuire. Quand c'était nécessaire, Pétain n'hésitait jamais à sacrifier ses partisans les plus dévoués. Mais lorsque Lannurien quitta le tribunal, il lui pressa la main et lui murmura quelques mots. « Double jeu », nota Lecompte-Boinet avec acidité.

Cette scène concluait ces trois semaines de procès de manière troublante. Il s'était ouvert sur l'annonce officielle par Pétain qu'il garderait le silence ; il s'achevait sur l'image de celui-ci rompant ce vœu pour désavouer le vieillard aveugle qui avait été le dernier témoin de sa défense.

Chapitre 18

Réquisitoire et plaidoiries

Pétain : Comment sera-t-il Mornet ?
Isorni : Il demandera votre tête avec la plus grande courtoisie[1].

Le procureur général André Mornet n'avait pas eu le procès qu'il attendait. Il s'était montré irritable et sur la défensive, s'agaçait quand il ne trouvait pas les documents dont il avait besoin. La plupart des observateurs avaient été rebutés par ses explosions de colère feinte. Les images le montrent menaçant du doigt et secouant la tête de haut en bas, les manches de sa robe battant comme des ailes immenses. Il avait perdu une semaine à pousser l'accusation d'un complot à propos duquel il avait fini par admettre qu'il n'avait aucune preuve. Ses témoins avaient passé plus de temps à se défendre qu'à incriminer Pétain. Tout au long du procès, Mornet avait demandé à la cour d'être patiente, promettant qu'une présentation logique des documents permettrait de donner corps à sa thèse. Le moment était venu de le faire.

Lorsque ce samedi 11 août il se lève pour prononcer son réquisitoire, les documents amoncelés sur le bureau devant lui, le procureur général sait qu'il a tout à prouver. Il commence ainsi :

Messieurs, pendant quatre années – que dis-je pendant quatre ans – à l'heure actuelle encore, la France est victime d'une équivoque, la plus redoutable qui puisse jeter le trouble dans les esprits, celle qui à la faveur d'un nom illustre sert de paravent à la trahison. [...] Vous allez voir se dérouler avec une logique inéluctable tous les événements, toutes les étapes par lesquelles, de complaisance en complaisance, de trahison en trahison, de félonie en félonie, doit passer un gouvernement qui s'est condamné lui-même à vivre en intelligence avec l'ennemi[2].

Il va démontrer que Pétain a commis une trahison, qui a pris trois formes : faire croire au peuple français qu'il avait été définitivement vaincu et qu'il n'avait d'autre choix que d'accepter sa place dans une Europe dominée par l'Allemagne ; humilier la nation aux yeux du monde en la subordonnant au conquérant « au point de le prendre pour modèle, d'adopter ses lois, ses préjugés et jusqu'à ses haines » ; enfin, aider l'Allemagne, sous couvert d'une « neutralité hypocrite », dans la guerre qu'elle menait contre les anciens alliés de la France.

Convaincu que la trahison de Pétain a été motivée par la « vanité du pouvoir pour le pouvoir » doublée d'une haine de la république démocratique, Mornet revient à son cheval de bataille : « Un complot – je répète le mot – contre la sûreté intérieure de l'État. » Ayant de nouveau avancé le mot fatidique, le procureur général fait immédiatement marche arrière et concède : « Je ne rapporte pas la preuve d'une ingérence directe et personnelle de la part de Pétain » ; ce qui ne l'empêche pas de ramener la cour au réseau des conspirateurs de la droite antirépublicaine qui avaient placé leurs espoirs en Pétain dans les années 1930. Au bout de deux heures, Mornet se trouve toujours englué dans le complot qu'il est censé avoir abandonné. Peut-être ce faux départ faisait-il partie d'une première mouture de son réquisitoire qu'il n'avait pu se résoudre à abandonner.

Ayant conclu son interminable exposé d'un complot qui n'en était pas un, Mornet réfute ensuite l'argument du « double jeu ». Cela ne le retient pas longtemps. Où était le double jeu ? Il ne semblait consister qu'en de nébuleuses négociations menées par Rougier et Chevalier, et en quelques remarques sibyllines de Pétain en privé. Quant aux télégrammes secrets de novembre 1942, même s'ils avaient existé, ils ne pesaient pas lourd face à la lettre de félicitations adressée à l'amiral Esteva en Tunisie : « Ce n'est plus un code secret, cela », souligne Mornet. « Ce ne sont plus ses instructions secrètes transférées par l'amiral Auphan à l'amiral Darlan, c'est la volonté personnelle, c'est la politique personnelle du Maréchal affirmée dans cette lettre. »

Une courte suspension d'audience intervient alors. Le réquisitoire n'avait pas bien commencé. Mornet, d'ordinaire si pugnace, semble étonnement éteint. Sa voix ne porte pas. Comme le fait remarquer un journaliste, son nom qui sonne comme « morne » et « mort » semble ce jour-là justifié. Plusieurs jurés ainsi qu'un juge se sont assoupis[3].

Lorsqu'il reprend la parole, Mornet aborde la mise en place du régime de Vichy, l'acceptation de l'annexion de l'Alsace-Lorraine, Montoire et la politique de collaboration, la décision d'aider l'Allemagne en Syrie et de combattre les Américains en Afrique du Nord, le sabordage de la flotte – et ainsi de suite. Concession après concession, capitulation après capitulation, déclaration après déclaration, message après message : à leur énumération, son réquisitoire monte en puissance. Parmi les preuves qu'il a rassemblées figurent les communications suivantes :

> – Une lettre adressée à Hitler le 20 octobre 1941 : « M. le Chancelier, l'anniversaire de l'entrevue de Montoire est une date dont je tiens, en dehors du protocole, à marquer le sens et la portée. Il y eut dans votre geste de l'an dernier trop de grandeur pour que je ne sente pas le devoir de souligner en termes personnels, le caractère historique de notre conversation. »
> – Le télégramme de Dieppe offrant « la participation de la France à sa propre défense » (en d'autres termes, de combattre aux côtés des Allemands).
> – Le discours de Laval du 22 juin 1942, modifié mais approuvé par Pétain[4].
> – La lettre de Pétain au colonel Labonne, chef de la LVF, l'assurant qu'en « participant à cette croisade dont l'Allemagne a pris la tête », « vous détenez une part de notre honneur militaire ».
> – La lettre à l'amiral Esteva du 18 novembre 1942 le félicitant d'avoir autorisé l'entrée des troupes allemandes en Tunisie.
> – La lettre à Ribbentrop de décembre 1943 à propos de laquelle Mornet déclare : « On ne pouvait vraiment pousser plus loin, non pas même la collaboration, mais la subordination. »
> – Le message du 28 avril 1944 dénonçant la « prétendue libération ».

Mornet avait parlé pendant cinq heures. Vers la fin, sa fatigue était perceptible quand il évoqua à deux reprises le « maréchal de Gaulle ». Mais, de l'avis général, il s'était rattrapé par une prestation d'autant plus efficace qu'elle avait été mesurée. Ayant abandonné sa posture habituelle d'indignation feinte, il ressemblait davantage à un chef d'entreprise lisant son rapport annuel. Il laissait les faits et les citations parler d'eux-mêmes. « Il tresse patiemment maille à maille », écrit un observateur, « le filet qui cerne l'accusé, enserre, et l'étouffera »[5]. Il ne présenta rien que le tribunal n'ait déjà entendu, mais cette implacable litanie de documents et de messages fut dévastatrice, comme le notèrent Jean Schlumberger et Maurice Clavel, dont les reportages avaient été plus mesurés que la plupart. Dans *Le Figaro*, Schlumberger écrit ainsi :

> Je doute qu'aucun des textes qu'il a cités fût inconnu : proclamations radiodiffusées du Maréchal, allocutions, lettres officielles ou privées. Toute la force de l'argumentation est venue de leur juxtaposition et de leur nombre [...] Cet amas est effrayant. [...] Les commentaires de M. Mornet fussent-ils quelquefois contestables, les textes sont là, multiples, affreux [...] On n'en peut plus. Il y en a trop. Si disposé qu'on soit à expliquer par les circonstances maint cruel ploiement sous la nécessité, il y a des accents qu'aucune nécessité ne saurait imposer[6].

Clavel ne dit pas autre chose dans *L'Époque* :

> Le procureur général n'a presque rien dit que personne ne sût. [...] Il reste pourtant quelque chose de nouveau du réquisitoire : quelque chose qui ne tient pas tant au fond qu'à la forme des actes et paroles du Maréchal. S'il est vrai que toutes ses déclarations étaient destinées à éviter le pire, s'il est vrai qu'elles ont été prononcées à contre-cœur, on aurait pu espérer que la loi de la nécessité, qui les excuse, les réduisît au strict nécessaire [...]
>
> Voilà pourquoi nous sommes stupéfaits par la gratuité, le luxe et l'abondance collaborationniste de certaines déclarations, télégrammes ou messages cités par le procureur général[7].

Même Pétain semble affecté. Il avait déclaré le matin même à Joseph Simon : « C'est dur de rester impassible. Je ferai tout ce que je pourrai pour rester calme, mais ce sera très dur. Dire que j'ai trahi la France, c'est terrible, c'est honteux[8]. » Tandis que Mornet poursuit sa démonstration implacable, Pétain montre les signes habituels de sa nervosité, manipulant ses gants, les boutons de son uniforme, frottant les accoudoirs de son fauteuil, tordant machinalement le ruban de sa médaille militaire. « En un geste d'halluciné, comme dans un rêve », décrit Madeleine Jacob, « il semble vouloir l'arracher de sa poitrine »[9].

Alors que Mornet en arrive à sa péroraison, Pétain se retourne pour le regarder. C'est ainsi que le procureur général prononce les derniers mots de son réquisitoire en le fixant dans les yeux :

Songeant à tout le mal qu'a fait, qu'ont fait, à la France, un nom et l'homme qui le porte avec tout le lustre qui s'y attachait, parlant sans passion, ce sont les réquisitions les plus graves que je formule au terme d'une trop longue carrière, arrivé, moi aussi, au déclin de ma vie, non sans une émotion profonde mais avec la conscience d'accomplir ici un rigoureux devoir : c'est la peine de mort que je demande à la Haute Cour de justice de prononcer contre celui qui fut le maréchal Pétain[10].

Dimanche 12 août

Les trois avocats de la défense passent la journée du lendemain à travailler sur leurs plaidoiries. Avant même l'ouverture du procès, la préparation de ce moment avait provoqué l'une de leurs plus violentes querelles. Payen, doyen du trio, partait du principe qu'il serait le seul à plaider. Il n'en était pas question pour Isorni, qui menaça de se retirer du procès. Comme d'habitude, Lemaire joua les conciliateurs. Payen fit des concessions tout en conservant le rôle principal. Après tout, il s'agissait de son ultime tentative d'entrer à l'Académie française. Les trois avocats parvinrent à un compromis insatisfaisant. Payen prononcerait sa plaidoirie en trois parties, en ouverture, au milieu et en clôture, et les deux autres s'exprimeraient dans l'intervalle. Une fois adoptée cette solution « en sandwich », selon le mot d'Isorni, les trois avocats se répartirent la tâche dans les grandes lignes, mais ne se concertèrent guère sur les détails, si bien que leurs sept heures cumulées de discours contenaient des chevauchements, des répétitions, voire des contradictions.

Alors que la tension monte au cours de la dernière semaine du procès, les jurés reçoivent des lettres de menace venant des deux bords. Ils sont escortés par la police entre le Palais de justice et leur domicile. Un tract, largement diffusé, donne le nom et l'adresse exacts de chacun d'eux, avec cet avertissement : « Si ces hommes commettent une injustice, vous saurez qui l'a commise. » La plupart ont vraisemblablement pris leur décision depuis longtemps, mais pas Jacques Lecompte-Boinet, qui poursuit son examen minutieux des preuves apportées par les deux parties et continue à éprouver de la répulsion pour « l'abominable religion » des jurés sympathisants du Parti communiste :

En tout cela je suis un prisonnier. Je crois qu'il est de mon devoir de rester là pour tenter de sauver quelque chose, un semblant d'honnêteté intellectuelle du jury. Je reproche à Pétain d'être resté en France, alors que les Boches la submergeaient, alors que son autorité était devenue nulle. Je lui reproche d'avoir couvert de sa présence et de son prestige ce qu'il ne pouvait empêcher.

Et comme Pétain, je reste là, m'imaginant que ma présence pourra sauver quelque chose. Je couvre de mon nom. Et mon nom risque de s'en trouver éclaboussé.

Dans son journal, il soupèse à nouveau les arguments :

Il faut condamner Pétain parce qu'il a pris la responsabilité de tout ce qui s'est fait « sous son règne ».

Il n'y a pas de double jeu qui excuse le « Je suis battu ; répétez-vous tous les matins que nous sommes battus » et le « Je marche dans la main de Pierre Laval » et la lettre de félicitations au colonel Labonne, lui disant qu'il détenait dans ses mains l'honneur de l'armée française. […]

Je l'accuse d'avoir rompu l'unité française pendant l'Occupation et d'avoir délibérément et sadiquement voulu la rompre de nouveau, par vanité, en revenant faire ce procès qui, quel que soit le verdict, sera un élément de discorde entre Français.

Juste avant le dernier jour, Lecompte-Boinet griffonne quelques ultimes réflexions :

Il n'a pas l'intention de trahir. Il a commis de telles erreurs, a eu de telles faiblesses, que cela équivaut à la trahison.

Mais [avec Lecompte-Boinet, il y a toujours un « mais »] il faut se placer sur le plan du Français moyen : il a sauvé des prisonniers ; c'est Laval qui le menait ; il rendu des services[11].

Les discours de la défense apporteraient-ils de la clarté ?

Les Jurés sont responsables

La France toute entière ne porte pas la responsabilité du jugement que quelques hommes vont rendre à l'issue du procès du
Maréchal PÉTAIN.

Ceux qui prononcent la sentence engagent devant le peuple de
France leur propre responsabilité.

Il faut connaître leurs noms :

JURÉS PARLEMENTAIRES

Titulaires : *Bèche*, Député des Deux-Sèvres, 149, avenue de Li-
moges, à Niort.
Bender, Sénateur du Rhône, Audenas (Rhône).
P. Bloch, député de la Loire, 12, rue Labordère,
Neuilly-sur-Seine.
Delattre, député des Ardennes, 1, rue Bixio, Paris-7ᵉ.
Dupré, député du Nord, 113, rue Pierre-de-Roubaix,
Roubaix.
Lévy-Alphandéry, député de la Haute-Marne, Chau-
mont.
Mabru, député du Puy-de-Dôme, 2, rue du Port,
Clermont-Ferrand.
Prot, député de la Somme, Longeau (Somme).
René Renoult, sénateur du Var, 20 bis, rue La Boétie,
Paris-8ᵉ.
Tony Révillon, sénateur de l'Ain, 15, place Malesher-
bes, Paris.
Sion, député du Pas-de-Calais, 25, avenue Raoul
Briquet, Lens.

Suppléants: *Catalan*, à Cologne (Gers).
Chassaing, 15, rue Blaise Pascal, Ambert (P.-de-D.).
Rous Joseph, 17, rue de l'Horloge, Ax-les-Thermes
Ariège.
Jammy Schmidt, 22, rue de l'Abbé Groult, Paris-15ᵉ.

JURÉS NON PARLEMENTAIRES

Titulaires : *Marcel Bergeron*, U. N. I. T. F. 55, rue Pierre Char-
ron, Paris.
Gervolino, Hôtel Pereyre, 63, rue Madame, Paris-6ᵉ.
Maurice Guérin, 11 bis, rue Roquépine, Paris.
Jean Guy, 10, rue Saumères, Toulouse.
Jacques Lecompte Boynet, 6, rue Fréville le vingt,
Sèvres.
Roger Lescuyer, 83, bd. Gergovie, Clermont-Ferrand.
Loriguet, 14, rue La Fontaine, Paris-16ᵉ.
Meunier Pierre, 73, rue de Varenne, Paris-7ᵉ.
Perney, 31, rue des Batignolles, Paris-17ᵉ.
Docteur Poricher, 1, rue Cabanis, Paris-13ᵉ.
Seignon Henri, 8, av. Charles Floquet, Paris-7ᵉ.
Stibbe Pierre, 1, square Vermenouze, Paris-5ᵉ.

Suppléants: *Destouches*, 19, rue St-Georges, Paris.
Germinal, Périgueux (Dordogne), 4, rue St-Roch,
Paris.
Lévêque Marcel, 82, bd. de Picpus, Paris-12ᵉ.
Poupon Georges, 50, bd. Lamoureux, Vitry-sur-Seine.

Si ces hommes commettent une injustice, vous saurez qui l'a commise

22. « Les Jurés sont responsables. »

Entre somnolence et provocation

Lundi 13 août.

La première des trois interventions de Payen porte sur la période précédant l'armistice. C'est celle qui pose le moins de difficultés à la défense car le dossier contre Pétain est mince. L'avocat entame sa plaidoirie en rappelant à la cour la lourde responsabilité que représenterait la décision de condamner à mort un homme de quatre-vingt-neuf ans, « le plus glorieux » des fils de la France. À peine a-t-il parlé quelques minutes que Pétain s'écrie : « Foutez-moi la paix ! » Le Maréchal s'adresse-t-il à son avocat ? Il s'avère qu'il invective un photographe accroupi à ses pieds. Les actualités le montrent agitant rageusement ses gants pour chasser l'indiscret, à qui Mongibeaux demande de faire preuve de respect. Payen peut reprendre.

L'avocat rappelle que Mornet n'a pas totalement abandonné la thèse du complot : « Aujourd'hui, on ne parle plus de complot mais on remplace le complot par… – quel est le mot qui a été employé ? – une préparation, une préparation solitaire. » Il souligne que cette partie de l'acte d'accusation est presque entièrement rédigée au conditionnel : « Ce n'est pas avec des formules incertaines comme celle-là qu'on démontre la culpabilité d'un homme. »

Puis il en arrive à l'armistice. Payen affirme qu'il se justifiait par les terribles circonstances de l'époque et l'impossibilité de poursuivre le combat depuis l'Afrique du Nord. Non seulement l'armistice était inévitable, mais il a aidé la France en lui évitant de subir le sort affreux de la Pologne et d'être gouvernée par un gauleiter. Il a également aidé les Alliés en empêchant l'Afrique du Nord de tomber entre les mains des Allemands. À cet égard, Payen ne cite pas moins que le général de Gaulle lui-même, lequel avait célébré, dans un discours de mai 1945, « l'importance de notre Afrique du Nord comme base de départ pour la libération de l'Europe ».

Argument plus fort encore, Payen rappelle que si l'armistice était un crime, c'était un crime dont tous, ou presque, étaient complices. Il cite, avec efficacité, l'ancien président Lebrun :

> Pour mesurer exactement la responsabilité d'un accusé, le juge doit
> s'efforcer de se replacer dans l'ambiance où il se trouvait quand il a

commis ce qu'on appelle son crime. [...] Je m'émeus de la facilité avec laquelle certains hommes, tranquillement installés dans leurs fauteuils, quatre ans après les faits en cause, et alors que les événements ont pris une tournure si différente de celle de naguère, élèvent le blâme ou la louange [...] sans se préoccuper des circonstances qui ont pu déterminer les propos et les actes[12].

Enfin, Payen termine par un long rappel de l'état d'esprit de la population en juin 1940 :

> Je ne comprends pas, en toute conscience, en toute bonne foi, comment M. Louis Marin a pu dire ici que les troupes françaises ne voulaient pas du tout l'armistice, qu'elles ne demandaient qu'à continuer à se battre. [...] Je ne sais pas ce que vous pensez. Vous avez certainement dans l'esprit une opinion déjà faite, mais je vous assure, parlant de ce que j'ai vu [...] et entendu, que l'armistice a été accueilli partout avec un immense soulagement qui n'était peut-être pas à base d'héroïsme mais enfin qui est à base de satisfaction. [...] L'armistice a été bien accueilli parce que, précisément, il mettait fin à la bataille[13].

En bref : si Pétain était coupable, les Français l'étaient aussi. La France aussi.

La première plaidoirie de Payen était solidement construite, mais, comme le nota Lecompte-Boinet, « d'un ennui mortel », et prononcée d'une voix monocorde à peine audible. *France-Soir* écrit : « L'assistance, sous le poids de la chaleur et du ronronnement de maître Payen, sombre dans l'accablement. Tout ce monde en sueur se défend péniblement du sommeil. Ceux que retient attentivement le devoir professionnel notent au passage des bribes de phrases, des lambeaux d'argument noyés dans ce débit uniforme[14]. »

Comme le releva un commentateur ce jour-là, le problème pour la défense était que dans la mesure où les jurés étaient à la fois « implacables et somnolents », « il était difficile de les adoucir sans les assoupir, ou de les réveiller sans les indisposer »[15]. Payen avait choisi la première stratégie. Lemaire essaya la seconde.

Alors que Payen s'était montré apathique et peu audible, Lemaire prononce son discours à grand renfort de formules déclamatoires et d'emphase, agitant les mains, multipliant grimaces et rictus – tout le répertoire « des gestes de mauvais cabotin[16] », commente une journaliste. Il commence non par défendre Pétain, mais par attaquer Mornet, lequel ne manque pas de mordre à l'hameçon.

Mongibeaux finit par mettre un terme à cet échange houleux. Quand l'avocat en arrive à l'affaire Pétain, il s'attache à réfuter la partie de l'acte d'accusation censée avoir été abandonnée par le procureur : le complot de longue date visant à s'emparer du pouvoir. À un autre moment, pour contrer l'accusation selon laquelle Pétain avait nommé dans son premier gouvernement plusieurs hommes réputés d'extrême droite, Lemaire marque un maigre point en rappelant à la cour que beaucoup de ceux que Reynaud avait pris dans son gouvernement en 1940 avaient fini par soutenir l'armistice, et attendaient actuellement d'être jugés. Reynaud était-il coupable de leurs crimes ? L'erreur d'appréciation politique était-elle un crime ?

Le discours de Lemaire paraît agressif et hors sujet. Isorni et Payen, pour une fois unanimes, sont mécontents de cette approche. À un moment, Payen agrippe la toge de Lemaire pour le calmer. Seul Pétain est satisfait. On le voit pendant la plaidoirie sourire et même rire. De retour dans sa chambre, il déclare à sa femme que Lemaire a été « épatant ! épatant ! Qu'est-ce que Mornet a pris[17] ». Il est le seul, cependant, à considérer que cette journée a été satisfaisante pour la défense.

Les dernières plaidoiries

La deuxième partie de la plaidoirie de Payen, prononcée le mardi 14 août, s'articule autour de trois thèmes :

1. Pétain n'était pas Laval
« La politique de Laval, c'était cela, basée tout entière sur cette catastrophique erreur, à savoir : la victoire définitive de l'Allemagne […] Mais ce n'est pas de cela qu'il s'agit ici dans le procès du Maréchal, ni de près, ni de loin, parce que […] cette politique d'abandon, d'union intime, d'union docile, d'union à longue échéance avec l'Allemagne n'a jamais été celle du maréchal Pétain[18]. »

2. Pétain en Metternich (variante de Pétain le « vieux renard »)
Pétain avait manœuvré du mieux qu'il avait pu. Il n'avait cependant pas mené un « double jeu », au sens où il aurait joué deux cartes différentes. Pétain n'avait en effet qu'une seule carte, celle des Alliés, mais il ne pouvait pas toujours la montrer. Payen invoque l'exemple du général Scharnhorst en Prusse en 1806 après la victoire de Napoléon à Iéna, et celui de Metternich en Autriche en 1809 après la victoire de ce même Napoléon à Wagram. Dans les deux cas, ces hommes d'État, futurs héros dans leurs pays respectifs, avaient dissimulé leurs véritables

intentions. Payen cite Metternich : « Nos principes sont inébranlables, mais on n'entre pas en lutte avec la nécessité. Il faut que nous réservions nos forces pour des temps meilleurs et que nous travaillions d'ici là à notre salut par des moyens plus doux. Notre système consistera exclusivement à louvoyer, à éviter tout engagement et à flatter[19]. »

3. L'âge de Pétain

Comme les concessions de Pétain semblaient aller au-delà de ce que pouvait exiger une roublardise « à la Metternich », Payen rappelle à la cour le grand âge de Pétain. Il cite un vichyste qui avait affirmé que le Maréchal n'était pleinement opérationnel que trois heures par jour : « Quand il est fatigué, surtout le soir, on peut lui faire signer ce que l'on veut sans qu'il s'en rende compte[20]. »

Une fois de plus, le discours de Payen est bien construit. Une fois de plus, il est prononcé sur un ton monocorde à peu près inaudible. Mais, lorsqu'il aborde la question de l'âge de son client, Pétain agite ses gants en signe de dénégation. « Ça va être horrible », chuchote Lemaire à Isorni. Et quand Payen revient sur ce thème, il ne peut plus ignorer le désarroi manifesté par Pétain : « Je fais allusion à l'âge du Maréchal. C'est un sujet qui lui est extrêmement désagréable. Je crains une interruption, mais je dis tout de même ce que je pense. » Lorsqu'il a terminé, Pétain, furieux, lance à Isorni : « Il a plaidé gâteux[21]. »

C'est maintenant au tour d'Isorni de prendre la parole. Il sait que l'heure qui suit sera la plus importante de sa vie. Il a suscité de grandes attentes. De l'avis général, il a été la révélation du procès. La veille, Madeleine Jacob elle-même lui a proposé un cachet de Ropéine pour qu'il tienne la distance. Indépendamment de ses opinions, elle était une fine connaisseuse des ténors des salles d'audience et elle voulait voir ce dont Isorni était capable. Avantage du format « en sandwich » adopté pour les plaidoiries, Isorni n'aurait pas de mal à briller après le soporifique Payen. Lorsqu'il se lève, sa nervosité est si palpable que Madeleine Jacob (encore elle !) lui propose un verre d'eau : « Je l'ai accepté volontiers, je n'ai pas été empoisonné. » Un journaliste le décrit « *absolument* pâle, d'une pâleur qui intéressait tout l'être[22] ».

Contrairement à Payen, Isorni ne lit pas un texte rédigé. Il improvise à partir de quelques notes. Lorsque les trois avocats s'étaient réparti la tâche, il avait volontiers accepté de défendre les aspects apparemment les plus indéfendables de la politique de Vichy : les atrocités de la Milice, le STO, la LVF et la persécution des juifs. Dès le début, Isorni avait voulu non pas faire amende honorable pour Vichy, mais défendre le régime avec conviction – non pas trouver des excuses à l'action de Pétain, mais expliquer les principes qui l'avaient sous-tendue.

L'argument du jeune avocat n'est pas que Pétain a joué un « double jeu » (il ne fait jamais allusion aux prétendus contacts avec les Britanniques), ni qu'il a cru à la réconciliation franco-allemande (il ne prononce pas une seule fois le mot « collaboration »), ni qu'il faut blâmer Laval (l'ancien chef de gouvernement n'est jamais mentionné) :

> La politique du Maréchal était la suivante : sauvegarder, défendre, acquérir des avantages matériels, mais souvent au profit de concessions morales. La Résistance a eu une conception contraire : elle ne cherchait point à éviter les sacrifices immédiats. Dans la continuation du combat, elle voyait, d'abord, des avantages moraux. Peut-être, Messieurs, trouverez-vous dans l'antinomie de ces deux thèses une raison du drame français auquel je reviendrai tout à l'heure.
>
> Mais, la vie des États n'est pas la vie des individus. S'il est grave qu'un individu acquière des avantages matériels au prix de concessions morales, dans la vie de l'État il en va autrement. Les concessions morales qui étaient susceptibles de porter atteinte à l'honneur du chef, c'était le chef seul qui les supportait. Mais les avantages matériels, ils étaient pour qui ? Ils étaient, pour le peuple français[23].

Cet argument classique du « bouclier » et du « glaive » permet à Isorni de rendre un hommage appuyé à la Résistance et de rappeler à la cour les nombreuses occasions où il a lui-même défendu des résistants devant les tribunaux de Vichy. Quant au sacrifice par Pétain de son honneur personnel pour les intérêts matériels des Français, l'avocat souligne à juste titre que c'était bien le choix qu'avaient fait les magistrats qui avaient prêté serment à Pétain. Il cite la réponse de Mornet lui-même à Léon Blum quand ce dernier avait affirmé qu'aucun magistrat digne de ce nom n'aurait accepté de siéger à Riom :

> M. le Procureur général s'écriait : « Mais que serait-il arrivé si les magistrats français avaient refusé de prêter serment ? » Et c'est encore M. le Procureur général qui apportait lui-même la réponse dans son réquisitoire, lorsqu'il disait : « Mais la magistrature, à laquelle je rendis hommage, a sauvé des quantités de vies françaises. » C'est exact[24].

Si les magistrats avaient tous démissionné, d'autres moins scrupuleux auraient pris leur place et les Français auraient souffert davantage ; l'argument pouvait s'appliquer à tous les serviteurs du régime ; à Pétain lui-même. Après avoir posé son argumentation, Isorni entreprend de l'appliquer à chacune des mesures reprochées au gouvernement de Vichy :

> – Le STO : 640 000 travailleurs ont été contraints d'aller travailler en Allemagne mais, grâce aux efforts de Vichy, ce chiffre a été bien inférieur aux quotas réclamés par les Allemands.
> – La LVF : elle n'a jamais été une organisation officielle de Vichy ; elle était bien moins importante que son équivalent belge, la Légion Wallonie.
> – La persécution des juifs : Pétain s'est opposé au port de l'étoile jaune en zone libre ; il a refusé la demande allemande de dénaturalisation systématique des juifs ayant acquis la nationalité après 1927 ; la zone libre a fourni une certaine protection aux juifs ; une proportion beaucoup plus élevée de la communauté juive a survécu en France qu'en Pologne : « La grande iniquité, c'est de vouloir rendre le maréchal Pétain responsable de toutes ces atrocités qui ont été commises par les Allemands. [...] C'est seule l'action du gouvernement du Maréchal qui les a, peut-être faiblement, mais protégés quand même. »

L'argumentation sur les juifs passait sur de nombreux faits graves, mais comme Isorni savait que la question n'était pas centrale pour la cour – c'est à peine si elle figure dans le réquisitoire de Mornet –, et dans la mesure on en avait alors une connaissance imparfaite, ses approximations ne furent pas relevées.

Lorsque Isorni en arrive à la répression brutale des résistants par la Milice – question qui, chez la plupart des jurés, résonnait bien plus fortement que la persécution des juifs –, il utilise lui aussi l'argument selon lequel la vérité a été cachée à Pétain :

> Au fort de Montrouge, j'ai souvent parlé au Maréchal de la Résistance. Il la connaissait certes, mais si vous saviez comme il a été trompé sur la réalité de votre action ! [...] Vraiment, croyez-vous que le maréchal Pétain était au courant des brutalités policières[25] ?

En dernière analyse, la puissance de la plaidoirie d'Isorni était moins liée à la substance de ses arguments qu'à l'émotion qui se dégageait de son identification absolue avec l'homme qu'il défendait – en contraste avec la sobriété de Payen ou les trémolos mélodramatiques de Lemaire. *Combat* commente ainsi : « Il est jeune, ardent, sincère, sans véhémence. Il use de mots simples, mais pleins d'une émotion contenue. Il ne joue pas un rôle, il le vit. » La photographie la plus célèbre du procès montre le jeune avocat, debout derrière Pétain, les mains tendues en signe de supplication. Madeleine Jacob ne fut pas déçue : « Long, mince, distingué, une tête d'archange. […] lorsque plus tard on parlera du procès de Pétain, c'est le nom de maître Isorni qui s'imposera à l'histoire de cette affaire[26]. »

23. Isorni en train de plaider.

Isorni joua sur son intuition que, malgré tout, l'emprise affective de Pétain sur les Français perdurait ; que la foi qui avait conduit la presque totalité de la classe politique à s'abriter derrière son mythe en 1940 avait laissé des traces profondes ; que s'il était coupable, alors la France entière l'était aussi, et que beaucoup voudraient être persuadés que l'histoire racontée par Mornet n'était pas la seule vérité possible. Le pathos atteint son paroxysme au moment de la péroraison :

Vous avez fait parler les morts. Vous avez appelé à votre barre le témoignage de ceux qui ont été persécutés. Vous avez ranimé le souvenir des captifs. Ah ! qu'à mon tour j'appelle à votre barre les vivants, ceux qui ont été libérés, ceux qui ont été protégés. Vous avez entendu la voix des hommes qui sont partis ; laissez-moi entendre celle des femmes qui sont restées. [...]

Mais, Messieurs, si malgré tout ce que je viens de dire, si malgré le sentiment de la vérité qui est en moi, vous deviez suivre le procureur général dans ses réquisitions impitoyables, si c'est la mort que vous prononcez contre le maréchal Pétain, eh bien ! Messieurs, nous l'y conduirons. Mais je vous le dis, où que vous vous trouviez, à cet instant, que vous soyez à l'autre bout du monde, vous serez tous présents. Vous serez présents, Messieurs les magistrats, vêtus de vos robes rouges, de vos hermines et de vos serments. [...] Et vous verrez, au fond de vos âmes bouleversées, comment meurt ce maréchal de France que vous aurez condamné. Et le grand visage blême ne vous quittera plus. [...] Non, non, il ne faut pas espérer de la clémence d'un autre [une allusion à l'idée que de Gaulle pourrait exercer son droit de grâce].

[...] Elle est enfin venue l'heure de la souveraine justice. [...] Nous l'attendons avec tous les souvenirs de notre longue histoire, de ses fastes et de ses misères, de ses agonies et de ses résurrections. Oui, en cette minute même, tous ces souvenirs se lèvent irrésistiblement en nous, comme ils doivent se lever en vous-mêmes, et forment l'image de l'éternelle patrie. Depuis quand notre peuple a-t-il opposé Geneviève, protectrice de la ville, à Jeanne qui libéra le sol ? [...]

Magistrats de la Haute Cour, écoutez-moi, entendez mon appel. Vous n'êtes que des juges ; vous ne jugez qu'un homme. Mais vous portez dans vos mains le destin de la France[27].

Payen rompt le charme

Lorsque Isorni a terminé, Francine Bonitzer note : « Bien des yeux étaient alors humides et peut-être était-on tout prêt de céder au désir de cette réconciliation si éloquemment prônée[28]. » Il semble que même Mornet a succombé à l'émotion générale : immédiatement après que l'avocat, épuisé, s'est effondré sur son siège, le procureur général se précipite pour le féliciter. « Ah ! Vous avez dit tellement tout ce que je pensais ! », lui aurait-il lancé, selon Isorni. Plus étonnant encore, pendant la courte pause qui suit, le président Mongibeaux demande en privé au journaliste Géo London de persuader Payen de renoncer à sa dernière plaidoirie, arguant qu'il serait dans l'intérêt de Pétain que le jury se retire pour délibérer alors qu'il se trouve encore sous le coup de la prestation d'Isorni. Mais pour rien au monde le bâtonnier n'aurait laissé le dernier mot à ce jeune avocat arriviste et ambitieux qui l'irritait. Apparemment le seul à ne pas avoir été impressionné par la prestation de son cadet, il fouille ostensiblement dans ses papiers et surveille l'horloge.

Il est 18 h 15 et le tribunal siège depuis cinq heures. Sans se démonter, Payen reprend sa plaidoirie là où il l'avait laissée, presque comme si Isorni n'était pas intervenu : « Messieurs, quand j'ai passé la parole tout à l'heure à mon ami Isorni, j'en étais arrivé – vous vous le rappelez peut-être – aux incidents qui se sont produits entre la France et l'Angleterre à propos de la Syrie. » Francine Bonitzer trancha : « Le charme fut vite rompu. »

Méthodiquement, Payen ramène le tribunal en terrain connu :

> – Il rappelle les nombreuses occasions où le Maréchal a protesté contre les violations allemandes de l'armistice : « À chacune de ces violations de l'armistice correspondaient des protestations du Maréchal qui, bien entendu, restèrent vaines, mais, ne serait-ce que du point de vue juridique, il était indispensable de les faire. » (L'argument était à double tranchant : quel était l'intérêt d'un armistice si facilement ignoré ?)
>
> – Il donne en exemple les nombreuses situations où Vichy a protégé les intérêts matériels français : ainsi, seules 30 000 machines-outils ont été perdues sur un total de 540 000. (Après le pathos poétique d'Isorni, de telles statistiques avaient peu de chance de frapper l'imagination des auditeurs.)
>
> – Il blâme Laval : Pétain l'avait repris au gouvernement en 1942, espérant, à tort, « que Laval pourrait, comme il le promettait, freiner un peu le vainqueur. Mais, bien entendu, M. Laval n'a rien freiné du tout ». (Dès lors, pourquoi ne pas l'avoir renvoyé de nouveau ?)
>
> – Quant à la décision de rester en France après novembre 1942, même si Pétain avait commis l'erreur de croire qu'il pourrait encore protéger les Français, cette décision n'était pas un crime : « D'ailleurs, je l'ai déjà dit aussi, il ne me paraît pas évident du tout qu'il ait eu tort de rester. » (Ce qui n'est guère se montrer convaincu[29].)

Quels que soient ses arguments, le problème de Payen était, de nouveau, sa façon de s'exprimer. Un journaliste de *L'Humanité* décrit ainsi la scène :

> Des têtes s'inclinent, des spectateurs s'assoupissent, et d'autres déplient même des journaux, des journalistes prétextant des obligations

professionnelles s'éclipsent, sur la pointe des pieds. Mais, chicanier, avec l'obstination d'un avocat de campagne plaidant devant le juge de paix un bris de clôture, poursuivant un exposé décousu que personne à vingt mètres de distance ne peut plus entendre tant sa voix est faible, Payen parle, il parle, parle encore.

Dix-huit heures. Dix-neuf heures. Vingt heures... Le soleil décline, la salle s'obscurcit... Payen parle toujours[30].

Vers la fin, l'avocat cherche dans ses papiers la lettre menaçante écrite par Ribbentrop en novembre 1943, lorsque Pétain avait fait une dernière tentative malheureuse pour se détacher de l'Allemagne. L'avocat entend montrer que les Allemands avaient considéré Pétain comme un obstacle à la collaboration. Pétain lui-même semble en avoir assez, marmonnant sous cape mais de manière audible : « Nous le savons déjà. » Cela n'arrête pas Payen qui lit la lettre. Mongibeaux intervient alors : « Il serait intéressant de communiquer la réponse. »

Pétain dit alors les derniers mots, ou presque, qu'il prononcera au procès : « Il n'y a pas eu de réponse, mais la conséquence a été la captivité qui m'a été imposée. » Pétain se trompait, ce que Payen dut reconnaître :

Payen : Il y a peut-être une réponse.
Mongibeaux : Il semblait qu'il y avait une réponse.
Payen : Je l'ai certainement. [...] Soyez tranquilles, elle est dans mon dossier, elle va venir très prochainement sous les yeux[31].

Il ne la produisit pas, mais des extraits en avaient été lus par Mornet deux jours auparavant, et ils étaient plutôt accablants pour Pétain. Il s'agissait de la lettre timorée à laquelle Pétain avait été confronté lors du dernier interrogatoire d'instruction. Rien de bon pour la défense que la cour se la voie rappeler une fois de plus.

Enfin, comme Isorni, Payen conclut sur un long plaidoyer en faveur de la réconciliation nationale, comparant la situation avec le procès de Louis XVI. À la fin de son intervention, quelques applaudissements fusent et des « Vive la France ! » se font entendre. Enfin, Mongibeaux pose l'ultime question rituelle : « Accusé, avez-vous quelque chose à ajouter pour votre défense ? »

Dans la lumière déclinante du soir, l'« accusé » se lève et lit, sans lunettes, une courte déclaration préparée à l'avance avec Isorni :

Au cours de ce procès j'ai gardé volontairement le silence après avoir expliqué au peuple français les raisons de mon attitude. Ma pensée, ma seule pensée, a été de rester avec lui sur le sol de France, selon ma promesse, pour tenter de le protéger et d'atténuer ses souffrances. Quoi qu'il arrive, il ne l'oubliera pas. Il sait que je l'ai défendu comme j'ai défendu Verdun. Messieurs les juges, ma vie et ma liberté sont entre vos mains, mais mon honneur, c'est à la Patrie que je le confie[32].

Il est 21 h 05. La cour se lève. Les jurés sortent pour délibérer.

Chapitre 19

Le verdict

24. Les jurés résistants, en haut, et les jurés parlementaires, en bas. *France-Soir*, 14 août 1945.

Lorsque Payen se rassied, peu après 9 heures du soir, les journalistes se précipitent hors de la salle d'audience étouffante, impatients d'aller dîner et de rédiger leurs articles. Quant aux vingt-quatre jurés, ils se retrouvent dans une pièce située juste derrière. Ils sont rejoints par les trois juges, présents non seulement pour guider leurs discussions mais parce qu'ils ont eux aussi un droit de vote. Ils doivent tous d'abord se restaurer, car ils ont siégé sans interruption pendant huit heures. On raconte que le repas a été préparé par la préfecture de police pour éviter toute tentative d'empoisonnement des jurés à la dernière minute. Jacques Lecompte-Boinet note :

> Un repas était servi dans le cabinet du président, et nous avons été heureux de trouver la tranche de colin, libératrice de nos douleurs d'estomac vide. Personne n'a parlé pendant ce lunch debout, il y eut même quelques bons mots […] Pendant ce repas j'ai dit à Pierre-Bloch :

« Comment, toi, un honnête homme, peux-tu être favorable à l'unité
entre le PS et le PC ? Tu ne vois pas que les exécutants communistes
[…] ne sont que des robots intellectuels au service d'un tsar[1] ? »

Une fois le repas terminé, les jurés prennent place autour
d'une table, les résistants d'un côté, les parlementaires de l'autre.
Lecompte-Boinet, résistant, se retrouve donc du même côté que
les « robots » communistes[2]. Mongibeaux, moins impressionnant
depuis qu'il a quitté sa robe de juge, propose, tel un prestidigitateur
tirant un lapin de son chapeau, de déclarer Pétain coupable au titre
de l'article 80 du Code pénal (attentat à la sécurité extérieure de
l'État), un article qui n'a jamais été mentionné au cours du procès
et qui prévoit une peine de travaux forcés à temps ou d'un à cinq
ans d'emprisonnement. Il permettrait au jury de disculper Pétain
du crime, plus grave, de haute trahison. Il s'agirait quasiment d'un
acquittement. Comme Mongibeaux avait régulièrement été accusé
de partialité envers l'accusation dans sa conduite du procès, cette
proposition provoque la stupéfaction parmi les jurés. Peut-être son
attitude à l'audience avait-elle eu pour but d'atténuer les critiques
à l'égard des juges qui, comme lui, avaient prêté serment à Pétain.
Peut-être ses véritables sentiments s'étaient-ils révélés lorsqu'il avait
tenté de persuader Payen de renoncer à sa plaidoirie finale afin que
les jurés partent délibérer avec en tête les paroles d'Isorni. Quoi
qu'il en soit, il est soutenu par ses deux assesseurs, qui déploient
leur expertise juridique pour convaincre les jurés que les preuves ne
sont pas suffisantes pour condamner Pétain pour trahison (« intelligence avec l'ennemi » en vertu de l'article 75) ou pour complot
contre la République (article 87).

C'est au tour de Gabriel Delattre, porte-parole des jurés parlementaires, de s'adresser aux jurés. Bien qu'il ne soit pas intervenu au cours
du procès, Delattre est un avocat respecté. Juste avant la plaidoirie
d'Isorni, il lui avait assuré : « Rien n'est perdu, tout repose sur vous :
vous pouvez encore tout sauver[3]. » Il plaide pendant quarante-cinq
minutes contre la peine de mort, qui, notamment, entacherait la réputation de la France à l'étranger. Son intervention fut probablement
intimidante pour ceux des jurés qui n'avaient pas de formation juridique. Après lui, certains d'entre eux interviennent pour tenter de
défendre la peine capitale, sans savoir toujours comment la justifier
en droit. Lecompte-Boinet note, sarcastique : « Ils ont d'abord décidé
la "mort" quitte à trouver des attendus justifiant la peine. »

Jean Pierre-Bloch, l'un des jurés résistants les plus déterminés, s'inquiète de la tournure que prend la discussion, et demande aux juges qu'ils les éclairent sur les différences entre les articles 75 et 80. Pour résumer : pour que Pétain soit reconnu coupable au titre de l'article 75, il faut qu'il y ait eu intention de trahir ; au titre de l'article 80, la trahison résulte d'un acte accompli sans intention de trahir ; l'article 75 prévoit la peine de mort, l'article 80, une peine de prison ou de travaux forcés, non applicable pour les individus âgés de plus de soixante-dix ans. Pierre-Bloch propose un vote préliminaire pour décider entre ces deux articles. Mongibeaux accepte, à condition que le vote ne soit qu'indicatif. À une majorité de dix-huit contre huit (Mongibeaux ne votant pas à ce stade), les jurés se prononcent en faveur de l'article 75, passible de la peine de mort[4].

Pendant que les jurés délibèrent, une atmosphère étrange s'empare du Palais de justice, qu'Isorni décrira plus tard :

> Les nerfs de tous allaient se détendre, brusquement d'un coup, dans une véritable kermesse. [...] Le buffet du palais, dans son rez-de-chaussée maussade, avait été envahi par une foule affamée et assoiffée. Pour une table de quatre, on comptait quinze convives. Le vin aidant, le ton des conversations monta. On s'interpellait d'un bout à l'autre de la salle. Les uniformes militaires se mêlaient aux robes des avocats, à celles des femmes, aux vêtements civils. Dans le désordre et la cohue, on prenait le dessert avant les saucisses. C'était, au milieu des nuages de fumée, comme une fête libre et bruyante. De l'indécence non pas, mais une explosion nécessaire, inévitable, que rien n'aurait pu contenir[5].

Après leur premier vote, les jurés reprennent leurs débats. Delattre s'exprime de nouveau contre la peine de mort. Cette fois, il invoque le choc que provoquerait l'exécution d'un maréchal de France âgé de quatre-vingt-neuf ans : « Qui sait si, dans quelques années, Pétain ne sera pas absous et vos enfants montrés comme les fils de ceux qui auront condamné à mort le Maréchal. » Le plus âgé des jurés, Georges Lévy-Alphandéry, déclare qu'étant né en Alsace, il est enclin à la sévérité, car Pétain n'a rien fait pour empêcher l'annexion de sa région natale, mais qu'en tant que juif, il lui est reconnaissant de la protection qu'il a offerte aux juifs – aperçu révélateur de la manière dont cette question était comprise en 1945, et signe que, sur ce point au moins, les arguments de la défense avaient porté. Pierre-Bloch, s'exprimant également en tant que juif, déclare qu'il n'a aucune inhibition à voter la peine de mort. Il lit la réponse humiliante de Pétain à Ribbentrop en décembre 1943 (« les modifications de lois seront soumises, avant la publication, aux autorités d'occupation »), une lettre qui n'avait pas été lue dans son intégralité au cours du procès.

Cette lecture a un impact majeur. Plusieurs autres jurés résistants interviennent alors pour plaider en faveur de la peine de mort. Quant aux scrupules de certains sur le fait de fusiller un homme de quatre-vingt-neuf ans, Pierre-Bloch souligne que tout le monde sait bien que la sentence ne sera pas exécutée. Il s'agit d'établir le principe de la trahison de Pétain.

Enfin, à 1 heure du matin, on procède à un nouveau vote. Peut-être parce qu'il s'agit désormais d'un vote contraignant, la marge en faveur de l'article 75 et donc de la peine capitale se réduit à quatorze contre treize. Quatre jurés au moins ont changé de position. Le vote était secret, mais il semble qu'une majorité de jurés résistants (peut-être jusqu'à neuf) et une minorité de jurés parlementaires (peut-être cinq) aient voté la peine de mort. L'article 75 ayant été adopté à une voix près, on a suggéré, après le verdict, que le résultat aurait pu être différent si la défense avait récusé au début du procès le juré communiste Louis Prot. Mais cela n'aurait pas nécessairement fait de différence : des non-communistes, dont Jacques Lecompte-Boinet, votèrent eux aussi la peine capitale.

Ailleurs dans le Palais de justice, des avocats et des journalistes épuisés se sont étendus sur des bancs pour dormir. Dans sa petite chambre attenante à la salle d'audience, Pétain est allongé sur son lit, éveillé. Avec sa femme, il attend le verdict, comme tout le monde. De temps en temps, une sonnerie retentit et on se précipite pour voir si le jury a terminé ses délibérations. Mais ce sont de fausses alertes : on avait réclamé plus de boissons fraîches et, en une autre occasion, une dactylo.

Alors que les lumières brillent toute la nuit à l'intérieur du Palais de justice plongé dans un silence sinistre, des clameurs de joie retentissent dans les rues alentour. La nouvelle est tombée : les Japonais ont accepté la capitulation sans condition exigée par les Alliés. La guerre est terminée. Des bagarres éclatent entre soldats américains ivres et civils français tout aussi éméchés. Des jeeps parcourent les rues de la capitale, bannière étoilée au vent. Comme au premier jour des interrogatoires d'instruction où, dans le fort de Montrouge, on avait entendu la foule fêter la victoire en Europe, trois mois plus tard, dans le Palais de justice, en attendant le verdict, on entendait célébrer la fin de la guerre.

La peine capitale ayant été votée, quelques jurés, dont Pierre-Bloch et Lecompte-Boinet, commencent à travailler avec Mongibeaux à la rédaction des motifs du jugement (les attendus). Lecompte-Boinet, toujours pointilleux, s'assure qu'ils correspondent bien au crime dont Pétain est accusé en vertu du Code pénal. Vers 2 heures 30 du matin, un juré résistant (peut-être Pierre Stibbe) propose que la sentence soit assortie de la dégradation militaire. Cette fois, Pierre-Bloch, soutenu par Lecompte-Boinet, adopte une approche plus modérée, soulignant que la condamnation étant déjà assortie de la peine d'indignité nationale, Pétain perdra automatiquement ses décorations et ses biens. Cette position est adoptée à une majorité de vingt contre sept.

Même si personne ne pensait que la sentence serait appliquée à un homme de quatre-vingt-neuf ans, il restait à décider si le tribunal laissait au général de Gaulle le soin de faire preuve de clémence. À qui reviendrait le mérite, ou le blâme, de cette décision ? Finalement, entre dix-sept et vingt jurés signent un document recommandant qu'en raison de l'âge de Pétain, la sentence ne soit pas exécutée.

À l'extérieur de la salle d'audience, l'animation s'est calmée. Joseph Kessel raconte :

> Les heures se traînent difficiles, épuisantes, irréelles. La fatigue monte, monte, devient étale comme pour l'éternité. Les images des deux derniers jours fusent dans la mémoire. Je vois le Maréchal chasser les photographes de ses gants qui tremblent dans sa main impatiente. Je le vois tourner brusquement la tête chaque fois que ses défenseurs prononcent [son nom].
>
> Le visage fragile et inspiré de maître Isorni hante mon souvenir et les expressions qui le sculptaient tandis que sa plaidoirie magnifique assure d'un seul coup sa jeune gloire. [...] On dort dans les fauteuils, sur les banquettes. Deux lustres éclairent la salle. Quatre lampes coiffées d'un abat-jour vert sont posées sur la table du tribunal [...]. Et brusquement tout s'éveille, et se tait, et se fige. Il est 4 heures du matin. Les juges reprennent leur place.
>
> Jamais je n'ai physiquement senti le silence comme en cet instant, dans cette salle surpeuplée. Un silence qui dure, se durcit, devient une présence. La présence de l'Histoire[6].

Dans l'intervalle, un micro a été installé pour que Mongibeaux soit entendu par tous. Un garde part chercher Pétain dans sa

chambre pour l'accompagner dans la salle d'audience. Au moment
où les jurés entrent, Isorni surprend le signe que l'un d'eux adresse
à un journaliste et apprend ainsi le verdict. Pour Kessel, cette
découverte arrive quelques minutes plus tard, lorsque Mongibeaux
commence à lire : « Attendu qu'il résulte des débats et des pièces
produites que Pétain […]. » Le juge a omis le mot « maréchal » :
Kessel sait à son tour. La lecture de l'intégralité du jugement
prend dix-sept minutes, devant une cour silencieuse. Pendant que
Mongibeaux s'exprime, son assesseur Charles Donat-Guigne s'est
rejeté en arrière, comme pour garder ses distances avec la sentence
en train d'être prononcée.

Quand on relit aujourd'hui l'implacable litanie des « attendus
que », on peut se demander à quoi le procès a servi. Finalement,
les jurés confirmèrent toutes les accusations contenues dans l'acte
d'accusation initial, y compris celles qui avaient été tacitement aban-
données par Mornet. Même si, en dépit de « lourdes présomptions »,
il était écrit que les preuves d'un « véritable complot » étaient insuf-
fisantes, on faisait référence à la campagne menée autour du nom
de Pétain avant 1940 et à la lettre de ce dernier à Ribbentrop qui
suggérait une « préméditation » et un « dessein politique dans lequel
l'accusé avait misé sur la capitulation ». L'armistice n'était pas
considéré comme un crime en soi, mais on relevait que l'annonce
par Pétain qu'il allait rechercher un armistice avait entraîné la
démoralisation de l'armée, et que le Maréchal avait saboté toute
tentative de transporter le gouvernement hors de métropole dans
les jours précédant sa signature.

Dans l'acte d'accusation, il était reproché à Pétain d'avoir, sous
la pression allemande, promulgué d'« abominables lois raciales »
plutôt que d'obliger les Allemands à assumer l'opprobre d'une
législation contraire « à toutes les traditions françaises ». Le jugement condamne les « déportations en masse des travailleurs » et
le fait que « Pétain, qui avait reconnu le caractère monstrueux de
ces déportations de Français, n'élevait aucune protestation publique
contre elles ». Il ne mentionne pas les juifs en particulier parmi ces
victimes, mais condamne l'adoption d'une « législation raciale cal-
quée sur celle de l'Allemagne ». La question juive reste subsidiaire.

« Attendu que, attendu que, attendu que… », écrit Kessel,
« chacun a compris à quelle sentence vont mener tous ces aliénas,
tous ces paragraphes […] Et pendant vingt minutes, on a vu cette
sentence venir avec une lenteur effroyable vers l'accusé, ainsi qu'un

javelot avançant pouce à pouce vers sa cible ». Pétain, d'abord penché en avant sur son fauteuil pour écouter, reprend vite sa posture habituelle, affaissé contre le dossier ; il passe les doigts sur sa moustache, frotte machinalement les accoudoirs, place parfois la main en cornet derrière son oreille.

Enfin, Mongibeaux termine : « [...] par ces motifs, condamne Pétain à la peine de mort, à l'indignité nationale, à la confiscation de ses biens ». La seule surprise réside dans les derniers mots : « Tenant compte du grand âge de l'accusé, la Haute Cour de justice émet le vœu que la condamnation à mort ne soit pas exécutée. »

Quelques « Vive la France ! » fusent mais, à part cela, le silence reste total. Si Pétain a entendu ou compris, il ne le montre pas. Affalé dans son fauteuil, il semble ne pas avoir saisi ce qui venait de se passer. C'est seulement lorsque Mongibeaux ordonne : « Gardes, emmenez le condamné » et qu'un garde lui tape sur l'épaule qu'il se lève. Apparemment perdu, il se tourne dans un sens puis dans l'autre, peut-être aveuglé par les flashs des photographes massés devant lui. Regardant vers ses avocats qui lui indiquent la porte, il sort du tribunal.

Une nouvelle affaire Dreyfus

« Donc Pétain a été condamné à mort et je suis pétainicide. Comment trouverai-je des gendres ? Mais ceci est un détail », écrit Lecompte-Boinet dans son journal :

> Ce procès, ce mauvais procès, s'est terminé hier 15 août à 4 heures du matin.
> Je dis « mauvais procès » parce que la sentence était rendue d'avance, que le jury était composé de partisans et que le pays et le monde entier le savaient, parce que le président était un monsieur qui n'a pas su présider ; parce que les témoins étaient lamentables ; parce que l'avocat général n'avait pas préparé son accusation et que la défense avait Payen.

Le juré résistant avait trouvé les derniers moments pénibles : « Je n'ai pas voulu le regarder quand le président dit : "Gardes, emmenez le condamné." Je crois qu'il n'avait rien entendu. »

Malgré tout, Lecompte-Boinet ne remet pas en cause le verdict final :

> Ce n'est qu'à l'énoncé de la peine que je réalisai combien nous avions été peu juridiques, puisque nous admettions que tous ces actes reprochés avaient été commis en vue d'aider l'ennemi, ce que je ne pense pas.
>
> Mais on ne pouvait pas ne pas le condamner à mort. [...]
>
> Ce qui a amené ma décision irrévocable, c'est la lettre au colonel Labonne : « Vous défendez une part de notre honneur militaire... » Il a par là-même déshonoré l'armée. Un maréchal de France pouvait, par double jeu, faire bien des choses ; il ne pouvait pas faire cela.

Épuisé, et dans l'espoir de se changer les idées, Lecompte-Boinet va voir un film policier au cinéma. Là encore, il est rattrapé par le procès :

> Ma vie depuis trois ans est telle qu'aucun film policier ne peut valoir le film vécu – ne serait-ce que le procès Pétain, dont j'aperçois quelque bribes (y compris ma tête) pendant les actualités. Curieuse impression que de se voir au cinéma : je ne me représentais pas ainsi, aussi ramassé sur moi-même. Je me croyais plus svelte et plus jeune et je suis, au fond, un gros bonhomme penché sur mon pupitre, la tête dans les épaules[7].

Le sentiment d'exténuation qu'il éprouve est largement partagé. La réaction de l'opinion publique au verdict est en demi-teinte. Ce qui domine, c'est le soulagement que l'affaire soit enfin terminée. Le 17 août, de Gaulle commue la peine capitale en emprisonnement à vie, comme l'avait recommandé la cour, et ainsi qu'il avait toujours eu l'intention de le faire. Sans surprise, la presse communiste réclame à grand cri que la sentence soit appliquée, mais peu nombreux sont ceux qui contestent la décision d'épargner la vie de Pétain[8]. Le résistant Jean-Louis Vigier note : « Le Maréchal n'a plus le droit de diviser la France. Nous n'avons pas le droit de la diviser avec son sang[9]. » C'était reconnaître que le pays restait polarisé, et que Pétain conservait un large soutien que le procès n'avait pas entamé, peut-être même au contraire.

Ressusciter des hommes politiques discrédités de la Troisième République n'a pas servi les intérêts de l'accusation. Après la fin du procès, un journal livre encore chaque jour de longs extraits des Mémoires de Reynaud, une publication en feuilleton qui avait commencé juste au moment de l'ouverture des audiences. Le 17 août, l'épisode du jour est intitulé : « Weygand voulait sacrifier l'honneur de la France à son armée[10]. » Mais ressasser les événements de l'année 1940 a rappelé que peu de dirigeants français en étaient sortis indemnes. Lors du procès, Reynaud avait déclaré qu'il n'avait compris la véritable nature de Pétain qu'en lisant, en prison, les Mémoires de Poincaré, président du Conseil, ainsi que ceux de Foch et de Clemenceau. Cela avait conduit un journaliste à murmurer *sotto voce* que la solution aux problèmes de la France était peut-être d'emprisonner plus régulièrement ses politiciens afin qu'ils rattrapent leur retard de lectures.

L'accusation, de son côté, n'a jamais réussi à proposer un message net. Elle a abandonné l'idée du complot tout en insinuant qu'il aurait pu y en avoir un. Quant à l'armistice, aucun témoin n'avait été prêt à affirmer, suivant de Gaulle, qu'il s'agissait d'un acte de trahison. Le réquisitoire de Mornet a certes été efficace, mais la journaliste Francine Bonitzer s'insurge contre un passage où le procureur général, contestant l'idée que Vichy ait été un « bouclier », affirme que les Belges, directement administrés par les Allemands, ont moins souffert que les Français. En termes de nombre de déportés, souligne-t-elle, le sort des Belges a probablement été pire. À ses yeux, cet argument passait à côté de l'essentiel : il acceptait le postulat pétainiste du « moindre mal » et écartait la question de l'honneur. « On eût souhaité autre chose : la démonstration qu'en tout état de cause et quelles que fussent les conséquences, tout aurait été préférable pour la France à cet asservissement consenti qui, de ce fait, devient criminel » : le devoir de la France était de se battre, quels que soient les risques, quels que soient les sacrifices[11].

La défense a été aussi incohérente que l'accusation. La tension régnait entre Payen, qui plaidait le « double jeu » et essayait de marquer la différence entre Pétain et Laval, et Isorni, qui assumait Vichy dans son intégralité et ne cherchait pas à trouver des excuses au régime. La stratégie du premier était apparemment plus consensuelle, mais elle soulevait des problèmes. Juste avant le procès, Payen avait reçu la lettre d'un ardent pétainiste. Dans l'atmosphère qui régnait à la Libération, son auteur ne l'avait pas signée, mais il se présentait comme un ancien combattant de Verdun, père d'un fils fait prisonnier en 1940 et qui avait passé toute l'Occupation en captivité. Sa lettre était le cri de douleur d'un pétainiste ordinaire qui avait cru, et voulait encore croire, mais qui était troublé d'entendre que la défense pourrait plaider le double jeu du Maréchal :

> Le doute est entré dans mon esprit et dans mon cœur car je me demande avec autant d'angoisse que de tristesse, non pas, certes, si j'ai bien fait de servir, si mon fils a bien fait de servir […] Je ne regrette rien et, quoi qu'il arrive, cela restera la fierté de ma vie et de celle de mon fils […] Ces Français qui gardent pieusement, au fond d'une armoire, le portrait du Maréchal qui, jadis, ornait la plus belle pièce de la maison. Devront-ils, désormais, le jeter au feu parce que le système de défense de l'homme qu'ils ont passionnément respecté et aimé leur fera apparaître qu'ils se sont trompés et qu'il les a trompés ? […] Comment pourrions-nous juger aujourd'hui notre chef d'hier, si dans les circonstances les plus dramatiques de sa vie, il venait renier, bien plus que des paroles, des engagements solennels pris à maintes reprises devant des hommes dont il réclamait la discipline et la confiance[12] ?

Le courrier se poursuivait dans la même veine sur six pages. Pour ce pétainiste de base, accuser Laval ou soutenir que Pétain avait dissimulé ses convictions secrètes ne constituait pas une défense. Si Pétain devait être défendu, c'est parce que, mois après mois, année après année, son sacrifice avait protégé les Français d'un sort qui aurait été bien pire s'il les avait abandonnés.

Nous ignorons ce que l'auteur de cette lettre pensa du procès dans son déroulement. Sa foi en Pétain fut sans doute davantage confortée par la défense d'Isorni que par celle de Payen. Mais les révélations concernant un possible double jeu et les télégrammes secrets confortaient ceux qui cherchaient toujours des raisons de continuer à croire en Pétain. Personne ne réfuta l'argument d'Isorni selon lequel Vichy avait sauvé des juifs. Seule une voix isolée, dans la presse juive, s'éleva après le procès pour contester cette affirmation[13].

Et que dire de ce cortège de fonctionnaires qui avaient fait étalage de leurs bonnes intentions, de leur patriotisme, de leur opposition à l'Allemagne, de leur « résistance », comme ils disaient, au Reich ? Le mot « trahison » ne s'appliquait pas exactement à leur situation, même si leurs arguments n'étaient guère crédibles. Même Xavier Vallat, depuis sa cellule de prison, tiqua lorsque des fonctionnaires, tel Berthelot, se posèrent « avantageusement en résistants énergiques[14] ». Ces témoins avaient présenté leurs choix en termes de patriotisme et de service apolitique de l'État. Mais il y avait une autre façon de raconter leur histoire. S'ils n'avaient peut-être pas accueilli favorablement la défaite, ni éprouvé de sympathie pour l'Allemagne, ils avaient clairement vu dans le régime de Vichy des opportunités politiques. Leur « patriotisme » n'avait rien de neutre, politiquement. C'est ce qui a pu conduire un auteur à comparer dans l'hebdomadaire *Les Lettres françaises* le procès de Pétain à celui d'Alfred Dreyfus :

> L'un et l'autre se correspondent aussi précisément que le positif et le négatif d'un même cliché. D'un côté, on accuse Dreyfus parce qu'il *faut* que l'innocent soit un traître. De l'autre, on défend Pétain parce qu'il *faut* que le traître soit innocent. [...] Si bien que nous n'assistons pas, à vrai dire, à l'épilogue de l'affaire Dreyfus, mais à un nouvel accès d'un mal organique qui ne cesse de ronger la vie française. Un vieil abcès couvait, mal endormi. Le procès Pétain, au lieu de le vider, a fait reparaître sa virulence. [...] Il reste à craindre que pour les pétainistes le procès reste ouvert, comme pour les antidreyfusards il l'est resté toujours[15].

Cette crainte était fondée. Quelques mois avant le procès Pétain, l'un des antidreyfusards les plus célèbres, Charles Maurras, avait été condamné à la prison à vie pour son rôle pendant l'Occupation. En entendant le verdict, il s'était écrié : « C'est la vengeance de Dreyfus ! » Maurras était devenu célèbre au moment de l'affaire Dreyfus, en publiant, en 1898, un article où il défendait le colonel Henry, qui s'était suicidé après la révélation qu'il avait falsifié des documents pour incriminer le capitaine. Maurras soutenait que la falsification était « patriotique » car la culpabilité ou l'innocence d'un individu comptait peu face à la nécessité de protéger la réputation de l'armée, de l'État et de la nation : l'ordre avant la justice ou la conscience individuelle. Son journal *L'Action française* est interdit à la Libération, mais réapparaît aussitôt sous la forme d'une publication semi-clandestine intitulée *Documents nationaux*. Il reproduit le point de vue de Maurras sur l'affaire Dreyfus pour interpréter le procès de Pétain : la défense de l'honneur y a été érigée au-dessus de celle du « bien de l'État », un appel subjectif à la vertu et à un faux héroïsme a prévalu sur les intérêts objectifs de la nation, la conscience sur l'ordre[16].

Ces prises de position donnaient raison à François Mauriac qui déclara après la condamnation de Pétain : « Un procès comme celui-là n'est jamais clos et ne finira jamais d'être plaidé. » Mais, au lendemain du verdict, les Français avaient d'autres préoccupations. En quelques jours, le nom de Pétain disparut des journaux. Pour le moment du moins, le pays entendait tourner la page. Le 15 août, fête de l'Assomption, marque traditionnellement pour beaucoup le début des vacances, un moment où Paris se vide. La Haute Cour, qui avait encore de nombreuses affaires à juger, suspendit ses activités. Ceux qui n'avaient pas eu leur dose de procès pour trahison pouvaient suivre celui du collaborateur norvégien Vidkun Quisling qui s'ouvrait alors à Oslo. Ils pouvaient aussi lire le compte rendu sténographique de celui de Pétain, qui allait paraître en vingt fascicules, au prix de 20 francs chacun. Tandis que ceux qui ne voulaient plus entendre parler de procès pouvaient sortir dans les rues et fêter la fin de la guerre. Le 16 août, au lendemain de la condamnation de Pétain, on illumina la tour Eiffel pour célébrer la victoire sur le Japon.

Les jours suivants, Paris accueille une débauche de festivités qui marquent le premier anniversaire des combats de rue qui avaient précédé la libération de la capitale, alors que Pétain se trouvait en exil. Elles culminent avec la commémoration de la libération de l'Hôtel de Ville, le 20 août 1944. Il était réconfortant de revivre ces journées héroïques où la vie semblait moins complexe et l'avenir dégagé. Comme le nota, un peu narquois, dans son journal, le jeune écrivain Roger Stéphane, membre d'un groupe de résistants qui s'était emparé du bâtiment, la foule était plus nombreuse à la célébration que lors de l'événement lui-même[17]. Ceux qui avaient manqué ce moment historique se rattrapaient. Et pour ceux qui n'avaient toujours pas vu *Les Enfants du paradis*, le film se jouait encore dans les cinémas parisiens.

TROISIÈME PARTIE

Ce passé
qui ne passe vraiment pas

Chapitre 20

Le prisonnier

Quelques heures après la lecture de la sentence, aux toutes premières heures du 15 août, un convoi de voitures de police quitte, sirènes hurlantes, le quai des Orfèvres en direction de la prison de Montrouge. La presse ayant ainsi été envoyée sur une fausse piste, Pétain, accompagné de Joseph Simon et d'un médecin, est conduit sur la base aérienne de Villacoublay, où l'avion personnel du général de Gaulle l'attend pour l'emmener à Pau. De là, il est conduit à la forteresse-prison du Portalet, dans les Pyrénées. Un fonctionnaire présent dans l'avion rapporte que Pétain, d'une humeur étrangement euphorique, se montre « très bavard » – après trois semaines de silence. Faisant circuler le « message » qu'il a lu la veille à la fin du procès, avec des corrections de sa main, il déverse sa bile contre « Mornet, cet homme abominable », et Payen, qui a osé déclarer qu'il était vieux et gâteux. Il est convaincu que de Gaulle l'a sauvé de la mort : « Il a compris qu'il avait commis une grande faute en n'acceptant pas, ainsi que je lui avais proposé, de travailler avec moi au moment de la Libération. » Une fois, le médecin s'étant assoupi, Pétain lui donne un petit coup de canne sur la tête ; une autre, il accepte d'être pris en photo, mais, juste avant que le déclencheur soit pressé, il adresse un pied de nez au photographe. Lorsque l'avion traverse de fortes turbulences, il reste calme, amusé de voir les autres passagers s'alarmer[1].

Le choix du Portalet était symbolique. C'est là que Vichy avait emprisonné Reynaud et Mandel. Pétain est placé dans la cellule précédemment occupée par ce dernier. Il s'agissait de couper l'herbe sous le pied aux communistes qui, après que de Gaulle avait commué la peine de mort, affirmaient que Pétain était traité avec indulgence. Une caricature de *L'Humanité* le montre en train de prendre le soleil en bord de mer.

PRISON
SANS BARREAUX

25. « Les charmes de l'emprisonnement ». Caricature publiée dans *L'Humanité* pour protester contre l'indulgence à l'égard de Pétain.

Même en fin d'été, le Portalet est un endroit froid, humide et
insalubre. Pétain est autorisé à effectuer une promenade quotidienne,
mais qui l'oblige à monter un escalier long et raide. Sa bonne
humeur ne dure pas. Le premier jour, il refuse de s'alimenter. Il
se plaint : « Je comprends pourquoi Léon Blum et Reynaud m'en
veulent d'avoir permis qu'ils viennent dans un lieu aussi sinistre. »
Ces propos sont rapportés par Joseph Simon, qui restera son geôlier
pendant quatre ans. Cet homme de cinquante ans est un ancien
résistant. Surveiller Pétain n'est pas un rôle qu'il apprécie, mais
à contrecœur il finit par ressentir pour son prisonnier une certaine
sympathie, ponctuée de fréquents accès d'irritation[2]. Il ne cesse
cependant de réclamer à ses supérieurs d'être muté à un autre
poste, estimant qu'il est devenu, en quelque sorte, le prisonnier
du Maréchal. Jusqu'à ce qu'il obtienne satisfaction en mai 1949,
son journal fournit le témoignage le plus complet sur les dernières
années de Pétain.

Le Maréchal lutte contre la dépression en escomptant être bientôt transféré dans un lieu plus agréable. Il pense à la prison de
l'île Sainte-Marguerite, au large de Cannes. Mais celle-ci a aussi

l'inconvénient d'être associée au maréchal Bazaine, qui y avait été incarcéré en 1873, avant de s'en évader avec l'aide de sa femme. Un autre jour, Pétain imagine qu'il pourrait être emmené dans une prison près de Marennes, sur la côte Atlantique. Sa femme explique à Simon : « Pour manger des huîtres, il se laisserait enfermer n'importe où[3]. »

Après trois mois difficiles, Pétain quitte le Portalet le 14 novembre. Sa nouvelle destination n'est pas Sainte-Marguerite mais l'île d'Yeu, à une vingtaine de kilomètres de la côte vendéenne. Cette petite île, difficile d'accès, n'est desservie que par deux ferries les jours de beau temps, et aucun ceux de tempête. Elle est principalement habitée par des pêcheurs, et quelques touristes pendant l'été. Yeu avait été le cadre d'un des épisodes de la Contre-Révolution lorsque, en 1795, le comte d'Artois, frère de Louis XVI et futur Charles X, y avait débarqué avec une flotte britannique dans l'espoir de rejoindre le soulèvement vendéen. Il arrivait trop tard, les Vendéens ayant été écrasés quelques jours plus tôt, et repartit au bout de deux mois, ayant trouvé le climat inhospitalier et les habitants peu accueillants. Aucun autre événement notable ne s'était depuis déroulé sur l'île (même si son « Vieux Château » médiéval avait inspiré à Hergé le décor de *L'Île noire*, un épisode des aventures de Tintin). Quant à la citadelle de la Pierre-Levée, où Pétain est incarcéré, elle a été construite dans les années 1850, et a servi successivement de caserne et de prison. Des communistes ont été ses derniers détenus, pendant la drôle de guerre.

Isorni comparera plus tard le sort de Pétain à l'île d'Yeu à celui de Dreyfus à l'île du Diable, en Guyane française, mais les conditions de vie y sont incomparablement meilleures. Pétain dispose de deux chambres, sommairement meublées, et il est autorisé à se promener dans la cour de la forteresse. La seule similitude avec l'île du Diable, c'est l'espoir nourri par le gouvernement que Pétain sombrera dans l'oubli. Un curé est nommé pour répondre à ses besoins spirituels et un médecin de l'île pour veiller à sa santé physique. Comme beaucoup au sein du clergé, le curé avait été un partisan de Vichy. Le docteur Imbert, à l'inverse, avait été déporté pour faits de résistance. Il est homosexuel et porté sur la boisson, ce qui ne l'empêche pas de bien s'entendre avec Pétain. La femme du Maréchal n'est pas autorisée à partager le sort de son mari, mais elle peut lui rendre visite. Entre deux séjours sur l'île, elle vit dans leur ancien appartement à Paris. Quand elle vient à Yeu, elle s'installe dans le seul hôtel de l'île, l'hôtel des Voyageurs, à Port-Joinville, un établissement tenu par un couple, les Nolleau, qui aurait fricoté avec les Allemands pendant la guerre. Les résistants locaux avaient regretté que Nolleau, arrêté à la Libération, n'ait pas été puni. Le docteur Imbert, soupçonnant Nolleau de l'avoir dénoncé aux autorités, avait incité un groupe de marins à se faire justice eux-mêmes et à saccager l'hôtel. Cette petite île isolée était ainsi un parfait microcosme des conflits qui avaient divisé le pays pendant l'Occupation.

L'image de la Maréchale dévouée gravissant chaque jour la colline pour rendre visite à son mari, panier de provisions à la main, va nourrir le mythe pétainiste du martyr en exil. Sa présence provoque des frictions avec Simon. Outre son sentiment de supériorité sociale, la Maréchale ne cesse de se plaindre des conditions de détention. Le geôlier supporte mal son ingérence, et son journal est truffé de commentaires tels que « quelle garce », « vieille sorcière », « avec quel plaisir je lui botterais les fesses »[4]. À l'en croire, Pétain lui-même attendait avec impatience les visites de sa femme, mais elle l'irritait souvent lorsqu'elle était présente.

La santé physique de Pétain reste étonnamment bonne et, pendant les dix-huit premiers mois, il reste lucide malgré des moments de confusion. Il passe une heure chaque matin à faire son lit avec une précision militaire, il lit *Le Monde*, commence à apprendre l'anglais et pratique quelques exercices physiques. Un éditeur lui envoie trois livres de son catalogue récent, dont un sur Karl Marx (une plaisanterie ?), et Simon se demande s'il est autorisé à les transmettre. Ses notes sur les conversations de Pétain suggèrent que ce dernier n'a rien perdu de son cynisme acerbe. Lors d'une discussion sur l'Académie française, dont il a été exclu, sa femme affirme que cette « bande de gâteux » n'a aucun intérêt. Pétain répond : « Je suis heureux que ce soit une bande de gâteux. Comme en ce moment je n'y suis pas, cela fait un gâteux de moins. » Apprenant que Daladier a reçu des tomates pendant sa campagne électorale dans le Vaucluse, le Maréchal commente : « J'espère [qu'elles] étaient bien vertes. C'est dommage qu'il n'ait pas été assommé. » Pourtant, il se montre curieusement bienveillant à l'égard de Blum, ce qui inquiète Isorni : Pétain présenterait-il les premiers signes de sénilité[5] ? Un sujet de conversation l'obsède : de Gaulle. Il est convaincu que le Général travaille à sa libération. Ses souvenirs le concernant sont de plus en plus confus. Il croit se rappeler, à tort, que de Gaulle a été son élève à l'École de guerre[6].

Le seul intrus dans ce huis clos tendu entre Simon, son prisonnier et la femme de ce dernier est Jacques Isorni, autorisé par le gouvernement à lui rendre quelques visites, tantôt accompagné de Lemaire, tantôt seul. Payen était mort en janvier 1946, mais Isorni eut une ultime querelle, posthume, avec lui à propos de la publication de ses trois plaidoiries, assortie d'une préface où Payen prenait ses distances avec le compromettant accusé qu'il avait défendu : Isorni et Lemaire intentèrent une action en justice pour faire supprimer cette préface.

Les visites d'Isorni à l'île d'Yeu sont des épreuves à la mesure de son dévouement, car « on débarque toujours à Port-Joinville l'estomac démoli, le cœur chaviré ». Lui aussi séjourne à l'hôtel des Voyageurs, qui devient le centre d'un petit culte pétainiste. Le récit de ces visites nourrit la dernière partie d'un livre de l'avocat sur le procès Pétain, publié peu après la mort de ce dernier. Elles ajoutent la touche finale à son portrait du Maréchal en figure christique se sacrifiant pour la France. Lors de sa première visite, à l'occasion de l'anniversaire de Pétain, Isorni lui apporte un petit cadeau, « un modeste paquet de beurre. Un paysan que nous avons rencontré sur la route nous l'a remis pour vous ». Le Maréchal en a les larmes aux yeux : « Un homme de la terre, de cette terre labourée à laquelle il appartient de toute son âme, a pensé à lui. » Il insiste pour que le cadeau soit partagé avec ses gardes. Une conversation rapportée par Simon nous donne une image différente du prisonnier. Après que Pétain s'était plaint de son menu, un garde lui avait répondu que c'était ce que les Parisiens mangeaient depuis quatre ans, ce à quoi il répliqua : « Ça, je m'en fous. Moi j'ai besoin de manger[7]. »

La Haute Cour poursuit ses travaux

Pendant que Pétain demeure en prison, la Haute Cour de justice reprend ses travaux à l'issue des vacances estivales, avec la même équipe – Mongibeaux, Mornet et Bouchardon –, dans la même salle d'audience. Le premier procès de la rentrée, le 3 octobre 1945, est celui de Joseph Darnand, ancien chef de la Milice. Il ne dure qu'un après-midi. Darnand, condamné à mort, est fusillé une semaine plus tard. Sur les quatre procès qui se sont tenus jusqu'alors à la Haute Cour (Esteva, Dentz, Pétain, Darnand), c'est le premier où la peine de mort est effectivement appliquée.

Le procès de Pierre Laval s'ouvre trois jours plus tard. Même ses ennemis les plus acharnés ont reconnu que le procès de l'ancien chef de gouvernement avait été une parodie de justice. Quand il est autorisé à répondre aux questions, Laval dame le pion à ses accusateurs, mais, la plupart du temps, le président Mongibeaux l'empêche de s'exprimer. Les jurés, violemment et ouvertement partisans, interrompent les débats aux cris de « salaud, une corde pour le pendre, douze balles dans le dos ». Après avoir supporté ce traitement pendant trois jours, Laval refuse de revenir à l'audience, même pour entendre le verdict. Lorsque Bouchardon et Mornet entrent dans sa cellule le jour de l'exécution, ils le trouvent à demi inconscient. Laval a absorbé du cyanure, mais une dose insuffisante pour le tuer. Fidèle à sa réputation, Bouchardon exige que la sentence soit exécutée, même si le condamné doit être fusillé sur une civière. Finalement, après un lavage d'estomac, Laval est traîné dehors pour être exécuté, non pas au fort de Chatillon, mais dans un recoin de la prison de Fresnes[8].

L'indignation suscitée par le procès bâclé de Laval entraîne une réorganisation de la Haute Cour. Des changements auraient de toute façon été nécessaires, car, après les élections d'octobre 1945, la France possède un Parlement, même si elle n'a pas encore de Constitution : les procès pour haute trahison de personnalités politiques étant traditionnellement menés par le Parlement, le dispositif provisoire mis en place à la Libération doit être revu. Selon les nouvelles dispositions, les vingt-quatre jurés sont désormais choisis parmi les parlementaires, proportionnellement au poids de chaque groupe politique. Mornet est remplacé comme procureur général. Il consacre sa retraite à l'entretien de ses arbres et à la rédaction d'assez fantaisistes Mémoires sur la période de l'Occupation. Il meurt en 1955. Son vieux complice, Bouchardon, continue de présider la commission d'instruction. Lui aussi publie ses Mémoires, mais il meurt en 1950 avant d'avoir commencé le volume consacré à la période postérieure à 1940.

L'inefficace Mongibeaux est remplacé par Louis Noguères, avocat, résistant et ancien parlementaire socialiste. Noguères assume son rôle avec une grande conscience professionnelle : il est tout ce que Mongibeaux n'a pas été. Découvrant les archives de la Haute Cour, il est scandalisé par le nombre de pièces du dossier Pétain qui n'ont pas été présentées à la cour ; il les reprendra dans un long ouvrage, aussi minutieux qu'indigeste, intitulé *Le Véritable Procès du maréchal Pétain*[9].

La Haute Cour s'installe dans un cadre plus majestueux, d'abord au Palais du Luxembourg, puis à Versailles. C'était dans un tel lieu que les Français auraient souhaité que le procès de Pétain se déroulât, mais plus personne ne s'en soucie. Noguères constate avec frustration qu'il est bien difficile de faire venir les jurés à Versailles, même lorsqu'un autobus est mis à leur disposition. Le château s'avère impossible à chauffer en cet hiver de pénurie de charbon et de froid extrême, et jurés et témoins doivent s'envelopper de couvertures et de manteaux – bien loin de la chaleur étouffante du procès Pétain. En avril 1948, une loi réduit de moitié le nombre de jurés. La commission d'instruction quitte le Palais-Bourbon pour des locaux plus exigus, dans un bâtiment jusqu'alors occupé par le ministère de l'Agriculture. Bouchardon se retrouve dans un petit bureau, à côté d'une cuisine[10].

Même à l'occasion du procès de Fernand de Brinon, en mars 1947, la salle d'audience de Versailles est presque déserte. L'ancien représentant de Vichy dans la zone occupée est condamné à mort et exécuté – dernière peine capitale prononcée par la cour. Au total, neuf des témoins du procès Pétain sont jugés par la Haute Cour. Quatre sont déclarés coupables et condamnés à des peines qui vont de vingt ans d'emprisonnement à une condamnation légère – la dégradation nationale[11]. L'amiral Bléhaut, qui avait accompagné Pétain à Sigmaringen, réussit avant son procès à s'enfuir en Suisse (où il travaillera comme charpentier) : il est condamné à dix ans de prison par contumace. Parmi les autres témoins cités à comparaître par la défense de Pétain, Marcel Peyrouton est acquitté. Quant à Weygand, Bergeret et Debeney, ils bénéficient d'un non-lieu. Weygand s'étant toujours opposé à la collaboration, ce jugement était logique, dès lors qu'il avait été établi lors du procès de Pétain que le soutien à l'armistice n'était pas en soi une trahison. Reynaud fut déçu d'avoir été privé d'une nouvelle confrontation au tribunal avec Weygand. De Gaulle, pour sa part, ne lui pardonna jamais ses décisions de 1940, et lorsque Weygand mourut en 1965, le Général, alors président de la République, lui refusa des funérailles nationales.

Au total, la Haute Cour de justice examina cent huit affaires. Dix-huit personnes furent condamnées à mort, dont dix par contumace. Trois condamnations à mort furent exécutées, cinq commuées. Huit personnes décédèrent avant que leur cas ne soit jugé, trois furent acquittées, quarante-deux bénéficièrent d'un non-lieu et cinquante-cinq furent condamnées à une peine de prison ou de travaux forcés. Le dernier procès eut lieu le 1er juillet 1949. Mais, à cette date, plus personne n'y prêtait attention, et certainement pas le vieil homme de l'île d'Yeu.

Pétain témoigne pour la dernière fois

Pétain n'est pas totalement épargné par les autres enquêtes qui se poursuivent sur la période de la guerre[12]. En 1946, le Parlement avait mis en place une commission chargée d'enquêter sur « l'ensemble des événements politiques, économiques, diplomatiques et militaires qui, de 1933 à 1945, ont précédé, accompagné et suivi l'armistice, afin de déterminer les responsabilités encourues et de proposer, le cas échéant, des sanctions politiques et judiciaires ». L'année 1933, comme point de départ, correspond à la réintroduction de la conscription par le nouveau régime nazi. De fait, la commission s'est beaucoup plus intéressée aux événements qui ont précédé l'Occupation – remilitarisation de la Rhénanie en 1936, accords de Munich en 1938, défaite et armistice – qu'à la période de celle-ci.

Les auditions débutent en février 1947. Parmi les personnes interrogées, beaucoup ont déjà témoigné au procès de Pétain. De Gaulle, qui n'est plus au pouvoir, refuse de se plier à l'exercice, dans une réponse toute de condescendance hautaine : « Les travaux de la commission que vous présidez aboutissent forcément à un débat, non point historique, mais politique. Je ne veux pas discuter l'intérêt qu'il présente à ce titre pour ceux qui l'instituent. Mais en ce qui me concerne, je tiens pour nécessaire de ne pas y prendre part. » Weygand est entendu au cours de neuf séances distinctes. Il n'a rien perdu de sa pugnacité, et lance à la commission : « Moi, je suis un mâle et le gouvernement est une femelle » ; ou encore : « Il y a des gens qui ont la capitulation dans le sang » (allusion à Reynaud bien sûr !). Dans son témoignage, Reynaud s'enferre toujours plus au sujet de sa conduite en 1940 ; et Louis Marin revient pour soutenir, une fois de plus, qu'il n'y avait pas de majorité au sein du gouvernement Reynaud en faveur d'un armistice. Un autre ancien ministre de Reynaud, Raoul Dautry, montre à travers son témoignage, avec plus d'honnêteté que quiconque au procès de Pétain, pourquoi aucune vérité incontestée n'émergera jamais concernant les événements de juin 1940 :

Nous étions là, une vingtaine de personnes assises non pas autour d'une table, mais en désordre dans des fauteuils dans tous les coins d'une pièce qui n'était pas préparée pour tenir un conseil [...] Vous ne pouvez pas imaginer la confusion de ce conseil de ministres qui ne dormaient plus depuis deux jours, ne raisonnaient plus, qui se battaient furieusement sur des propositions improvisées [...] La confusion était si grande, les gens si fatigués, si épuisés, si incapables de raisonner, que les propos s'échangeaient comme des balles, bien plus que comme des arguments, des raisons[13].

Lorsque la commission exprime le désir d'interroger Pétain, Isorni le presse de refuser. En fin de compte, Pétain – ou sa femme – en arrive à la conclusion qu'un refus sonnerait comme un aveu de culpabilité ; ou peut-être souhaite-t-il à nouveau, brièvement, se trouver sous les feux de la rampe. C'est ainsi que le 10 juillet 1947, une délégation de treize parlementaires, en proie au mal de mer, débarque sur l'île d'Yeu pour interroger Pétain une dernière fois. Le Maréchal est traité avec une certaine déférence : des élus de la nation n'étant pas censés se lever lorsqu'un détenu condamné pénètre dans une salle, ils s'arrangent pour être debout lorsqu'il entre et s'asseoir en même temps que lui.

Après avoir déclaré à ses interlocuteurs que sa mémoire était « fugitive », Pétain est soumis à deux heures de questions très variées : la planification militaire des années 1930, l'armistice, ses relations avec Laval, les événements de novembre 1942, etc. Au sujet de la planification militaire, Pétain reconnaît qu'« à partir de la guerre 1914-1918, c'est fini, mon cerveau militaire est fermé ». En ce qui concerne la période de Vichy, il répète qu'il existait un accord Pétain-Churchill, renvoyant les parlementaires, pour plus de détails, aux écrits de Rougier, avant de se contredire en déclarant qu'il n'a aucun souvenir d'un contact avec les Alliés entre 1940 et 1944. Il ne se souvient pas non plus d'avoir fait emprisonner Blum ou Reynaud. Ses réponses s'écartent de la ligne officielle de sa défense parce qu'il ne se la rappelle plus. Concernant les événements de novembre 1942, il regrette de ne pas s'être rendu en Afrique du Nord, mais explique qu'il n'avait pas d'avion à sa disposition – alors que, selon la ligne de défense officielle pétainiste, il était resté en France pour se sacrifier. Lorsqu'on lui demande s'il convient que les protestations qu'il aurait émises à propos des violations allemandes de l'armistice n'ont servi à rien, il répond : « Oui. »

Son humour caustique se manifeste encore parfois. Interrogé sur ce qu'il pense de Marcel Déat, Pétain lance : « Tout ce que vous voudrez, même le pire. » Cependant, le plus souvent, il donne l'image d'un vieil homme dont l'esprit décline. Lorsqu'on lui demande pourquoi il a déclaré, pendant l'Occupation, que l'Allemagne défendait la civilisation occidentale, il répond, abattu : « Je n'en sais rien. Il y avait une raison, probablement, mais laquelle, je n'en sais rien[14]. »

Il était certes tactiquement commode pour Pétain de s'abriter derrière une mémoire défaillante, mais il ne s'agissait pas cette fois d'un écran de fumée. Bien qu'il soit resté lucide jusqu'en 1949, sa mémoire s'affaiblit. Les épisodes de confusion mentale deviennent plus fréquents et, de plus en plus, il réassemble en des configurations nouvelles et étranges les fragments de son passé. Parmi ses obsessions, la conviction que, le Jour J, il avait voulu rejoindre Eisenhower en Normandie, mais qu'il lui avait été impossible de trouver un avion. Il confondait ainsi le débarquement de novembre 1942, où certains l'avaient pressé de se rallier aux Alliés en Afrique du Nord, et le Jour J, en juin 1944, où il aurait été inconcevable qu'il les rejoigne en Normandie. Un soir, Pétain refusa même de se coucher, persuadé que les Américains allaient venir le sauver[15].

Cet interrogatoire n'avait servi à rien. Les enquêteurs retournèrent sur le continent sans rien avoir appris[16]. La commission interrompit ses travaux à la fin du mandat du Parlement, en 1951. Elle produisit neuf volumes de témoignages, mais n'alla jamais au-delà du premier volume de son rapport, qui s'arrêtait aux événements de 1936. Les témoignages fourniraient matière aux futurs historiens des années 1930, mais, pour le reste, les délibérations de la commission n'apportèrent aucun éclairage nouveau sur l'Occupation[17].

Le plus vieux prisonnier du monde

Rien d'autre ne vient troubler la routine de la vie à l'île d'Yeu, si ce n'est le suicide, pour des raisons mystérieuses, du docteur Imbert en mai 1948 – un coup dur pour Pétain qui aime être entouré de visages familiers. Régulièrement, le gouvernement a vent de rumeurs de conspirations par des militants de droite pour libérer le prisonnier. Le Plan Bleu, un complot anticommuniste découvert en juin 1947, suscite de vives inquiétudes. Il prévoit un putsch à Paris, l'assassinat de De Gaulle et la libération de Pétain. L'une des personnes impliquées était Loustaunau-Lacau, omniprésent conspirateur, qui fut brièvement arrêté. Plus tard dans l'année, Joseph Simon est alerté contre un autre projet – un raid sur l'île organisé par des Canadiens français.

Quand il ne déjoue pas des complots imaginaires, Joseph Simon doit s'assurer que personne ne vienne prendre des photos dans la prison. En juin 1946, un journaliste publie un article intitulé « J'ai vu le maréchal Pétain à l'île d'Yeu », ce qui était faux car Simon l'avait expulsé avant qu'il n'ait pu voir quoi que ce soit. L'année suivante, des photographies de l'intérieur du fort sortent dans un autre journal. Simon lance une enquête pour trouver le coupable. En 1949, les éditeurs d'un tract intitulé « Le plus vieux prisonnier du monde vous regarde », avec une photo de Pétain derrière des barreaux, sont poursuivis[18]. L'objectif du gouvernement est de faire oublier Pétain.

26. Tract pro-Pétain, 1949.

Isorni ne cesse de faire pression pour améliorer les conditions d'incarcération du Maréchal. Une lettre qu'il adresse au gouvernement à ce sujet en juin 1946 agace Simon, qui note dans son journal tout ce qu'il fait pour son prisonnier – écouter inlassablement les mêmes histoires, lui fournir clandestinement des homards. La presse de gauche étant à l'affût de preuves que Pétain bénéficie d'un traitement de faveur – Madeleine Jacob a même demandé à voir les menus qui lui sont proposés –, la tactique d'Isorni consistant à maintenir Pétain dans l'actualité est risquée ; sauf si son objectif est moins d'améliorer ses conditions de vie qu'alimenter le récit d'un martyre.

Isorni tente une autre stratégie après l'élection de Vincent Auriol à la présidence de la nouvelle Quatrième République, en janvier 1947. Une tradition ancienne voulait que tout président nouvellement élu amnistie certains condamnés pour raisons humanitaires. Auriol reçoit poliment Isorni et Lemaire en février 1947, mais même les membres du gouvernement qui auraient pu y être favorables reconnaissent que l'opinion publique n'est pas prête pour une telle décision. Isorni ne rencontre pas plus de succès lorsqu'il écrit au garde des Sceaux pour demander que l'épouse de Pétain soit autorisée à partager son sort. Il n'arrange pas les choses en affirmant que les nazis avaient mieux traité Blum que la République ne traite Pétain. Après avoir échoué auprès du gouvernement, il s'adresse à l'Académie française, à la hiérarchie catholique et même au Vatican. Toutes ces demandes contribuent à maintenir l'avocat autant que son client sous les feux de la rampe, ce qui était le but recherché.

Les pétainistes fidèles qui ont aidé Isorni à préparer le procès continuent à se réunir régulièrement. La Maréchale se joint parfois à eux, « comme une reine éloignée de son trône qui, dans l'exil, retrouve sa cour décimée[19] », la décrit l'avocat. En avril 1948, ils forment un « Comité d'honneur pour la libération du maréchal Pétain » : présidé par Louis Madelin, historien et membre de l'Académie française, il compte cinq autres académiciens, un cardinal, Pierre Mauriac (frère du romancier), la veuve du maréchal Joffre et trois généraux qui avaient témoigné au procès[20].

Chapitre 21

Vichy émerge des catacombes

Sur ces années, Jacques Isorni écrivit : « Nous avions l'air de célébrer un culte interdit dont nous eussions été, au fond de quelques catacombes, les derniers fidèles[1]. » Il en devint le grand prêtre. En plus de sa carrière d'avocat, il est désormais sollicité pour donner des conférences. Pétain restant un sujet trop brûlant, il parle sur le procès de Louis XVI. Ceux qui dans le public comprennent l'allusion mêlent parfois des « Vive Pétain ! » à leurs applaudissements.

Isorni a beau évoquer « un culte interdit », les apologistes de Vichy commencent, avec une rapidité étonnante, à s'exprimer ouvertement, et à trouver une audience[2]. L'un des premiers à relever la tête est l'amiral Auphan, qui était demeuré caché à la Libération. Jugé par contumace en août 1946, il est condamné à mort. Il n'avait pas facilité la tâche de son défenseur, Maurice Garçon, avec lequel il était clandestinement en contact, car il voulait fonder sa défense sur la fidélité à Pétain. Garçon tenta de le convaincre que ce n'était plus une stratégie viable dès lors que le procès du Maréchal avait établi que son gouvernement avait trahi. La clandestinité d'Auphan, protégé par les réseaux catholiques, ne l'empêche pas de produire des tracts pro-Pétain, qu'il appellera plus tard des « samizdats ». Lorsque l'Assemblée constituante commence à débattre d'une nouvelle Constitution, Auphan, optimiste, lui transmet un projet de Constitution que les conseillers de Pétain avaient rédigé, mais jamais appliqué, vers la fin du régime de Vichy[3].

À partir de la fin de l'année 1945, plusieurs publications d'extrême droite voient le jour. La plupart sont éphémères, mais deux d'entre elles vont perdurer. La première est une austère revue mensuelle, *Écrits de Paris*, lancée en 1947. À lire au hasard quelques titres en 1956, son thème de prédilection est clair : « Le général Pétain à Verdun », « Le maréchal Pétain et l'Alsace-Lorraine » (mars), « Le maréchal Pétain et l'Académie française » (avril), etc. *Écrits de Paris* est rejoint en 1951 par *Rivarol*, une publication plus pugnace, dont le tirage atteint quarante mille exemplaires. Tandis que *Rivarol* défend sans complexe la collaboration, les *Écrits de Paris* soutiennent généralement que Pétain s'y est opposé. Mais les deux publications se retrouvent autour de la haine du général de Gaulle. Elles vivent dans un univers parallèle de rancœur, de ressentiment et de victimisation ; ressassent indéfiniment les horreurs de la Libération, dépeinte comme un bain de sang comparable au massacre de la Saint-Barthélemy ou à la Terreur, et entretiennent une martyrologie morbide sur laquelle plane la figure christique de Pétain.

La Suisse, où se sont réfugiés de hauts fonctionnaires du régime de Vichy, constitue un des centres actifs du néo-pétainisme. L'ancien directeur de cabinet de Laval, Jean Jardin, un homme de réseau séduisant qui a hérité du surnom de « consul » des émigrés, joue un rôle important au sein de cette communauté[4]. Il met ses membres en contact avec le banquier suisse François Genoud, sympathisant nazi et fondateur des Éditions du Cheval Ailé, une maison consacrée à la publication d'ouvrages provichystes. L'un des premiers titres à paraître est une défense de Pétain en même temps qu'une critique de son procès, sous la plume d'Alfred Fabre-Luce. Dans l'entre-deux-guerres, Fabre-Luce avait été un écrivain brillant et influent, engagé dans la réconciliation franco-allemande. De là, il était devenu partisan de la collaboration, mais s'était opportunément refait une virginité politique en étant brièvement emprisonné par les Allemands vers la fin de l'Occupation, avant d'être à nouveau arrêté à la Libération[5]. Son livre *Le Mystère du Maréchal. Le procès de Pétain*, publié dès octobre 1945, est le premier d'un flot d'écrits polémiques qu'il produira au cours des trois décennies suivantes. Selon lui, l'« intuition géniale » du Maréchal avait permis à la France de ne pas tout perdre dans la défaite catastrophique de 1940, jusqu'à la victoire des Alliés à laquelle de Gaulle n'avait pris aucune part. Fabre-Luce est prêt à reconnaître que les effets positifs de la collaboration jusqu'en 1942 sont devenus « incertains » en 1943 et inexistants en 1944[6].

Le tenace professeur Rougier, dont les activités pendant la guerre ont mis fin à sa carrière universitaire, publie lui aussi sous l'égide du Cheval Ailé au rythme de presque un livre par an, revenant sans cesse – et brodant sans répit – sur sa « mission » auprès de Churchill, mais dénonçant également les horreurs de la France d'après la Libération[7].

Un classique de cette littérature est le pamphlet de l'abbé Desgranges publié en 1948, *Les Crimes masqués du résistantialisme*. Ce député catholique conservateur de Bretagne avait voté les pleins pouvoirs à Pétain en 1940. Après la Libération, il crée une confrérie, la Fondation Notre-Dame-de-la-Merci, pour venir en aide aux victimes de la nouvelle « Terreur ». Il invente le néologisme « résistantialisme » pour distinguer ceux qui ont pris tardivement et opportunément le train de la Résistance en marche des « vrais » résistants que l'abbé prétendait admirer. Mais le thème de la victimisation bascule dans le mauvais goût lorsque Desgranges compare la nouvelle peine d'« indignité nationale » à l'imposition de l'étoile jaune aux juifs pendant l'Occupation. Dans un cas, les individus perdaient leurs droits civiques ; dans l'autre, ils avaient souvent perdu la vie.

D'anciens collaborateurs de Vichy commencent à publier leurs Mémoires. L'un des premiers est l'ancien chef de cabinet de Pétain, Henri du Moulin de Labarthète, qui faisait partie du groupe des réfugiés suisses et connaissait plus de secrets que quiconque[8]. Son portrait de Pétain n'est pas toujours flatteur. Ce n'est pas le cas de *Montoire : Verdun diplomatique. Le secret du Maréchal* (1948), livre de Louis-Dominique Girard, chef du cabinet civil de Pétain pendant les cinq derniers mois du régime. Dans cet ouvrage volumineux, Girard affirme que Montoire représente une victoire comparable à celle de Verdun. Lors du procès, la rencontre de Montoire n'avait pas été autant évoquée qu'on aurait pu s'y attendre, car personne ne savait bien ce qui y avait été dit. La défense voulait faire croire que Pétain y avait été entraîné par Laval. À l'inverse, Girard soutient avec audace que c'était Pétain qui avait voulu rencontrer Hitler et que ce dernier était tombé dans le piège qui lui avait été tendu.

Le point de départ de Girard est une remarque que Pétain aurait faite après Montoire : « On ne vous a jamais parlé de Tilsit ? », en référence à la rencontre entre Napoléon et le tsar Alexandre Ier sur le Niémen en 1807, qui avait mis fin aux hostilités et laissé l'empereur libre de poursuivre sa campagne désastreuse en Espagne. Dans le contexte de 1940, Hitler était Napoléon et Pétain, le tsar : Pétain, en rassurant Hitler sur le fait qu'il n'avait rien à craindre des Français à l'ouest, l'avait laissé libre de se tourner vers l'Union soviétique. La France avait ainsi joué « un rôle décisif dans la victoire des Alliés » en précipitant l'entrée de l'URSS dans le camp de ces derniers – « trait de génie non pas tant diplomatique

que stratégique ». Cette politique avait nécessité « beaucoup de discrétion, de mystère même » de la part de Pétain : « L'extraordinaire, c'est le souci qu'a eu cet homme de quatre-vingt-quatre ans de monter tout seul les ficelles du théâtre qu'il va manœuvrer et dont il veut que les machineries restent assez secrètes pour que nul n'en perce le mystère[9]. »

Même à l'aune des normes acrobatiques de l'apologétique vichyste, l'argumentation était ingénieuse. S'appuyant sur une loi habituellement appliquée aux ouvrages pornographiques, le gouvernement interdit que le livre soit exposé dans la vitrine des librairies – ce qui, bien sûr, ne fit qu'augmenter les ventes. Pétain, grand lecteur des ouvrages de Rougier, avait déclaré à Simon qu'il ne prendrait pas la peine de lire celui de Girard car il était trop long. Mais il semble s'être ravisé, à en croire une conversation rapportée par Isorni :

> Pétain : C'est un chef-d'œuvre ! Girard a fait ressurgir toutes mes idées. Le livre est gros, mais aucun mot n'est inutile. [...]
> Isorni : M. le Maréchal, une partie de ce livre est controversée. Aviez-vous conçu, en allant à Montoire, de retourner les Allemands contre les Russes ?
> Pétain : Je ne me rappelle plus, aujourd'hui, avoir eu à ce moment-là de telles idées. Mais me sont-elles favorables ?
> Isorni : Évidemment.
> Pétain : Oh ! Alors pourquoi m'en défendre[10]... ?

Deux cordes à l'arc français ?

Vers la fin des années 1940, l'évolution du contexte politique français permet aux défenseurs du pétainisme de rencontrer un public plus large. L'unité de la Résistance n'a pas survécu aux débuts de la guerre froide. L'évolution du général de Gaulle lui-même est un signe de la transformation politique en cours. Il avait démissionné en janvier 1946 parce qu'il désapprouvait la nouvelle Constitution que l'Assemblée constituante était en train de rédiger. Une fois cette Constitution adoptée, de Gaulle la dénonce comme reprenant les tares de la Troisième République. Il crée son propre parti, le Rassemblement du peuple français (RPF), pour revenir au pouvoir et changer de Constitution. Devenu résolument anticommuniste et cherchant les voix des électeurs conservateurs, le Général est prêt à faire un geste de réconciliation envers les anciens pétainistes. Lors d'une conférence de presse en mars 1949, il déclare :

Aujourd'hui il y a un vieillard dans un fort. Un vieillard, dont moi et beaucoup d'autres reconnaissons qu'il a rendu de grands services à la France. Nous ne l'oublions pas et ne devons pas l'oublier [...] Pourquoi ce vieillard mourrait-il sans qu'il ait pu revoir des arbres, des fleurs, des amis ? [...] Il faut laisser mourir entouré d'une certaine dignité un homme qui a porté à certains moments la gloire de la France, et qui, pour s'être terriblement trompé, n'en est pas moins un vieillard inoffensif à l'heure qu'il est[11].

De Gaulle s'engage ainsi dans un délicat exercice d'équilibriste : se concilier les anciens pétainistes sans s'aliéner son électorat naturel. Mais un de ses plus proche collaborateurs, Gilbert Renault, ancien agent de la France Libre qui avait dirigé un important réseau de résistance sous le pseudonyme de « Colonel Rémy », compromet ce fragile équilibre. Après la guerre, Rémy avait commencé à publier des Mémoires à succès qui le présentaient comme le type même de l'agent secret tout droit sorti d'un film d'espionnage. Dès lors que Rémy rejoint le RPF, il devient le candidat idéal pour rédiger une biographie populaire intitulée *De Gaulle, cet inconnu*. Dans cet ouvrage hagiographique, Rémy rapporte une remarque que le Général lui aurait faite : la France avait eu besoin de « deux cordes à son arc » – Pétain et lui-même. De Gaulle avait corrigé le tapuscrit original de Rémy en mettant le verbe au subjonctif : il était souhaitable que la France « disposât de deux cordes », ce qui pouvait être lu soit comme un souhait rétrospectif, soit comme une description de ce qui s'était réellement passé. De Gaulle avait également inséré une réserve : « à condition, bien entendu, que l'une et l'autre correspondissent [autre subjonctif] au bénéfice de la nation », laissant planer une ambiguïté sur le fait que cette condition ait été remplie. Peu de gens ayant pris la peine de lire la propagande sirupeuse de Rémy, le passage, même amendé par de Gaulle, était passé inaperçu[12].

Mais, en avril 1950, encouragé par les propos publics du Général au sujet de Pétain, Rémy répéta, dans l'hebdomadaire gaulliste *Carrefour*, cette remarque attribuée à de Gaulle, cette fois sans les corrections apportées par ce dernier. Sans répudier son opposition passée à l'armistice, Rémy semblait désormais s'indigner davantage des excès de la Libération. Le lendemain, de Gaulle publia un communiqué cinglant, niant avoir fait le commentaire que Rémy lui attribuait. Ce dernier démissionna du RPF. N'ayant pas obtenu l'aval du Général dans sa tentative de créer une sorte de pétaino-gaullisme, il dériva vers la droite[13]. L'affaire Rémy donna une nouvelle publicité au cas Pétain, au-delà des cercles des vichystes impénitents. Isorni et Lemaire s'enhardirent à publier ensemble un livre exposant leurs arguments en faveur d'une révision du verdict[14]. Le Maréchal faisait de nouveau la une des journaux.

Toujours en avril 1950, l'hebdomadaire populaire *Samedi-Soir* barre sa une d'un énorme titre : « Pétain : Jugez vous-même. » Sous une photo du jury lors du procès, il invite ses lecteurs à jouer les jurés à leur tour, leur demandant : « À leur place, auriez-vous condamné Pétain ? » La question se déclinait sur plusieurs numéros :

> 22 avril : A-t-il eu raison ou tort de préconiser et signer l'armistice ? A-t-il fait un coup d'État ou représentait-il le pouvoir légitime ?

> 29 avril : Montoire : Verdun diplomatique ou trahison ? La Révolution nationale : renouveau ou fascisme ?

> 6 mai : Afrique du Nord : la politique du Maréchal a-t-elle servi les Alliés ou l'Axe ?

> 20 mai : Pétain a-t-il persécuté ou protégé les Israélites ? Le STO : un esclavage ou une protection ?

Et, le 17 juin, le dernier numéro interroge : « À Sigmaringen, Pétain était-il le complice ou prisonnier d'Hitler[15] ? »

Samedi-Soir évitait de proposer sa propre réponse à ces questions, même si postuler que Montoire aurait pu être un « Verdun diplomatique » était un signe des temps, mais un autre journal à grand tirage, *L'Aurore*, joue quant à lui cartes sur table dans une série d'articles publiés en mai et juin 1950 et qui s'ouvrent par le gros titre : « Montoire fut-il le point de départ d'une trahison ? Ou bien un maître coup diplomatique dont les répercussions furent, à long terme, fatales aux nazis ? » Au cas où les lecteurs n'auraient pas saisi le message de cette question rhétorique largement biaisée, des raisons leur étaient fournies d'opter pour la deuxième hypothèse. Enfin, entre septembre et octobre 1950, *Le Courrier de l'Ouest*, important journal régional, publie vingt articles sous la rubrique « Faut-il réviser le verdict de Pétain ? »[16].

Autre indice de ce nouvel état d'esprit, les apologistes de Vichy voient leurs livres acceptés par les plus grands éditeurs. La vénérable maison Plon, qui a publié les Mémoires de Churchill et ceux de De Gaulle, n'eut aucun scrupule à faire paraître ceux de quatre personnalités qui avaient témoigné en faveur de la défense lors du procès Pétain[17]. Les pétainistes étaient bel et bien sortis des catacombes.

Les porte-parole catholiques relèvent eux aussi la tête. La Libération avait été un traumatisme pour l'Église catholique, laquelle avait ostensiblement soutenu le régime de Vichy, même si quelques ecclésiastiques de haut rang s'étaient élevés contre les arrestations de juifs en 1942. Lorsque Pétain effectue son unique visite dans Paris occupé en avril 1944, il est accueilli à Notre-Dame par Mgr Suhard, qui préside deux mois plus tard dans la cathédrale une messe pour Philippe Henriot, le ministre de la Propagande de Vichy assassiné par la Résistance. Le 26 août 1944, quand de Gaulle termine sa descente des Champs-Élysées par un *Te Deum* à Notre-Dame, il est interdit à Mgr Suhard de pénétrer dans sa cathédrale et d'y officier.

Six ans plus tard, l'Église tient sa revanche. Le 25 février 1951, le cardinal Feltin, successeur de Mgr Suhard, célèbre une messe à Notre-Dame pour commémorer la bataille de Verdun. La veille, un ministre du gouvernement présent à Verdun avait réussi l'exploit de ne pas mentionner Pétain. Mais, à Notre-Dame, le cardinal Feltin invoque solennellement son nom : « Nous savons qu'il souffre [*longs applaudissements*]. Notre charité chrétienne, comme notre titre de soldats combattants sous ses ordres, nous invitent à adresser à Dieu, pour lui, une prière fervente [*nouveaux applaudissements*]. » Par deux fois, il est ainsi interrompu par des applaudissements ; le préfet et un autre représentant du gouvernement quittent les lieux en signe de protestation. Le cardinal reçoit un plein sac postal de lettres de soutien pour son sermon. Il a manifestement touché un point sensible[18].

Les convictions de ceux qui adhèrent à ce pétainisme nostalgique se dévoilent dans une pétition adressée en 1949 à l'épouse du président Auriol, demandant la libération de Pétain. Les signataires ont accompagné leur nom de commentaires :

M. Paul M. (douze enfants) : Je n'ai jamais douté de lui, ses portraits ornent toujours mes pièces.

M. P. (Paris) : On ne lui pardonne pas d'avoir aimé les humbles, d'avoir morigéné les puissants de la politique [...] On ne lui pardonne pas d'avoir gouverné sans députés.

M. E des Essarts : Il a réussi à limiter les dégâts d'une façon remarquable. Sans lui, il y aurait eu tellement plus de fusillés et de déportés[19].

Enhardis par ce nouveau climat politique, les partisans de Pétain lancent un parti, l'Union des nationaux indépendants et républicains (UNIR), en vue des élections législatives de 1951. Sans surprise, son programme est marqué à droite : anticommunisme, défense de l'Empire français, mais surtout défense de la mémoire de Pétain et amnistie pour ceux qui ont été condamnés à la Libération. Alors que le RPF de De Gaulle, qui s'oppose à l'existence même de la Quatrième République, est considéré comme la principale menace par la classe politique au pouvoir, le gouvernement centriste n'hésite pas à aider en coulisses ces conservateurs ouvertement antigaullistes. Isorni reçoit une photographie, jamais publiée, montrant le Général en 1945 serrant la main du dirigeant communiste Maurice Thorez : le Montoire de De Gaulle, aux yeux des pétainistes. Finalement, quatre candidats UNIR sont élus au Parlement, dont Isorni et Loustaunau-Lacau[20]. En janvier 1951, ils font voter par le Parlement une amnistie pour les personnes condamnées à la Libération à moins de quinze ans de prison[21].

Cela ne change évidemment rien au sort de Pétain, dont la santé s'est sérieusement dégradée. Trois médecins envoyés à l'île d'Yeu en février 1949 ont recommandé qu'il soit hospitalisé, mais le gouvernement a choisi de lui apporter dans sa prison les soins médicaux nécessaires. Les autorités réfléchissent également à ce qu'il conviendra de faire au moment de son décès. Un plan détaillé est établi en novembre 1949 : l'acte de décès de Pétain ne portera aucune mention de sa carrière ; il sera enterré dans le fort de l'île d'Yeu, en civil et sans décorations militaires. Le public sera maintenu à l'écart de la cérémonie funéraire. Mais le Maréchal va vivre encore un an. En juin 1951, son état s'aggravant, il est transféré dans la Villa Luco, une maison de l'île agréée comme hôpital militaire. Il y meurt vingt-deux jours plus tard, le 23 juillet.

Lorsque Georges Pompidou, collaborateur de De Gaulle et futur Premier ministre, annonce au Général que « Pétain est mort », celui-ci le reprend : « Oui, le Maréchal est mort. » Et quand Pompidou ajoute que « c'est une affaire liquidée », il le corrige de nouveau : « Non, c'est un grand drame historique, et un drame historique n'est jamais terminé[22]. »

Chapitre 22

Gardiens de la flamme

Compte tenu des difficultés d'accès à l'île, les funérailles de Pétain se déroulèrent dans la discrétion, comme l'avait espéré le gouvernement. Seuls ses avocats et les membres de sa famille furent autorisés à pénétrer dans la chambre où il était mort pour voir sa dépouille. Aucune photographie ne fut permise, et lorsque l'on s'aperçut que l'artisan qui devait réaliser le cercueil portait sur lui un appareil photo mis à sa disposition par un journal, il fut remplacé. Isorni réussit à faire inscrire le titre de maréchal sur l'acte de décès, mais sa demande officielle de transférer le corps de Pétain sur le continent pour qu'il soit enterré à Verdun fut, sans surprise, rejetée. Dans le même temps, lui et la famille avaient obtenu une concession au cimetière de Port-Joinville. Le cercueil fut porté par huit anciens combattants de Verdun, suivi par une petite foule endeuillée – où Weygand figurait en bonne place –, des pêcheurs et des touristes curieux. Francisco Franco et Antonio Salazar envoyèrent leurs condoléances d'Espagne et du Portugal. Des messes furent également dites dans plusieurs églises parisiennes[1].

Immédiatement après les obsèques, les membres du Comité pour la libération du Maréchal créent une nouvelle organisation : l'Association pour défendre la mémoire du maréchal Pétain (ADMP). Weygand en est le président d'honneur et son comité directeur comprend Isorni, Lemaire, Girard et Rougier, ainsi que le colonel Rémy, nouvelle recrue de la cause pétainiste. Parmi les membres actifs, on compte aussi l'ancien champion de tennis Jean Borotra, qui a été commissaire général à l'Éducation physique et aux Sports d'août 1940 à avril 1942. L'association (4 700 membres en 1954, 6 700 en 1955) publie un bulletin trimestriel qui contient des articles pieux sur Pétain et réfute les commentaires défavorables à son sujet dans la presse[2].

27. Première page du bulletin de l'Association pour défendre la mémoire du maréchal Pétain.

L'ADMP s'apparente plus à un culte qu'à un mouvement politique. Les activités de ses adhérents suivent un calendrier de célébrations : l'anniversaire de Pétain, le 24 avril, est marqué par une visite à Cauchy-à-la-Tour, son village natal dans le Pas-de-Calais ; le 1er mai est célébré en mémoire de la Charte du travail promulguée par Vichy et pour sa proximité avec la fête catholique de la saint Philippe (3 mai). Mais le point culminant de l'année est le « pèlerinage » à l'île d'Yeu pour commémorer la mort du Maréchal. N'ayant pas l'autorisation d'entrer dans la forteresse où il avait été emprisonné pendant six ans, les pèlerins se rassemblent à l'extérieur puis descendent le chemin caillouteux jusqu'à Port-Joinville, refaisant ainsi en sens inverse le « chemin de croix » de la Maréchale gravissant la colline depuis l'hôtel des Voyageurs. Le toujours aussi entreprenant hôtelier Nolleau a produit une courte brochure intitulée *Île d'Yeu, terre de pèlerinage* et transformé la chambre de Mme Pétain en un petit musée de reliques que soixante-quinze mille personnes avaient déjà visité en 1959. Enfin, les fidèles se recueillent sur la tombe. Pour ceux qui ne peuvent entreprendre ce voyage compliqué, une messe est aussi célébrée dans la paroisse de Pétain à Paris.

Nous en savons peu sur les militants de base de l'ADMP – anciens combattants de la Grande Guerre, de 1940, nostalgiques de Vichy, victimes de la Libération. Quelques lettres anonymes adressées au bulletin de l'association nous donnent un aperçu de leur univers mental. Un ancien combattant de 1940 écrit ainsi :

> J'avais vingt ans lorsqu'en juin 1940, je fus fait prisonnier. N'ayant ni voté ni exprimé encore d'opinions politiques, j'étais très en dehors de ce désastre qui me dépassait par son ampleur […] En colonnes interminables, nous marchions sur les routes de France sous un soleil torride, épuisés, sales, affamés, sous les regards de nos gardiens qui savaient que nos chefs civils avaient déserté misérablement et que désormais plus rien ne nous protégeait […]
>
> Pas de pain. Pas de nouvelles. Des villages en flammes. Des gens affolés et en plus de cela ces colonnes de malheureux refugiés qui sillonnaient les routes, images inoubliables de tristesse et d'abandon.
>
> Or, un soir, tout semble changé ; nos gardiens changèrent de méthode et dans leur langage ils nous annoncèrent qu'un très glorieux Chef français avait sollicité l'armistice.
>
> Alors du fond de nos cœurs épuisés de souffrance (et peut-être seuls ceux qui ont vécu ces heures pourront comprendre) monta une lueur d'espoir, une prière s'envola vers ce Soldat qui, toujours debout dans les moments difficiles, chargé de sa Gloire, s'avançait pour nous protéger […]

Nouvelle série - N° 42 - Juin-Juillet 1964   Prix du numéro : F. 1,00

LE MARÉCHAL

Organe de l'Association pour défendre la Mémoire du Maréchal Pétain
Direction et Rédaction : A.D.M.P., 6, rue Marengo, PARIS (1er) — C.C.P. 6459-26 PARIS — Tél. : GUT. 39-50 (poste 114)

> AI-JE DONC VRAIMENT MÉRITÉ UN TEL SORT ?
>
> Philippe PÉTAIN

L'A.D.M.P. à VERDUN

Il s'imposait à l'A.D.M.P. d'associer en un même hommage, à l'occasion de la célébration du cinquantenaire de la guerre de 1914, les soldats de la grande guerre et leur chef victorieux, le Maréchal Pétain. Et c'est à Verdun, au point culminant de l'épopée, que le rendez-vous avait été pris.

Dimanche 14 juin, avec son strict souci du respect de la légalité, notre Association avait organisé un pèlerinage à Douaumont. Il s'est déroulé dans une ambiance d'émotion, d'espérance et d'union.

Toute liberté avait été laissée aux pèlerins de se joindre aux diverses personnalités qui s'étaient rendues à Verdun. Autour des dirigeants qui avaient entrepris le voyage, des adhérents et fidèles de l'A.D.M.P. étaient venus de très nombreux départements que nous voulons énumérer : Paris et Seine-Ouest, Meuse, Vosges, Puy-de-Dôme, Var, Hérault, Seine-Maritime, Nord, Meurthe-et-Moselle, Ardennes, Martinique, Haute-Marne, Seine-et-Oise, Morbihan, Marne, Mayenne, etc. M° Jean Lemaire, président, empêché au dernier moment, s'était excusé. Le groupe était conduit notamment par MM. Jacques ISORNI, Pierre HENRY (secrétaire général) et des membres du Comité National, MM. BIVOLLET, ancien Ministre, le Capitaine de Vaisseau FEUILLADE, et MARANDE, président de la filiale des Vosges.

Dès le samedi, un groupe de la filiale Seine-Ouest avait effectué un circuit des champs de bataille de la rive gauche de la Meuse.

Le dimanche matin, après un instant de recueillement devant le monument aux Morts de la ville de Verdun, notre groupement mondait en un long cortège automobile vers le fort de Douaumont.

La visite en fut faite sous la conduite de M. OLIVIER, gardien-chef du fameux monument, authentique combattant des grandes heures de la tragédie ; et chacun des visiteurs acquit la conviction que

(Suite page 2.)

Le colonel à Arras

Le général au front

1914

HOMMAGE au Maréchal PÉTAIN

Commandant en chef de l'Armée française

à l'occasion du cinquantième anniversaire de la Grande Guerre

La translation de Ph. PÉTAIN à Douaumont

Par Jacques ISORNI

D'ABORD se mettre d'accord sur le mot dont on se sert avant de discuter du fond des choses. Renonçons à l'expression trop communément employée de transfert. Transfert n'est qu'un terme de finances et de commerce. Il y a le transfert-paiement et le transfert-recette. C'est aussi un changement de propriétaire d'un titre nominatif, effectué soit par endos, soit par signature d'un acte synallagmatique émanant de l'ancien propriétaire et du nouveau, et déposé au siège social ou transcrit sur un registre destiné par la société à cet effet. Tandis que l'action par laquelle on transporte un objet, un individu — et un cercueil — d'un lieu dans un autre s'appelle en français une translation. « La translation du corps de Turenne était touchante, et tout était en pleurs, et plusieurs criaient sans pouvoir s'en empêcher. » Tel est l'exemple du Littré. Retenons-le. Il n'y aura qu'un mot à changer dans une édition future. Il n'y aura jamais de transfert des cendres à Douaumont. Seulement une translation.

Si nous en parlons de nouveau, ce n'est pas pour régler un problème de vocabulaire, c'est que le bruit circule, sans pouvoir être vérifié, que le Général DE GAULLE serait prêt, et près de l'ordonner.

Une question se pose, et se pose en dehors du Général DE GAULLE, sous forme de préalable : le Maréchal doit-il être

(Suite page 4.)

L'ANNIVERSAIRE DE LA MORT DU MARÉCHAL

Le 23 juillet prochain sera célébré le treizième anniversaire de la mort du Maréchal PÉTAIN, prisonnier à l'Ile d'Yeu.

Nous savons déjà que de nombreuses démonstrations se préparent, et nous demandons que, précisément, cette année où est commémoré l'anniversaire de la guerre de 1914, et alors que le souvenir du vainqueur de Verdun s'impose de plus en plus à l'opinion publique, nos amis, et nos amis, organisent des cérémonies partout témoignage de leur fidélité.

La messe annuelle pour Pétain sera célébrée le jeudi 23 juillet, à 19 heures très précises en l'Église Saint-Pierre du Gros-Caillou, 92 rue Saint-Dominique (7°). Métros : La Tour-Maubourg et Ecole Militaire.

PÉTAIN ET LE POILU

Ce qu'il en a dit :

« Le soldat et l'officier français comprenaient la grandeur de leur tâche, et s'acquittaient avec sérénité : perdus dans un océan déchainé, sachant que nul n'entendait leurs signaux de détresse ils s'acharnaient à ralentir le flot qui les débordait les uns après les autres et prétéraient la mort ou l'horrible captivité au salut qu'ils eussent pu trouver dans la retraite. Nos hommes souffraient et périssaient au-delà de ce que l'on peut imaginer ; ils accomplissaient leur devoir avec simplicité, sans forfanterie et, par-là, ils touchaient au sublime. »

« Il y avait en eux moins d'enthousiasme que de mâle détermination et leur farce résidait surtout dans une volonté inflexible de défendre leurs familles et leurs biens contre l'envahisseur. Soldats dans la plus haute acception du mot, froids, résolus, ils acceptaient le danger comme la souffrance. Lorsque le moment était venu d'avancer en ligne, ils avançaient d'un pas ferme vers leurs destinées, n'ignorant rien du sort qui les attendait. »

« En 1917 j'ai réussi parce que j'aimais comme un chef. Je les aimais comme un frère, parce que je combattais avec eux. »

« Mon grand bonheur serait d'avoir réussi à faire pénétrer le sentiment au cœur des vrais et de ses responsabilités dans l'âme de ce soldat français, devant lequel nous ne nous inclinons jamais assez, parce qu'il a si librement souffert et mourir pour un idéal, espérer toujours et quand même, et vaincre enfin au premier rang des peuples levés contre l'oppression, l'injustice et la barbarie. »

28. Affiche de propagande de l'ADMP.

> Huit mois après, je m'évadai et remerciai encore une fois le Maréchal d'avoir pu laisser un petit coin de terre française libre pour me refugier auprès de ma famille[3].

Outre l'organisation du culte de Pétain, l'ADMP lance une pétition en faveur du transfert de sa dépouille à Verdun aux côtés des soldats qu'il avait commandés pendant la Grande Guerre : on compare celui-ci au retour des cendres de Napoléon en 1840, autre « héros » français mort en exil. Trente-huit mille personnes ont signé la pétition en deux ans. De même que le Pétain de Verdun, celui de Vichy est porté aux nues dans les colonnes du bulletin. L'association insiste surtout sur la politique de réconciliation des classes menée par le régime et sur l'accord secret imaginaire avec Churchill. On y parle peu de Montoire (malgré le livre de Girard), et Laval n'est presque jamais mentionné.

En 1957, une organisation d'anciens résistants tente de faire interdire l'ADMP. Leur demande est rejetée par les tribunaux, mais une revue de la France Libre publie les quatre-vingt-quatre pages du mémorandum de leur avocat sous le titre « Le nouveau procès de Pétain ». En réalité, il n'y avait rien de « nouveau » dans cette récapitulation des arguments exposés par Mornet dix ans plus tôt, et seule une poignée de personnes se rendit au tribunal pour les réentendre. Le combat de l'ombre entre l'ADMP et les organisations de résistance n'attirait guère l'attention.

La France entre alors dans les « Trente Glorieuses ». Le Parlement a voté en 1951 et 1953 l'amnistie pour la plupart des condamnés lors des procès de l'épuration. Les Français veulent tourner la page. Si tant est qu'il existe à cette époque un consensus sur Pétain, c'est l'*Histoire de Vichy* publiée par le journaliste Robert Aron en 1954 qui l'illustre le mieux[4]. Avant la guerre, Aron avait appartenu à un groupe de jeunes intellectuels surnommés plus tard les « non-conformistes » des années 1930. Ce groupe avait en commun une opposition radicale à la Troisième République, à cause non seulement de son inefficacité, mais aussi de son idéologie individualiste. Après 1940, les « non-conformistes » empruntent des chemins politiques divergents, certains vers Vichy, d'autres vers la collaboration, d'autres encore vers la Résistance. Bien que juif, Aron lui-même avait survécu à l'Occupation grâce à la protection de Jean Jardin, collaborateur de Laval, qui évoluait dans les mêmes cercles intellectuels avant la guerre. Pour Aron, à titre personnel, Vichy avait bien été un « bouclier »[5].

Aron était bien introduit dans les cercles politiques et son livre s'appuyait sur des témoignages personnels ainsi que sur les archives de la Haute Cour de justice, auxquelles il avait eu accès. L'ouvrage ne blanchissait pas absolument Vichy mais était enclin, chaque fois que c'était possible, à lui accorder le bénéfice du doute. De manière significative, plus de la moitié du texte (300 pages) traite des six premiers mois du régime et moins du tiers (180) de la période courant après novembre 1942. Six pages sont consacrées à la mission Rougier mais seulement deux à la rafle des juifs en 1942. La conclusion – « Pour l'immédiat, le Maréchal parut avoir raison ; pour l'avenir, le Général a vu plus juste » – était une reprise de la théorie du bouclier et de l'épée. Les critiques soulignèrent tous que Robert Aron s'était donné beaucoup de mal pour rester impartial. C'est d'ailleurs bien le reproche que lui fit de Gaulle : « Votre livre est très objectif mais d'une objectivité telle qu'il cesse parfois de l'être[6]. » L'ADMP non plus n'apprécia pas l'ouvrage[7]. Le pétainisme lénifiant de Robert Aron irritait autant les pétainistes que les gaullistes, mais il incarnait aussi à la perfection les sentiments complexes que nombre de Français nourrissaient à l'égard de leur passé récent.

La revanche de Pétain

C'est dans ce passé que vivent les fidèles de l'ADMP. Dans leurs publications, les références à la politique contemporaine sont rares. À la réunion annuelle de l'ADMP en septembre 1954, un orateur relève que nombre de personnalités politiques de la Quatrième République qui prônent la réconciliation avec l'Allemagne (un premier pas vers ce qui deviendra l'Union européenne) sont les mêmes qui avaient fustigé l'ancienne politique de « collaboration »[8]. Certains, à gauche, disent la même chose. Une caricature compare la rencontre de 1951 entre le président du Conseil Robert Schuman et le chancelier Konrad Adenauer à celle entre Pétain et Hitler onze ans plus tôt.

Une question sur laquelle l'ADMP établit des parallèles entre le passé et le présent – à l'avantage bien sûr du passé – est l'empire. Depuis 1945, les gouvernements se trouvent empêtrés dans des guerres coloniales impossibles à gagner. L'Indochine est perdue après la bataille de Dien Bien Phu en 1954 et la France est ensuite entraînée dans un conflit de plus en plus sanglant pour conserver l'Algérie. Selon la vision pétainiste de l'histoire, l'armistice avait sauvé l'empire en l'empêchant de tomber aux mains des Allemands. Tout avait commencé à se gâter lorsqu'en 1941 de Gaulle avait lancé son attaque contre la Syrie contrôlée par Vichy. Il en avait inévitablement découlé l'indépendance de la Syrie en 1945, premier pas sur la voie du déclin impérial. Dans la perspective du centenaire de la naissance de Pétain en avril 1956, l'ADMP le présente comme « le mainteneur de l'empire[9] ». Et c'est par l'intermédiaire de l'empire que la nostalgie pétainiste se trouve un nouveau public après mai 1958, lorsque la crise en Algérie déborde en métropole.

La population européenne d'Algérie et l'armée française soupçonnent de plus en plus les gouvernements successifs de s'être résigné à l'abandon de l'Algérie française. Cette suspicion vire à la violence lorsque le député centriste Pierre Pflimlin tente de former un gouvernement en mai 1958. Une contre-manifestation monstre est organisée à Alger, avec le soutien de l'armée. La France semble à la veille d'un coup d'État. De Gaulle, qui n'est plus au pouvoir depuis douze ans, apparaît comme un sauveur possible. Pour l'armée en Algérie, il est l'homme qui défendra l'Algérie française ; pour les parlementaires en métropole, il est celui qui les protégera de l'armée.

Le parallèle avec 1940 était saisissant : à un moment de crise nationale, un héros providentiel émerge pour sauver la nation. Lors d'une conférence de presse où il doit annoncer ses intentions, on demande à de Gaulle s'il représente une menace pour la démocratie. Il répond par une boutade : « Pourquoi voulez-vous qu'à soixante-sept ans je commence une carrière de dictateur ? » Beaucoup s'en souvenaient : Pétain avait commencé sa carrière de dictateur à quatre-vingt-quatre ans. Finalement, comme pour le Maréchal en juillet 1940, le Parlement investit le Général des pleins pouvoirs pour résoudre la crise et rédiger une nouvelle Constitution. Et, comme en 1940, le légalisme est préservé, mais les parlementaires ont voté sous la pression de forces extérieures au Parlement. Dans les deux cas, la légitimité historique du sauveur l'emporte sur les arguties juridiques.

Pour ceux qui, à l'extrême droite, avaient passé une décennie à ruminer leur haine de De Gaulle, l'heure du choix était arrivée. L'espoir qu'il sauve l'empire devait-il l'emporter sur le souvenir des crimes passés ? Quatre jours avant le vote, la couverture de *Rivarol*, la plus virulente des publications antigaullistes, affiche côte à côte les portraits de Pétain et de De Gaulle : « Quand de Gaulle se prend pour Pétain », s'intitule l'éditorial. Mais, deux jours plus tard, le journal ne voit pas d'alternative : « On peut, non sans bonnes raisons, estimer ce symbole dangereux. On saurait difficilement prétendre que, dans la situation actuelle, il y en ait un autre à proposer [...] Ce qui compte sera quel usage de Gaulle fera de la nouvelle – et miraculeuse – occasion qui lui est offerte de sauver la patrie [...] Pari que nous n'avons ni choisi ni souhaité de faire[10]. » De la part d'une publication qui faisait son fonds de commerce d'histoires sombres sur « Charles le Mauvais », le pas était considérable. Serrant encore plus les dents, *Les Écrits de Paris* adopte la même ligne de conduite : « Ses erreurs passées nous font redouter l'avenir. Cela ne nous empêche pas de souhaiter ardemment le succès de son entreprise[11]. » Au Parlement, les élus d'extrême droite sont prêts à accorder le bénéfice du doute à de Gaulle.

Pas Jacques Isorni. Pendant la crise, l'avocat député invoque le parallèle avec 1940. Quelques jours avant le vote, il annonce qu'il fera partie des « quatre-vingts », en référence aux quatre-vingts parlementaires qui avaient refusé de voter pour Pétain en 1940. Observant ses collègues députés abandonner l'un après l'autre leur opposition à de Gaulle, il se souvient des paroles que Blum avait prononcées lors du procès de Pétain pour décrire son expérience en juillet 1940 : « J'ai vu là, pendant deux jours, des hommes s'altérer, se corrompre comme à vue d'œil, comme si on les avait plongés dans un bain toxique[12]. » Isorni est présent dans l'hémicycle le 1er juin 1958 lorsque le Général défend ses propositions devant le Parlement. Il ne l'avait pas revu depuis cette nuit de février 1945 où il était allé plaider la grâce de Brasillach. Depuis, dans l'esprit de l'avocat, de Gaulle avait pris une apparence toujours plus démoniaque :

> Je scrute sa longue et lourde silhouette. Qui est-il d'autre que son histoire, que représente-t-il, ce prince majestueux des équivoques ? Je sens mon front humide et mes mains moites de sueur. Je sais que, isolé de mes amis, guetté par mes adversaires, je vais, dans un instant, dès qu'il aura quitté la tribune, occuper sa place et parler contre lui précisément à cause de ce qu'il représente, et je ne pense plus qu'à cela. Je suis timide, écrasé à mon banc. Rien n'est qu'un rêve et tout paraît un rêve qui mélange au présent les lueurs et les vestiges du passé : l'appel du 18-Juin, le déchirement de la patrie, l'espérance dont il fut la voix sans visage, et ce sang répandu parmi les persécutions,

la nuit d'hiver où vainement je le supplie de préserver une existence [celle de Brasillach], l'ombre d'un vieillard qui dans une forteresse agonise et me parle de lui[13].

Isorni ne pouvait se résoudre à voter pour de Gaulle, disait-il, en raison de « souvenirs auxquels je suis lié, certains marqués par le sang, qu'aucun mot ni aucun geste n'ont encore effacés ». Il relève, avec perspicacité, que de Gaulle a soigneusement évité tout engagement quant à l'avenir de l'Algérie française. Il conclut : « Et que Dieu le garde de lui-même. » Son collègue Jean-Louis Tixier-Vignancour, qui avait brièvement servi dans le gouvernement de Vichy, tente de le persuader de voter pour le Général. Isorni lui répond : « L'avocat de Louis XVI ne vote pas pour Robespierre. » De Gaulle devient président du Conseil le 1er juin. Après son retour au pouvoir, un référendum est organisé en septembre pour approuver la nouvelle Constitution. Sans surprise, Isorni prône le « non ». Curieusement, la veuve de Pétain, devenue brièvement une gaulliste fervente, a rallié le camp opposé. À Paris, des affiches annoncent : « Isorni dit non. La maréchale Pétain dit oui[14]. » Aux élections législatives qui suivent, Isorni est battu. Il ne siégera plus jamais au Parlement.

Pour une fois, la haine ne rend pas aveugle. Isorni a vu juste. De Gaulle est peu à peu amené à accepter l'inéluctabilité de l'indépendance de l'Algérie, brisant les espoirs de ceux qui avaient imaginé qu'il sauverait l'« Algérie française ». Pour Isorni, sa « trahison » s'expliquait aisément : contrairement à Pétain, qui estimait que défendre la France signifiait défendre son « sol », de Gaulle avait une vision abstraite de la France, comme « idée ». C'est pourquoi il avait quitté le pays en 1940, alors que Pétain y était resté. Pétain, s'il avait vécu, aurait refusé d'abandonner le sol algérien, qui était français depuis 1830 ; de Gaulle n'avait aucun scrupule à le faire, si cela servait son « idée » désincarnée de la France[15].

Ce nouveau clivage politique ne recouvre pas exactement le précédent entre pétainistes et antipétainistes. Certains anciens résistants sont d'ardents défenseurs de l'Algérie française. Ainsi Georges Bidault, président du Conseil national de la Résistance en 1944, crée un nouveau CNR, cette fois-ci non pour résister à Pétain et aux Allemands mais pour résister à de Gaulle. Certaines de ces nouvelles recrues de l'antigaullisme mettent en veilleuse leur ancien antipétainisme, d'autres renient complètement leurs anciennes allégeances. Tout comme Isorni avait plaisanté en affirmant qu'il était entré rétrospectivement dans la collaboration en 1945 en défendant Pétain, d'autres deviennent rétrospectivement pétainistes en 1962 en défendant l'Algérie française.

La violence du conflit algérien s'intensifiant, le pays semble glisser dans une nouvelle guerre civile. En avril 1961, un putsch militaire raté a lieu à Alger. Pour juger les responsables de l'opération, de Gaulle crée un Haut Tribunal militaire, comme on avait créé une Haute Cour de justice à la Libération. Deux des quatre principaux conjurés, les généraux Challe et Zeller, se rendent et sont envoyés en prison. Les deux autres, les généraux Salan et Jouhaud, entrent dans la clandestinité et ne sont appréhendés qu'en mars 1962. L'année écoulée depuis leur tentative de coup d'État a vu la création d'une organisation paramilitaire, l'Organisation de l'armée secrète (OAS), qui sème le chaos et la violence en France et en Algérie. De Gaulle lui-même est victime d'une tentative d'assassinat en septembre 1961. Les enjeux des procès de Jouhaud et de Salan sont dès lors plus lourds que ceux de leurs complices jugés l'année précédente.

Le général Jouhaud est condamné à mort à l'issue de deux jours de débats en avril 1962. Tout le monde s'accordait pourtant à dire qu'il n'avait pas tenu un rôle aussi central que le général Salan et qu'il bénéficiait d'une circonstance atténuante : son attachement authentique à l'Algérie française, où il était né. C'est pourquoi on s'attendait qu'une fois Salan jugé, de Gaulle commuât la sentence frappant Jouhaud. Mais le cas de Salan était complexe car, quatre ans plus tôt, il avait joué un rôle clé dans le ralliement de l'armée à de Gaulle. Ainsi, après avoir soutenu un putsch réussi en faveur du Général en 1958, il avait mené un putsch raté contre lui en 1961. L'avocat de Salan est Jean-Louis Tixier-Vignancour, qui devient alors l'une des figures majeures de l'extrême droite, éclipsant dans une certaine mesure Isorni. Né en 1907, Tixier-Vignancour est en fait de quatre ans son aîné. Élu député en 1936, il a voté pour Pétain en 1940 et a même brièvement occupé un poste dans le gouvernement de Vichy. Condamné à l'indignité nationale en 1945, il n'a repris sa carrière d'avocat qu'en 1953 à la faveur de la loi d'amnistie.

Le procès de Salan, en mai 1962, se déroule dans la même salle d'audience que celui de Pétain, dix-sept ans auparavant. Les deux événements présentent de nombreux parallèles, notamment le fait que Salan commence par lire une déclaration à la cour :

> Je ne suis pas un chef de bande, mais un général français représentant l'armée victorieuse, et non l'armée vaincue.
>
> Je n'ai pas à me disculper d'avoir refusé que l'on mît d'abord une province française aux voix pour la brader ensuite dans le mépris cynique des engagements les plus sacrés […].
>
> Je ne dois de comptes qu'à ceux qui souffrent et meurent pour avoir cru en une parole reniée et à des engagements trahis.
>
> Désormais je garderai le silence[16].

À l'exception d'interruptions ponctuelles, Salan, comme Pétain en 1945, refuse d'exprimer un mot de plus. Il devient lui aussi un témoin silencieux de son propre procès, même si, d'apparence, il ne possède pas la noblesse impénétrable de Pétain. Les cheveux encore marqués par la teinture utilisée pendant la clandestinité, il ressemble à un comédien de music-hall vieillissant.

Plus de soixante témoins sont appelés par la défense, dont près d'un tiers de soldats. Beaucoup comparaissent malgré des tentatives des autorités pour les en dissuader. Alphonse Juin, désormais maréchal de France, n'assiste pas en personne au procès, mais il envoie une lettre de soutien modéré, comme il l'avait fait pour Pétain en 1945. Le général de Pouilly, qui n'a pas rejoint les putschistes, déclare au tribunal : « J'ai choisi une direction tout à fait différente de celle du général Salan : j'ai choisi la discipline ; mais en choisissant la discipline, j'ai également choisi de partager avec mes concitoyens et la nation française la honte d'un abandon. » Un ancien résistant, à qui l'on demandait s'il pouvait y avoir une « insoumission légitime », répondit : « Je pense qu'en 1940 nous avons eu un exemple illustre. » D'autres thèmes du procès Pétain sont repris : où se situe le devoir patriotique ? La conscience personnelle peut-elle l'emporter sur le devoir d'obéissance ? Comment se nouent légitimité et légalité ? Quels sont les intérêts supérieurs de la nation ?

Avec habileté, Tixier-Vignancour évite toute attaque directe contre de Gaulle, arguant que Salan avait fait son devoir tel qu'il le concevait. Sa péroraison ressemble étonnamment à celle d'Isorni en 1945. Après avoir délibéré pendant trois heures, les juges déclarent Salan coupable, mais avec des circonstances atténuantes. Cela signifie qu'il échappe à la peine capitale. La salle d'audience éclate en acclamations, on entonne *La Marseillaise* ; Tixier-Vignancour tombe dans les bras de Salan. Plus tard, il enregistrera son discours pour graver un disque qui sera distribué par un jeune militant d'extrême droite (et futur dirigeant du Front national), Jean-Marie Le Pen.

Ce verdict sensationnel est une humiliation pour de Gaulle : à son annonce, il entre dans une fureur jamais vue par ses conseillers. Le Général décide que, puisque Salan ne peut être exécuté, Jouhaud le sera. Finalement, il cède lorsque son propre Premier ministre, Georges Pompidou, menace de démissionner. Mais on pouvait comprendre sa colère : comme il le déclara en privé à Pierre Pflimlin, le verdict du procès Salan était bien la revanche de Vichy[17].

Chapitre 23

Guerres mémorielles

L'un des tubes de 1964 s'intitulait *Les Deux Oncles*, chanson dans laquelle Georges Brassens imaginait un « Oncle Martin » qui avait « aimé les Tommies » et un « Oncle Gaston » qui avait « aimé les Teutons ». Mais tout cela, chantait-il, n'intéressait plus les nouvelles générations pour qui ces batailles de la Seconde Guerre mondiale étaient aussi lointaines que la guerre de Cent Ans.

Ces paroles étaient le reflet de la sensibilité anarchiste de Brassens. Peut-être voulait-il croire que les événements de l'Occupation étaient aussi éloignés que la guerre de Cent Ans, mais en réalité, entre 1964 et 1966, sous la présidence du général de Gaulle, ceux qui pensaient comme l'« oncle Gaston » étaient plus visibles que jamais depuis la Libération. Cela s'explique en partie par un hasard du calendrier : 1964 marque le cinquantième anniversaire du déclenchement de la Grande Guerre ; 1966, celui de la bataille de Verdun. Comment commémorer ces événements sans invoquer le nom de Pétain ? Et comment, en même temps, tenir compte du fait que 1964 est aussi le vingtième anniversaire de la Libération ?

Le régime de De Gaulle met tout en œuvre pour promouvoir ce qu'on a appelé le « mythe gaulliste » de la guerre. D'après ce récit, la France a été une nation de résistants et le régime de Vichy n'a compté pour rien. En décembre 1964, le transfert au Panthéon de la dépouille du héros de la Résistance Jean Moulin constitue le point d'orgue de cette stratégie. Mais, durant ces mêmes années, paraissent une multitude d'ouvrages sur Pétain. Dans l'un d'eux, *Pétain avant Vichy*, Henri Amouroux, journaliste et auteur à succès marqué à droite, écrit que même si de Gaulle est actuellement le « roi » de France, les tirages des magazines suggèrent que Pétain est plus populaire : « C'est sa revanche posthume[1] ! » En 1966,

Pétain fait à trois reprises la couverture de *Paris Match*, dont une pour un numéro consacré au procès[2].

Tout cela amène *Combat*, qui n'est plus le journal de gauche qu'il était en 1944, à organiser à la fin de l'année 1964 un nouveau débat sur le sujet, sous le titre : « On en parle. On est pour, on est contre. On se bat à nouveau autour de Pétain. » En fait, le débat qui s'ensuivit n'eut rien de « nouveau », comme on pouvait le prédire à lire le nom des participants : Isorni et Rémy pour la défense, deux anciens résistants pour l'accusation, et le journaliste Maurice Clavel, qui avait couvert le procès en 1945, quelque part au milieu. Pour l'un des résistants, Daniel Mayer, cet intérêt pour Pétain était superficiel : son nom faisait vendre des magazines au même titre que des articles sur la famille royale britannique ou les tueurs en série[3].

Isorni ne pouvait laisser passer l'opportunité de ce regain d'intérêt pour la figure du Maréchal. En 1964, il publie opportunément un livre au titre provocateur, *Pétain a sauvé la France*, où il ne parle pas de Verdun, mais de Vichy[4]. Cela faisait partie de sa mission sacrée de réhabiliter la mémoire du Maréchal. Mais Isorni en tirait aussi profit, car il avait besoin d'argent et disposait de temps libre, au point de trouver le loisir de publier également un livre sur le procès de Jésus[5]. En effet, sa carrière politique et juridique bat de l'aile. Il a perdu son siège de député en 1958, et en 1963, alors qu'il plaide lors du dernier grand procès de la guerre d'Algérie, après l'attentat du Petit-Clamart contre de Gaulle en août 1962, il est radié du Barreau pour trois ans. À ce procès, Tixier-Vignancour, fort de son succès dans la défense de Salan, s'était vu confier celle de Jean Bastien-Thiry, la tête du complot, qui fut reconnu coupable et fusillé. Isorni, relégué à la défense d'un second couteau, annonce à l'avance qu'il soulèvera le cas de Fernand Bonnier de La Chapelle, qui avait assassiné l'amiral Darlan en 1942 avant d'être réhabilité par de Gaulle – l'affaire démontrait, selon Isorni, que le Général ne s'opposait pas toujours à l'assassinat politique.

En cela, Isorni était fidèle à lui-même. Ce qui provoqua sa radiation fut la lecture devant la cour d'une lettre mettant en cause l'intégrité des magistrats. Isorni était le roi de la provocation, mais, cette fois-ci, il était allé trop loin. Son manquement à la déontologie offrit une excellente occasion à ceux qui voulaient le museler. Il déversa sa rage dans un livre accusant de Gaulle d'avoir été complice dans le passé d'assassinats politiques[6]. Pour ces accusations, il fut condamné en 1965 pour « offense au chef de l'État ».

Le livre d'Isorni sur Pétain en 1964 suscite une réaction bienveillante de François Mauriac, qui affirme que l'ouvrage ne l'a « ni choqué ni scandalisé ». Mais l'écrivain identifie avec justesse le problème soulevé par l'approche d'Isorni. Si on cherchait à célébrer le Pétain de la Grande Guerre, il fallait éviter de transformer sa campagne en « une revanche des vaincus d'hier » cherchant à renverser le verdict de 1945[7]. Malgré cette main tendue vers ses adversaires d'hier, Mauriac se trouve bientôt violemment attaqué lui aussi à l'occasion de la publication de sa biographie de De Gaulle en 1964. Depuis 1958, le romancier était devenu un partisan si fervent de De Gaulle que même ses admirateurs en étaient gênés. Sa biographie sirupeuse du Général suscite une réaction féroce – et un bien meilleur livre – de la part de Jacques Laurent, apologiste de Vichy et partisan de l'Algérie française. Bien qu'en 1945 Mauriac ait tenté de sauver Brasillach du peloton d'exécution, il était détesté des vieux pétainistes. Mais la polémique de Laurent contre Mauriac est en réalité une attaque contre de Gaulle : « Entre 1940 et 1944 », écrit-il, « l'œuvre de De Gaulle consista à s'adjuger des victoires qu'il n'avait pas gagnées [...] à prendre en main une turbulence héroïque à laquelle il n'avait pas participé. Car dès que le drame eut été annoncé par les trois coups fatidiques, de Gaulle était à l'abri »[8]. Le livre se poursuit dans cette veine sur plusieurs centaines de pages. La violence de l'attaque vaut à Laurent d'être poursuivi, comme Isorni, pour offense au chef de l'État[9].

Un autre texte très hostile au Général est publié en 1964 par Alfred Fabre-Luce. L'auteur d'une des premières défenses de Pétain en 1945 en est à son quatrième livre sur de Gaulle, qu'il affecte d'appeler simplement « Gaulle ». En 1962, un de ses précédents ouvrages, imaginant le Général comparaissant devant la Haute Cour de justice, lui avait valu d'être condamné, comme Isorni et Laurent, au titre de la loi de 1881 réprimant les offenses au chef de l'État[10]. Le fait que le gouvernement y ait si souvent recours permet aux apologistes de Pétain de prétendre que la vie politique dans la France gaulliste est plus répressive que sous Vichy – exagération absurde. L'atmosphère politique tendue de cette époque – au cours de laquelle de Gaulle échappe de peu à deux attentats – explique la susceptibilité du gouvernement[11].

Simultanément, de Gaulle envisage de tendre la main à ceux qui ne lui sont pas implacablement opposés. En 1965, son premier septennat s'achève. Conséquence de la réforme qu'il a introduite en 1962, le président de la République sera désormais élu au suffrage universel. Il était inconcevable que de Gaulle ne remporte pas cette élection s'il choisissait de se présenter, mais l'ampleur de la victoire était incertaine. Même s'il domine la vie politique, le Général s'est fait de nombreux ennemis. La gauche ne supporte pas son style de gouvernement autoritaire, les conservateurs modérés lui reprochent encore sa politique algérienne, et la rage de l'extrême droite contre la « trahison » de l'Algérie est aggravée par sa nostalgie de Vichy. En 1963, Tixier-Vignancour avait annoncé sa candidature, espérant attirer à lui une partie de ce sentiment antigaulliste. L'un des coups d'éclat de sa campagne consista à affréter un avion privé depuis lequel il envoya des fleurs sur la tombe de Pétain[12]. De Gaulle allait-il trouver le moyen de jeter quelques fleurs en direction de l'extrême droite ?

Le geste le plus symbolique aurait été d'accepter la revendication principale des pétainistes fidèles : le transfert du corps du Maréchal à l'ossuaire de Douaumont, à une dizaine de kilomètres de Verdun, pour qu'il repose parmi les soldats qui y avaient combattu. Dès le retour du Général au pouvoir en 1958, des membres de son entourage avaient laissé entendre qu'il serait prêt à l'autoriser, dans un esprit de réconciliation nationale. C'est alors que, de sa propre initiative, Isorni avait écrit à de Gaulle pour appuyer la demande. Ce dernier ne pouvait paraître agir à l'incitation de l'avocat : c'était le plus sûr moyen de saboter l'opération. Isorni annonça qu'il avait été informé par un émissaire de De Gaulle que le transfert du corps n'était pas envisageable, et que ce dernier avait ainsi refusé ce geste simple de réconciliation. L'affaire en était restée là, pour le moment. Les ennemis d'Isorni étaient convaincus qu'il avait recherché la confrontation parce qu'il ne voulait pas que de Gaulle tirât bénéfice d'une telle initiative – surtout si se trouvait ainsi fermée toute perspective d'une révision du procès[13].

Six ans plus tard, en 1964, alors que la guerre d'Algérie est terminée, que les élections sont imminentes et que plusieurs anniversaires importants liés à la Première Guerre mondiale se profilent, de Gaulle revient sur la question. Dans un commentaire officieux adressé à un député gaulliste, il note que Pétain a « sa place à Verdun dans un monument digne de celui qui réussit à faire triompher la France et ses alliés dans cette lutte gigantesque[14] ». Il existait certes des obstacles juridiques. En théorie, seuls les soldats morts au combat peuvent être enterrés dans un cimetière militaire national. Cela excluait l'inhumation de Pétain dans celui de Verdun. Quant à l'ossuaire de Douaumont, fondation privée non soumise à cette loi, il n'était destiné qu'aux dépouilles des soldats des deux camps tombés au champ d'honneur et non identifiés. Il aurait certainement été possible de surmonter ces difficultés techniques, mais elles étaient compliquées par une autre question : qui possédait l'autorité légale pour donner son accord à l'exhumation du corps de Pétain ? Selon une loi votée en 1941 (alors que Pétain était au pouvoir), cette prérogative revenait au « plus proche parent » du défunt. Qui était le plus proche parent de Pétain ?

Querelles de famille

En juillet 1945, alors qu'il attendait son procès à Montrouge, Pétain avait rédigé un nouveau testament – qui en remplaçait un de 1938 – faisant de sa femme, Eugénie-Anne Hardon, et des descendants de celle-ci ses héritiers. Ainsi, à la mort de la Maréchale en 1962, son fils né de son premier mariage, Pierre de Hérain – qui n'a donc aucun lien de sang avec Pétain –, devient son seul héritier. Immédiatement, un autre groupe de prétendants se présente sous la forme de la famille d'Yvonne de Morcourt, petite-fille de sa sœur aînée. Pétain n'avait jamais montré beaucoup d'affection pour sa famille, mais c'était de cette branche qu'il était le plus proche. Yvonne de Morcourt et sa fille, Marie-Édith, avaient fait partie de ses rares visiteurs à l'île d'Yeu. Soutenant que le testament rédigé à Montrouge n'est pas valide, puisque Pétain était alors un prisonnier en attente de jugement, elles prétendent avoir le droit exclusif d'approuver une exhumation. Pour ne rien simplifier, en 1949, Marie-Édith de Morcourt avait épousé Louis-Dominique Girard, ancien membre du cabinet de Pétain et auteur du livre affirmant que Montoire avait été un nouveau Verdun. Girard se lance à corps perdu dans la défense de la cause de sa nouvelle famille.

La bataille juridique qui s'ensuit plonge tous les protagonistes dans un abîme de folie et de haine réciproque. Pour ajouter au côté passionnel de l'affaire, Isorni accepte d'être l'avocat du clan Hérain (mais il ne pourra plaider l'affaire qu'à la fin de la sanction qui le frappe, en 1968). Girard et ses alliés tentent de faire exclure les

Hérain de l'ADMP. Derrière cette querelle familiale se dissimule une autre rivalité entre prétendants au rôle de gardiens de la mémoire de Pétain. Isorni publie en 1966 la correspondance qu'il a échangée avec la Maréchale pendant la détention de Pétain. Girard riposte par un livre très documenté qui montre que la « vraie » famille du Maréchal n'a jamais accepté Eugénie, une aventurière sexuelle qui aurait piégé l'innocent Maréchal, et que Pétain lui-même n'aimait pas son beau-fils[15]. Si un camp adopte une position, l'autre prend automatiquement le contre-pied.

En novembre 1965, réagissant aux propos conciliants de De Gaulle sur le transfert du corps de Pétain à Verdun, Isorni annonce que l'action est envisageable, mais à condition que le transfert soit présenté comme une étape vers une inhumation à Douaumont. Le clan Morcourt crie à la trahison : rien moins que Douaumont n'est acceptable à leurs yeux. Il fallait aussi prendre en compte une autre question controversée : un transfert devait-il être précédé d'une « révision » du procès ou d'une autre forme de « réhabilitation » ? Tixier-Vignancour, autre rival d'Isorni, se rallie à la ligne dure. Pendant plusieurs années, ces querelles intestines plongent l'ADMP dans la crise. De vieux loyalistes, tels l'amiral Auphan et Jean Borotra, essaient de ne pas prendre parti[16]. Les pétainistes avaient présenté le transfert du corps de leur héros comme un geste de réconciliation nationale pour mettre fin à la guerre civile en France, mais ils se trouvaient plongés dans leur propre guerre civile.

Pendant que les avocats échangeaient courriers et mémorandums et que les insultes fusaient dans la presse, l'élection présidentielle de 1965 était passée. À la surprise générale, de Gaulle, bien qu'arrivé en tête, n'obtient pas la majorité absolue au premier tour. Tixier-Vignancour réalise une performance honorable en arrivant quatrième, avec 1,3 million de voix (5,2 %). Une semaine plus tard, lors du second tour, les électeurs de Tixier s'abstiennent ou reportent leur voix sur François Mitterrand. Ce dernier était le candidat de la gauche, mais les partisans de Tixier auraient préféré voter pour le cheval de Caligula plutôt que pour de Gaulle. Leur choix est facilité par le fait que Mitterrand a un passé vichyste complexe, dont personne ne parle mais que les initiés connaissent. Ce passé refera surface près de trente ans plus tard d'une manière que nul n'aurait imaginée.

Au second tour, de Gaulle est réélu avec 55 % des voix. Que son ballon d'essai au sujet du transfert de la dépouille de Pétain ait été sincère ou non, il n'avait plus aucune raison politique pressante d'agir. Mais il se doit de dire quelque chose lors des cérémonies de commémoration du cinquantième anniversaire de la bataille de Verdun, en 1966. Comment évoquer cette bataille sans mentionner le nom de celui qui l'a gagnée ? Son discours tout en nuances met un terme aux spéculations sur son éventuel soutien à un transfert de la dépouille de Pétain. Soulignant que « la gloire qu'il avait acquise à Verdun […] ne saurait être contestée ni méconnue par la patrie », il rappelle également que, « par malheur, en d'autres temps, en l'extrême hiver de sa vie, au milieu d'événements excessifs, l'usure de l'âge mena le maréchal Pétain à des défaillances condamnables »[17]. Ces défaillances rendaient impossible le transfert de sa dépouille. Pendant que le Général s'exprime à Verdun, Isorni se trouve à l'île d'Yeu. Après avoir écouté le discours présidentiel à la radio, il proclame devant la maison où Pétain est mort : « Charles de Gaulle, quoi que vous ayez dit, Philippe Pétain, maréchal de France, ira solennellement au cimetière national de Douaumont, et ce sera pour lui la juste réparation à laquelle il a droit[18]. » Seule une poignée d'ultra-fidèles est réunie pour entendre ces paroles. Beaucoup de pétainistes ont refusé de faire le voyage car le conflit entre les deux clans continue à déchirer l'ADMP.

Ce cycle d'anniversaires s'achève en novembre 1968 avec le cinquantenaire de l'armistice qui a mis fin à la Grande Guerre. L'agence gouvernementale chargée de préparer les célébrations s'efforce d'effacer Pétain des événements. Ainsi, pour la libération de Metz par la 19ᵉ armée du général Pétain, la célébration devient : « 17 novembre 1968 à Metz, cérémonie de la libération de Metz », accompagnée du rappel d'une visite effectuée par le maréchal Foch, qui avait traversé la ville une semaine après Pétain[19]. Malgré tout, le 11 novembre 1968, de Gaulle fait déposer des gerbes sur les tombes des huit maréchaux de la Grande Guerre – y compris celle de Pétain, donc. Le geste est accompli dans la plus grande discrétion, quelques journalistes étant prévenus au dernier moment. À la suite des soulèvements de mai 1968 qui avaient failli l'évincer du pouvoir, de Gaulle multipliait les actes destinés à se rallier l'opinion conservatrice, dont le plus spectaculaire fut d'amnistier les militants de l'OAS encore en prison. La gerbe sur la tombe de Pétain en fut un autre. Pour plagier la célèbre formule d'Henri IV, Paris valait bien une couronne mortuaire. Isorni, présent sur l'île d'Yeu ce jour-là, déposa sa propre gerbe à côté de celle de De Gaulle. Il assura dans le bulletin de l'ADMP : « Ce geste est un commencement[20]. »

Ce ne fut le commencement de rien du tout. Le successeur du Général, élu en 1969, est Georges Pompidou. L'ancien Premier ministre, qui n'avait pas de passé de résistant, avait laissé entendre qu'il souhaitait jeter un voile sur les conflits du passé, mais il n'initie aucun changement de politique à l'égard du Maréchal. Après la vague de nostalgie du milieu des années 1960, Pétain s'efface de la scène. Un passage du film de François Truffaut *Domicile conjugal* (1970) suggère que l'espoir de Brassens de voir l'Occupation paraître aussi lointaine que la guerre de Cent Ans est en train de se réaliser. Dans ce troisième opus de la saga d'Antoine Doinel, un électricien se présente dans la cour d'un immeuble parisien pour réparer un poste de télévision. Personne ne répond au coup de sonnette. Il demande à Doinel si la personne qui lui a téléphoné n'est pas en train de faire ses courses :

> – Cela m'étonnerait. Ça fait vingt-cinq ans qu'il n'est pas sorti de chez lui. C'est une sorte de séquestration volontaire. Il a décidé qu'il ne mettrait pas les pieds hors de chez lui tant que le maréchal machin...
> – Le maréchal Juin ?
> – Non, non. Plus vieux que ça. Celui qui dirigeait la France pendant la guerre ?
> – Ah, le maréchal Pétain !
> – Oui, voilà. Le maréchal Pétain ! Il dit qu'il ne mettra pas les pied hors de chez lui tant que le maréchal Pétain ne sera pas enterré à Verdun.

L'« oncle Gaston » de Brassens était devenu le « maréchal machin » de Truffaut.

On a volé le Maréchal

Les défenseurs de Pétain avaient un autre tour dans leur sac. Au matin du lundi 19 février 1973, le gardien du cimetière de l'île d'Yeu constate que le sol autour de la tombe du Maréchal a été ratissé. Une inspection plus poussée révèle que la pierre tombale est scellée avec du ciment frais. On appelle la police, la tombe est ouverte : le cercueil de Pétain a disparu. La nouvelle est annoncée à la radio et à la télévision le jour même, et le gouvernement met immédiatement en place des barrages routiers autour de Verdun.

Les spéculations vont bon train : qui est derrière ce vol ? L'extrême droite ou l'extrême gauche ? Quel est le but de ce coup d'éclat ? L'opération a-t-elle été organisée depuis l'Espagne, où de nombreux anciens pétainistes vivent en exil ? Cette hypothèse semble corroborée par le fait que des journaux espagnols ont été utilisés pour caler la pierre tombale avant de la resceller.

L'opération a été imaginée par Jean-Louis Tixier-Vignancour. Les élections législatives doivent se tenir en mars 1973 et l'objectif est d'embarrasser le gouvernement et de faire revenir Pétain dans l'actualité. La date choisie correspond, à deux jours près, à l'anniversaire du début de la bataille de Verdun. Tixier-Vignancour s'est rendu sur l'île en janvier pour des repérages. Pour mener l'opération, il recrute un militant d'extrême droite, Hubert Massol, qui réunit une équipe de cinq personnes, dont un soldat ayant servi en Algérie et un artisan funéraire. Se faisant passer pour des touristes, ils traversent avec une camionnette sur le ferry de l'après-midi. Après avoir dîné à l'hôtel des Voyageurs, ils se rendent au cimetière en pleine nuit. Pendant l'exhumation du cercueil, les hommes entonnent l'hymne de Vichy, *Maréchal nous voilà*. Puis, après avoir célébré leur exploit par une coupe de champagne à l'hôtel, ils reprennent le ferry de 4 heures du matin pour retourner sur le continent.

C'est alors que les choses se gâtent. Les conspirateurs avaient prévu de faire une halte en Vendée dans un château appartenant à un député de droite, mais le châtelain ayant vraisemblablement pris peur, personne n'est là pour les accueillir et ils doivent poursuivre leur route. À l'origine, ils avaient l'intention de cacher le corps, peut-être près de Verdun, puis de révéler publiquement ce qui s'était passé et de contraindre le gouvernement à accepter un transfert à Douaumont. Ou tout au moins espéraient-ils que leur équipée rouvrirait le débat. Ce programme est bouleversé lorsque les conspirateurs apprennent, par leur autoradio, que le vol a été découvert. Arrivés à Paris, ils descendent les Champs-Élysées dans leur camionnette – un geste symbolique en mémoire de la descente de Pétain sur cette même avenue en 1919 et censé effacer le souvenir de celle de De Gaulle en 1944. Puis ils dissimulent le cercueil dans un garage à Saint-Ouen.

Dans la presse, le ton oscille entre amusement et indignation. Massol comprend que la partie est bientôt terminée. Espérant que détenir la dépouille de Pétain lui donnera un certain pouvoir de négociation, il propose de révéler l'endroit où elle se trouve à la condition que le gouvernement accepte de la laisser reposer à Paris, à l'hôtel des Invalides, en attendant une décision définitive quant au lieu de sa sépulture. Ce plan est annoncé lors d'une conférence de presse dans l'après-midi du 21 février, mais Massol est tout de suite arrêté. Plus tard dans la nuit, il conduit la police au garage où est caché le cercueil. L'escapade n'aura duré que trois jours[21].

Le cercueil est déposé pour une nuit dans une chapelle de l'hôpital militaire du Val-de-Grâce, où il reçoit les honneurs militaires. Le lendemain, un hélicoptère le ramène à l'île d'Yeu. Il y est reçu par le préfet, mais les gendarmes ont l'ordre de ne pas le saluer. Quelques gerbes sont déposées sur la tombe, dont une du président Pompidou. Cette petite aventure n'a servi à rien, sinon à révéler l'étrange fanatisme des milieux ultra-pétainistes, qui avaient réussi à remettre Pétain sous les projecteurs pendant deux jours, mais comme une figure de comédie plus que comme un héros vénéré.

Rouvrir le procès

Tout cela consterne Isorni, qui s'en prend violemment à Tixier-Vignancour au Palais de justice. Isorni avait le goût de la provocation, mais pas au risque de sombrer dans le ridicule. S'il ne répugnait pas aux coups d'éclat, il travaillait aussi depuis des décennies à obtenir une révision du verdict.

Il fallait d'emblée réunir des preuves dont la cour ne disposait pas en 1945. Isorni et Lemaire avaient préparé le terrain en 1948 en publiant un recueil intitulé *Après le procès du maréchal Pétain. Documents pour la révision*[22]. La première requête en révision, longue de deux cent cinquante pages, est adressée au garde des Sceaux en mai 1950. Elle est suivie de deux autres complémentaires en 1951 et 1953, à l'appui desquelles sont produits d'autres « nouveaux documents[23] ». La requête consistait en un patchwork de citations tirées d'interviews, de Mémoires et de journaux intimes publiés depuis le procès. Il est aussi fait usage d'un livre de William Langer, professeur d'histoire à Harvard, à qui le gouvernement américain, embarrassé par sa politique controversée à l'égard de Vichy, avait offert un accès privilégié aux archives du département d'État pour qu'il rédige une justification de cette politique. Le livre de Langer, publié en 1947 sous le titre *Our Vichy Gamble* (*Le Jeu américain à Vichy*), blanchissait presque totalement une politique qui, selon un critique, aurait plutôt mérité l'appellation *Our Vichy Fumble* (« Le fiasco américain à Vichy »)[24].

Isorni saute sur l'occasion de citer cet observateur « objectif » qui écrit : « J'ai lu chaque mot de ce compte rendu [du procès] et j'ai peine à croire que quiconque, faisant de même, n'ait pas l'impression que la condamnation du Maréchal fut, au fond, un jugement politique[25]. » Langer affirmait que Roosevelt avait poursuivi une politique pragmatique en plaçant la défense des intérêts des Alliés au-dessus des considérations morales. Selon lui, de Gaulle « ne paraissait guère présenter le même intérêt [que Vichy] » puisqu'il « dépendait financièrement des Anglais [et qu'il] ne semblait pas avoir un grand nombre de partisans en France », alors que Pétain « maintint l'existence même de la France ; il empêcha les mains ennemies de s'abattre sur la flotte, et il détourna le danger qui pesait sur l'Afrique du Nord, d'où nous devions nous élancer sur l'Europe ». Quant à l'épisode malencontreux où les forces de Vichy avaient tiré sur les troupes américaines et où Pétain avait dénoncé l'attaque alliée, Langer déclarait que « la réponse de Pétain au président [Roosevelt] était probablement destinée aux archives » et qu'il l'avait remise au chargé d'affaires américain « en lui donnant d'un air entendu une tape sur l'épaule »[26]. La « tape sur l'épaule » était la version Langer des messages « secrets ».

Isorni profite également de l'occasion pour réinterpréter la rencontre de Montoire – ou, comme il l'expliquera plus tard, pour « rectifier les erreurs que certains amis, vraiment mal inspirés, de Philippe Pétain, nous ont fait commettre[27] ». La défense, lors du procès, ne sachant que faire de l'entrevue d'octobre 1940, l'avait ignorée, ou avait chargé Laval. Mais la publication par Girard (qui, en 1950, n'est pas encore l'ennemi mortel d'Isorni) du livre qui présente Montoire comme un nouveau Verdun en permet une nouvelle approche. Isorni ajoute des bribes de documentation à l'appui de la thèse de Girard, par exemple une interview de Renthe-Fink, l'ancien « geôlier » de Pétain, qui affirmait en 1947 que Montoire avait été « la plus grande défaite de toute la politique allemande vis-à-vis de la France » (au mépris du fait qu'au moment de la rencontre Renthe-Fink ne se trouvait pas en France et qu'il n'avait aucune information particulière à son sujet).

Une fois qu'Isorni et Lemaire ont déposé leur requête, les autorités doivent se prononcer sur sa recevabilité : un jugement de la Haute Cour peut-il être révisé ? Le ministère de la Justice répond qu'en principe la requête est recevable, mais Isorni n'en entend plus parler. Après le retour au pouvoir de De Gaulle en 1958, il était évident que rien ne se passerait. Lorsque le Général démissionne en 1969, Isorni soumet une quatrième requête en révision[28]. Mais, deux ans plus tard, le ministre de la Justice de Georges Pompidou, René Pleven, rend une nouvelle décision selon laquelle la révision d'un jugement de la Haute Cour est impossible : la seule révision envisageable est le jugement de l'histoire.

Isorni tente à nouveau sa chance en 1978, sous Valéry Giscard d'Estaing, avec une cinquième requête. Cette fois, le « nouvel » élément est la photocopie d'un mémorandum du secrétaire d'État au Foreign Office, Lord Halifax, datant de décembre 1940, qui ne fait cependant que démontrer ce que personne ne nie et que tout le monde sait : l'existence à l'époque de quelques contacts officieux entre Vichy et Londres[29]. Le gouvernement s'en tient à sa position : la demande de révision n'est pas recevable.

Procès télévisé

Isorni déposerait trois recours supplémentaires, mais il était comme un homme qui tente de monter un escalier mécanique descendant de plus en plus vite. Ses « nouveaux éléments », des fragments de plus en plus fragiles et circonstanciels, ne faisaient guère le poids face aux travaux de recherche sur l'Occupation qui commencèrent à paraître à la fin des années 1960.

Le plus important d'entre eux, et qui eut un grand retentissement, est un ouvrage publié en 1972 par un jeune historien américain, Robert Paxton. Ce livre démolit l'histoire qui faisait consensus sur Vichy depuis la publication de l'ouvrage de Robert Aron en 1954. S'appuyant sur des documents allemands, Paxton démontre que le régime, loin de se l'être vu imposer, avait toujours recherché une collaboration qui n'intéressait guère les Allemands ; et que les premières mesures répressives de Vichy, y compris la persécution des juifs, avaient été prises à l'initiative du gouvernement et non sous la pression allemande[30].

Si les arguments de Paxton n'étaient pas tous nouveaux, son travail était révolutionnaire par sa démonstration que les politiques intérieure et extérieure de Vichy – la Révolution nationale et la collaboration – étaient intrinsèquement liées. Selon Paxton, la collaboration ne relevait pas tant de la « trahison », comme le procès de Pétain avait cherché à le démontrer, que d'une stratégie politique d'ordre intérieur, qui répondait à la fois au contexte immédiat de la défaite – identifier des coupables – et à une longue tradition d'extrême droite. Son travail sort au bon moment. Dans le sillage de Mai 68, les jeunes générations commencent à remettre en question le récit gaulliste héroïque de l'histoire de France. La voie avait été ouverte par *Le Chagrin et la Pitié*, le documentaire de Marcel Ophüls sorti en 1969, qui présentait une image sombre et défavorable des Français sous l'Occupation.

Trois ans plus tard, après la publication de la traduction française de son livre, Paxton est invité à participer aux *Dossiers de l'écran*, l'une des émissions de télévision les plus populaires de l'époque, au cours de laquelle, après la diffusion d'un film, un panel d'invités débat d'une question sur le même sujet. Les thèmes étaient tantôt de société – l'homosexualité, la délinquance juvénile, l'avortement, la peine de mort –, tantôt historiques – la Commune, la bataille de Stalingrad, l'affaire Dreyfus, Napoléon. Le 25 mai 1976, le thème était, simplement : « Philippe Pétain ».

Constituer le panel a été laborieux. Les organisations de résistance s'inquiètent que soit ainsi offerte une tribune aux défenseurs de Vichy. Finalement, trois personnalités acceptent de représenter la position anti-Vichy : Pierre Lefranc, qui, étudiant le 11 novembre 1940, avait participé à une manifestation contre l'Occupation, puis était devenu un proche de De Gaulle ; Henri Frenay, chef du mouvement de résistance Combat ; et Pierre-Henri Teitgen, ministre de la Justice à l'époque du procès Pétain. Face à eux trois défenseurs de Vichy : l'ancien ministre de la Marine l'amiral Auphan, Jacques Isorni (bien sûr) et Louis-Dominique Girard. Réunir ces hommes sur un plateau relevait de l'exploit car, quelques semaines auparavant, Girard avait déclaré aux organisateurs qu'il ne viendrait pas si Isorni était invité[31]. Mais il détestait Paxton plus encore qu'Isorni, et avait fini par céder. Enfin, trois historiens sont présents : Robert Paxton ; Henri Michel, un ancien résistant devenu la principale autorité en France concernant l'Occupation ; et Jean Vanwelkenhuyzen, un historien belge spécialiste de l'occupation de son pays. À quarante-quatre ans, Paxton est de loin le plus jeune participant ; Auphan, quatre-vingt-deux ans, est le plus âgé.

Le camp de Vichy attend l'événement avec nervosité. Jean Borotra écrit à Girard pour lui dresser une liste de ce qu'il considère comme les affirmations les plus scandaleuses de Paxton[32]. Le débat tant attendu commence avec trente minutes de retard, car le plateau est envahi par des manifestants anti-Pétain et les participants doivent être installés dans un autre studio. Une fois l'émission commencée, le présentateur, Joseph Pasteur, comme Mongibeaux en 1945, demande à tous de garder son calme, mais il se révèle rapidement aussi incapable de maîtriser les débats que Mongibeaux l'avait été dans sa salle d'audience. Très vite, l'émission tourne à la foire d'empoigne. Auphan, dont la surdité l'empêche de bien suivre les échanges, se lance dans une croisade personnelle pour défendre sa réputation contre ce que Paxton avait écrit sur les télégrammes secrets de novembre 1942. L'amiral était furieux qu'un individu âgé de sept ans à peine à l'époque, et américain de surcroît, prétende en savoir davantage qu'un Français qui se trouvait sur place. « Il y a un de nous deux qui est un menteur », lance-t-il, agressif, à Paxton. Non seulement Auphan prenait cette affaire très à cœur, mais les télégrammes secrets constituaient, avec le « double jeu », « la pierre angulaire de l'évangile pétainiste[33] », comme l'a souligné l'historien Henry Rousso.

Lefranc adopte la ligne gaulliste classique selon laquelle tout découle de l'armistice. Girard, dont les arguments pour défendre Montoire sont trop complexes pour un débat télévisé, est pratiquement réduit au silence et se plaint que les historiens professionnels ignorent ses livres – indigestes. Frenay maintient que le crime le plus grave de Pétain est d'avoir égaré d'honnêtes citoyens quant à leur devoir : il cite le cas de sa mère qui, en 1942, avait cru que le sien consistait à dénoncer son propre fils aux autorités.

Le débat est dominé par Isorni et Teitgen, qui semblent avoir été transportés en 1945, lorsque l'un défendait Pétain au tribunal et que l'autre était ministre de la Justice. Isorni ressort les arguments qu'il ressasse depuis trois décennies. Lorsqu'il aborde les conditions dans lesquelles Pétain a été condamné, le présentateur l'interrompt, exaspéré : « Non, on ne va pas refaire le procès de Pétain. » C'était pourtant bien ce qui se passait.

Quant à Paxton, c'est à peine s'il place un mot. De dix ans le cadet de ses interlocuteurs, et paraissant plus jeune encore, il ressemble à un adolescent incrédule tombé au milieu d'une querelle de famille entre adultes un peu cinglés. Henri Michel intervient pour sa part efficacement à de nombreuses reprises pour rappeler aux défenseurs de Vichy des faits embarrassants. L'émission dure déjà depuis trois heures lorsqu'il se lance dans une exégèse exhaustive des « télégrammes secrets », démontrant que même s'ils avaient existé, ils ne signifiaient pas nécessairement ce que l'amiral Auphan croyait qu'ils signifiaient – une volonté de résistance de Pétain à l'occupant. La vérité restait sans doute inaccessible à tout téléspectateur encore présent devant sa télévision après minuit, tout comme elle l'avait été aux jurés de la Haute Cour en 1945.

Ce débat fut suivi de beaucoup d'autres au cours de la décennie suivante[34]. Vichy était un thème porteur pour faire monter les audiences. Ce type d'émission devint si incontournable à la télévision française qu'il fit l'objet d'une satire dans *Papy fait de la résistance* (1983) : la comédie se termine par un échange en studio entre survivants vieillissants de la guerre, enfermés dans leurs éternelles discussions. De son côté, l'ADMP est toujours prête à fournir un porte-parole pour défendre Pétain. Malgré les conflits internes qui la déchirent, ses effectifs culminent à environ vingt mille membres en 1966[35]. Mais à peine la querelle entre Girard et Isorni est-elle résolue qu'une autre éclate entre Isorni et Rémy. Il avait toujours existé une tension entre d'une part ceux qui souhaitaient réconcilier pétainisme et gaullisme et d'autre part ceux pour qui tout compromis avec le gaullisme était impensable. Rémy, naïf et bien intentionné, qui recherchait sincèrement un consensus pétaino-gaulliste, fut scandalisé lorsque Isorni établit un parallèle grotesque entre la mort du collaborateur Robert Brasillach et celle d'Honoré d'Estienne d'Orves, résistant de la France Libre fusillé par les Allemands en 1941. Il démissionna de l'ADMP en 1982.

Pendant la campagne présidentielle de 1981, l'association sonde l'ensemble des candidats sur la question du transfert de Pétain à Douaumont. François Mitterrand promet pour sa part d'organiser une table ronde pour débattre de la proposition. Promesse oubliée une fois qu'il est élu. Isorni espère néanmoins que le nouveau président se montrera plus compréhensif que ses prédécesseurs. Bien que Mitterrand soit socialiste, Isorni l'avait bien connu lorsqu'ils étaient tous deux députés sous la Quatrième République. Tous les deux ils étaient, à leur manière et pour des raisons différentes, antigaullistes. Mitterrand avait même témoigné en faveur de la défense au procès du général Salan en 1961.

Immédiatement après l'élection de Mitterrand, Isorni déposa une nouvelle requête en révision – la sixième – et, à sa grande surprise, le nouveau ministre de la Justice, Robert Badinter, dont le père, juif, était mort dans la Shoah, la jugea recevable. Mais pas pour longtemps. Face au tollé au sein du parti socialiste, le gouvernement revint à la ligne précédente. Isorni déposa un nouveau recours en 1982, puis un autre en 1983 : le huitième et dernier. Mitterrand déclara un jour à son conseiller Roland Dumas : « Isorni m'embête. Faites quelque chose, voyez-le, noyez le poisson[36]. » Dumas invite donc Isorni à déjeuner dans le petit hôtel particulier qu'il occupe non loin du quai d'Orsay et il noie le poisson à la perfection, faisant de vagues promesses qui n'aboutissent à rien. Mitterrand pense que le problème Pétain s'estompera au fur et à mesure que les survivants disparaîtront : le général Weygand était mort en 1966, l'amiral Auphan et Louis Rougier décédèrent en 1982. Il n'aurait pu se tromper davantage. Au cours des deux décennies suivantes, l'affaire Pétain se transforme de souvenir gênant, et partiellement enfoui, en obsession nationale.

Chapitre 24

Le réveil de la mémoire juive

Lors du débat télévisé de 1976, Pierre-Henri Teitgen, rappelant le sort des juifs dans la France de Vichy, s'était exclamé qu'il s'agissait d'une « abomination, d'une participation à un génocide, crime abominable réprimé par le Code pénal sous les sanctions les plus sévères ». En tant que juriste, Teitgen savait pourtant bien qu'il n'existait aucun article dans le Code pénal de 1945 pour réprimer de tels crimes. La notion de « génocide », utilisée lors des procès de Nuremberg, fut intégrée dans la Déclaration des droits de l'homme adoptée par les Nations unies en 1948. Quant à celle de « crime contre l'humanité », jamais on n'y recourut en France dans les procès d'après-guerre. Le concept fut cependant incorporé ensuite dans le Code pénal et, en 1964, le Parlement vota l'abolition de la prescription de vingt ans pour les cas de crimes contre l'humanité. Il s'agissait alors de garantir que les Allemands ayant commis des atrocités dans la France occupée puissent encore être poursuivis devant les tribunaux. On n'avait pas envisagé que cette loi puisse être utilisée contre des citoyens français.

Le sort des juifs, on l'a vu, a très peu été évoqué au procès de Pétain. Or cette lacune devient incompréhensible dès lors que l'opinion publique commence à prendre conscience de la spécificité de ce que l'on nomme aujourd'hui la Shoah. Les raisons, multiples, de cette évolution ne sont pas propres à la France. Ainsi le procès d'Adolf Eichmann, architecte du génocide, qui se déroule à Jérusalem en 1961, a un impact mondial. De manière caractéristique de l'époque, la journaliste chevronnée Madeleine Jacob, couvrant le procès, critiquait l'événement pour avoir « particularisé la souffrance juive » : les crimes d'Eichmann, affirmait-elle, étaient « les crimes du fascisme, dont l'antisémitisme n'est qu'un aspect »[1]. En l'espace de quelques années, ce point de vue devient inaudible.

Autre facteur d'évolution, la guerre des Six Jours en 1967 entre Israël et les États arabes voisins a donné à de nombreux juifs français le sentiment que leur existence était fragile. L'année suivante, Mai 68 amène la jeunesse à remettre en question le mythe gaulliste avec lequel elle avait grandi : la mémoire de Vichy rencontre la mémoire du génocide.

Les historiens ont joué un rôle clé dans cette évolution. En 1981, Robert Paxton cosigne un nouveau livre, consacré celui-là à Vichy et les juifs[2]. Il y montre que les premières mesures antisémites du régime ont été adoptées sans pression allemande, qu'elles n'ont pas suscité de désapprobation d'envergure de la part de l'opinion publique, et que le gouvernement a aidé les Allemands à procéder à l'arrestation de milliers de juifs au cours de l'été 1942. Conclusion remarquable de cette étude : il était moins dangereux d'être juif dans la petite partie du pays occupée par les fascistes italiens que dans la zone dite « libre » administrée par Vichy.

Mais l'événement qui va faire exploser en France la question du sort des juifs sous l'Occupation est la publication en 1978, dans *L'Express*, d'une interview de l'ancien commissaire général aux questions juives, Louis Darquier de Pellepoix. Avant la guerre, Darquier (l'ajout avec particule « de Pellepoix » est une pure invention), un bagarreur vénal et bambocheur, s'était lancé dans une carrière d'antisémite professionnel. Un journaliste français retrouve sa trace en Espagne, où il vit en exil, et publie un entretien sous le titre : « À Auschwitz, on n'a gazé que les poux ». Darquier n'exprime aucun remords, seulement le regret qu'il n'y ait pas eu plus de juifs éliminés. Les divagations de ce vieillard sénile n'auraient eu aucune portée si Darquier n'avait pas travaillé officiellement pour le régime de Vichy. Lors du procès de Pétain, on avait à plusieurs reprises résumé l'opinion du Maréchal sur Darquier par le surnom de « M. le tortionnaire » qu'il lui avait attribué – mais un tortionnaire qu'il avait lui-même nommé. Et, dans son entretien sulfureux, Darquier affirmait que Pétain ne l'avait jamais désavoué. Le passage le plus accablant était la révélation du rôle central joué dans la persécution des juifs par René Bousquet, chef de la police française pendant l'Occupation. Ce n'était pas une découverte pour les historiens professionnels, mais le nom de Bousquet était jusqu'alors inconnu du grand public. Contrairement à Darquier le fanatique, Bousquet s'était trouvé au cœur de l'État de Vichy, sous la responsabilité directe de Laval.

L'interview de Darquier servit de catalyseur à l'avocat Serge Klarsfeld pour entamer une procédure judiciaire contre Jean Leguay, le représentant de Bousquet en zone occupée. Klarsfeld était lui-même un survivant de la Shoah, dont il avait réchappé en se cachant avec sa mère et sa sœur dans une armoire lorsque la police était venue arrêter la famille. Son père était mort à Auschwitz. En 1978 il publie son exhaustif « Mémorial de la déportation des juifs de France » : la liste de tous les juifs déportés de France, avec mention du jour de leur arrestation et du jour de leur mort. L'année suivante, il crée l'association des Fils et Filles des déportés juifs de France (FFDJF). Il publie également en 1987 une étude très documentée sur la collaboration entre Vichy et les Allemands au cours des déportations qui commencent en 1942 : l'« Holocauste-sur-Seine[3] », comme la désigne un article du *Monde*.

Avec son épouse Beate, d'origine allemande, non juive, Klarsfeld s'emploie depuis longtemps à démasquer et traquer les responsables de la Shoah en Allemagne[4]. En novembre 1968, Beate gifle en public le chancelier allemand Kurt Kiesinger, accusé d'avoir dissimulé son passé nazi. Après l'affaire Darquier, ils s'intéressent à la France, en commençant par Leguay, qui devient, en 1979, le premier Français inculpé pour crimes contre l'humanité ; mais il décède avant que l'affaire ne soit portée devant les tribunaux. En 1989, les Klarsfeld portent plainte contre l'ancien chef de Leguay, René Bousquet lui-même.

En juin 1992, Serge Klarsfeld est l'un des signataires d'un appel publié dans *Le Monde* demandant au président de la République, François Mitterrand, de reconnaître la responsabilité de Vichy « dans les persécutions et les crimes contre les juifs de France ». Ce texte est une initiative du Comité Vel' d'Hiv' 42, un collectif fondé par une survivante juive qui avait passé la guerre cachée à la campagne[5]. La date de publication avait été choisie en anticipation du quarantième anniversaire de la rafle des 16 et 17 juillet 1942, au cours de laquelle treize mille juifs avaient été arrêtés à Paris, une partie d'entre eux ensuite rassemblés au Vélodrome d'Hiver avant d'être déportés à Auschwitz.

Mitterrand annonce qu'il assistera à la cérémonie de commémoration le 16 juillet (premier président de la République à le faire), mais, deux jours avant l'événement, explique dans une interview qu'il n'appartient pas à la République française de s'excuser pour les actes de Vichy : « En 1940, il y avait un État français. Ne séparez pas les termes : l'État français, c'était le régime de Vichy, ce n'était pas la République. » Mitterrand fut bien présent à la cérémonie, mais il resta silencieux et l'image qui marqua les esprits fut celle d'un président hué aux cris de « Mitterrand à Vichy ».

Pas de fleurs pour Pétain

Klarsfeld avait une autre carte dans sa manche. Le 21 juillet 1992, il annonce qu'il a appris de source sûre que Mitterrand ne fera pas déposer ce 11 novembre de gerbe sur la tombe de Pétain, comme il le faisait habituellement. Cette information était fausse, mais il s'agissait pour Klarsfeld de forcer la main au président de la République. De Gaulle avait été, en 1968, le premier président à déposer une gerbe sur la tombe de Pétain, pour le cinquantième anniversaire de l'armistice ; George Pompidou avait fait de même en 1973 après le vol du cercueil. Son successeur, Valéry Giscard d'Estaing, renouvela le geste en 1976, pour le soixantième anniversaire de la bataille de Verdun, et encore (ainsi que pour les autres maréchaux de la Grande Guerre) en 1978, pour le soixantième anniversaire de l'armistice. Lorsque, le 22 septembre 1984, François Mitterrand et le chancelier Helmut Kohl se retrouvèrent à Verdun pour un grand geste de réconciliation, le président français fit de nouveau fleurir la tombe de Pétain, de même qu'en juin 1986, pour le soixante-dixième anniversaire de Verdun. Mitterrand se plia ensuite chaque 11 novembre à l'exercice. Personne n'y avait prêté attention jusqu'à l'intervention de Klarsfeld en 1992. Qu'allait, alors, faire Mitterrand ?

Ce 11 novembre 1992, Serge Klarsfeld et des membres de l'Union des étudiants juifs de France se rendent au cimetière de l'île d'Yeu. Des militants d'extrême droite sont également présents. La police s'interpose entre les deux groupes. Ce n'est qu'après le départ du ferry qui les ramène sur le continent qu'arrive un hélicoptère apportant une gerbe au nom du président de la République : elle est déposée sur la tombe à côté d'autres couronnes, dont celle de Jean-Marie Le Pen, leader du Front national[6]. Klarsfeld publie alors un communiqué indigné – « Après avoir honoré les victimes de l'antisémitisme de Pétain, le président de la République a pris finalement la décision scandaleuse d'honorer une fois de plus la mémoire de leur bourreau » – puis, le lendemain, dépose sur le site du Vélodrome d'Hiver une gerbe portant la dédicace : « À François Mitterrand avec toute ma gratitude, signé Philippe Pétain. » La gerbe avait la forme d'une francisque, la décoration décernée par Vichy à ses serviteurs et que Mitterrand avait lui-même reçue en 1943.

Assez rapidement Mitterrand fut contraint de faire machine arrière. En février 1993, il signe un décret faisant de la date anniversaire de la rafle du Vel' d'Hiv', le 16 juillet, « une journée nationale à la mémoire des victimes des persécutions racistes et antisémites commises sous l'autorité de fait dite "gouvernement de l'État français" (1940-1944) ». Aucune gerbe n'est déposée cette année-là par le président sur la tombe de Pétain, et aucun président n'en a déposé depuis.

Ce recul tactique de Mitterrand ne met pas fin à la controverse. L'année suivante, le journaliste d'investigation Pierre Péan consacre un livre aux années de jeunesse du président, qui traite de sa formation politique dans les années 1930, de sa fréquentation de Vichy et de son entrée dans la Résistance[7]. Deux photographies ornent la couverture : Mitterrand le résistant (nom de code Morland), portant une moustache en guise de camouflage, et Mitterrand, sans moustache, reçu par Pétain en octobre 1942. Le passé vichyste du président de la République n'est pas en soi une révélation. Isorni ne laissait jamais passer une occasion de rappeler que ce dernier avait reçu la francisque des mains du Maréchal. Mais on voulait croire qu'il avait accepté la décoration pour couvrir des activités de résistance. Ce que le livre de Péan documentait de manière inédite, c'est l'activisme d'extrême droite de Mitterrand dans les années 1930 et son plein engagement auprès de Vichy jusqu'en 1942. Après s'être évadé d'un camp de prisonniers de guerre en Allemagne en décembre 1941, Mitterrand avait travaillé au Commissariat au reclassement des prisonniers de guerre, une organisation qui œuvra loyalement pour Vichy. Même si Mitterrand était entré progressivement en résistance, la révélation la plus choquante du livre était qu'il avait gardé de bonnes relations avec René Bousquet jusqu'aux années 1980.

Chose mystérieuse, Mitterrand avait accordé une interview à Péan et il avait autorisé certains de ses amis à lui parler. Dans quel but ? Souhaitait-il exercer ainsi un contrôle sur la façon dont l'histoire serait racontée ? S'engageait-il dans un ultime règlement de comptes, ou une confession ? Agissait-il dans une perspective pédagogique, pour montrer que l'histoire de France n'était pas écrite en noir et blanc ? Quoi qu'il en soit, Mitterrand n'avait pas anticipé le choc que le livre allait provoquer. Pour tenter d'éteindre l'incendie, il accepta de s'expliquer lors d'une longue interview menée par Jean-Pierre Elkabbach pour

Antenne 2 le 12 septembre 1994[8]. Il était alors à six mois de la fin de ses quatorze années de présidence, et il venait d'être opéré d'un cancer. On le savait mourant. Bien que l'interview se soit déroulée dans un climat relativement déférent, ce fut un moment déroutant et douloureux. Visiblement souffrant, Mitterrand ne semblait s'accrocher à la vie que par la force de sa volonté et le désir d'achever son mandat. S'il n'avait rien perdu de sa hauteur glaciale, sa pâleur fantomatique et la peau de son visage tendue comme du parchemin sous un épais maquillage évoquaient un masque mortuaire.

Le postulat de Mitterrand était qu'il fallait « apaiser les éternelles guerres civiles entre Français ». C'est ce qui ressort de sa réponse à une question sur Serge Klarsfeld :

> Question : Aujourd'hui Serge Klarsfeld écrit dans le journal *Libération* et demande qu'on encourage les historiens à chercher à révéler toute la nature, toute l'étendue des fautes et des crimes qui ont été commis par ce régime.
> Le président : Oui, Serge Klarsfeld est dans son droit. [...]
> Question : Vous nous dites aussi ce soir que vous n'accepteriez pas, comme cela, qu'on réhabilite peu à peu ce que fut Vichy ?
> Le président : Mais certainement pas ! On ne réhabilite pas ce qui ne mérite pas de l'être et qui mérite, même, certaines formes de condamnations. [...] Quand l'aurais-je fait ? Je n'ai jamais bougé le petit doigt dans ce sens.

Puis il en vient à Vichy :

> Écoutez, cela fait combien de fois que je le dis ? La première chose condamnable pour Vichy, c'est d'avoir tiré un trait sur la République. C'était un acte vraiment intolérable et c'est comme cela que s'est installé un état de fait. Non pas le premier jour, le 10 juillet, mais le 11 juillet 1940. Cela c'était déjà condamnable. Au début, c'était la pétaudière, c'est-à-dire un vieil homme derrière lequel s'infiltraient un tas de gens qui eux avaient depuis longtemps une idéologie – je ne dirais pas que Pétain n'en avait pas, mais ce n'était pas un penseur.

Enfin, le procès :

> Question : [...] quand vous avez assisté, si j'ai bien lu, pendant trois jours au procès de Pétain, vous pensiez qu'il y avait sa responsabilité ?
> Le président : J'ai assisté un jour, je crois, au procès Pétain. Je pensais, oui, que Vichy avait nui aux intérêts de la France, c'est évident.

Question : Mais vous dites qu'il y a des choses condamnables. Vous le dites à titre personnel ou au titre de président de la République ?

Le président : Je n'ai pas à m'exprimer en tant que président de la République. Ce n'est pas à moi d'écrire l'histoire de la France. Mais, au double titre personnel et public, c'est essentiellement condamnable.

La défense de Mitterrand contenait beaucoup de demi-vérités, d'erreurs et d'esquives. Il y avait aussi de curieuses dérobades, dont son incertitude feinte quant à sa présence au procès de Pétain : assister aux débats n'avait rien de répréhensible. Il y était certainement en sa qualité de rédacteur en chef de *Libres*, organe du mouvement des anciens prisonniers de guerre. Il existe une photographie de lui au sixième jour du procès et au moins un article de sa main rendant compte d'une autre journée :

Dans cette petite salle se déroule un grand procès. Mais ce grand procès réunit de très petits hommes, et donc la petite salle ne détonne plus du tout. Tout le monde s'y appelle Monsieur le Président. Chacun de ces Présidents fait de l'esprit et fait la roue. Depuis le président de la Haute Cour, qui ne rate pas une occasion de sortir un bon mot, jusque à ces présidents du Conseil des ministres qui, ayant tout manqué devant l'Histoire, se rattrapent en racontant des histoires. L'accusé, lui, se tait. Malgré sa surdité, on a tout lieu de croire qu'il entend et écoute. Il joue avec son képi ou ses gants. De temps en temps, il rosit ou sourit ou s'énerve. [...]

Chacun des témoins témoigne pour lui-même. M. Daladier nous récite sa défense du procès de Riom. M. Lebrun, fort honnête homme, s'interroge et ne conclut guère [...]

Les jurés, eux, atteints par la maladie de l'époque, se demandent à tout moment ce que les grands ancêtres de la Convention eussent fait à leur place. L'un d'entre eux me le disait hier : « Eh oui, me voici en passe d'être un maréchalicide ! » C'est une manière comme une autre de passer dans la postérité [...] Je les imagine, chaque soir, hantés par le souvenir glorieux des régicides de l'autre siècle [...] Les questions qu'ils se posent sont d'une désarmante inutilité [...]

Par une fenêtre haute, on aperçoit la flèche de la Sainte-Chapelle. Le ciel de juillet la découpe, fragile et pure. Véritablement, c'est au-dehors de cette salle dorée et plate qu'il faut chercher à respirer. Dans ce procès de trahison, tant de petites trahisons s'étalent qu'on en a le cœur fatigué. Pauvre régime qui eut pour dernier défenseurs des hommes qui ne savent discourir sur leurs erreurs. Un maréchal de France a mis la République dans sa poche. Un président de la République avait ses nuits troublées par les visages de Foch, de Poincaré, de Clemenceau. Mais il s'inclinait « constitutionnellement » devant un vote arraché à Vichy par un Auvergnat madré. Un président du Conseil, ministre de la Guerre, foudroie cinq ans après, les généraux félons qu'il avait cependant le pouvoir de destituer. Quel Français ne se sent secrètement irrité de cette contredanse rétrospective ? […] Il attend impatiemment les seuls témoins qui comptent : celui des combattants de 1940 qui cherchèrent en vain des avions amis au-dessus de leur tête […] Quant aux autres, accusés ou accusateurs, complices dans la trahison ou dans la lâcheté, complices de notre malheur, il se ferait un vrai plaisir de les mettre dans le même sac[9].

Dans cet étrange règlement de comptes, il se peut, comme l'a suggéré un commentateur, que Mitterrand ait finalement tenté d'exorciser de Gaulle, comme s'il disait aux Français : « Il [de Gaulle] n'était pas vraiment comme nous, mais vous, mes amis, vous étiez beaucoup comme moi[10]. » Peut-être cet homme narcissique et roué, impérieux et insaisissable, essayait-il, à l'approche du terme de sa vie, de rester fidèle au jeune homme qu'il avait été, ce jeune homme qui regardait le ciel bleu depuis la salle d'audience fétide, méprisant les fantômes de la France d'avant Vichy qui émergeaient des décombres pour revendiquer leurs droits, ressentant de l'indifférence, voire de la pitié, pour le vieil homme dans son fauteuil, et diluant sa responsabilité dans une culpabilité collective plus large.

29. La salle d'audience le 28 juillet 1945. Le jeune François Mitterrand, l'air méditatif, est le deuxième à partir de la droite sur le troisième banc de la presse. Le témoin est le général Doyen ; Madeleine Jacob tourne la tête.

Juger Vichy

Le geste que Mitterrand avait refusé de faire en 1992 fut accompli trois ans plus tard par son successeur, Jacques Chirac. Premier président français à n'avoir pas de souvenirs d'adulte de la guerre (il était né en 1932), il affirme dans un discours solennel deux mois seulement après son élection, le 16 juillet 1995, à l'occasion du cinquante-troisième anniversaire de la rafle du Vel' d'Hiv' :

> Il y a cinquante-trois ans, le 16 juillet 1942, quatre cent cinquante policiers et gendarmes français, sous l'autorité de leurs chefs, répondaient aux exigences des nazis.
>
> Ce jour-là, dans la capitale et en région parisienne, près de dix mille [*sic*] hommes, femmes et enfants juifs furent arrêtés à leur domicile, au petit matin [...]
>
> La France, patrie des Lumières et des droits de l'homme, terre d'accueil et d'asile, la France, ce jour-là, accomplissait l'irréparable[11].

Pour la première fois, un président de la République reconnaissait la responsabilité de la « France » dans la Shoah. Deux ans plus tard, cette responsabilité est débattue devant un tribunal lors du procès de Maurice Papon, ancien fonctionnaire de Vichy. Il s'agit du troisième procès pour crimes contre l'humanité organisé dans le pays. Le premier, en 1987, avait été celui de Klaus Barbie, ancien chef de la Gestapo de Lyon, extradé de Bolivie grâce aux Klarsfeld. Le second, en 1994, celui de l'ancien milicien Paul Touvier, qui s'était caché à la Libération et avait réussi à échapper à la police jusque dans les années 1970. Barbie et Touvier avaient l'un et l'autre été condamnés à la prison à vie. Mais Barbie était allemand et Touvier avait été membre d'une organisation radicalement collaborationniste ; le cas de Papon était différent : ni nazi ni antisémite par conviction idéologique, il avait été un fonctionnaire docile faisant son travail. Après la Libération, il avait entamé une brillante carrière administrative, jusqu'à devenir préfet de police de Paris entre 1958 et 1966, puis ministre.

Pendant l'Occupation, Papon occupe un poste relativement modeste. En 1943-1944, il est adjoint au préfet de Gironde et participe à l'organisation de la déportation des juifs. Il n'est qu'un exécutant, au rôle bien moins important que celui de Leguay ou de Bousquet. Mais Leguay étant mort d'un cancer en 1989 avant d'avoir pu être jugé, et Bousquet, inculpé en 1989, ayant été assassiné en 1993 par un déséquilibré en mal de publicité, Papon leur sert en quelque sorte de substitut : il se trouve devant un tribunal faute d'un acteur historique plus important. Sa défense est un défi, que relève son avocat Jean-Marc Varaut, depuis longtemps un militant de l'extrême droite. Ancien défenseur du général Challe, l'un des chefs du putsch manqué contre de Gaulle en 1961, l'avocat a soutenu la campagne présidentielle de Tixier-Vignancour en 1965 et également écrit un livre sur le procès Pétain. Il veut maintenant son heure de gloire, à la Isorni.

Entre 1985 et 1997, la Cour de cassation a dû modifier à quatre reprises la définition du crime contre l'humanité pour qu'il puisse s'appliquer aux différents accusés. Tel que défini en 1945 à Nuremberg, un crime contre l'humanité devait s'inscrire dans un plan concerté de persécution. En 1985, la Cour de cassation a traduit cette idée pour signifier que le crime devait être commis par un État poursuivant une « politique d'hégémonie idéologique ». Cela s'appliquait à Barbie, qui était nazi, mais en 1992 la cour d'appel de Paris a jugé que Vichy n'avait pas d'idéologie précise et relevait plutôt d'« une "constellation de bons sentiments" et d'animosités politiques ». Selon cette définition, l'association de Touvier avec Vichy ne constituait pas un crime contre l'humanité. Quelques mois plus tard, la Cour de cassation trouve une solution jurisprudentielle pour contourner ce dilemme[12]. Ces acrobaties juridiques offrent quelques arguments à la défense de Papon. Lui-même, bien qu'âgé de quatre-vingt-sept ans (Pétain en avait quatre-vingt-neuf en 1945), est pugnace et impénitent ; il maîtrise parfaitement le dossier.

Le procès, à Bordeaux, dure six mois, ce qui en fait le plus long de l'histoire de France[13]. Il se transforme en spectacle médiatique quotidien. Parmi les nombreux avocats représentant les victimes, Arno Klarsfeld, le fils de Serge, est un personnage flamboyant qui porte un blue-jean sous sa robe d'avocat et arrive souvent en rollers au tribunal, pendant que son père orchestre des manifestations à l'extérieur du Palais de justice. Plus de cent vingt personnes sont appelées à la barre, dont la moitié sont des survivants de la Shoah. Viennent aussi témoigner quatre historiens, dont Robert Paxton. Un autre spécialiste de la période, Henry Rousso, s'y refuse au motif qu'on ne débat pas d'histoire dans une salle d'audience. Ce que démontrait au premier chef ce procès, c'était combien les perceptions avaient évolué depuis la Libération. En 1945, la France avait voulu célébrer les héros de la Résistance ; désormais, l'accent est mis sur le deuil et le souvenir des victimes. Le procès de Barbie avait préfiguré cette évolution. La notoriété de l'officier SS venait de son rôle dans la mort de Jean Moulin ; mais, en 1987, celle-ci occupa moins de place que l'arrestation de quarante-quatre enfants juifs de l'orphelinat d'Izieu, dans l'Ain, en avril 1944[14].

Dans le cas de Papon, ce changement de perspective est encore plus flagrant. Ce qui avait permis au fonctionnaire de Vichy de poursuivre une carrière prestigieuse après 1945 était le rôle qu'il était censé avoir joué pour aider la Résistance. Lorsque les révélations sur son passé avaient fait surface en 1981, il avait demandé à être blanchi par un « jury » d'anciens résistants, qui avait conclu qu'il avait bien apporté son aide. Ce que Serge Klarsfeld, sarcastique, commenta ainsi : « Ce jury d'honneur est le premier organe de la Résistance qui déclare publiquement que des juifs de France ont été envoyés à la mort par un résistant français[15]. » Au cours du procès, de nouveau, un cortège d'éminents résistants témoignèrent en faveur de Papon. Pierre Messmer, l'une des premières recrues de De Gaulle en 1940, déclara ainsi que, « quel que soit le respect que nous devons à toutes les victimes de la guerre, et particulièrement aux victimes innocentes [...], je respecte plus encore celles qui sont mortes debout et les armes à la main, car c'est à elles que nous devons notre libération ». Le gaulliste Maurice Druon, coauteur du *Chant des partisans*, s'inquiéta de ce que l'accent désormais mis sur le sort des juifs allait fausser les perceptions :

> Le procès de Vichy a été fait à la Libération. Nous avions fait en sorte que soient compris dans un même héroïsme tous ceux qui avaient pâti de la guerre et de l'Occupation : otages, résistants, juifs. Et aujourd'hui, nous créons une catégorie spéciale. [...] Et voilà qu'aujourd'hui on voudrait faire une catégorie particulière des juifs !

Quant à poursuivre tous ceux qui avaient travaillé pour le régime de Vichy, où cela s'arrêterait-il ? « Alors qu'on appelle tous les gendarmes qui ont poussé des enfants dans les trains ! [*Dans la salle une houle, « oui, oui »*.] C'est un procès qu'on fait à la France, et la France, elle, elle ne s'est pas si mal conduite[16]. »

Ce procès démontra que les convictions politiques de ces anciens résistants se trouvaient en décalage avec les convictions morales de la fin du XXe siècle. Finalement, Papon fut reconnu coupable de complicité dans l'arrestation et la déportation, mais pas dans l'assassinat des juifs. Il fut condamné à dix ans de prison. Cette peine légère satisfit les Klarsfeld, qui n'avaient jamais prétendu que Papon était un acteur majeur. En vérité, le dossier présenté par le procureur général n'était pas convaincant, mais innocenter Papon aurait implicitement signifié que Vichy n'était pas coupable. Toutefois, la simple peine de dix ans d'emprisonnement donnait l'impression que Vichy s'en tirait à bon compte. Même si Papon était avant tout un bouc émissaire, « les boucs émissaires peuvent être coupables[17] », comme l'affirma l'éditorialiste Jean Daniel.

Le procès de Maurice Papon déclencha une vague de manifestations de repentance. En 1997, à la fois le barreau de Paris, l'épiscopat catholique français et l'Ordre des médecins présentèrent des excuses officielles pour leur complicité dans la persécution des juifs sous l'Occupation. Le gouvernement mit en place une « mission d'étude sur la spoliation des juifs de France » (Mission Mattéoli) afin de leur offrir une indemnisation[18].

Affaire Isorni c. France

Isorni n'assista pas à ces développements. Il mourut en mai 1995, deux mois avant le discours de Jacques Chirac. À la fin de sa vie, il était devenu l'ombre embarrassante de la personnalité qu'il avait été. En 1951, lorsqu'un éditeur avait lancé une collection où il invitait des célébrités à écrire sur leur profession, l'avocat, chargé de rédiger le volume sur le droit, s'était trouvé en compagnie de Christian Dior pour la mode et d'Arthur Honegger pour la musique. Légende vivante du Palais de justice, il était admiré même par ceux qui ne partageaient pas ses opinions politiques. Mais son style grandiloquent finit par paraître désuet et sa carrière d'avocat ne se remit jamais complètement de ses trois ans de suspension en 1963.

Au fil des années, la bravoure de ce personnage donquichottesque défendant avec passion une cause perdue s'était transformée en un antigaullisme pathologique et pathétique. Jeune avocat, Isorni avait moqué les efforts désespérés de Payen pour se faire élire à l'Académie française. Désormais, c'est lui qui succombe au virus, mais, en 1971, sa tentative échoue lamentablement. Fidèle à lui-même, il tire immédiatement de l'expérience la matière d'un nouveau livre[19].

Son appartement parisien devient un mausolée à la mémoire de Pétain. On y trouve des portraits de Pétain, des manuscrits, des coupures de presse. Sur ses cartes de vœux figure une photo du Maréchal avec ces mots : « Et vous, m'avez-vous oublié ? » Isorni est comme un disque rayé : pas un jour sans que Pétain ne figure dans sa conversation[20]. Il semblait presque s'en réjouir : « Je sais que j'ennuie – le mot est dérisoire – le monde. Cela m'indiffère. J'ennuierai le monde. Je ne cesserai jamais d'ennuyer le monde[21]. » Sa dernière apparition publique est en 1995, sur Arte, à l'émission *Histoire parallèle* de Marc Ferro, par ailleurs un des biographes de Pétain. À peine remis d'une attaque cérébrale, Isorni ressemble à une statue de cire et parle avec difficulté. Ferro tente de comprendre ce qui a motivé la croisade de toute une vie : « C'était un petit peu sentimental au fond. Vous vous êtes identifié au fils de Pétain un petit peu… » Isorni se contente de répondre : « Si vous voulez. » Pétain avait lancé la carrière d'Isorni ; peut-être l'avocat en était-il venu à se considérer en partie comme son fils. Peut-être aussi en était-il devenu, en un sens, son prisonnier. Ce n'est qu'à travers Pétain que l'on se souviendrait de lui.

Trois ans après sa mort, alors que la vague de repentance prend de l'ampleur, Isorni remporte une petite victoire juridique posthume dans une affaire qui traînait depuis des années devant les tribunaux. Après avoir déposé en 1983 sa dernière demande de révision du procès de Pétain, l'avocat avait tenté une autre approche. Le 13 juillet 1984, l'ADMP s'était offert une pleine page de publicité dans *Le Monde* avec, en titre, une phrase du Maréchal pendant l'Occupation restée célèbre : « Français, vous avez la mémoire courte. » Le texte avait été rédigé et signé conjointement par Isorni et le président en exercice de l'ADMP, François Lehideux, ministre de l'Industrie sous Vichy. Il reprenait les arguments habituels des apologistes du pétainisme, ainsi que l'allégation suivante : « L'accusation utilisa, avec les plus hautes complicités, un faux, comme dans l'affaire Dreyfus, pour obtenir sa condamnation. » Le texte, publié la veille du geste symbolique de réconciliation franco-allemande entre François Mitterrand et Helmut Kohl à Verdun, se concluait ainsi : « L'ombre du Maréchal plane sur cette rencontre. » De fait, la présentation de Pétain comme un prophète de la réconciliation franco-allemande n'avait rien d'un topos pétainiste ; sans compter qu'elle sapait l'argument avancé par ailleurs selon lequel il avait joué un double jeu : la visite de Rougier à Londres et Montoire prenaient la même importance.

Qualifiant le texte d'« apologie du crime de collaboration », une association d'anciens résistants dépose une plainte au pénal.

L'affaire suit son cours devant les tribunaux. En 1990, les signa-taires de la lettre de l'ADMP sont condamnés par la cour d'appel de Paris, jugement confirmé en 1993 par la Cour de cassation. Mais Isorni et Lehideux font appel devant la Cour européenne des droits de l'homme (CEDH), à qui le gouvernement français demande de rejeter la requête. L'affaire porte désormais le nom de « Lehideux et Isorni c. France ».

Paris fait valoir que les allégations d'un double jeu pétainiste « ont été réfutées par tous les historiens spécialistes de cette période ». Isorni et Lehideux sont également accusés d'avoir péché par omis-sion pour n'avoir pas mentionné la législation antisémite, laquelle, est-il indiqué, a pourtant été qualifiée par l'historien américain Robert Paxton comme la « plus grande honte du régime de Vichy ». La démarche du gouvernement est vaine : en septembre 1998, une majorité de quinze juges contre six donne raison à Isorni et Lehideux au motif que l'article 10 de la Convention européenne des droits de l'homme garantit la liberté d'expression. Les arguments, note la CEDH, doivent être considérés comme relevant « d'un débat tou-jours en cours sur le déroulement et l'interprétation des événements dont il s'agit [Montoire] » et, pour cette raison, ils ne relèvent pas de « la catégorie des faits historiques clairement établis, tel l'Holo-causte, dont la négation ou la révision se verrait soustraite […] à la protection de l'article 10 ». Enfin, la cour souligne la nécessité, dans une société démocratique, de pouvoir débattre d'un personnage comme Pétain, au sujet duquel « des opinions différentes ont été et peuvent être exprimées[22] ».

Légalité contre légitimité : où était la « France » ?

Le paradoxe du discours du président Jacques Chirac sur le Vel' d'Hiv' était que, prononcé par un gaulliste revendiqué, il met à mal le récit gaulliste selon lequel, entre 1940 et 1944, la « France » était à Londres, Vichy, qualifié d'« autorité de fait dite "gouvernement de l'État français" », n'étant qu'une parenthèse. Pour cette raison, il irrite certains gaullistes, également contrariés par la perspective du procès Papon[23]. Certains à gauche désapprouvent aussi le discours, en particulier les « souverainistes » tel Jean-Pierre Chevènement, ancien ministre de Mitterrand, pour qui accepter la continuité de l'État entre la République et Vichy impliquerait que les membres de la Résistance aient été des « terroristes » et conforterait ceux qui affirment que « Pétain, c'était la France ». Pour Chevènement, le geste de Chirac s'inscrit dans un inquiétant projet de dissolution de l'exception française au sein d'une Union européenne cosmopolite[24].

Prouver l'illégalité de Vichy avait toujours posé un problème à de Gaulle[25]. En 1940, l'un des premiers membres de la France Libre, le juriste René Cassin, avait commencé à élaborer un argumentaire juridique. Il aboutit à une ordonnance de la France Libre promulgué le 9 août 1944, quelques semaines avant la libération de Paris, affirmant que « la forme du gouvernement de la France est et demeure la République. En droit, la République n'a jamais cessé d'exister ». Par conséquent, tous les Actes constitutionnels, législatifs ou réglementaires depuis le 16 juin 1940 sont « nuls et de nul effet ». C'est précisément cette idée qui sous-tend le refus de De Gaulle, le 25 août 1944, de déclarer qu'il restaure la République : on ne peut restaurer quelque chose qui n'a jamais cessé d'exister.

Mais sur quoi fonder l'illégalité du gouvernement de Pétain ? Et pourquoi la faire commencer le 16 juin 1940 ? Selon Cassin, l'illégalité de Vichy se fondait sur les irrégularités du vote des pleins pouvoirs à Pétain. Or, ce vote n'avait eu lieu que les 9 et 10 juillet. Le 16 juin était le jour où Pétain avait remplacé Reynaud avec l'intention de signer un armistice (ce qui fut fait le 22 juin). L'idée que tout découlait de l'armistice était la perspective de De Gaulle, mais elle ne faisait pas consensus lors du procès de Pétain et un seul juriste continua à la défendre après la guerre[26]. Pour la plupart, affirmer l'illégalité de Vichy n'était pas pertinent pour la période allant du 16 juin au 10 juillet. Georges Vedel, professeur de droit respecté dont le manuel de droit constitutionnel a été la bible de générations d'étudiants, affirmait qu'entre le 16 juin et le 10 juillet Pétain avait été à la tête d'un « gouvernement régulier, à la fois légal et légitime[27] ». Cette approche a été étayée par une importante jurisprudence du Conseil d'État concernant le cas d'un magistrat, Charles Frémicourt, sanctionné à la Libération pour avoir été membre du gouvernement formé par Pétain le 16 juin 1940. Par une décision de juin 1947, le Conseil d'État annule la sanction, Frémicourt ayant démissionné le 11 juillet[28].

De Gaulle se savait sur la corde raide lorsqu'il affirmait que Vichy était illégal. C'est pourquoi il préférait parler de légitimité[29]. Il avoue ainsi dans les années 1960 : « Si la légalité fait défaut, la légitimité *doit* s'y substituer. [...] J'ai invoqué la légitimité parce que la légalité était contre la France Libre[30]. » Mais le concept de légitimité était difficile à saisir. Pour de Gaulle, un gouvernement qui avait signé un armistice permettant l'occupation d'une partie du territoire avait abandonné son rôle de garant des intérêts nationaux. La légitimité d'un gouvernement pouvait également se juger à l'aune du consentement populaire ; mais cela n'aurait pas servi de consolation à de Gaulle en 1940. Après la guerre, Alfred Fabre-Luce, défenseur de Vichy, à la question « Où était la nation ? » entre 1940 et 1944 répondit : « Au lendemain de l'armistice, incontestablement, derrière Pétain », mais, à la veille de la Libération, « incontestablement, avec les libérateurs ». Et entre ces deux dates ? « Il fallait chercher la patrie dans l'ombre, à tâtons[31]. »

Prolongement légal du discours de Chirac, une loi de juillet 2000 abroge le décret mitterrandien de 1993 instaurant une journée nationale d'hommage aux victimes des persécutions « racistes et antisémites commises sous l'autorité de fait dite "gouvernement de l'État français" (1940-1944) ». La nouvelle loi rend hommage à la « mémoire des victimes des crimes racistes et antisémites de l'État français ». Ce glissement de terminologie n'est pas innocent. Le rapporteur de la loi précise que les termes du décret de Mitterrand en 1993, reprenant ceux de l'ordonnance gaulliste du 9 août 1944, « entretiennent une fiction juridique qui ne correspond pas à la réalité[32] ».

En 2002 le Conseil d'État prend acte de ce nouveau contexte dans un arrêt qui répond à la demande de Maurice Papon que l'État prenne en charge les sommes qu'il était tenu de payer au titre de sa condamnation puisqu'il n'avait fait qu'obéir aux ordres qui lui venaient de l'État : il s'agissait d'une faute de service et non pas d'une faute personnelle. L'arrêt du Conseil d'État donne en partie raison à Papon et l'État est condamné à prendre à sa charge la moitié du montant total des condamnations civiles prononcées contre lui[33]. Cette jurisprudence renverse un arrêt du Conseil d'État de juin 1946 (arrêt Ganascia) qui refusait, conformément à la logique de l'ordonnance du 9 août 1944, d'accorder à un magistrat juif l'indemnisation qu'il avait sollicitée du fait du Statut des juifs de Vichy (tout en acceptant de lui rembourser les émoluments dont il avait été privé). L'indemnisation refusée à un fonctionnaire juif en 1946 est paradoxalement accordée à Maurice Papon en 2020[34] !

Mais l'ordonnance « gaulliste » du 9 août 1944 reste en place. Et c'est justement cette ordonnance, à l'occasion du soixante-dixième anniversaire de sa promulgation, qui est le sujet d'un colloque au Conseil d'État en 2014. Le vice-président du Conseil, Jean-Marc Sauvé, prononce un discours introductif de pure orthodoxie gaullienne, insistant sur la continuité de la République pendant les années 1940-1944 – mais tout en admettant que Vichy représentait « une forme de continuité étatique[35] ». Comment s'y retrouver ? Ou était la « France » entre 1940 et 1944 ? À Vichy ou à Londres ? Comme le dit l'historien Henry Rousso, cette question revient parfois à discuter du sexe des anges et les réponses comportent « une bonne dose de simple conviction personnelle[36] ».

Une manière de répondre à cette interrogation est de distinguer l'État de la nation. Cette distinction était déjà présente dans le discours de Jacques Chirac en 1995, qui différenciait la France qui « accomplissait l'irréparable » d'une autre France « droite, généreuse, fidèle à ses traditions, à son génie ». On célèbre la mémoire des Justes comme l'incarnation de cette « autre France »[37]. Mais les Justes ne furent pas nombreux et il est indiscutable qu'en 1940 une grande majorité de la population, à tous les échelons de la société, s'était rangée derrière la demande d'armistice de Pétain (malgré les démentis de Louis Marin au procès). On se souviendra de l'embarras de tous ces notables de la Troisième République quand l'accusation voulait leur faire dire que Pétain fut un « traître ». Il est indiscutable également que les premières mesures du régime de Vichy contre les juifs ne suscitèrent pas la réprobation de la population (voir le désintérêt de la Haute Cour de justice en 1945, au procès, pour ces lois antisémites de Vichy). Pour la population française en 1940, Pétain fut un homme providentiel, et sa popularité lui conférait, au début de son régime, une réelle légitimité (malgré le verdict de De Gaulle selon lequel l'illégitimité de Pétain datait du 16 juin 1940).

Le Conseil d'État est saisi de nouveau de ces questions en 2018, au sujet d'un contentieux entre l'État et l'Association du Musée des lettres et manuscrits. Cette association était entrée en possession de brouillons manuscrits de télégrammes rédigés par le général de Gaulle et envoyés depuis Londres pendant la guerre. En 2012, l'État engage une action pour faire valoir son droit de propriété, arguant que, comme la France Libre était à partir du 16 juin 1940 le dépositaire officiel de la souveraineté française, ces documents sont des archives publiques. Il obtient gain de cause devant les tribunaux, mais l'association fait appel devant le Conseil d'État. Dans son arrêt de 2018, la juridiction administrative soutient le gouvernement au motif que la France Libre et ses incarnations successives « ont été, à compter du 16 juin 1940, dépositaires de la souveraineté nationale et ont assuré la continuité de la République[38] ». La « France », donc, se trouvait à Londres.

Mais le jugement poursuit en affirmant que, dans la mesure où « les faits et agissements de l'autorité de fait se disant "gouvernement de l'État français" et de l'administration française qui en dépendait [engageaient] la responsabilité de la puissance publique […], doivent être regardés comme des archives publiques les documents procédant de l'activité politique et administrative de cette autorité de fait ». La « France » était donc aussi à Vichy…

Chapitre 25

Juger Pétain aujourd'hui

Aucun président n'est revenu sur le discours de Jacques Chirac en 1995. Au contraire, ses successeurs sont allés plus loin, au risque d'exclure les Allemands de l'histoire de cette période. Ainsi, le 29 juillet 1997, le Premier ministre Lionel Jospin déclarait : « Cette rafle fut décidée, planifiée et réalisée par des Français. [...] Pas un soldat allemand ne fut nécessaire à l'accomplissement de ce forfait. » Emmanuel Macron adopte la même ligne le 16 juillet 2017 :

> Les 16 et 17 juillet 1942 furent l'œuvre de la police française, obéissant aux ordres du gouvernement de Pierre Laval, du commissaire général aux questions juives, Louis Darquier de Pellepoix, et du préfet René Bousquet.
> Pas un seul Allemand n'y prêta la main[1].

Malgré les critiques initiales des gaullistes historiques, ces positions reçoivent un large soutien. Un sondage d'opinion réalisé immédiatement après le discours de Chirac montre que 72 % des personnes interrogées l'approuvent et que 18 % seulement estiment qu'« on parle trop » de l'extermination des juifs pendant la guerre[2]. Trois ans plus tard, dans un autre sondage, le taux d'approbation monte à 80 %[3].

Reste un paradoxe. Lorsque les Français sont plus généralement interrogés sur leur opinion concernant Pétain, les résultats révèlent une indulgence surprenante, qui a peu évolué en cinquante ans :

Mai 1980 :
Pétain a eu raison de signer l'armistice : 53 %.
Pétain aurait dû gagner le territoire de l'empire : 21 %.
Pétain était :

– Un traître qui a couvert de son prestige la collaboration avec l'Allemagne : 8 %.

– Un ambitieux qui s'est servi de la défaite pour arriver au pouvoir : 7 %.

– Un homme sincèrement convaincu de l'intérêt national, mais qui a été dépassé par les événements : 59 %.

– Un héros qui a tout sacrifié à la France et qui a été injustement condamné : 7 %.

Avril 1993

Il a trahi la France : 38 %.

Il s'est trompé de bonne foi : 28 %.

Il a cherché à sauvegarder les intérêts de la France : 30 %.

Décembre 1994

Le gouvernement du maréchal Pétain a eu raison de demander l'armistice : 59 %.

Il a eu tort de demander l'armistice : 15 %

Pétain a trahi la France : 22 %.

Pétain s'est trompé de bonne foi : 24 %.

Pétain a cherché à sauvegarder les intérêts de la France : 30 %.

Mars 1997

L'armistice a été :

– Une très bonne chose : 10 %.

– Plutôt une bonne chose : 52 %.

– Plutôt une mauvaise chose : 15 %.

– Une très mauvaise chose : 7 %.

Pétain a été :

– Un traître qui a couvert de son prestige la collaboration avec l'Allemagne : 8 %.

– Un ambitieux qui s'est servi de la défaite pour arriver au pouvoir : 7 %.

– Un homme sincèrement convaincu de l'intérêt national dépassé par les événements : 59 %.

– Un héros qui a tout sacrifié à la France qui a été injustement condamné : 7 %[4].

Les sondages doivent être lus avec prudence. Les questions ne sont pas toujours comparables et la manière dont elles sont présentées influe sur les réponses. Malgré cela, ils démontrent une remarquable stabilité. Environ 60 % de la population se déclare à chaque fois favorable à l'armistice, et le nombre total de personnes qui condamnent Pétain sans appel n'a jamais dépassé 20 %. Entre

50 % et 60 % des personnes interrogées restent convaincues que Pétain a cherché à défendre les intérêts de la France.

Ces résultats sont difficiles à concilier avec le consensus général concernant la responsabilité de Vichy à l'égard des juifs. Peut-être les personnes interrogées établissent-elles une distinction entre le régime de Vichy et Pétain ; peut-être les sentiments complexes éprouvés par les Français à l'égard de Pétain depuis 1945 coexistent-ils avec leur condamnation plus récente du sort infligé aux juifs. Peut-être considèrent-ils globalement l'armistice comme le bon choix tout en déplorant ce qui est arrivé aux juifs. Il se peut aussi que le souvenir du rôle de Pétain pendant la Première Guerre mondiale ait un impact sur sa réputation ultérieure. Lorsqu'en 2018, à l'approche des célébrations du centenaire du conflit, un sondage a demandé aux Français de citer la personnalité qu'ils associaient le plus étroitement à la Grande Guerre, Pétain est arrivé en tête (60 %), juste devant Clemenceau (59 %). Dans la mesure où ce sondage indiquait par ailleurs une connaissance très sommaire des événements – environ 25 % des jeunes croyaient que les batailles de Waterloo (1815) et de Marignan (1515) avaient eu lieu en 1914-1918 –, le souvenir plus frais du Pétain « négatif » de Vichy a pu raviver le souvenir du Pétain « positif » de 1916-1917, alors que les autres maréchaux français de la Grande Guerre étaient tombés dans l'oubli[5]. Par un effet boomerang similaire, le souvenir positif de 1914 a pu adoucir celui, négatif, de 1940.

À chaque anniversaire important de la Grande Guerre, et encore plus pour le centenaire en 2018, le gouvernement français se retrouve face à un dilemme. Le 7 novembre de cette année-là, le président Macron, fidèle à sa stratégie du « en même temps », déclare qu'il serait « légitime » de rendre hommage, lors de la traditionnelle cérémonie militaire aux Invalides le 10 novembre, aux huit maréchaux de la Grande Guerre, dont Pétain, « un grand soldat » pendant ce conflit même s'il avait fait « des choix funestes » durant le suivant. Devant les réactions d'indignation parfois feintes, l'idée est vite abandonnée.

La reculade de Macron ne signifiait pas que l'affaire Pétain était close. C'est Éric Zemmour qui allait la relancer. Le journaliste d'extrême droite, né à Montreuil en 1958 dans une famille juive pied-noir qui avait quitté l'Algérie en 1952, n'a pas hérité de l'antigaullisme de nombreux pieds-noirs – peut-être parce que ses parents s'étaient installés en métropole avant le début de la guerre d'Algérie : il se dit un fervent admirateur du Général.

Dans les années 2000, la prolifération des chaînes d'information continue indépendantes arrive à point nommé pour celui qui, doué d'une grande aisance verbale et de pugnacité, ne vit que de provocation. Obsédé par la prétendue menace de l'islam, Zemmour s'enorgueillit de ses diverses condamnations pour incitation à la haine raciale, qui lui permettent de se poser en victime d'un *establishment* politiquement correct cherchant à museler les opinions minoritaires. De fait, il devient difficile d'allumer un poste de télévision sans tomber sur lui ou sur un sujet le concernant. À partir de 2019, son émission quotidienne sur C-News est suivie par plus d'un million de téléspectateurs, avides d'être provoqués ou émoustillés par un journaliste qui dit tout haut ce que beaucoup pensent tout bas. Zemmour prend également pied dans des médias plus traditionnels, comme *Le Figaro*.

Dans *Le Suicide français*, son livre à succès publié en 2014, le journaliste incrimine ce qu'il voit comme les maux du pays depuis Mai 68 : le féminisme, l'activisme gay et la mondialisation. Ce terrain-là lui est familier, mais il y ajoute un court chapitre critiquant la politique de repentance de Chirac et de ses successeurs. Selon Zemmour, si la proportion de juifs déportés et tués en France occupée avait été moindre que dans d'autres pays d'Europe de l'Ouest, c'est parce que le régime de Vichy avait sauvé des juifs français. Pétain s'était opposé à l'imposition de l'étoile jaune dans la zone libre et, en 1942, Vichy avait négocié avec l'Allemagne pour protéger les juifs français, aux dépens des juifs étrangers. L'argument est repris dans un autre livre, quelques années plus tard, où Zemmour ressuscite également les affirmations fantaisistes de Rougier d'avoir négocié un accord entre Pétain et Churchill, preuve des « dissimulations, des doubles, triples, quadruples jeux[6] » du Maréchal.

Qu'est qui a conduit Zemmour à prendre la défense de Vichy ? Cherchait-il à pousser la provocation encore plus loin ? À moins que le motif soit plus subtil. En disculpant Vichy de ce qui est désormais perçu comme son crime le plus grave, il ouvrait la voie à une réhabilitation générale du régime : « Je passe par Pétain pour savoir si on a le droit d'avoir une vraie politique d'immigration, sans être immédiatement traité de nazi. C'est cela mon objectif[7]. » Zemmour lui-même commençait à prôner la dénaturalisation des musulmans français, la suppression de toute aide financière aux étrangers et, dans la mesure du possible, l'éradication de l'islam du pays. Il suggérait aussi que les musulmans français soient obligés de porter des « prénoms français ». Comme une nouvelle version du Statut des juifs de Vichy, appliqué cette fois aux musulmans. Les instructions données à la police française en 1942 à la veille de la rafle du Vel' d'Hiv' étaient les mêmes, affirmait-il, que celles données aujourd'hui à la police pour expulser les sans-papiers – manière, encore une fois, de relativiser et de normaliser les actions de Vichy[8]. En tant que juif, Zemmour pouvait se permettre des propos intenables par les autres, comme le notait, goguenard, Jean-Marie Le Pen. Zemmour n'était pas dérangé par le fait que ses propres parents, juifs d'Algérie, avaient été privés de la citoyenneté française par l'abrogation, par Vichy, du décret Crémieux de 1870 – pas plus qu'Isorni n'était affecté par le fait que, comme fils d'immigré, il aurait, sans dérogation, été exclu du Barreau par la législation de Vichy.

Quelles que soient ses motivations, le néo-pétainisme de Zemmour a remis l'affaire Pétain sur le devant de la scène. Les historiens ont hésité à réagir. S'ils refusaient de débattre avec le journaliste, ils laissaient circuler ses idées sans les réfuter ; s'ils acceptaient, ils risquaient de se trouver balayés par un polémiste plus à l'aise qu'eux sur un plateau de télévision, peu soucieux d'exactitude factuelle et imperméable à la nuance[9].

Et si... Voyage en Uchronie

La résurrection par Zemmour de l'argument du « bouclier » a ravivé une question soulevée par un auteur favorable à Pétain dans l'un des premiers livres publiés sur le procès après 1945 : « Il s'agit de charger les plateaux de la balance : quel sera le plus lourd ? celui des concessions faites, celui des avantages arrachés à l'ennemi[10] ? » Ou, comme l'a écrit Jean Schlumberger : « On discutera éternellement pour savoir quel aurait été le sort de la France avec un Quisling au lieu d'un Pétain[11]. »

Comme on l'avait dit au cours du procès, concevoir l'Occupation uniquement en termes de bilan occultait les questions de morale et d'honneur. Ce débat avait connu une préfiguration dans les années 1920 à travers une escarmouche entre de Gaulle et Pétain au sujet d'une phrase que le premier avait rédigée pour le livre qu'ils écrivaient ensemble sur l'histoire de l'armée française. De Gaulle avait écrit que, pendant la Révolution, les généraux français avaient été victimes de bouleversements politiques qui leur avaient fait perdre « le prestige, souvent la vie, parfois leur honneur ». Pétain avait modifié en « le prestige, parfois l'honneur, souvent la vie ». De Gaulle s'était rebiffé : « C'est une gradation : prestige, vie, honneur. » « L'honneur » ou « la vie » – protéger une « idée » de la France ou protéger (ou s'imaginer protéger) les Français : tel était bien le cœur de l'affrontement entre de Gaulle et Pétain en 1940.

Au procès, Isorni soutint que Pétain avait sacrifié son honneur pour protéger les Français. Mais l'honneur de Pétain impliquait aussi les Français. C'est pourquoi la guerre a laissé un souvenir si douloureux. En Hollande, en Belgique ou en Norvège, l'administration quotidienne était assurée par des fonctionnaires locaux, mais qui travaillaient sous l'autorité de l'occupant. Il y eut certes des collaborateurs, qui furent châtiés après la guerre, mais la population n'en retira pas le sentiment que la nation s'était compromise. La situation de la France est davantage comparable à celle du Danemark, où les Allemands laissèrent subsister un gouvernement indépendant jusqu'en août 1943. Pour autant, si ce gouvernement avait collaboré avec les Allemands dans certains domaines, il avait laissé intactes les structures politiques existantes, sans procéder à une révolution politique interne. Il avait également sauvé sa petite population de juifs, dont beaucoup furent évacués vers la Suède voisine, pays neutre.

Outre l'argument de l'honneur, les défenseurs de Pétain ont proposé un argument contrefactuel selon lequel le destin de la France et la vie des Français auraient été pires sans les choix de Pétain ; ses accusateurs ont, de leur côté, proposé leur propre version alternative – contrefactuelle – de l'histoire. L'uchronie n'a jamais eu bonne réputation auprès des historiens professionnels[12]. Pourtant, toute histoire cherchant à identifier une « cause » comporte des récits contrefactuels cachés. Soutenir qu'un résultat X est la conséquence d'une cause Y demande implicitement aux lecteurs d'imaginer ce qui se serait passé si cette cause Y ne s'était pas produite. Les historiens qui reconnaissent une certaine validité à la démarche contrefactuelle en proposent les règles : une « réécriture *a minima* », le rejet des hypothèses « extravagantes » et l'identification de celles qui sont plausibles. « Nous ne devrions considérer comme plausibles ou probables », explique Niall Ferguson dans

Virtual History, « que les alternatives dont nous pouvons démontrer, sur la base de preuves contemporaines, qu'elles ont effectivement été envisagées à l'époque »[13].

Le critère de « plausibilité » est sans aucun doute rempli si nous imaginons en quoi l'histoire aurait été différente si, en juin 1940, le gouvernement français, au lieu de signer un armistice, s'était installé en Afrique du Nord. Cette option était soutenue par beaucoup de membres du gouvernement (voire d'une majorité, selon Louis Marin), et elle fut rejetée parce que Weygand et Pétain martelèrent qu'il n'y avait pas d'alternative réaliste à l'armistice. Avaient-ils raison ?

Un groupe d'historiens, professionnels et amateurs, a relevé le défi d'imaginer un récit alternatif des événements de 1940, sous la forme de deux forums en ligne[14]. Trois participants ont ensuite publié un gros volume imaginant, jour par jour, une histoire de l'année 1940 si la France avait continué à se battre. Ce premier volume a été suivi d'un autre, portant sur les années 1941 et 1942[15]. Un troisième, annoncé pour la période 1943-1944, n'a pas été publié, ce qui est probablement une bonne chose. Plus on s'éloigne de ce que les tenants de l'approche contrefactuelle appellent le « point de départ » – le moment où le récit s'écarte de la réalité –, plus les scénarios alternatifs deviennent spéculatifs. Limité à l'été 1940, l'exercice reste toutefois plausible.

Le point de départ choisi par les auteurs en question est le 6 juin 1940, jour où Paul Reynaud remanie son gouvernement et y fait entrer de Gaulle. À cet événement réel ils ajoutent un événement fictif : la mort dans un accident de voiture d'Hélène de Portes, la maîtresse de Reynaud, à qui d'innombrables témoins ont reproché d'avoir sapé la détermination du président du Conseil. Faire disparaître Mme de Portes à ce moment-là (l'accident a en réalité eu lieu un mois plus tard, une fois l'armistice signé) est une astuce ingénieuse mais pas indispensable. Étant donné qu'au sein du cabinet les opinions étaient également partagées entre partisans et opposants de l'armistice, et que Reynaud lui-même se trouvait dans le camp des opposants, on peut de manière convaincante imaginer qu'il aurait pu, sans ce scénario mélodramatique, décider de continuer la guerre.

Quelle qu'en soit la cause, la motivation renouvelée de Reynaud renforce les membres du gouvernement opposés à l'armistice. Le scénario alternatif se met en place :

10 juin : Weygand est limogé et remplacé par le général Huntziger, qui a ordre de ralentir l'avancée allemande afin de gagner du temps pour transporter les troupes et le matériel vers l'Afrique du Nord.

11 juin : Pétain s'insurge contre le limogeage de Weygand. Arrêté pour avoir défié le gouvernement, le Maréchal est victime d'une crise d'apoplexie quelques jours plus tard.

12 juin-7 août : les armées françaises parviennent à ralentir l'avancée allemande.
Ce n'est que le 7 août que les Allemands atteignent Port-Vendres, sur le littoral catalan. Au cours de ces semaines de combat, les Français, avec le soutien de la marine britannique, ont évacué environ huit cent mille hommes et une grande partie de leur aviation vers l'Afrique du Nord. La Troisième République continue d'exister depuis l'Algérie. L'Afrique du Nord, restée aux mains des Français, dépend des Américains pour ses approvisionnements en matériel. Pendant ce temps, le territoire métropolitain est intégralement occupé par les Allemands.

Les aspects militaires de ce scénario contrefactuel sont tout à fait convaincants. L'histoire de la bataille de France montre qu'après les désastres initiaux, l'efficacité et la détermination des troupes françaises en juin 1940 lors des combats de la Somme et de l'Aisne ont été impressionnantes. Tout bascule après le discours de Pétain du 17 juin annonçant qu'il va rechercher un armistice : à quoi bon se battre si la guerre est sur le point de s'achever ? S'il y avait eu une volonté pour le faire, les chefs militaires auraient pu établir de nouvelles lignes de défense afin de ralentir l'avancée allemande. Et, comme les lignes de ravitaillement allemandes étaient dangereusement étirées, les Français auraient pu gagner de précieuses semaines pour permettre le transfert des troupes et du matériel vers l'Afrique du Nord.

Comment les Allemands auraient-ils réagi à l'existence d'un gouvernement français en Afrique du Nord resté en guerre aux côtés des Britanniques ? Trois possibilités sont envisagées dans cette simulation contrefactuelle :

1. Les Allemands décident d'en finir avec la France en débarquant en Tunisie avec le soutien de la marine italienne.
2. Les Allemands décident de poursuivre les Français jusqu'en Afrique du Nord en traversant l'Espagne et en attaquant Gibraltar.

3. Hitler décide de ne pas risquer d'opération en Afrique du Nord et de se concentrer sur la bataille d'Angleterre[16].

Cette histoire alternative opte pour le troisième scénario. Une opération à partir de la Tunisie aurait été risquée car la marine italienne aurait été de très loin surclassée par les forces conjointes françaises et britanniques. Quant à une opération à travers l'Espagne, les Allemands avaient certes élaboré un plan en ce sens, l'opération Félix, mais il dépendait du soutien de Madrid. Compte tenu de l'épuisement du pays après la guerre civile et de la prudence dont Franco fit preuve à l'égard d'Hitler lors de leur rencontre à Hendaye en octobre 1940, il semble raisonnable de supposer qu'il se serait montré tout aussi peu coopératif en juin – d'autant qu'à ce stade la France n'aurait pas été écrasée, mais toujours en guerre. Pour Hitler, il aurait été hasardeux, d'un point de vue logistique, d'envisager de traverser l'Espagne sans l'autorisation de Franco. L'empressement avec lequel le Führer proposa aux Français ses conditions pour l'armistice tout en repoussant le souhait de Mussolini d'obtenir des conditions plus strictes montre qu'il était conscient des risques d'une opération exigeant de traverser l'Espagne. Le général Noguès, commandant en chef en Afrique du Nord, était convaincu que son théâtre d'opération pourrait tenir après la chute de la France métropolitaine. Il n'abandonna cette idée que par fidélité à Pétain.

Ce scénario met à mal l'argument pétainiste selon lequel l'armistice a servi les intérêts des Alliés en empêchant l'Afrique du Nord de tomber aux mains des Allemands – argument formulé pour la première fois au procès Pétain par Weygand. Au fil des années, certains apologistes extravagants de Vichy ont tenté de donner à l'Afrique du Nord un rôle aussi important dans la victoire des Alliés que la bataille de Stalingrad. Cet argument comportait beaucoup de mauvaise foi. Même si le fait que les Allemands n'aient pas pris pied au Maroc et en Algérie s'est avéré un avantage pour les Alliés en novembre 1942, ce résultat était purement fortuit. En 1940, les dirigeants de Vichy escomptait que la Grande-Bretagne sortirait bientôt de la guerre. Lorsque les Américains débarquèrent en Afrique du Nord en novembre 1942, la réaction immédiate de Vichy fut de leur tirer dessus et de permettre aux Allemands de débarquer en Tunisie. Pendant des décennies, les apologistes du pétainisme se sont accrochés à l'idée que la véritable position de Vichy était révélée par les fameux « télégrammes secrets » qui semblaient approuver la défection de Darlan. Dès lors leur existence établie, une lecture attentive du contexte démontre que les télégrammes ne signifiaient pas ce que l'amiral Auphan et d'autres ont prétendu (ou peut-être fini par croire) qu'ils signifiaient. Le second télégramme, du 13 novembre (« Accord intime du Maréchal »), était une réponse à un télégramme du général Noguès expliquant que Darlan et lui-même étaient en contact avec les Américains afin d'écarter Giraud, le candidat de ces derniers, qui voulait se rallier aux Alliés. En d'autres termes, le télégramme approuvait la tentative désespérée de Darlan de préserver la neutralité de Vichy ; il n'approuvait pas un retour dans la guerre du côté des Alliés[17].

Vichy, un bouclier ?

Dans cette histoire alternative où le gouvernement français s'installe en Afrique du Nord, que se passe-t-il en métropole ? Un argument fréquemment répété au cours du procès était que l'alternative à l'armistice aurait été une France dirigée par un gauleiter (un fonctionnaire du parti nazi) et soumise à la « polonisation ». En réalité, aucun pays occupé d'Europe occidentale n'a été traité aussi durement que ne le fut la Pologne, ni soumis à un gauleiter. Les Allemands mirent en place divers régimes d'occupation mais nulle part il n'y eut de gauleiter à leur tête (sauf en Alsace, en vue de son incorporation à terme à l'Allemagne) : la Belgique fut administrée directement par l'armée allemande ; la Hollande par un administrateur civil, Arthur Seyss-Inquart ; la Norvège par le gouvernement croupion de Vidkun Quisling. On ne peut que spéculer sur la solution que les Allemands auraient adoptée en France s'il n'y avait pas eu d'armistice. Seule certitude : Hitler tenait à ce que la population assume la plus lourde part du fardeau de l'administration du pays.

Dans le scénario alternatif évoqué plus haut, Pétain meurt quelques jours après son attaque. La métropole est entièrement occupée par les Allemands, qui mettent en place un gouvernement collaborationniste dirigé par Laval : une sorte de gouvernement à la Quisling, sans l'autorité morale ou légale dont bénéficia le régime de Vichy. Mais faire disparaître Pétain semble être trop commode. En très bonne santé physique, le Maréchal serait probablement resté sur le sol français après le départ du gouvernement légal de

Reynaud pour l'Afrique du Nord, et il aurait été prêt à constituer une forme de gouvernement. Un tel gouvernement, dirigé par une personnalité de la stature de Pétain offrant de protéger de son « corps » les Français, alors que la classe politique avait lâchement « déserté », aurait eu plus d'autorité morale qu'un gouvernement dirigé par Laval. Il n'aurait pas été « légal », contrairement au régime de Vichy, mais le seul nom de Pétain aurait compté lourdement. Tel était d'ailleurs l'argument de Reynaud au procès : rien de ce qu'il aurait pu faire n'aurait compensé l'opposition de Pétain. Blum, de son côté, affirma dans son témoignage que le fait de l'avoir empêché, avec d'autres, de se rendre en Afrique du Nord avait joué « un rôle décisif » dans l'histoire de l'armistice. Les moyens déployés par les partisans de l'armistice pour saboter le départ des membres du gouvernement de Pétain suggèrent qu'ils considéraient cette opération comme une menace sérieuse. Un fervent défenseur de l'armistice put écrire : « Resté sur le quai d'où il aurait vu s'éloigner les navires qui emportaient les émigrés, le maréchal Pétain eût, certes, été entouré du plus profond respect par l'envahisseur mais, dans sa solitude, il n'aurait pas pu, en droit et en fait, représenter le Gouvernement de la France[18]. »

Dans ce cas de figure, le degré d'acceptation et de légitimité d'un « gouvernement » Pétain dissident se serait peut-être situé quelque part entre celui du gouvernement Quisling de Norvège et celui du gouvernement de Vichy qui gouverna de fait la France. En quoi l'expérience pour la population en aurait-elle été différente ? Le gouvernement de Vichy – légal techniquement et dirigé par une personnalité vénérée – protégea-t-il les Français d'un sort pire encore ?

À l'époque du procès, la question est posée ainsi : la proportion de citoyens français enrôlés pour travailler dans les usines allemandes ou déportés pour faits de résistance a-t-elle été plus ou moins élevée en France qu'en Belgique ou aux Pays-Bas ? Des comparaisons concluantes sont difficiles à établir. Mais, en admettant que cette proportion a été plus faible en France, elle ne l'a pas été suffisamment pour compenser l'humiliation représentée par le régime de Vichy. Par sa taille même, la France a contribué plus qu'aucun autre pays d'Europe occidentale à l'économie de guerre allemande.

Aujourd'hui, le débat sur le « bouclier » focalise sur ce qu'on a appelé le « paradoxe » français : le fait que, malgré l'existence d'un gouvernement collaborateur, la proportion de juifs exterminés a été plus faible que dans les autres pays occupés d'Europe occidentale : 25 % en France, 50 % en Belgique et en Norvège, 73 % aux Pays-Bas[19]. Au cours des deux décennies après la Libération, la plupart des historiens ont accepté que cette proportion plus faible s'expliquait par l'existence de Vichy. Mais, plus récemment, on a souligné le rôle de la population[20]. De très nombreux juifs ont été protégés et sauvés par des individus isolés, des communautés (en particulier protestantes), des réseaux de soutien clandestins. Cependant, de tels exemples de solidarité de la part de société civile ont existé partout : difficile de prouver qu'il s'agirait de la variable déterminante dans le cas hexagonal. En Hollande, par exemple, une proportion plus importante de la communauté juive a péri : pourtant, la tradition antisémite y était moins forte qu'en France et, dès lors que le pays a été occupé, l'opposition de la société aux mesures antisémites y a été plus rapide. La solidarité a également existé en Hollande, mais elle n'a pas suffi pour sauver la plupart des juifs. La géographie a peut-être joué un rôle : la superficie de la France, ses nombreuses régions de montagnes et de collines, ses frontières avec la Suisse et l'Espagne ont permis aux juifs de se cacher, mais aussi aux filières d'évasion d'opérer plus efficacement qu'ailleurs. On peut dès lors formuler le « paradoxe » français à l'envers : non pas pourquoi tant de juifs ont survécu, mais pourquoi si peu ?

D'autres historiens suggèrent que les taux de survie différents s'expliquent par le fait que les priorités de l'Allemagne et les moyens mis en œuvre variaient selon les pays occupés. En Hollande, dirigée par un administrateur civil, nazi zélé, la SS prit immédiatement le contrôle de la politique de déportation, alors qu'en Belgique, sous administration militaire, la SS n'intervint qu'à partir de mai 1942. Cela pourrait expliquer pourquoi la Hollande, bien qu'ayant manifesté la plus grande opposition civile aux mesures antijuives, a connu le taux de survie le plus bas. Autre exemple de l'impact des priorités allemandes : le rythme des déportations depuis la France connut une pause au printemps 1943 car le camp d'Auschwitz-Birkenau était saturé par l'assassinat des juifs de Salonique. La date de la libération nationale, aussi, a pu jouer : août 1944 pour la France, quelques semaines plus tard pour la Belgique et les Pays-Bas ; or chaque jour comptait[21].

En résumé, de nombreux facteurs expliquent la diversité des situations selon les pays. Mais en quoi le régime de Vichy lui-même a-t-il pesé ? Lors du procès de Pétain, la défense avança deux arguments : le refus de Vichy, en mai 1942, d'imposer le port de l'étoile jaune en zone libre ; celui, en août 1943, de dénaturaliser tous les juifs qui avaient reçu la nationalité française depuis 1927. En ce qui concerne l'étoile jaune, le refus était plus motivé par le souci de l'opinion publique que par une sollicitude à l'égard des juifs. Le gouvernement exigea pour sa part de tous les juifs, français et étrangers, en décembre 1942, que leurs papiers d'identité portent la mention « Juif », une mesure aux conséquences guère moins funestes que l'imposition de l'étoile jaune.

Quant au refus par Vichy d'une dénaturalisation générale des juifs en 1943, l'histoire est plus complexe que le récit édifiant des défenseurs de Pétain. Le 11 juin 1943, sous la pression allemande, le gouvernement prépare un décret dénaturalisant tous les juifs devenus citoyens français depuis 1927. Mais Heinz Röthke, l'officier de la Gestapo chargé des questions juives en France, en retarde la promulgation car il veut l'assurance que le décret sera suivi avant la fin du mois d'une nouvelle rafle massive de juifs étrangers, effectuée par la police française. L'aide de la police française demeurait indispensable aux Allemands, le quartier général de la Gestapo à Berlin venant d'avertir ses représentants à Paris qu'il ne fournirait plus d'effectifs. Tandis que les négociations se poursuivent entre le secrétaire général de la police de Vichy, René Bousquet, et ses homologues allemands, il devient clair pour le gouvernement français que le vent de la guerre est en train de tourner : les troupes alliées débarquent en Sicile le 10 juillet. Bousquet a même commencé à nouer des liens avec des chefs résistants – qui lui fourniront un alibi lors de son procès après la guerre. Ce contexte explique pourquoi, le 24 août 1943, Pétain informe les Allemands que le gouvernement s'oppose aux dénaturalisations systématiques[22]. Voyant leur plan contrarié, ces derniers ne distinguent plus, lors des arrestations, entre citoyens français et étrangers.

La citoyenneté française avait jusqu'alors offert une certaine protection. Sur les quelque 75 700 juifs déportés de France, 24 000 étaient français (32 %) et 51 700 étrangers (68 %)[23]. En effet, les juifs français, bien intégrés, bénéficiaient de réseaux de soutien plus efficaces au sein de la population. Mais, pour la période entre juillet 1942 et août 1943, quand les Allemands distinguaient en principe entre juifs français et juifs étrangers, les défenseurs de Pétain ont tiré la conclusion que le taux de survie plus élevé de juifs français s'expliquait par le « bouclier » de Vichy, qui avait protégé les juifs français au prix du sacrifice des juifs étrangers. L'argument n'a pas été formulé tel quel lors du procès de Pétain, mais il a été utilisé par Laval lors du sien, puis indéfiniment repris par la suite. Françaises ou non, toutes les victimes étaient des êtres humains : l'argument est donc moralement très pervers. Mais parce qu'il a souvent été utilisé par des défenseurs de Vichy, dont le plus récent est Zemmour, il doit être examiné comme travail inachevé du procès de Pétain.

C'est lors de la conférence de Wannsee, en janvier 1942, que l'Allemagne fixe les détails de ce que l'on appelle la Solution finale. En juin 1942, Karl Oberg, le chef de la police allemande en France, demande l'arrestation au cours de l'été d'un premier contingent de quarante mille juifs. Les négociations, menées par Bousquet côté français, aboutissent le 2 juillet à un accord : la police française procédera aux arrestations, mais seuls les juifs étrangers seront visés. Pour atteindre le chiffre fixé par les Allemands, il est convenu que certaines arrestations auront lieu en zone libre, une suggestion de Bousquet faite au début des négociations. L'énormité de cette proposition, qui surprend d'abord les Allemands, ne doit pas être sous-estimée : le gouvernement français proposait, de son propre chef, d'arrêter des juifs dans cette partie de la métropole censée être indépendante et hors de portée des Allemands.

Le régime de Vichy n'aurait jamais de lui-même mis en place une politique d'assassinat des juifs. Son antisémitisme était dis-criminatoire, non exterminatoire, à commencer par le Statut des juifs, d'octobre 1940, qui excluait les juifs français de nombreuses activités sociales et professionnelles et faisait d'eux, du jour au len-demain, des citoyens de seconde zone. Vichy coopéra aux rafles de 1942 dans une logique de collaboration plutôt que par antisémitisme. Par ailleurs, en 1942, les Allemands, qui trouvaient que la police française manquait de vigueur face à la Résistance, menacèrent de la placer sous leur contrôle. L'accord Oberg-Bousquet permettait aux Français de conserver leur autorité sur leur police, de poursuivre la collaboration et de préserver un domaine clé de leur souveraineté. Plutôt qu'utiliser la souveraineté dont il jouissait pour sauver les juifs français, on peut donc dire que le régime de Vichy a sacrifié les juifs étrangers pour préserver sa souveraineté menacée. À ce régime pétri de préjugés antisémites structurels et profondément ancrés, le marché posait peu de dilemmes moraux. En ce sens, aucune frontière étanche n'existait entre la politique d'exclusion de Vichy et la politique d'extermination du Reich. Nulle part dans les conversations privées entre dirigeants du régime à cette époque on ne trouve l'expression de regrets quant au sort réservé aux juifs. Au contraire, débarrasser le pays des juifs étrangers, dont beaucoup réfugiés d'Allemagne, était vu moins comme un sacrifice à endurer que comme une opportunité à saisir : des « déchets expédiés par les Allemands eux-mêmes », comme les qualifia Laval lors de la réunion du gouvernement du 3 juillet au cours de laquelle l'accord Oberg-Bousquet fut ratifié. C'est dans le même esprit que Laval demanda aux Allemands que les enfants de moins de seize ans soient inclus dans les premiers convois de déportation : non par souci de ne pas séparer les familles, mais parce qu'il ne voulait pas que Vichy les ait sur les bras[24].

Et si Vichy n'avait pas accepté ce marché diabolique ? Les Allemands auraient vraisemblablement mis en œuvre leur projet et procédé à des arrestations dans la seule zone occupée. Ne disposant pas eux-mêmes des effectifs nécessaires pour mener à bien les opérations, ils auraient ordonné à la police française de coopérer, comme ils le firent aux Pays-Bas et en Belgique. Mais sans doute les agents auraient-ils agi avec moins de zèle qu'ils le firent sous les ordres de leurs chefs français. Déjà, alors que la coopération des autorités françaises marchait à plein, le nombre des personnes arrêtées le 16 juillet à Paris fut inférieur d'un tiers à l'objectif fixé. Lors des négociations avec les Allemands à l'été 1942, Vichy, gouvernement officiellement indépendant, disposait d'une marge de manœuvre : il aurait pu dire « non », comme il le fit à l'été 1943. En 1942, avant l'occupation de la zone libre et avant la perte de l'Afrique du Nord, la latitude du régime – la possibilité de dire « non » – était même plus grande qu'elle ne le serait un an plus tard. Le changement de politique entre 1942 et 1943 fut dicté moins par des scrupules moraux que par l'indignation suscitée dans l'opinion publique par les rafles de 1942, et par l'inversion du cours de la guerre. En 1943, l'absence de coopération française fit une grande différence : il y eut moins d'arrestations pour l'année entière (23 000) que pour les seuls deux mois d'été 1942, lorsque les Français avaient pleinement coopéré.

D'où un dernier scénario contrefactuel. Sans armistice et sans régime de Vichy, avec une France entièrement occupée, les décisions des Allemands en matière de police auraient peut-être été différentes. Peut-être auraient-ils déployé davantage d'effectifs – même si, rappelons-le, ils furent confrontés à une pénurie d'hommes à partir de

1942. Dans ces conditions, il est possible que le sort des juifs aurait été pire. Nous ne le saurons jamais. Mais, de fait, Vichy a existé, son existence a conféré aux Français un certain degré d'indépendance, d'autonomie et de capacité d'action, et le régime se vantait d'avoir usé de cette autonomie pour protéger la population. Mais pas les juifs. Vichy est donc coupable non seulement de ce qu'il a fait, mais aussi de ce qu'il n'a pas fait pour les juifs. Selon l'interprétation la plus défavorable, Vichy a aidé les autorités allemandes lors des arrestations de 1942 parce qu'il y voyait l'occasion de débarrasser le pays des juifs étrangers, considérés comme un fardeau. Selon une interprétation un peu moins défavorable, Vichy a aidé les Allemands parce que, pour un régime imprégné de préjugés antisémites, sauver les juifs était moins prioritaire que de maintenir une illusion de souveraineté par l'entremise de la politique de collaboration. Tel fut bien le crime de Vichy.

Et celui de Pétain ? Son procès se heurta constamment à ce que Blum avait appelé le « mystère » Pétain. Le pasteur Boegner témoigna que le Maréchal avait toujours exprimé sa compassion pour le sort des juifs ; la cour entendit qu'il avait coutume d'appeler Darquier de Pellepoix le « tortionnaire » ; Jean-Marie Roussel, ce fonctionnaire effacé qui avait présidé la commission de révision des naturalisations créée par Vichy en juillet 1940, affirma qu'il avait soutenu une politique « humaine » en matière de dénaturalisation. Ce n'est qu'après 1945 que des éléments vinrent remettre en cause cette image. Publié en 1948, le journal de Paul Baudouin, ministre des Affaires étrangères de Vichy avant Montoire, rapporte comment, lors d'une réunion majeure sur le Statut des juifs en octobre 1940, Pétain était intervenu pour durcir le texte. Le Journal de Baudouin a vraisemblablement été retravaillé par l'auteur avant sa publication, mais ce point a été corroboré en 2010, après la découverte par Serge Klarsfeld du brouillon du Statut comportant une annotation de la main de Pétain, qui proposait d'ajouter les magistrats et les enseignants à la liste des professions dont les juifs étaient exclus[25]. Le Maréchal ne prit pas directement part aux négociations qui conduisirent aux arrestations de juillet 1942, mais lorsque l'accord Oberg-Bousquet fut soumis à l'approbation du gouvernement le 2 juillet – cette réunion où Laval exprima sa satisfaction d'être débarrassé des « déchets » –, il prit la parole pour affirmer que la distinction entre juifs étrangers et juifs français était « juste et sera[it] comprise par l'opinion ». Deux semaines plus tard, les rafles commençaient.

Épilogue
Sur la piste de Pétain

Le crime de complicité de Vichy dans la déportation des juifs est, depuis 1995, rappelé par des plaques noires gravées de lettres d'or apposées partout en France sur les façades d'établissements scolaires. Elles évoquent la mémoire des enfants juifs déportés, « victimes innocentes de la barbarie nazie et du gouvernement de Vichy ». Les quelques rues « Maréchal-Pétain » qui subsistaient ont été rebaptisées : la dernière à Belrain, village d'une cinquantaine d'habitants près de Verdun, après un vote du conseil municipal en mars 2013. Pour en trouver aujourd'hui, il faut se rendre à l'étranger : une à Singapour, une autre dans l'ancienne concession française de Shanghai, une autre encore au Québec. Aux États-Unis, le dernier décompte en relevait douze, dont une « Petain Street » à Dallas, au Texas, et une autre à Milltown, dans le New Jersey, où le conseil municipal a rejeté en 2020 une proposition visant à la renommer. Le mont Pétain, à la frontière entre l'Alberta et la Colombie-Britannique, au Canada, a quant à lui été rebaptisé en 2022[1].

Quelques combats d'arrière-garde ont parfois été menés contre la « dépétainisation » du paysage français. En 2020, un visiteur remarqua que, dans la mairie du village normand de Gonneville-sur-Mer (Calvados), étaient accrochés les portraits de tous les chefs d'État depuis 1871 : Pétain se trouvait entre Lebrun (1932-1940) et Auriol (1947-1954). C'est la justice qui contraignit le maire – lequel niait toute arrière-pensée politique et expliquait que le village restait « attaché à son passé » – de le retirer : « l'importance symbolique » du portrait de Pétain, argua-t-elle, portait atteinte au « principe de neutralité » du service public[2].

Ainsi, le Maréchal a progressivement disparu, en France, du paysage physique. En reste-t-il quelque chose ? Existe-t-il un « parcours Pétain » que les touristes intéressés ou les fidèles pourraient suivre ? En Italie, on peut visiter, dans le village de Predappio, la maison natale de Mussolini et la crypte où il est enterré. Les boutiques touristiques y vendent des souvenirs fascistes d'un goût douteux : affiches, porte-clés, magnets, etc. En octobre 2021, il était possible de s'inscrire pour un voyage à thème de huit jours consacré à l'histoire de Mussolini, avec visite de sites dans toute l'Italie, sous la houlette d'un « historien expert », et « rencontre exceptionnelle avec la plus jeune petite-fille du Duce, Rachele Mussolini »[3]. Ce phénomène, connu sous le terme de « tourisme noir », répond à des motivations diverses, de la curiosité historique au voyeurisme macabre, de l'intérêt pédagogique à la nostalgie[4].

Le culte de Pétain, alimenté par ses fidèles, a longtemps suscité de la méfiance en France. Lorsqu'en 1976 des objets ayant appartenu au Maréchal furent proposés aux enchères à Versailles, un élu communiste local tenta de faire interdire cette vente de « reliques du vieux traître » et l'événement lui-même fut perturbé par des associations de résistants. Le commissaire-priseur se défendit en affirmant qu'il aurait tout aussi bien accepté de vendre la casquette de Staline. La vente eut finalement lieu : une canne de Pétain partit pour 1 000 francs et le képi qu'il avait porté en 1919 lors du défilé sur les Champs-Élysées pour 7 000 francs[5]. Ils furent probablement achetés par l'ADMP, qui conserve pieusement les souvenirs du Maréchal.

Où donc passer pour emprunter un « circuit touristique Pétain » ? Peut-être pourrait-on commencer par Montoire. Les trains ne s'y arrêtent plus et, en 2003, la petite gare a été transformée en musée. Le site internet de l'office du tourisme local l'indique bien, mais accorde plus de place à d'autres curiosités, notamment les nombreux châteaux de la région. Après la guerre, une plaque fut apposée dans la gare pour commémorer non la rencontre d'octobre 1940, mais l'arrivée des troupes américaines en août 1944, comme pour exorciser ce qui s'était passé quatre ans plus tôt. La décision de créer un musée a rencontré quelques oppositions locales, et son intitulé évasif – « Musée des Rencontres » – témoigne d'un certain embarras. Depuis une rénovation en 2017, le site couvre l'ensemble de l'histoire de l'Occupation. Mais il reste fermé les 22 et 24 octobre – dates anniversaires des deux rencontres, de Laval puis de Pétain, avec Hitler – pour décourager la visite d'éventuels sympathisants pétainistes, en réalité peu probable tant ces derniers demeurent peu à l'aise avec la mémoire de Montoire.

Quant à la ville de Vichy, elle a longtemps lutté pour exorciser le souvenir de ces quatre années[6]. Pendant la guerre, on rebaptise la « soupe vichyssoise » dans la réédition d'un livre de cuisine d'Escoffier à New York. Et, pour tourner la page de cet effacement à la Libération, le conseil municipal de la cité de l'Allier stipule en novembre 1944 : « Vichy n'est pas le siège d'un gouvernement traître à la patrie, mais la reine des villes d'eaux. » Les guides touristiques passent par la suite sous silence le passé trouble de la ville. Le premier guide Michelin de l'immédiat après-guerre l'ignore. Un autre guide, publié en 1994, s'en tient aux faits : « Dans l'histoire récente, Vichy a donné son nom au gouvernement de l'État français, le régime dirigé par le maréchal Pétain qui a gouverné le pays sous l'étroite surveillance des Allemands du 12 juillet 1940 au 20 août 1944. »

Les Vichyssois se sont longtemps considérés comme des victimes. Leurs maires successifs ont bataillé pendant des années pour interdire l'utilisation dans les documents officiels des expressions « gouvernement de Vichy » ou « régime de Vichy », et pour faire venir des présidents de la République dans la ville. Le général de Gaulle s'y rendit en avril 1959 à l'occasion d'une tournée en province. Reconnaissant « un peu d'émotion » de se retrouver à Vichy, il déclara : « Nous sommes un seul peuple, quelles qu'aient pu être les péripéties, les événements, nous sommes le grand, le seul, l'unique peuple français. C'est à Vichy que je le dis, et que j'ai tenu à vous le dire[7]. » Ce commentaire gnomique apparut comme un geste d'absolution, mais les successeurs du Général évitèrent de se confronter à cet exercice délicat.

Les références aux événements de l'Occupation sont rares dans les rues de Vichy, à deux exceptions près : une plaque à la mémoire des juifs et une autre dans le bâtiment de l'Opéra (Casino). La première est une initiative personnelle de Serge Klarsfeld. La plaque a d'abord été installée à l'hôtel du Parc, où Pétain vécut pendant quatre ans ; mais des résidents se sont plaints et elle a été déplacée de l'autre côté de la rue. La seconde plaque est apposée sur la façade de l'Opéra où en 1940 le Parlement avait voté les pleins pouvoirs à Pétain : elle commémore les quatre-vingts parlementaires qui votèrent « non », affirmant ainsi « leur attachement à la République, leur amour de la liberté et leur foi en la victoire ». Le fait que la plupart des parlementaires présents votèrent « oui » est éludé, transformant « un moment de honte nationale en une célébration de la résistance[8] ».

L'hôtel du Parc, qui n'a pas rouvert après la guerre, a été transformé en résidence privée en 1956. Vichy ne compte aucun musée. En 1987, l'office du tourisme a lancé des visites des « sites du régime de Vichy ». La seule objection est venue de l'hôtel du Portugal, qui a pensé que ses clients préféraient ne pas savoir que les locaux avaient autrefois servi de siège à la Gestapo. Ces visites se poursuivent aujourd'hui. Un musée est en projet pour 2026, mais les autorités locales insistent sur le fait qu'il couvrira « deux mille ans » d'histoire de la ville, et non quatre.

En 1970, l'ADMP a racheté les anciens appartements de Pétain à l'hôtel du Parc et entrepris de les reconstituer tels qu'ils étaient sous l'Occupation. Leur visite n'est accessible qu'à des groupes présélectionnés. L'association n'a jamais cherché à faire de Vichy le cœur du culte pétainiste. Elle privilégie la maison natale du Maréchal, une ferme de Cauchy-à-la-Tour qu'elle a achetée et transformée en petit musée. C'est là que l'ADMP organise chaque 24 avril, jour anniversaire de la naissance de Pétain, une courte cérémonie pour les fidèles. À tout autre moment de l'année, il faut une autorisation pour visiter le musée.

Le centre majeur du culte pétainiste a toujours été l'île d'Yeu, associée au « martyre » du Maréchal. C'est ici que se trouvent les lieux de mémoire : la prison où il a été incarcéré, la maison où il est mort, le cimetière où il est enterré, la chambre où séjournait la Maréchale lors de ses visites à son mari.

L'anniversaire de la mort de Pétain, le 23 juillet 1951, a toujours été un moment fort du calendrier commémoratif, mais, même dans les années 1970 et 1980, quand des personnalités telles que Jacques Isorni ou Jean Borotra étaient présentes, peu de monde assistait aux célébrations à cause des difficultés d'accès à l'île. Le Front national de Jean-Marie Le Pen a continué à célébrer Pétain, mais, depuis que sa fille Marine a entrepris de « dédiaboliser » le parti, renommé Rassemblement national, ses dirigeants préfèrent se recueillir sur la tombe du général de Gaulle à Colombey-les-Deux-Églises, en Haute-Marne. Le 17 juin 2020, ce n'est pas sur l'île d'Yeu que Marine Le Pen s'est rendue mais sur l'île de Sein, au large du Finistère, dont tous les pêcheurs avaient rejoint l'homme du 18-Juin en 1940.

Juillet 2021 correspondait au soixante-dixième anniversaire de la mort de Pétain – mais aussi au premier été libéré des contraintes dues au Covid-19. L'île d'Yeu est envahie par les vacanciers. De nombreux ferries relient désormais Port-Joinville et le continent. Le soleil est au rendez-vous, les plages sont bondées. Les anciennes maisons de pêcheurs, toutes peintes en blanc et désormais louées par des touristes, évoquent une île grecque. Le journal local ne mentionne pas l'anniversaire à venir. Sur la route qui, depuis l'intérieur de l'île, mène à Port-Joinville, se dresse une maison avec cette plaque : « Ici est mort le 23 juillet 1951 Philippe Pétain maréchal de France. » Il s'agit de la Villa Luco, transformée en hôpital militaire, où Pétain avait été transféré quand il était devenu trop malade pour rester en prison. Lorsque le propriétaire de la maison avait posé la plaque en 1955, le gouvernement avait ordonné son retrait. L'affaire avait suscité une petite polémique, désormais oubliée. Aujourd'hui, les touristes passent devant sans la remarquer.

Le cimetière n'est qu'à quinze minutes à pied du centre de Port-Joinville. La tombe de Pétain se trouve à l'écart, devant le mur nord, entourée d'ifs. L'inscription est simple : « Philippe Pétain, maréchal de France ». Sur le mur, à quelques mètres de là, sont apposées des plaques en hommage aux nombreux pêcheurs de l'île qui ont péri en mer. Ces mémoriaux sont plus profondément ancrés dans la longue histoire du lieu que la présence incongrue et tardive de Philippe Pétain.

Chaque année, quand approche la date anniversaire de sa mort, les autorités locales deviennent nerveuses. Souvent, la tombe est dégradée. Mais, en ce mois de juillet 2021, la présence policière se fait invisible, si tant est qu'il y en ait une. En tout cas, personne ne semble trouver suspect qu'un Anglais rôde dans le cimetière pendant une bonne partie de la semaine. Dans les jours précédant le vendredi 23, quelques vacanciers se rendant à la plage traversent le cimetière pour venir voir la tombe. Ils sont là par curiosité. La plupart ne restent que quelques minutes ; certains prennent des selfies – « Ça ne se fait pas », lance une fille à son ami. Quelques visiteurs se demandent pourquoi la tombe de Pétain n'est pas orientée dans le même sens que toutes les autres, face à la mer. Est-ce parce qu'il a été condamné à l'indignité nationale ? Parce qu'il avait demandé à être enterré face au continent ?

Le « musée » de Port-Joinville se trouve juste derrière l'hôtel des Voyageurs, de l'autre côté de la rue. Il s'agissait à l'origine de l'annexe de l'hôtel, où logeait l'épouse de Pétain lors de ses visites. En caractères gothiques, le petit bâtiment s'autoproclame « Musée historial de l'île d'Yeu ». À lire cette inscription, personne ne se douterait de ce qui se trouve à l'intérieur, et les touristes qui déambulent ne semblent même pas le remarquer. À l'accueil de l'office du tourisme on paraît surpris que quelqu'un veuille le visiter. On explique que la vieille dame qui s'en occupe n'a pas d'horaires, et personne ne l'a vue depuis des semaines. On ne connaît pas son numéro de téléphone. Cette vieille dame est la fille des époux Nolleau qui ont tenu l'hôtel et transformé l'annexe en sanctuaire.

Qu'en est-il du fort de la Pierre-Levée, où fut emprisonné Pétain ? Pendant des décennies, bien que désaffecté, il est resté fermé au public. Il a accueilli un temps des colonies de vacances pour enfants de militaires. Puis a ouvert au public en 1985. Des manifestations culturelles sont organisées dans sa cour, dont chaque année une fête du thon. La cellule de Pétain ne peut pas être visitée – nous ne sommes pas à l'île d'Elbe ou à Sainte-Hélène – et un seul des nombreux panneaux explicatifs du lieu informe les visiteurs que Pétain a été incarcéré ici. Ils renseignent plus longuement en revanche sur l'histoire oubliée des étrangers ennemis internés dans le fort pendant la Grande Guerre.

Le vendredi 23 juillet, jour de l'anniversaire, le cimetière ne semble pas plus fréquenté, si ce n'est par deux journalistes qui traînent[9]. Vers midi arrive un couple de personnes âgées, lui vêtu d'un blazer orné d'un placard de décorations, elle portant un énorme bouquet de glaïeuls. Ils semblent aussi transporter du matériel de pêche. Ont-ils l'intention d'allier piété et récréation ? Le mystère s'éclaircit bientôt : la canne à pêche est en réalité la hampe d'un drapeau que l'homme, le lieutenant Louis de Condé, membre de l'ADMP, sort de sa housse pour le déployer. Ils sont venus de Vichy, où ils habitent, pour la journée, car ils ne pourront pas être présents dimanche, jour de la visite de la délégation de l'ADMP. Lui tient une librairie à Vichy, et il possède les clés de l'appartement de Pétain, propriété de l'ADMP. On les dirait venus fleurir la tombe d'un parent décédé. En réalité, Louis de Condé a derrière lui une longue carrière de militant. Il est le dernier survivant de l'attentat du Petit-Clamart de 1962 contre de Gaulle, pour lequel il a été condamné par contumace à la prison à vie. Traqué puis arrêté, il a passé trois ans en prison avant d'être libéré en 1968. Par la suite, il s'est présenté à trois élections comme candidat du Front national, la dernière fois en 2014. Après que le couple s'est recueilli et a repris son long chemin du retour, le cimetière est de nouveau désert. L'un des journalistes apprend que le musée a ouvert ses portes ; il n'y a pas un instant à perdre avant qu'il ne referme.

Le musée historial de l'île d'Yeu est sans doute le plus petit musée de France. Une fois que le visiteur a acheté son billet d'entrée 5 euros, Mme Nolleau lance une bande sonore qui diffuse un commentaire édifiant. Dans l'escalier qui mène à l'exposition, des niches abritent des dioramas présentant Yeu à la préhistoire, Yeu à l'époque mérovingienne, Yeu à l'époque normande, etc., entretenant la fiction qu'on se trouve dans un vrai musée. Après la reconstitution de la cellule de Pétain, digne du musée Grévin, on entre dans la « chambre du souvenir », un espace minuscule empli de reliques pétainistes. La pièce maîtresse en est le costume dans lequel Pétain est mort, étalé sur un lit et entouré d'insignes de Vichy. Chaque centimètre des murs est couvert d'affiches, de photographies, de bannières, de drapeaux, de lettres. On découvre également une cape offerte à Pétain par des bergers des Pyrénées, une gerbe de blé donnée par des paysans, la caisse en bois que Franco lui avait fait parvenir, emplie d'oranges, lorsqu'il avait appris que le Maréchal ne s'alimentait plus. On se trouve ici dans un sanctuaire, pas dans un musée.

Impossible de savoir ce qu'en penseraient d'autres visiteurs puisqu'il n'y en a pas – hormis les deux journalistes. Il existe un livre d'or, qui aurait déjà porté trois cent mille signatures en 1971, mais dont seules les cinq dernières années sont consultables. Toutes les inscriptions ont pour date un mois de juillet ou d'août. La plupart ont été rédigées par des fidèles :

> Dans les temps durs que nous vivons, que l'honneur et la fidélité regouvernent notre nation. Que la Révolution nationale revienne parmi nous. Merci, Monsieur le Maréchal, pour votre sacrifice !

> Gloire au Maréchal ! Quelle tristesse de voir ce qu'est la France aujourd'hui ! Ce grand Français serait si triste !

> Honneur aux Maréchal Pétain et Général Weygand qui ont permis la libération de la France en reconstituant une armée à la barbe des Allemands.

> Comme chaque année, nous renouvelons notre serment de l'île d'Yeu d'accompagner le Maréchal à Douaumont.

Quelques-unes sont plus neutres :

> Visite très instructive.

> Bravo pour ce merveilleux musée qui nous a fait revivre l'histoire de l'île d'Yeu pendant quelques minutes.

L'une est énigmatique :

I'm Japanese. I'm Pétainiste. Japan loves Pétain [« Je suis japonais. Je suis pétainiste. Le Japon aime Pétain »].

Quelques-unes sont moqueuses :

Belle illustration d'une triste page de l'histoire de France. Liberté, égalité, fraternité.

Musée très émouvant. Je reviendrai. Signé : François Mitterrand.

Quelques cartes postales en noir et blanc sont à vendre, mais il n'est pas possible d'acquérir le catalogue du musée ; il n'en reste que deux exemplaires, et Mme Nolleau explique qu'elle ne compte pas le faire réimprimer un jour.

De retour au cimetière, la tombe est désormais ornée de deux autres bouquets, adressés par les deux organisations qui se rendront sur place au cours des deux prochains jours.

30. Un homme se recueille sur la tombe de Pétain, le 23 juillet 2021.

Un filet de visiteurs s'écoule désormais dans le cimetière. Un homme d'âge moyen, en tenue estivale, arrive. Il reste là un quart d'heure, tête baissée, dans un recueillement silencieux, puis il se signe et s'en va. Quelques minutes plus tard lui succède un autre homme, âgé d'une quarantaine d'années, portant sur son tee-shirt blanc l'inscription « Cool to be white » (« Être blanc, c'est cool »). Il l'enlève et sur le nouveau qu'il enfile on peut lire : « La France aux Français. » Après avoir incliné la tête, il s'éloigne et remet le premier tee-shirt.

Le lendemain, samedi 24 juillet, c'est au tour de Jeune Nation de faire le déplacement : fondé en 1949, c'est le mouvement le plus ancien de l'extrême droite française. Les membres arrivent à Yeu directement de leur camp d'été, dans l'ouest du pays, pour une « marche de la réhabilitation » d'une journée. Leur site internet, qui affirme que Vichy est « la dernière tentative de rupture totale avec les idéaux malsains de 89 », annonce un programme complet : deux messes, un arrêt à la Villa Luco, un hommage sur la tombe, un pique-nique, une visite du fort et une du musée.

L'horaire de cet itinéraire restant vague, il s'avère impossible de trouver le groupe avant sa visite au cimetière. Mais on l'aperçoit plus tard se dirigeant vers le musée. Ils sont une quinzaine, un prêtre fermant la marche. Ils n'ont pas l'air si « jeunes » que cela, et ceux qui le sont ne donnent pas envie de discuter. Quelques-uns collent au passage sur les lampadaires et sur la façade de l'église des autocollants antivaccination de Civitas.

31. Le mouvement Jeune Nation appelle au souvenir de Pétain, en 2021.

Le lendemain, dimanche 25 juillet, une délégation de l'ADMP arrive par le ferry du matin. Rendez-vous à l'hôtel des Voyageurs. Ils ne sont que huit. Parmi eux, deux vieilles dames qui marchent avec difficulté et un jeune homme à l'allure un peu militaire. Premier arrêt à la Villa Luco où leur responsable lit un petit discours. Puis direction la tombe, ce qui prend beaucoup de temps car les deux dames avancent lentement. Des drapeaux sont déployés. La cérémonie consiste en un rappel anodin de la carrière de Pétain dans l'entre-deux-guerres. Au cours de la conversation, le responsable reconnaît qu'ils sont une toute petite troupe, et de moins en moins nombreuse. Plus tard, on les aperçoit sur le port à déguster des fruits de mer avant de prendre le ferry du retour. Une journée d'excursion agréable pour les derniers fidèles de ce qui semble un culte moribond.

Et pourtant...

Le 30 novembre 2021, quatre mois après cet anniversaire passé quasiment inaperçu, et à l'issue de semaines de faux suspense, Éric Zemmour annonce sa candidature à l'élection présidentielle. Le « polémiste » entre en politique, sans pour autant modérer ses provocations, bien au contraire. À la télévision, il lâche cette affirmation stupéfiante que l'innocence d'Alfred Dreyfus ne pourra jamais être établie avec certitude[10]. Le candidat continue également à défendre sa ligne sur Pétain et les juifs. Il devient clair qu'il ne s'agit pas d'une simple provocation : ce positionnement est un élément clé de sa stratégie visant à construire une nouvelle union de la droite en comblant le fossé historique, créé par le souvenir de Vichy, entre la droite gaulliste (Zemmour se présente lui-même comme un gaulliste) et l'extrême droite, représentée par le Rassemblement national (RN) : les gaullistes traditionnels comme Jacques Chirac ont en effet toujours refusé une alliance électorale avec le Front national. Zemmour, évoquant le « discours du Vel'd'Hiv' » prononcé par ce dernier en 1995, affirme : « On essaie de culpabiliser le peuple français en permanence pour qu'il se soumette à l'invasion migratoire et l'islamisation du pays[11]. »

Au départ, la candidature de Zemmour a suscité l'effervescence, peut-être parce que l'opinion publique avait soif de nouveauté et ne voulait pas revivre, après 2017, un nouveau duel entre Marine Le Pen et Emmanuel Macron. Le candidat baptise son nouveau parti Reconquête ! – référence assez transparente à la *Reconquista* espagnole. Ses meetings éveillent un véritable engouement chez certains jeunes électeurs. Des personnalités de la droite gaulliste et de l'extrême droite se rallient à lui, ce qui semble indiquer qu'il parvient à dépasser le clivage historique. Dans les derniers jours de sa campagne, il s'assure aussi du soutien de la nièce de Marine Le Pen, Marion Maréchal (qui ne se fait plus appeler Maréchal-Le Pen), apparue comme une étoile montante de l'extrême droite, avant de se brouiller avec sa tante, qu'elle juge trop modérée.

Pendant plusieurs semaines, les sondages d'opinion indiquent que Zemmour prendra de nombreuses voix à Marine Le Pen. Par moments, on spécule même avec fièvre sur l'éventualité qu'il puisse se qualifier pour le second tour de l'élection aux côtés d'Emmanuel Macron. En décembre 2021, ce dernier, accompagné de Serge Klarsfeld, se rend à Vichy, premier président à le faire depuis le général de Gaulle. Il marque une minute de silence devant le mémorial des juifs et déclare : « Vichy renvoie à une histoire, écrite par des historiens [...] gardons-nous de la manipuler, de l'agiter, de la revoir. Je pense que l'histoire, nous gagnons à la respecter, à l'apprendre, permettre aux historiennes et historiens, sur la base de traces et de documents, de construire une vérité historiographique. » Cette déclaration était le signe qu'il prenait la candidature de Zemmour au sérieux, même si, pour le président sortant, le polémiste aurait été le candidat le plus facile à battre.

En fin de compte, la baudruche Zemmour éclate. Au premier tour de l'élection, le 10 avril 2022, il arrive en quatrième position, avec seulement 7,1 % des voix, loin derrière Marine Le Pen, en deuxième position (23,1 %), et le leader de la France insoumise, Jean-Luc Mélenchon, troisième (21,9 %). Emmanuel Macron réunit quant à lui 28 % des voix. Marine Le Pen a tenu bon, et ses électeurs ont pour la plupart résisté à la tentation de rejoindre son grand rival à droite. Ses propositions sur l'Europe, l'immigration et l'islam (notamment interdire aux femmes musulmanes de porter le foulard dans la rue) étaient à peine moins radicales que celles de Zemmour, mais la candidate leur avait accordé moins de place qu'à une série de mesures sociales populistes en faveur du pouvoir d'achat. Marine Le Pen avait partiellement réussi à se dédiaboliser ; Zemmour avait totalement échoué à dédiaboliser Vichy[12].

De cette élection présidentielle, on pourra tirer la morale suivante : si l'extrême droite prospère bel et bien en France – au second tour, Marine Le Pen a atteint le score historiquement élevé de 41,5 % des voix, contre 58,5 % pour Macron –, son avenir ne réside pas dans l'invocation de la mémoire de Pétain. Le dossier Pétain est clos. C'est la conclusion, semble-t-il, du président Macron qui, au mois de mai 2023, rabroua sa Première ministre Élisabeth Borne pour avoir affirmé que le Rassemblement national de Marine Le Pen était « l'héritier » des idées de Philippe Pétain. Selon Emmanuel Macron, il fallait « décrédibiliser » le RN « par le fond et les incohérences » et non par des « arguments moraux ou historiques ». Cependant, tant que le souvenir de Vichy reste un repoussoir pour les Français, les propos d'Élisabeth Borne, elle-même fille de résistant juif déporté à Auschwitz, sont salutaires pour démasquer la nouvelle stratégie de l'extrême – et pas uniquement extrême – droite française. Cette stratégie consiste à prôner des idées et proposer des politiques dans la droite ligne de la tradition pétainiste – le racisme, le repli national, la stigmatisation d'ennemis de l'intérieur, la discrimination envers des citoyens français (en l'occurrence d'origine non pas juive mais maghrébine) – tout en se réclamant sans vergogne de l'héritage et de l'action du général de Gaulle. Si le dossier Pétain est clos, le pétainisme n'est pas mort.

Notes du texte

Dramatis Personae

1. Au total, dix-huit témoins ont été cités à charge et quarante et un à décharge.

Introduction. La poignée de main fatale

1. Introduction. La poignée de main fatale Michael S. Neiberg, *When France Fell : The Vichy Crisis and the Fate of the Anglo- American Alliance*, Cambridge, MA, et Londres, Harvard University Press, 2021, p. 36.

2. Henri du Moulin de Labarthète, *Le Temps des illusions, juillet 1940-avril 1942*, Genève, Cheval Ailé, 1946, p. 43-58 ; Renaud Meltz, *Pierre Laval. Un mystère français*, Paris, Perrin, 2018, p. 740-741.

3. L'histoire de ce film et de cette photographie est en réalité un peu plus complexe. Le film allemand ne laissait pas vraiment voir la poignée de main, mais une photographie allemande la montrait. À la Libération, les résistants produisirent un petit documentaire qui ajoutait une poignée de main. Ce montage montrait toutefois un événement qui s'était réellement produit !

4. Jacques Isorni, *Souffrance et mort du Maréchal*, Paris, Flammarion, 1951, p. 196 (22 avril 1947).

5. AN 72AJ/3229, Jacques Isorni à Louis-Dominique Girard, 18 février 1948.

6. Philippe Pétain, *Discours aux Français, 17 juin 1940-20 août 1944*, Paris, Albin Michel, 1989, p. 94-96.

7. Charles de Gaulle, *Discours et messages*, vol. 1, *Pendant la guerre, 1940-1946*, Paris, Plon, 1970, p. 16 (13 juillet 1940).

8. Peter Novick, *L'Épuration française, 1944-1949*, trad. de l'anglais par Hélène Ternois, Paris, Seuil, 1991, p. 97.

9. Pour d'autres pays, voir Lise Quirion, « La presse québécoise d'expression française face au procès du maréchal Pétain, 1945 », *Bulletin d'histoire politique*, vol. 7, n° 2, 1999, p. 43-58 ; F. A. Abadie-Maumert, « La presse norvégienne et suédoise et le procès du maréchal Pétain », *Revue d'histoire de la Deuxième Guerre mondiale*, n° 101, 1976, p. 87-106.

10. *Combat*, 25 avril 1945.

11. John Laughland, *A History of Political Trials : From Charles I to Saddam Hussein*, Oxford, Peter Lang, 2008 ; Kevin Heller et Gerry Simpson (dir.), *The Hidden Histories of War Crimes Trials*, Oxford, Oxford University Press, 2013.

12. Henry Rousso, « Juger le passé : le procès Eichmann », in *Face au passé. Essais sur la mémoire contemporaine*, Paris, Belin, 2016, p. 197-207, note que tout procès de ce type est, à des degrés divers, « répressif », « transitionnel », « réconciliateur », « mémoriel et historique ».

13. Peter Novick, *L'Épuration française, op. cit.*, p. 273.

14. Charles de Gaulle, *Mémoires*, Paris, Gallimard, « Bibliothèque de la Pléiade », 2000, p. 6.

15. Le premier est Paul Louis Michel, *Le Procès Pétain*, Paris, Éditions Médicis, 1945 (Michel était le pseudonyme d'un avocat, Delzons, vieil ami de la famille Pétain) ; il y eut ensuite *Les Silences du Maréchal*, Paris, Éditions nouvelles, 1948, d'un auteur anonyme dont on a dit qu'il aurait été Charles Donat-Guigne, un des trois juges du procès. Pour d'autres récits du procès, voir Jules Roy, *Le Grand Naufrage*, Paris, Julliard, 1966 ; Frédéric Pottecher, *Le Procès Pétain. Croquis d'audience par André Galland*, Paris, J.-C. Lattès, 1980 ; Fred Kupferman, *Les Procès de Vichy : Pucheu, Pétain, Laval*, Bruxelles, Complexe, 1980 ; Jean-Marc Varaut, *Le Procès Pétain, 1945-1995*, Paris, Perrin, 1997.

16. Louis Noguères, *Le Véritable Procès du maréchal Pétain*, Paris, Fayard, 1955.

17. Charles de Gaulle, *Mémoires, op. cit.*, p. 834-835.

18. Raymond Aron, *De l'armistice à l'insurrection nationale*, Paris, Gallimard, 1945, p. 355-369.

19. Raymond Aron, « Après l'événement, avant l'histoire », *Les Temps modernes*, octobre 1945, reproduit in *Commentaire*, n° 96, 2001/4, p. 881-886.

20. *Cahiers Simone Weil*, t. X, mars 1987, p. 1-5.

21. Jeffrey Mehlman, *Émigrés à New York. Les intellectuels français à Manhattan, 1940-1944*, trad. de l'anglais par Pierre-Emmanuel Dauzat, Paris, Albin Michel, 2005.

22. Robert Paxton, « The Last King of France », *New York Review of Books*, 14 février 1985.

23. François Mauriac, *Journal. Mémoires politiques*, Paris, Bouquin, 2008, p. 342-343.

PREMIÈRE PARTIE. **Avant le procès**

CHAPITRE 1
Les derniers jours de Vichy

1. Général Serrigny, *Trente Ans avec Pétain*, Paris, Plon, 1959.

2. Anna von der Goltz et Robert Gildea, « Flawed Saviours : The Myths of Hindenburg and Pétain », *European History Quarterly*, vol. 39, n° 3, 2009, p. 439-464.

3. Bénédicte Vergez-Chaignon, *Le Docteur Ménétrel. Éminence grise et confident du maréchal Pétain*, Paris, Perrin, 2001.

4. Bénédicte Vergez-Chaignon, *Pétain*, Paris, Perrin, 2014, p. 77-85.

5. Louis Noguères, *La Dernière Étape. Sigmaringen*, Paris, Fayard, 1956, p. 29.

6. Bénédicte Vergez-Chaignon, *Pétain*, *op. cit.*, p. 847.

7. Une note des renseignements généraux 2/5/45 (AN F7/15549) mentionne qu'un film a été fait mais il semble avoir disparu.

8. Philippe Pétain, *Discours aux Français*, *op. cit.*, p. 340-341.

9. Bénédicte Vergez-Chaignon, *Pétain*, *op. cit.*, p. 849. Pour l'exemple d'une personne ayant trouvé le texte sur la route, voir http://jacquotboileaualain.over-blog.com/article-petain-au-ban-de-champagney-81066165.html.

10. Charles de Gaulle, *Mémoires*, *op. cit.*, p. 582.

CHAPITRE 2
Un château en Allemagne

1. Henry Rousso, *Pétain et la fin de la collaboration. Sigmaringen, 1944-1945*, Bruxelles, Complexe, 1984, p. 80-106, est le meilleur compte rendu de ces négociations.

2. Louis Noguères, *La Dernière Étape*, *op. cit.*, p. 54.

3. Gérard-Trinité Schillemans, *Philippe Pétain : le prisonnier de Sigmaringen*, Paris, MP, 1965, p. 47-48.

4. Henry Rousso, *Pétain et la fin de la collaboration*, *op. cit.*, p. 111, concorde avec André Brissaud, *Pétain à Sigmaringen, 1944-1945*, Paris, Perrin, 1965, p. 156-162, pour dire que ce qui poussa Pétain à modifier sa position était son obsession pour le sort des prisonniers de guerre ; Louis Noguères, *La Dernière Étape*, *op. cit.*, p. 78-80, n'a d'autre explication que d'affirmer que Pétain tendait à écouter la dernière personne avec qui il avait discuté. Sur son état de confusion mentale à cette époque, voir un rapport in *ibid.*, p. 60.

5. Sur l'épisode de Sigmaringen, voir Henry Rousso, *Pétain et la fin de la collaboration*, *op. cit.* ; Louis Noguères, *La Dernière Étape*, *op. cit.* ; André Brissaud, *Pétain à Sigmaringen*, *op. cit.* Voir aussi un dossier in AN F7/15288 qui contient, entre autres, une chronologie détaillée de vingt-quatre pages établie par la Direction générale de la sûreté nationale, 14 septembre 1945.

6. Témoignage de Gérard Rey in *France during the German Occupation, 1940-1944*, vol. 3, Stanford (CA), Hoover Institution, 1957, p. 1 et 177.

7. Louis-Ferdinand Céline, *Romans*, vol. 2, Paris, Gallimard, « Bibliothèque de la Pléiade », 1974, p. 103, 109.

8. Gilbert Joseph, *Fernand de Brinon, l'aristocrate de la collaboration*, Paris, Albin Michel, 2002, p. 511.

9. Henry Rousso, *Pétain et la fin de la collaboration*, *op. cit.*, p. 118.

10. Louis Noguères, *La Dernière Étape*, *op. cit.*, p. 113-114. Debeney soutenait sans réserve les efforts de Ménétrel pour empêcher Pétain de se compromettre davantage : voir sa note du 6 octobre à Pétain in *ibid.*, p. 125.

11. Louis-Ferdinand Céline, *Romans*, *op. cit.*, p. 123.

12. Intitulé *a posteriori* « Notes de Sigmaringen », ce document est reproduit in Benoît Klein (éd.), *« J'accepte de répondre. » Les interrogatoires avant le procès, avril- juin 1945*, Paris, André Versaille, 2011, p. 222-236. Le passage concernant les événements de novembre 1942 se présente sous la forme de réponses faites par Pétain à deux questions (comme si ce dernier avait eu besoin qu'on lui rappelle ce qu'avaient été ses propres décisions) : « Le Maréchal demande que

soit précisée la situation du gouvernement français à l'égard des gouvernements britannique et américain en novembre 1942 » et « Le Maréchal demande que lui soit rappelées les décisions prises par son gouvernement en novembre 1942, une fois déclenchée l'agression anglo-américaine [*sic*] en Afrique du Nord ».

13. Gilbert Joseph, *Fernand de Brinon*, *op. cit.*, p. 525.

14. Louis Noguères, *La Dernière Étape*, *op. cit.*, p. 136-137, p. 204.

15. Gérard-Trinité Schillemans, *Philippe Pétain*, *op. cit.*, p. 107-108.

16. Henry Rousso, *Pétain et la fin de la collaboration*, *op. cit.*, p. 415-416.

17. La collection complète est conservée in AN F7/15288.

18. Henry Rousso, *Pétain et la fin de la collaboration*, *op. cit.*, p. 48.

CHAPITRE 3
Paris après la Libération

1. Charles de Gaulle, *Mémoires*, *op. cit.*, p. 614.

2. Pierre Bourdan, *Carnet de retour avec la division Leclerc*, Paris, Payot, 2014, p. 173.

3. Hervé Alphand, *L'Étonnement d'être. Journal, 1939-1973*, Paris, Fayard, 1977, p. 181.

4. Susan Mary Alsop, *To Marietta from Paris, 1945-1960*, New York, Doubleday, 1975, p. 33.

5. Hervé Alphand, *L'Étonnement d'être*, *op. cit.*, p. 182-183.

6. Maurice Garçon, *Journal, 1939-1945*, Paris, Fayard-Les Belles Lettres, 2015, p. 655.

7. Janet Flanner, *Paris Journal, 1944-1965*, Londres, Victor Gollancz, 1966, p. 13.

8. Susan Mary Alsop, *To Marietta from Paris*, *op. cit.*, p. 35-36.

9. On a même pu y retrouver des relents d'antisémitisme. Voir Yehuda Moraly, *Revolution in Paradise : Veiled Representations of Jewish Characters in the Cinema of Occupied France*, Chicago, Sussex Academic Press, 2020.

10. Serge Toubiana, « Stratégie de sortie et accueil critique des *Enfants du paradis* en 1945 », *L'Avant-scène cinéma*, n° 596, 2012, p. 232-238 ; Jill Forbes, *Les Enfants du paradis*, Londres, BFI, 1997 ; Denis Marion, « Les Enfants du paradis », *Combat*, 6 avril 1945.

11. Maurice Garçon, *Journal, 1939-1945*, *op. cit.*, p. 685.

12. Simone de Beauvoir, *La Force des choses*, Paris, Gallimard, 1963, p. 42.

13. Janet Flanner, *Paris Journal*, *op. cit.*, p. 29.

14. François Rouquet et Fabrice Virgili, *Les Françaises, les Français et l'épuration*, Paris, Gallimard, 2018, et Marc Olivier Baruch (dir.), *Une poignée de misérables. L'épuration de la société française après la Seconde Guerre mondiale*, Paris, Fayard, 2003, sont désormais les deux ouvrages de référence sur l'épuration. Parmi les livres plus anciens, voir Peter Novick, *L'Épuration française*, *op. cit.* ; Jean-Paul Cointet, *Expier Vichy. L'épuration en France, 1943-1958*, Paris, Perrin, 2008 ; Herbert Lottman, *L'Épuration, 1943-1953*, trad. de l'anglais par Béatrice Vierne, Paris, Fayard, 1986.

15. Émile Garçon, *Code pénal annoté*, vol. 1 (art. 1-294), Paris, Sirey, 1952. Une fois les procès en cours, les avocats de la défense ont fait valoir que,

puisque l'armistice avait mis fin aux hostilités, certains des actes pour lesquels leurs clients étaient poursuivis ne pouvaient techniquement pas être considérés comme de la trahison. Mais la Cour de cassation a estimé, en se référant aux conventions de La Haye, qu'un armistice n'était qu'une suspension des hostilités et que, la France étant toujours en guerre, l'article 75 du Code pénal s'appliquait.

16. Anne Simonin, *Le Déshonneur dans la République. Une histoire de l'indignité, 1791-1958*, Paris, Grasset, 2008.

17. Par exemple, Jacques Charpentier, *Au service de la liberté*, Paris, Fayard, 1949.

18. Alain Bancaud, *Une exception ordinaire. La magistrature en France, 1930-1950*, Paris, Gallimard, 2002 ; Jean-Paul Jean (dir.), *Juger sous Vichy, juger Vichy*, Association française pour l'histoire de la justice, 2018 ; Henry Rousso et Alain Bancaud, « L'épuration des magistrats à la Libération (1944-1945) », in Association française pour l'histoire de la justice, *L'Épuration de la magistrature de la Révolution à la Libération*, Paris, Loysel, 1994, p. 117-144 ; Liora Israël, *Robes noires, années sombres. Avocats et magistrats en résistance pendant la Seconde Guerre mondiale*, Paris, Fayard, 2005.

19. Maurice Garçon, *Journal, 1939-1945*, *op. cit.*, p. 264.

20. *Ibid.*, p. 485.

21. Liora Israël, *Robes noires, années sombres*, *op. cit.*, p. 168-175.

22. Jean-Paul Jean, « Paul Didier, le juge qui a dit non au maréchal Pétain », *Revue historique*, n° 703, 2022/3, p. 543-562.

23. Jean-Paul Jean, *Juger sous Vichy*, *op. cit.*, p. 16 ; sur Maurice Rolland, voir Jean-Paul Jean, « Le rôle de Maurice Rolland (1904-1988) et de l'Inspection des services judiciaires à la Libération », in Association française pour l'histoire de la justice, *La Justice de l'épuration*, Paris, La Documentation française, 2008, p. 133-148.

24. Jean-Paul Jean, *Juger sous Vichy*, *op. cit.*, p. 378.

25. Maurice Clavel cité in Jules Roy, *Le Grand Naufrage*, Paris, Julliard, 1966, p. 41.

26. Peter Novick, *L'Épuration française*, *op. cit.*, p. 160, note 17.

27. Henry Rousso et Alain Bancaud, « L'épuration des magistrats à la Libération », *op. cit.*, p. 117-144 ; Alain Bancaud, « L'épuration des épurateurs : la magistrature », *in* Marc Olivier Baruch (dir.), *Une poignée de misérables*, *op. cit.*, p. 172-203.

28. Jacques Isorni, *Le Procès de Robert Brasillach*, Paris, Flammarion, 1946, p. 202-203.

29. Maurice Garçon, *Journal, 1939-1945*, *op. cit.*, p. 636.

30. Articles de Camus : 20 et 25 octobre 1944, 5 et 11 janvier 1945 ; articles de Mauriac : 8, 10, 13, 19, 22 septembre 1944, 12 décembre 1944, 2, 8, 12 janvier 1945 (reproduits in François Mauriac, *Journal*, *op. cit.*, p. 555-561, p. 592-594, p. 606-611, p. 789-790, p. 793-795).

31. Alice Kaplan, *Intelligence avec l'ennemi. Le procès Brasillach*, trad. de l'anglais par Bruno Poncharal, Paris, Gallimard, 2003.

32. « Débats », *Journal officiel*, 28 décembre 1945, p. 624-625.

33. Géo London, *L'Amiral Esteva et le général Dentz devant la Haute Cour de justice*, Lyon, R. Bonnefon, 1945, p. 111.

34. AN BB/18/7164/2, Mornet au garde des Sceaux, 11 mai 1945.

CHAPITRE 4
Le retour de Pétain

1. Louis Noguères, *La Dernière Étape, op. cit.*, p. 225-226.
2. AN F7/15288.
3. Louis Noguères, *La Dernière Étape, op. cit.*, p. 239-240.
4. Charles Vallin, rapport à de Lattre, *in* Jean de Lattre, *Reconquérir, 1944-1945*, Paris, Plon, 1985, p. 231-243.
5. AN F7/15549. Dossier Pétain. Notes.
6. AN 3AG4/49, Rapport d'Henri Hoppenot, ambassadeur de France en Suisse, 24 avril 1945.
7. Dominique Lormier, *Koenig. L'homme de Bir Hakeim*, Paris, Éditions du Toucan, 2012, p. 305-306 ; « Rapport de la police suisse sur le retour en France du maréchal Pétain, 28 avril 1945 », *in* Jean-Raymond Tournoux, *Pétain et de Gaulle*, Paris, Plon, 1964, p. 482-484 ; BDIC Fonds Robert Aron, F delta 1832/26/3, Dossier Pierre Henri.
8. AN F7/15549, « Réaction a/s du retour du maréchal Pétain en France », 26 avril 1945.
9. « Synthesis of American press reactions to the return of Pétain », 25 avril 1945, NARA 59 A1-205H 1945-49 Central Decimal File : 851.00 6228.
10. Maurice Garçon, *Journal, 1939-1945, op. cit.*, p. 674.
11. François Mauriac, *Journal, op. cit.*, p. 306 : « L'ennemi, près de succomber, lâche sur la France le maréchal Pétain. »
12. TNA FO371/49149, 26 avril 1945.
13. « Synthesis of American press reactions to the trial of Pétain », NARA 59 A1-205H 1945-49 Central Decimal File : 851.00 6229.
14. AN 3AG4/49, Rapport d'Henri Hoppenot, *op. cit.*, 24 avril 1945.
15. AN 3AG4/48, Télégramme de Georges Bidault (Washington) à Paris, 5 avril 1945.
16. AN 3AG4/49, Note d'André Bertrand, 26 avril 1945.
17. Julian Jackson, *De Gaulle. Une certaine idée de la France*, trad. de l'anglais par Marie-Anne de Béru, Paris, Seuil, 2019, p. 125.
18. Charles de Gaulle, *Lettres, notes, carnets*, vol. 1, *1905-1941*, Paris, Bouquins, 2010, p. 877.
19. *Id.*, *Mémoires, op. cit.* p. 64.
20. *Id.*, *Discours et messages*, vol. 1, *op. cit.*, p. 11.
21. Georges Duhamel, *France-Illustration*, 28 juillet 1945 ; François Mauriac cité in *Le Monde*, 2 octobre 1964.
22. Charles de Gaulle, *Mémoires, op. cit.*, p. 698.
23. Jean-Raymond Tournoux, *Pétain et de Gaulle, op. cit.*, p. 347.
24. Ce commentaire est rapporté par Jean Auburtin, dont de Gaulle avait été proche dans les années 1930, à Louis-Dominique Girard, à deux reprises (24 avril et 29 avril 1945), AN 72AJ/3200, « Journal ».
25. Jean-Raymond Tournoux, *Pétain et de Gaulle, op. cit.*, p. 346.
26. Claude Mauriac, *Un autre de Gaulle. Journal, 1944-1954*, Paris, Hachette, 1970, p. 119.

27. AN 450AP/3, Journal non publié de Jacques Lecompte-Boinet (7 août 1945).

28. René Benjamin, *Les Sept Étoiles de France*, Paris, Plon, 1942, p. 91-92.

29. Pierre Laborie, *L'Opinion française sous Vichy*, Paris, Seuil, 1990, reste la meilleure étude sur le sujet.

30. Louis Noguères, *La Dernière Étape*, op. cit., p. 31-32 ; BDIC F delta 1832/26/3.

31. Pierre Bourget, *Témoignages inédits sur le maréchal Pétain*, Paris, Fayard, 1960, p. 110.

32. AN F7/15549, voir d'innombrables exemples in « Dossier Pétain. Notes. 1945 ».

33. Peter Novick, *L'Épuration française*, op. cit., p. 274 ; *Historia*, octobre 1977. Ces sondages ne sont pas exactement comparables et certains ne portaient que sur Paris, mais la tendance est frappante.

34. AN F7/15549, « Extrait des résultats d'enquêtes publiés par le service de sondages et statistiques (méthode Gallup) ».

35. *Combat*, 16 avril 1945.

36. Janet Flanner, *Paris Journal*, op. cit., p. 25.

37. *Combat*, 14 avril 1945.

38. Henri Amouroux, *La page n'est pas encore tournée. Janvier-octobre 1945*, Paris, France Loisirs, 1994, p. 223.

39. *Le Figaro*, 25 et 27 juillet 1945.

40. *Franc-Tireur*, 3 mai 1945 ; *The Guardian*, 2 mai 1945.

41. *L'Humanité*, 30 avril 1945 ; *L'Humanité*, 29 avril 1945 : « Le scandaleux séjour de Bazaine-Pétain à Montrouge Palace ».

CHAPITRE 5
Les préparatifs du procès

1. Benoît Klein (éd.), « *J'accepte de répondre* », op. cit., p. 49-50.

2. Madeleine Jacob, *Quarante Ans de journalisme*, Paris, Julliard, 1970, p. 172.

3. AN 72AJ/3200, Papiers de Louis-Dominique Girard, « Journal » (12 mai 1945).

4. Benoît Klein (éd.), « *J'accepte de répondre* », op. cit., p. 49-50.

5. AN 3W 300(2), lettre de Jacques Charpentier à Pierre Bouchardon (5 juin 1945) disant que Fernand Payen avait offert ses services.

6. Pierre Bouchardon, *Souvenirs*, Paris, Albin Michel, 1953, s'arrête en 1940.

7. Renaud Meltz, *Pierre Laval*, op. cit., p. 1040.

8. Maurice Garçon, *Journal, 1912-1939*, Paris, Les Belles Lettres-Fayard, 2022, p. 232.

9. Pierre Bouchardon, *Souvenirs*, op. cit., p. 315.

10. Madeleine Jacob, *Quarante Ans de journalisme*, op. cit., p. 180.

11. AN BB/19770067/331, Dossier personnel de Pierre Bouchardon. Je remercie Jean-Paul Jean de m'avoir aimablement communiqué cette information.

12. *Je suis partout*, 26 juin 1942. Voir aussi les remarques antisémites in Pierre Bouchardon, *Souvenirs*, op. cit., p. 285.

13. Alice Kaplan, *Intelligence avec l'ennemi*, op. cit., p. 189.

14. Jacques Isorni, *Souffrance et mort du Maréchal*, op. cit., p. 79.

15. Jean-Paul Jean, « André Mornet (1870-1955), la justice comme une guerre », *Histoire de la justice*, n° 33, 2022/1, p. 269-301 ; Jean-Paul Jean et Jean-Pierre Royer, « Du procès Mata Hari au procès Pétain : André Mornet, un magistrat contesté », conférence Cour de cassation, 1ᵉʳ octobre 2020, www.youtube.com/watch?v=09QP5HFfAaI ; Jean-François Bouchard, *André Mornet. Procureur de la mort*, Paris, Éditions Glyphe, 2020 ; Pierre Bouchardon, *Souvenirs*, op. cit., p. 278-279.

16. Maurice Garçon, *Journal, 1939-1945*, op. cit., p. 675-676. Voir des commentaires similaires in *id.*, *Journal, 1912-1939*, op. cit., p. 233 et 497-498.

17. Pierre Bouchardon, *Souvenirs*, op. cit., p. 278.

18. Jacques Isorni, *Souffrance et mort du Maréchal*, op. cit., p. 81.

19. Géo London, portrait d'André Mornet in *Carrefour*, 10 août 1945.

20. Maurice Garçon, *Journal, 1939-1945*, op. cit., p. 675.

21. André Mornet, *Quatre Ans à rayer de notre histoire*, Paris, Éditions Self, 1949.

22. Claire Zalc, *Dénaturalisés. Les retraits de nationalité sous Vichy*, Paris, Seuil, 2016.

23. Liora Israël, *Robes noires, années sombres*, op. cit., p. 336.

24. AN 3W 26, Procès-verbaux de la commission d'instruction, Haute Cour, 24 janvier 1945 (7ᵉ session).

25. *Ibid.*, 7 février 1945 (9ᵉ session).

26. *Ibid.*, 10 janvier 1945 (5ᵉ session).

27. Guy Raïssac, *Un soldat dans la tourmente*, Paris, Albin Michel, 1963, p. 357.

28. AN 3W 26, Procès-verbaux de la commission d'instruction, Haute Cour, 21 février 1945 (11ᵉ session).

29. *Ibid.*, 28 février 1945 (12ᵉ session).

30. Guy Raïssac, *De la marine à la justice. Un magistrat témoigne*, Paris, Albin Michel, 1972, p. 223.

31. AN 3W 26, Procès-verbaux de la commission d'instruction, Haute Cour, 20 mars 1945 (16ᵉ session) ; et Guy Raïssac, *Un combat sans merci. L'affaire Pétain-de Gaulle*, Paris, Albin Michel, 1966.

32. Louis Noguères, *La Haute Cour de la Libération*, Paris, Éditions de Minuit, 1965, p. 8-11.

33. AN 3W 300(1), VIIIB, Procédure.

34. Au sujet de cette malle, voir AN F7/5489 et 3W 300(1).

35. Guy Raïssac, *De la marine à la justice*, op. cit., p. 229.

36. On peut suivre cette saga in AN 3W 300(1) ; AN BB/18/7164/2, Dossier 3 ; AN F7/15549.

37. Henry Bernstein, *The New York Times*, 27 septembre 1941 ; André Schwob, *L'Affaire Pétain, faits et documents*, New York, Éditions de la Maison française, 1943.

38. André Schwob, *L'Affaire Pétain*, op. cit., p. 155.

39. AN 3W 281, Dossier III A(1), pièce 5, « Rapport d'ensemble », 31 mai 1945.

40. Jacques Isorni, *Souffrance et mort du Maréchal*, op. cit., p. 40-42.

41. Benoît Klein (éd.), « *J'accepte de répondre* », *op. cit.*, p. 35-38 ; BDIC Fonds Mornet, F delta rés. 875 III D.7 ; Charles Rist, *Une saison gâtée. Journal de la guerre et de l'Occupation*, Paris, Fayard, 1983, p. 301-302.

42. Liora Israël, *Robes noires, années sombres*, *op. cit.*, p. 56-59, p. 143, p. 150.

43. Fernand Payen, *Vers le grand parti de la réconciliation. Plaidoirie pour les Français*, Paris, Centre d'études économiques et sociales, 1945.

44. Maurice Garçon, *Journal, 1939-1945*, *op. cit.*, p. 664 ; Gisèle Sapiro, *La Guerre des écrivains, 1940-1953*, Paris, Fayard, 1999, p. 272.

45. Jacques Isorni, *Le Condamné de la citadelle*, Paris, Flammarion, 1982, p. 14.

46. Sur la carrière de Jacques Isorni, voir Gilles Antonowicz, *Jacques Isorni : l'avocat de tous les combats*, Paris, France-Empire, 2007, un exposé empathique mais non biaisé du sujet ; voir aussi, du même auteur, *Jacques Isorni : les procès historiques*, Paris, Les Belles Lettres, 2021 ; Jacques Isorni, *Mémoires*, vol. 1, *1911-1945*, vol. 2, *1946-1958*, vol. 3, *1959-1987*, Paris, R. Laffont, 1984, 1986, 1988 ; Alice Kaplan, *Intelligence avec l'ennemi*, *op. cit.*, p. 123-136.

47. Jacques Isorni, *Je suis avocat*, Paris, Éditions du Conquistador, 1951, p. 11.

48. Alice Kaplan, *Intelligence avec l'ennemi*, *op. cit.*, p. 135 ; Jacques Isorni, *Je suis avocat*, *op. cit.*, p. 98-99.

49. Jean Grenier cité par Alice Kaplan, *Intelligence avec l'ennemi*, *op. cit.*, p. 199.

50. Jacques Isorni, *Mémoires*, vol. 1, *op. cit.*, p. 314-315.

51. In *ibid.*, p. 406-407, Isorni raconte de manière plus complète comment il a été choisi, sur la base d'informations qu'il dit n'avoir découvertes que peu de temps auparavant : Henry Lémery, un proche de Pétain et lui-même ancien avocat, craignait que Payen, qu'il connaissait bien, ne soit pas à la hauteur. Il avait consulté une ancienne consœur, Janine Alexandre-Debray, mère de Régis Debray, qui lui avait suggéré le nom d'Isorni. Lémery était allé voir Pétain à Montrouge, qui avait alors imposé Isorni à Payen.

52. Benoît Klein (éd.), « *J'accepte de répondre* », *op. cit.*, p. 64-65.

53. Jacques Isorni, *Le Condamné de la citadelle*, *op. cit.*, p. 47-48 ; Robert Aron, *Histoire de l'épuration*, vol. 2, *Des prisons clandestines aux tribunaux d'exception, septembre 1944-juin 1949*, Paris, Fayard, 1969, p. 459-460 ; Jacques Isorni, *Mémoires*, vol. 1, *op. cit.*, p. 408-409.

54. *Combat*, 17 juillet 1945.

55. AN 72AJ/3200, Journal de Louis-Dominique Girard (22 mai 1945).

56. Jacques Isorni, *Souffrance et mort du Maréchal*, *op. cit.*, p. 29 ; *id.*, *Mémoires*, vol. 1, *op. cit.*, p. 409.

57. Jacques Isorni, *Souffrance et mort du Maréchal*, *op. cit.*, p. 32-33.

58. Gilles Antonowicz, *Jacques Isorni*, *op. cit.*, p. 222.

59. Jacques Isorni, *Souffrance et mort du Maréchal*, *op. cit.*, p. 60.

60. *Ibid.*, p. 32 ; Joseph Simon, *Pétain mon prisonnier*, Paris, Plon, 1978, p. 33.

CHAPITRE 6
Interroger le prisonnier

1. Il avait deux assistants, et Jean Lemaire et Fernand Payen en avait chacun un : Marcel Hubert, Simone Frère, Lacan, Monin.

2. Toutes les citations des interrogatoires proviennent de Benoît Klein (éd.), « *J'accepte de répondre* », op. cit., p. 95, p. 110, p. 73-74, p. 94.

3. *Ibid.*, p. 92.

4. Louis Noguères, *Le Véritable Procès du maréchal Pétain*, op. cit., p. 20-27.

5. Marc Ferro, *Pétain, les leçons de l'histoire*, Paris, Tallandier, 2016, p. 243, le rapporte d'un diplomate brésilien qui accompagnait Pétain lors de ces visites.

6. Benoît Klein (éd.), « *J'accepte de répondre* », op. cit., p. 93.

7. Jacques Isorni, *Souffrance et mort du Maréchal*, op. cit., p. 23.

8. Albert Naud, *Pourquoi je n'ai pas défendu Pierre Laval*, Paris, Fayard, 1948, p. 21.

9. Jacques Isorni, *Souffrance et mort du Maréchal*, op. cit., p. 25.

10. *Ibid.*, p. 58.

11. Jacques Isorni, *Mémoires*, vol. 1, op. cit., p. 408.

12. AN 3AG4, Rapport du 25 mai 1945. Tous les rapports sur l'état de santé de Pétain se trouvent in AN 3W 304.

13. Jacques Isorni, *Souffrance et mort du Maréchal*, op. cit., p. 52.

14. *Ibid.*, p. 59.

15. Gilles Antonowicz, *Jacques Isorni*, op. cit., p. 231.

16. Jacques Isorni, *Souffrance et mort du Maréchal*, op. cit., p. 86.

17. AN 72AJ/3200, Papiers de Louis-Dominique Girard, « Journal » (27 mai 1945).

18. Bénédicte Vergez-Chaignon, *Le Docteur Ménétrel*, op. cit., p. 326-338 ; id., *Vichy en prison. Les épurés à Fresnes après la Libération*, Paris, Gallimard, 2006, p. 98-99 ; Jacques Isorni, *Mémoires*, vol. 2, op. cit., p. 83 ; AN 72AJ/3200, Papiers de Louis-Dominique Girard, « Journal » (12 mai 1945).

19. Jacques Isorni, *Souffrance et mort du Maréchal*, op. cit., p. 70.

20. TNA FO371/49139, Note sur Rougier, 1er mars 1945. Pour ce qui s'est en réalité passé pendant cette visite, voir R. T. Thomas, *Britain and Vichy. The Dilemma of Anglo-French Relations, 1940-1942*, Londres, Macmillan, 1978 ; François Delpla, « Du nouveau sur la mission Rougier », *Guerres mondiales et conflits contemporains*, n° 178, 1995, p. 103-113.

21. Louis Rougier, *Les Accords Pétain-Churchill. Histoire d'une mission secrète*, Montréal, Beauchemin, 1945.

22. La photographie de ce document est archivée in 72AJ/3219, Dossier Procès Pétain.

23. TNA FO371/49141, Churchill Memorandum, 30 avril 1945.

24. AN 3AG4/48, Rougier-de Gaulle, 18 mars 1945.

25. AN 3AG4/48, Rapport de Burin des Rosiers, 9 avril 1945.

26. TNA FO371/49141, 20 juin 1945.

27. Benoît Klein (éd.), « *J'accepte de répondre* », op. cit., p. 124. Il y eut en réalité deux lettres, une du 11 décembre, l'autre du 18 décembre. Voir Louis Noguères, *Le Véritable Procès du maréchal Pétain*, op. cit., p. 597.

28. Benoît Klein (éd.), « *J'accepte de répondre* », op. cit., p. 88-91.

29. AN 72/AJ/1291, Papiers de Mornet : ces archives contiennent un dossier sur l'affaire. Voir aussi le dossier Brinon, Haute Cour, AN 3W 110, Dossier V, Pièces 1-32 ; et le dossier Pétain, AN 3W 283, Liasse 3 bis.

30. *République française. Haute Cour de justice. Compte rendu in extenso des audiences transmis par le Secrétariat général de la Haute Cour de justice.*

Procès du maréchal Pétain (1945), 6-9 (27 juillet). Il s'agit de la transcription officielle du procès publiée par le *Journal officiel*. Toutes les citations ultérieures des audiences du procès proviendront de cette source, citée dorénavant sous le titre *Procès Pétain*. La reproduction photographique de ce document a été republiée deux fois : en 1997, sous le titre *Haute Cour de justice. Procès du maréchal Pétain*, Nîmes, C. Lacour, 1997 ; et en 2015, sous les auspices du musée de la Résistance nationale, Paris, Les Balustres, 2015. La reproduction de 1997 est préfacée par un juriste relativement favorable à Pétain, celle de 2015 contient une postface d'un historien qui lui est farouchement hostile.

31. TNA FO371/49142, Rapport de Holman, 7 juillet 1945 ; NARA 59 A1-205H 1945-49 Central Decimal File : 6229, Rapport de Caffery, 27 juin 1945.

32. AN 3AG4/49 ; AN 3W 26, 1ᵉʳ juin 1945.

33. « Débats », *Journal officiel*, 19 juillet 1945, 1, p. 423-429.

DEUXIÈME PARTIE. Dans la salle d'audience

CHAPITRE 7
La France dans l'attente

1. Pour une description vivante du Palais de justice et de ses traditions en 1919, voir René Benjamin, *Le Palais et ses gens de justice*, Paris, Fayard, 1919.

2. Jacques Isorni, « Le procès du maréchal Pétain », *Historia*, n° 104, 1955, p. 83-94.

3. Henri Calet, « Les Parisiens votent », *Combat*, 30 avril 1945.

4. Il existe une note sur les jurés établie par les Renseignements généraux (RG) in AN F7/15549, mais certains noms sont erronés.

5. Jean Galtier-Boissière, *Journal, 1940-1950*, Paris, Quai Voltaire, 1992, p. 477.

6. Jacques Isorni, *Souffrance et mort du Maréchal*, op. cit., p. 99-100.

7. Papiers Lecompte-Boinet, AN 450AP/3, 12 mars 1945. Ce journal a été publié en 2021 sous le titre *Mémoires d'un chef de la Resistance*, Paris, Éditions du Félin, mais cette édition s'arrête en août 1944 et ne couvre donc pas le procès de Pétain.

8. AN 450AP/3, 24 avril 1945.

9. Ce commentaire est aussi cité in Jacques Isorni, *Souffrance et mort du Maréchal*, op. cit., mais comme venant de Lecompte-Boinet lui-même.

10. AN 450AP/3, 21 juillet 1945.

11. *Franc-Tireur*, 22 juillet 1945.

12. *L'Humanité*, 24 juillet 1945.

13. *Le Monde*, 3 juillet 1945.

14. *Combat*, 18 juillet 1945.

15. « Le régime du Pétainat », *Franc-Tireur*, 22 juillet 1945.

16. Jean Cassou, « La justice », *Les Lettres françaises*, 21 juillet 1945.

17. Maurice Clavel, « Leçon de la honte », *L'Époque*, 22 juillet 1945.

CHAPITRE 8
Premier jour d'audience

1. *France-Soir*, 24 juillet 1945.

2. Contrairement aux bancs de la presse, ceux-ci n'ont pas été retirés après le procès et sont aujourd'hui utilisés par les journalistes.

3. Pierre Scize, *Les Nouvelles du matin*, 24 juillet 1945.

4. Les reportages de Joseph Kessel sur le procès ont été publiés dans *L'Heure des châtiments. Reportages, 1938-1945*, Paris, Tallandier, « Texto », 2010.

5. Léon Werth, *Déposition. Journal de guerre, 1940-1944*, Paris, Viviane Hamy, 1992. Ses reportages du procès ont été publiés sous le titre *Impressions d'audience. Le procès Pétain*, Paris, Viviane Hamy, 1995.

6. Jean Schlumberger, *Le Procès Pétain*, Paris, Gallimard, 1949, p. 51.

7. Madeleine Jacob, *Quarante Ans de journalisme*, op. cit., p. 328.

8. *Noir et blanc*, 8 août 1945.

9. Madeleine Jacob, *Franc-Tireur*, 18 octobre 1944.

10. Joseph Kessel, *L'Heure des châtiments*, op. cit., p. 215-217.

11. Rémi Dalisson, *Les Fêtes du Maréchal*, Paris, CNRS Éditions, 2015 ; Pierre Servent, *Le Mythe Pétain. Verdun ou les tranchées de la mémoire*, Paris, Payot, 1992 ; pour d'autres exemples de souvenirs et objets de collection liés à Pétain, voir aussi Laurence Bertrand-Dorléac, *L'Art de la défaite, 1940-1944*, Paris, Seuil, 1993.

12. Léon Werth, *Impressions d'audience*, op. cit., p. 27.

13. Jean Schlumberger, *Le Procès Pétain*, op. cit., p. 52.

14. Jacques Isorni, « Le procès du maréchal Pétain », art. cité, n. 2, chap. 7.

15. Francine Bonitzer, « Impressions d'audience », *L'Aurore*, 24 juillet 1945.

16. Guy Raïssac, *De la marine à la justice*, op. cit., p. 178.

17. Jean-Paul Jean, « Léon Lyon-Caen (1877-1967). Soldat du droit au service de la paix », *Délibérée*, n° 12, 2021/1, p. 41-49, https://www.cairn.info/revue-deliberee-2021-1-page-41.html. Sur la Résistance et les juifs, voir Renée Poznanski, *Propagandes et persécutions. La Résistance et le « problème juif »*, Paris, Fayard, 2008.

18. AN BB/19770067/331, Dossier Mongibeaux.

19. Jean Galtier-Boissière, *Journal*, op. cit., p. 476.

20. Louis Noguères, *Le Véritable Procès du maréchal Pétain*, op. cit., p. 9.

21. Jacques Isorni, *Souffrance et mort du Maréchal*, op. cit., p. 99 ; au sujet de Donat-Guigne, voir aussi sa réaction aux mesures prises à l'encontre de Pierre Caous, relatée par Guy Raïssac, *De la marine à la justice*, op. cit., p. 170 et 180.

22. Janet Flanner, *Paris Journal*, op. cit., p. 34.

23. Léon Werth, *Impressions d'audience*, op. cit., p. 129 ; Jean Galtier-Boissière, *Journal*, op. cit., p. 476. Voici enfin le portrait de Mornet que fait Roger Martin du Gard : « Un amas de drap rouge et de fourrure blanche, d'où émerge une tête hirsute de vieux loup blanc, au museau pointu, aux sourcil broussailleux, une tête sans cou, posée au ras des épaules [...] la barbiche agressive, l'œil noir, petit, fixe et cruel des oiseaux de proie ». Roger Martin du Gard, *Journal III. 1937-1958*, Paris, Gallimard, 1993, p.758.

24. *Procès Pétain*, p. 3 (23 juillet 1945).

25. Rapport des RG, AN F7/15549.

26. « La Troisième République accuse », *Carrefour*, 27 juillet 1945.

27. Jacques Isorni, *Souffrance et mort du Maréchal*, *op. cit.*, p. 89.

28. La phrase est barrée dans la version dactylographiée conservée in AN Fonds Pétain 514MI.

29. BDIC Fonds Robert Aron, F delta 1832/26/8, Dossier Isorni, contient des copies des différents brouillons, dont certains sont reproduits *in* Robert Aron, *Histoire de l'épuration*, vol. 2, *op. cit.*, p. 462-465. Pour la version finale lue à l'audience, voir *Procès Pétain*, p. 9-10 (23 juillet 1945).

30. Madeleine Jacob, *Franc-Tireur*, 24 juillet 1945.

31. « Courtroom Riots », *The New York Times*, 24 juillet 1945.

32. *The Daily Telegraph*, 24 juillet 1945.

33. Une note des RG du 24 juillet 1945 in AN F7/15549 corrobore cette hypothèse et donne le nom des meneurs.

34. Joseph Kessel, *L'Heure des châtiments*, *op. cit.*, p. 220.

CHAPITRE 9
Fantômes républicains

1. Jules Roy, *Le Grand Naufrage*, *op. cit.*, p. 42.

2. Janet Flanner, *Paris Journal*, *op. cit.*, p. 32.

3. *Procès Pétain*, p. 27-28 (24 juillet 1945).

4. *Ibid.*, p. 24 (24 juillet 1945).

5. Charles de Gaulle, *Lettres, notes, carnets*, *op. cit.*, p. 832 (14 mai 1937).

6. Thibault Tellier, *Paul Reynaud. Un indépendant en politique, 1878-1966*, Paris, Fayard, 2005 ; Raymond Krakovitch, *Paul Reynaud dans la tragédie de l'histoire*, Paris, Tallandier, 2002.

7. Note des RG in AN F7/15549.

8. Paul Reynaud, *Carnets de captivité, 1941-1945*, Paris, Fayard, 1997, p. 100.

9. *Ibid.*, p. 238.

10. TNA FO371/49141, 1er mai 1945.

11. Déposition de Paul Reynaud, in *Procès Pétain*, p. 13-24 (23-24 juillet 1945).

12. *Procès Pétain*, p. 58 (26 juillet 1945).

13. Georges Altschuler, *Combat*, 25 juillet 1945.

14. AN 450AP/3, 24 juillet 1945.

15. Janet Flanner, *Paris Journal*, *op. cit.*, p. 37.

16. Paul Reynaud, *Carnets de captivité*, *op. cit.*, p. 124.

CHAPITRE 10
L'armistice en débat

1. Léon Werth, *Impressions d'audience*, *op. cit.*, p. 39.

2. *Procès Pétain*, p. 46 (25 juillet 1945).

3. *Ibid.*, p. 47 (25 juillet 1945).

4. *Ibid.*, p. 63-70 (26 juillet 1945).

5. *Ibid.*, p. 72 (26 juillet 1945).

6. *Ibid.*, p. 57-60 (26 juillet 1945).

7. *Ibid.*, p. 48 (25 juillet 1945).

8. Ceci est rapporté *in* Jean Fernand-Laurent, *Un peuple ressuscité*, New York, Brentano's, 1943, dans le chapitre intitulé « La confession de Raphaël Alibert », p. 85-91, fondé sur une conversation de l'auteur avec Alibert à Clermont-Ferrand en 1942.

9. *Procès Pétain*, p. 48 (25 juillet 1945).

10. BDIC Fonds Mornet, F delta rés 875 III D.7, transcription de l'entretien avec Lebrun, 23 mars 1945.

11. *The New York Times*, 26 juillet 1945.

12. *Procès Pétain*, p. 37 (25 juillet 1945).

13. Michel Tony-Révillon, *Mes carnets, juin-octobre 1940*, Paris, O. Lieutier, 1945. Les quatre autres jurés qui avaient embarqué sur le *Massilia* étaient Georges Lévy-Alphandéry, Gabriel Delattre, Léandre Dupré et un juré suppléant, Jammy Schmidt. Delattre a lui aussi publié un récit, « Le journal de bord du *Massilia* », *L'Aurore*, 3-7 octobre 1944.

14. *Procès Pétain*, p. 50 (25 juillet 1945).

15. *Ibid.*, p. 59 (26 juillet 1945).

16. *Ibid.*, p. 49 (25 juillet 1945).

17. Charles de Gaulle, *Mémoires*, *op. cit.*, p. 609.

18. Tal Bruttmann et Laurent Joly, *La France antijuive de 1936. L'agression de Léon Blum à la Chambre des députés*, Paris, Éditions des Équateurs, 2006.

19. *Procès Pétain*, p. 75-78 (27 juillet 1945).

20. Jacques Isorni, *Souffrance et mort du Maréchal*, *op. cit.*, p. 117.

21. Léon Werth, *Impressions d'audience*, *op. cit.*, p. 44 et 49.

22. Madeleine Jacob, *Franc-Tireur*, 28 juillet 1945.

CHAPITRE 11
La défense contre-attaque

1. Janet Flanner, *Paris Journal*, *op. cit.*, p. 57-58.

2. Pierre Scize, *Les Nouvelles du matin*, 24 juillet 1945.

3. *Procès Pétain*, p. 33 (24 juillet 1945).

4. Jean Galtier-Boissière, *Journal*, *op. cit.*, p. 476.

5. Jacques Isorni, *Souffrance et mort du Maréchal*, *op. cit.*, p. 110.

6. *Procès Pétain*, p. 39 (25 juillet 1945).

7. *Ibid.*, p. 61 (26 juillet 1945).

8. *Ibid.*, p. 79 (27 juillet 1945).

9. Isorni a également prétendu, de manière quelque peu fantaisiste, que Lebrun avait développé une passion pour la reine Élisabeth, épouse de George VI, après l'avoir rencontrée lors de sa visite d'État en France en 1938 – il l'aurait serrée dans ses bras et aurait gardé le souvenir d'un « amour impossible » –, et qu'il ne voulait rien faire qui puisse la contrarier ! (Jacques Isorni, *Mémoires*, vol. 1, *op. cit.*, p. 465).

10. *Procès Pétain*, p. 55 (25 juillet 1945).

11. *Ibid.*, p. 44 (25 juillet 1945).

12. Henri Michel, *Le Procès de Riom*, Paris, Albin Michel, 1979.

13. *Procès Pétain*, p. 78 (27 juillet 1945).

14. Jean Galtier-Boissière, *Journal*, op. cit., p. 316.
15. Jacques Isorni, *Souffrance et mort du Maréchal*, op. cit., p. 119.
16. *Procès Pétain*, p. 101-103 (28 juillet 1945).
17. *Ibid.*, p. 110-113 (30 juillet 1945).
18. *Ibid.*, p. 113 (30 juillet 1945).
19. Léon Werth, *Impressions d'audience*, op. cit., p. 65.
20. *Ibid.*, p. 117 (30 juillet 1945).
21. *Ibid.*, p. 40 (25 juillet 1945).
22. *Ibid.*, p. 30 (24 juillet 1945).
23. *Ibid.*, p. 53 (25 juillet 1945).
24. *Ibid.*, p. 78 (27 juillet 1945).

CHAPITRE 12
Les derniers témoins de l'accusation

1. *Procès Pétain*, p. 63 (26 juillet 1945).
2. *Ibid.*, p. 108 (28 juillet 1945).
3. Anatole de Monzie, *Ci-devant*, Paris, Flammarion, 1941, p. 207. Ces éléments étaient en réalité très fragiles. Comme Pétain n'était pas à Paris à la date, erronée, que Monzie donne pour cette conversation, il semble plus probable que celle-ci se soit déroulée le 3 mai, date où il se trouvait bien dans la capitale.
4. *Procès Pétain*, p. 74-75 (26 juillet 1945) ; *France-Soir*, 26 juillet 1945.
5. *Ibid.*, p. 73 (27 juillet 1945).
6. *Ibid.*, p. 104 (28 juillet 1945).
7. Charles de Gaulle, *Lettres, notes, carnets*, vol. 1, op. cit., p. 1125.
8. Benoît Klein (éd.), « *J'accepte de répondre* », op. cit., p. 70 et 83.
9. AN 3W 278 (IB2).
10. Jacques Isorni, *Souffrance et mort du Maréchal*, op. cit., p. 124-125.
11. *Procès Pétain*, p. 119-122 (30 juillet 1945).
12. Jacques Isorni, *Souffrance et mort du Maréchal*, op. cit., p. 124-125.
13. *Procès Pétain*, p. 151 (1er août 1945).
14. *Ibid.*, p. 94-98 (28 juillet 1945).
15. *Ibid.*, p. 81-88 (27 juillet 1945).
16. *L'Humanité*, 27 juillet 1945.
17. Joseph Kessel, *L'Heure des châtiments*, op. cit., p. 233.
18. Martin du Gard, *Journal*, op. cit, p. 762.
19. Madeleine Jacob, *Franc-Tireur*, 25 juillet 1945.
20. Gabriel Reuillard, *Dépêche de Paris*, 31 juillet 1945.
21. Joseph Simon, *Pétain mon prisonnier*, op. cit., p. 50-51.
22. *Procès Pétain*, p. 41 (25 juillet 1945).
23. *Ibid.*, p. 51 (25 juillet 1945).
24. *Ibid.*, p. 91-94 (28 juillet 1945).
25. Francine Bonitzer, *L'Aurore*, 29 juillet 1945.
26. AN 450AP/3, 29 juillet 1945.
27. Susan Mary Alsop, *To Marietta from Paris*, op. cit., p. 38.
28. Martin du Gard, *Journal*, op. cit, 761
29. Georges Altman, *Franc-Tireur*, 27 juillet 1945.

30. *Combat*, 29 juillet 1945. L'ambassadeur américain à Paris, Jefferson Caffery, rapporte à Washington que le fait de découvrir tous ces anciens politiciens discrédités renforce probablement les arguments de De Gaulle quant à la nécessité d'un changement constitutionnel radical (NARA 59 A1-205H 1945-49 Central Decimal File : 6229, Rapport, 3 août 1945).

31. Jean Schlumberger, *Le Procès Pétain, op. cit.*, p. 79-80.

32. François Mauriac, *Journal, op. cit.*, p. 823-824 (26 juillet 1945).

33. AN F7/15549, Rouen, 30 juillet 1945.

34. AN 317AP/63, Papiers Louis Marin.

35. *Ibid.*

36. AN F7/15549, Dossier comptes rendus RG, 27 juillet 1945.

37. Géo London, *L'Amiral Esteva et le général Dentz devant la Haute Cour de justice, op. cit.*

38. Jacques Isorni, *Souffrance et mort du Maréchal, op. cit.*, p. 111.

39. Alice Kaplan, *Intelligence avec l'ennemi, op. cit.*, p. 116.

CHAPITRE 13
« Vous ne me ferez jamais dire que le Maréchal est un traître »

1. Paul Reynaud, *Carnets de captivité, op. cit.*, p. 303 et 312.

2. Jacques Isorni, *Souffrance et mort du Maréchal, op. cit.*, p. 131.

3. *Procès Pétain*, p. 130-136 (31 juillet 1945).

4. *Ibid.*, p. 137-138 (31 juillet 1945).

5. *Ibid.*, p. 166 (1er août 1945).

6. *Ibid.*, p. 140 (31 juillet 1945).

7. *Ibid.*, p. 134 (31 juillet 1945).

8. *Ibid.*, p. 143 (31 juillet 1945).

9. *Ibid.*, p. 147 (31 juillet 1945).

10. *Ibid.*, p. 154 (1er août 1945).

11. *Ibid.*, p. 156 (1er août 1945).

12. Michael S. Neiberg, *When France Fell, op. cit.*, en donne le meilleur récit.

13. TNA FO371/49141, 30 avril 1945.

14. William Keylor, *Charles de Gaulle : A Thorn in the Side of Six American Presidents*, Lanham, Rowman & Littlefield, 2020, p. 117.

15. Institut de recherches historiques sur le maréchal Pétain, *Messages d'outre-tombe du maréchal Pétain*, Paris, Nouvelles Éditions latines, 1983, p. 95-100.

16. William Leahy, *J'étais là. Notes de guerre de 1941 à 1945*, trad. de l'anglais par R. Jouan, Paris, Plon, 1950.

17. Michael S. Neiberg, *When France Fell, op. cit.*, p. 110 et 134.

18. NARA 59 A1-205H 1945-49 Central Decimal File : 6228. Le State Department ne semble pas avoir joué de rôle dans la rédaction de la réponse.

19. *Procès Pétain*, p. 157 (1er août 1945).

20. *Ibid.*, p. 175-182 (2 août 1945).

CHAPITRE 14
Pierre Laval en vedette

1. Joseph Kessel, *L'Heure des châtiments*, op. cit., p. 263.
2. Jean Galtier-Boissière, *Journal*, op. cit., p. 484.
3. Renaud Meltz, *Pierre Laval*, op. cit., p. 139.
4. Pierre Tissier, *I Worked with Laval*, Londres, Harrap, 1942, p. 39-40.
5. *Ibid.*, p. 367.
6. Renaud Meltz, *Pierre Laval*, op. cit., p. 367.
7. *Ibid.*, p. 367.
8. *Ibid.*, p. 871.
9. Bénédicte Vergez-Chaignon, *Vichy en prison*, op. cit., p. 112.
10. Joseph Simon, *Pétain mon prisonnier*, op. cit., p. 48 et 134.
11. *The Daily Telegraph*, 6 août 1945.
12. Outre les habituels reportages publiés dans la presse, nous disposons aussi de témoignages de première main de Roger Stéphane, *Fin d'une jeunesse. Carnets, 1944-1947*, Paris, Table Ronde, 2004, p. 111-115 ; et de Claude Mauriac, *Un autre de Gaulle*, op. cit., p. 139-142.
13. Joseph Simon, *Pétain mon prisonnier*, op. cit., p. 47-48 ; Jacques Isorni, *Souffrance et mort du Maréchal*, op. cit., p. 138-139.
14. Renaud Meltz, *Pierre Laval*, op. cit., p. 1046.
15. AN 450AP/3, 4 août 1945.
16. *The Guardian*, 4 août 1945.
17. Janet Flanner, *Paris Journal*, op. cit., p. 39.
18. *Procès Pétain*, p. 185 (3 août 1945).
19. *Ibid.*, p. 186 (3 août 1945).
20. Albert Naud, *Pourquoi je n'ai pas défendu Pierre Laval*, op. cit., p. 12.
21. Joseph Kessel, *L'Heure des châtiments*, op. cit., p. 262-263 ; Madeleine Jacob, *Franc-Tireur*, 4 août 1945 ; *Combat*, 4 août 1945 ; journal non publié et déjà cité de Jacques Lecompte-Boinet (1945).
22. Léon Werth, *Impressions d'audience*, op. cit., p. 94.
23. *Procès Pétain*, p. 192 (3 août 1945).
24. *Ibid.*, p. 194-195 (3 août 1945).
25. *Ibid.*, p. 197-198 (3 août 1945).
26. Léon Werth, *Déposition*, op. cit., p. 314-315.
27. *Procès Pétain*, p. 200-201 (3 août 1945).
28. *Ibid.*, p. 202 (3 août 1945).
29. Joseph Simon, *Pétain mon prisonnier*, op. cit., p. 130-131.
30. L'affaire de Dieppe est évoquée à plusieurs reprises au cours du procès – *Procès Pétain*, p. 40-41, p. 207-208, p. 287-288 – sans qu'aucune certitude ne soit établie à son sujet.
31. *Procès Pétain*, p. 216 (4 août 1945).
32. *Ibid.*, p. 217 (4 août 1945).
33. Janet Flanner, *Paris Journal*, op. cit., p. 9-40.
34. Jacques Isorni, *Souffrance et mort du Maréchal*, op. cit., p. 141.
35. *Procès Pétain*, p. 222 (4 août 1945).
36. Francine Bonitzer, *L'Aurore*, 5 août 1945.
37. AN 450AP/3, 4 août 1945.

CHAPITRE 15
Généraux et fonctionnaires

1. « Et la France ? », *Résistance*, 5 août 1945.

2. Joseph Simon, *Pétain mon prisonnier*, *op. cit.*, p. 49.

3. Pierre Scize, « Journée des doublures », *Les Nouvelles du matin*, 9 août 1945.

4. La Syrie est brièvement évoquée dans les témoignages du général Bergeret et de Jean Berthelot, le 8 août (*Procès Pétain*, p. 260-264 et 267-269).

5. Sur la vie à Fresnes, Bénédicte Vergez-Chaignon, *Vichy en prison*, *op. cit.*, p. 90-130.

6. Jacques Benoist-Méchin, *De la défaite au désastre*, Paris, Albin Michel, 1984, vol. 2, p. 374 ; Bénédicte Vergez-Chaignon, *Vichy en prison*, *op. cit.*, p. 132.

7. Xavier Vallat, *Feuilles de Fresnes, 1944-1948*, Paris, Déterna, 2013, p. 62.

8. *Ibid.*, p. 86-94 ; des rapports in AN F7/15549 mentionnent des images du procès projetées dans des salles de cinéma.

9. Jacques Isorni, *Souffrance et mort du Maréchal*, *op. cit.*, p. 117.

10. Jean Galtier-Boissière, *Journal*, *op. cit.*, p. 483.

11. Madeleine Jacob, *Franc-Tireur*, 8 août 1945.

12. *Procès Pétain*, p. 246 (7 août 1945).

13. *Ibid.*, p. 265 (8 août 1945).

14. Léon Werth, *Impressions d'audience*, *op. cit.*, p. 103.

15. « Rumeurs et longueurs », *Le Figaro*, 2 août 1945.

16. *Procès Pétain*, p. 270 (8 août 1945).

17. *Ibid.*, p. 233 (6 août 1945).

18. *Ibid.*, p. 252 (7 août 1945).

19. *Ibid.*, p. 234 (6 août 1945).

20. *Ibid.*, p. 175 (2 août 1945).

21. Jean Schlumberger, *Le Procès Pétain*, *op. cit.*, p. 116-117.

22. Maurice Clavel, « Antinomies », *L'Époque*, 11 août 1945.

23. Madeleine Jacob, *Franc-Tireur*, 11 août 1945.

24. Léon Werth, *Impressions d'audience*, *op. cit.*, p. 113.

25. TNA FO371/49141, Note de Cadogan, 5 juillet 1945.

26. Tous ces développements peuvent être suivis in TNA FO371/49139, 49140, 49141.

27. *Procès Pétain*, p. 248 (7 août 1945). Si l'accusation avait mieux étudié les documents du dossier d'instruction, elle aurait pu citer une lettre qui mettait à mal l'échafaudage d'inventions construit autour des affirmations de Rougier. La veille du jour où il avait reçu l'universitaire pour la seconde fois, Pétain avait écrit à Weygand pour lui signaler qu'il attendait celui-ci à son retour de Londres : « Il est considéré comme un agent des Anglais. » Louis Noguères, *Le Véritable Procès du maréchal Pétain*, *op. cit.*, p. 370.

28. *Procès Pétain*, p. 254-256 (7 août 1945).

29. TNA FO371/49143, Rapport final sur le procès, 14 août 1945 ; commentaire en marge de la main de Hoyal.

30. *Procès Pétain*, p. 39 (25 juillet 1945).

31. Colonel Rémy, « La justice et l'opprobre », *Carrefour*, 11 avril 1950.

32. Mentionné par Weygand (*Procès Pétain*, p. 139, 31 juillet 1945) et par Bergeret (p. 262, 8 août 1945).

33. *Procès Pétain*, p. 279-282 (9 août 1945).

34. Hervé Coutau-Bégarie et Claude Huan, *Darlan*, Paris, Fayard, 1989.

35. *Procès Pétain*, p. 280 (9 août 1945).

36. Louis Noguères, *Le Véritable Procès du maréchal Pétain*, *op. cit.*, p. 468 ; les notes de Ménétrel sont archivées in AN 3W 298, Dossier 3.

37. AN 3W 281, III IA2.

38. Bénédicte Vergez-Chaignon, *Pétain*, *op. cit.*, p. 725.

39. Louis Noguères, *Le Véritable Procès du maréchal Pétain*, *op. cit.*, p. 461.

40. *Ibid.*, p. 538.

CHAPITRE 16
Les juifs, grands absents

1. Il y avait déjà eu des arrestations de juifs en mai et décembre 1941.

2. Léon Blum ne témoigne pas en tant que juif.

3. De nombreux exemples in AN 3W 302.

4. Janet Flanner, *Paris Journal*, *op. cit.*, p. 36.

5. *Procès Pétain*, p. 118 (30 juillet 1945).

6. François Azouvi, *Le Mythe du grand silence. Auschwitz, les Français, la mémoire*, Paris, Fayard, 2012 ; Simon Perego, *Pleurons-les. Les juifs de Paris et les commémorations de la Shoah (1944-1967)*, Ceyzérieu, Champ Vallon, 2020 ; Philip Nord, *After the Deportation : Memory Battles in Post-War France*, Cambridge, Cambridge University Press, 2020.

7. *Droit et liberté*, 17 mai, 31 mai, 31 juillet 1945 ; Renée Poznanski, *Les Juifs en France pendant la Seconde Guerre mondiale*, Paris, Hachette, 1994 ; Jean Galtier-Boissière, *Journal*, *op. cit.*, p. 445. Sur la résurgence de l'antisémitisme à la Libération, voir Anne Grynberg, « Des signes de résurgence de l'antisémitisme dans la France de l'après-guerre (1945-1953) ? », *Les Cahiers de la Shoah*, n° 5, 2001/1, p. 171-223.

8. Claire L'Hoër et Alain Frerejean, *Libération : la joie et les larmes. Acteurs et témoins racontent 1944-1945*, Paris, L'Archipel, 2019, p. 401-402.

9. Archives Mémorial de la Shoah, procès-verbal (PV) du CRIF 15 mai et 9 juillet 1945.

10. *Id.*, PV CRIF 22 mai, 29 mai, 21 juin 1945 où ces incidents sont discutés.

11. AN 3W 285, III 3A2.

12. AN 3W 285, III 3A2, Liasse 3.

13. *Ibid.*

14. Bénédicte Vergez-Chaignon, *Pétain*, *op. cit.*, p. 521.

15. *Procès Pétain*, p. 59 (29 juillet 1945) et p. 112 (30 juillet 1945).

16. *Procès Pétain*, p. 213 (4 août 1945).

17. *Ibid.*, p. 125 (30 juillet 1945).

18. Philippe Boegner, *Carnets du pasteur Boegner, 1940-1945*, Paris, Fayard, 1992.

19. Claire Zalc, *Dénaturalisés*, *op. cit.*, dresse l'histoire exhaustive du travail de la commission.

20. Jacques Isorni, *Souffrance et mort du Maréchal*, *op. cit.*, p. 143-144.

21. *Procès Pétain*, p. 248-250 (7 août 1945).

22. Géo London, *L'Amiral Esteva et le général Dentz devant la Haute Cour de justice*, *op. cit.*, p. 274.

23. Robert Badinter, *Un antisémitisme ordinaire. Vichy et les avocats juifs, 1940-1944*, Paris, Fayard, 1997 ; Jacques Charpentier, *Au service de la liberté*, Paris, Fayard, 1949, p. 152-153.

24. « En marge du procès », *Le Réveil des jeunes*, 1er août 1945.

25. Ces éléments de contexte sont donnés in *La Terre retrouvée*, 25 août 1945. Le rôle de Pétain dans la déportation des juifs fut aussi soulevé dans une autre publication juive : *Droit et liberté*, l'organe de l'Union des juifs pour la résistance et l'entraide (UJRE), articles des 24, 31 juillet et 10 août 1945. Pour une vue d'ensemble : « La presse francophone des juifs immigrés et la perception des crimes nazis dans l'immédiat après-guerre », *Archives juives. Revue d'histoire des juifs de France*, vol. 44, n° 1, 2011, p. 123-135.

26. *La Terre retrouvée*, 25 août 1945. En novembre 1946, Henri Hertz déplorerait in *Le Monde juif* qu'on n'ait pas assez évoqué les juifs lors du procès de Nuremberg.

CHAPITRE 17
Le comte, l'assassin et le général aveugle

1. *Procès Pétain*, p. 276 (8 août 1945).

2. Paul Morand, *Journal de guerre*, vol. 1, *Londres-Paris-Vichy, 1939-1943*, Paris, Gallimard, 2020.

3. *Franc-Tireur*, 10 août 1945.

4. TNA FO371/49143, Report on Day 14.

5. AN F7/15549, 9 août 1945.

6. *Procès Pétain*, p. 85 (9 août 1945).

7. *Ibid.*, p. 289 (9 août 1945).

8. TNA FO371/49143 ; Léon Werth, *Impressions d'audience*, *op. cit.*, p. 120 ; *Combat*, 10 août 1945.

9. *Procès Pétain*, p. 290-291 (9 août 1945).

10. Jacques Delperrié de Bayac, *Histoire de la Milice, 1918-1945*, Paris, Fayard, 1994, p. 527.

11. *Procès Pétain*, p. 296 (9 août 1945).

12. Jacques Isorni, *Souffrance et mort du Maréchal*, *op. cit.*, p. 136.

13. *Procès Pétain*, p. 299-300 (10 août 1945).

14. AN 72AJ/1921, Papiers Mornet.

15. *Procès Pétain*, p. 316-318 (10 août 1945).

CHAPITRE 18
Réquisitoire et plaidoiries

1. Joseph Simon, *Pétain mon prisonnier*, *op. cit.*, p. 51.

2. *Procès Pétain*, p. 319 (11 août 1945).

3. Maurice Clavel, *L'Époque*, 12 août 1945.

4. Après que Mornet eut terminé de s'exprimer, la cour entendit la lecture d'une lettre de Charles Rochat qui confirmait entièrement ce que Laval avait dit au sujet de la réponse de Pétain à ce discours : *Procès Pétain*, p. 336 (11 août 1945).

5. Jean Galtier-Boissière, *Journal, op. cit.*, p. 491.

6. Jean Schlumberger, *Le Procès Pétain, op. cit.*, p. 130.

7. *L'Époque*, 12 août 1945.

8. Joseph Simon, *Pétain mon prisonnier, op. cit.*, p. 50.

9. Madeleine Jacob, *Franc-Tireur*, 12 août 1945 ; Jean Galtier-Boissière, *Journal, op. cit.*, p. 491.

10. *Procès Pétain*, p. 336 (1er août 1945).

11. AN 450AP/3, 10 août 1945.

12. *Procès Pétain*, p. 344 (13 août 1945).

13. *Ibid.*, p. 348 (13 août 1945).

14. Maurice Felut, *France-Soir*, 14 août 1945.

15. Maurice Clavel, *L'Époque*, 14 août 1945.

16. Madeleine Jacob, *Franc-Tireur*, 14 août 1945.

17. Jacques Isorni, *Souffrance et mort du Maréchal, op. cit.*, p. 152.

18. *Procès Pétain*, p. 358 (14 août 1945).

19. *Ibid.*, p. 356 (14 août 1945).

20. *Ibid.*, p. 364 (14 août 1945).

21. Jacques Isorni, *Souffrance et mort du Maréchal, op. cit.*, p. 153.

22. Pierre Scize, *Les Nouvelles de Paris*, 14 août 1945 ; Gilles Antonowicz, *Jacques Isorni, op. cit.*, p. 276.

23. *Procès Pétain*, p. 365 (14 août 1945).

24. *Ibid.*

25. *Ibid.*, p. 369 (14 août 1945).

26. Madeleine Jacob, *Franc-Tireur*, 15 août 1945 ; Gilles Antonowicz, *Jacques Isorni, op. cit.*, p. 284-285.

27. *Procès Pétain*, p. 371 (14 août 1945).

28. *L'Aurore*, 15 août 1945.

29. *Procès Pétain*, p. 371-384 (14 août 1945).

30. *L'Humanité*, 14 août 1945.

31. *Procès Pétain*, p. 381 (14 août 1945).

32. *Ibid.*, p. 384 (14 août 1945).

CHAPITRE 19
Le verdict

1. AN 450AP/3, 14 août 1945.

2. En ce qui concerne les délibérations des jurés, nous disposons de plusieurs récits différents fondés sur les souvenirs de trois jurés et sur le journal de Lecompte-Boinet. Ils ne sont pas très détaillés et présentent des divergences mineures, mais ils semblent apporter un compte rendu dans l'ensemble exact de ce qui fut une discussion longue et confuse : Pétrus Faure, *Un témoin raconte*, Saint-Étienne, Dumas, 1962 ; *Le Procès Pétrus Faure, juré au procès du maréchal Pétain*, Saint-Étienne, Dumas, 1967 ; Pétrus Faure, *Un procès inique*, Paris, Flammarion, 1973 ; Gabriel Delattre, « J'étais premier juré au procès Pétain »,

L'Histoire pour tous, n° 4, 1964, p. 491-499 ; Jean Pierre-Bloch, « Un témoignage sur le procès du maréchal Pétain », *Le Monde*, 23-24 mai 1976, texte dont une version légèrement différente a d'abord été publiée par Robert Aron, *Histoire de l'épuration*, *op. cit.*, p. 514-521. Quelques fuites sur les délibérations filtrèrent aussi dans la presse : « La grâce de l'ex-maréchal Pétain », *Le Monde*, 20 août 1945.

3. Jacques Isorni, *Souffrance et mort du Maréchal*, *op. cit.*, p. 152.

4. *Le Monde* donne une majorité de vingt contre six.

5. Jacques Isorni, *Souffrance et mort du Maréchal*, *op. cit.*, p. 158-159.

6. Joseph Kessel, *Jugements derniers*, Paris, Le Grand Livre du mois, 1995, p. 91-94.

7. AN 450AP/3, 16 août 1945.

8. Jean-Richard Bloch, *Ce soir*, 16 août 1945.

9. « Pitié pour la France », *L'Époque*, 16 août 1945.

10. *Nouvelles du matin*, 17 août 1945.

11. Francine Bonitzer, « Impressions », *L'Aurore*, 12 août 1945.

12. AN 3AG4/48. Cette lettre s'est retrouvée dans les Archives de Gaulle, où elle est marquée « très intéressant », ce qui indique que le Général l'avait lue.

13. Charles Lederman, « Pétain protecteur des Israélites ? », *Droit et liberté*, 15 septembre 1945.

14. Xavier Vallat, *Feuilles de Fresnes*, *op. cit.*, p. 92 et 94 ; le journaliste de droite Emmanuel Beau de Loménie, « Autour du procès Pétain », *Centre d'études économiques et sociales*, septembre 1945, affirme lui aussi que ce n'était pas la meilleure des défenses à offrir à Vichy.

15. Rousseaux, « Épilogue de l'affaire Dreyfus », *Les Lettres françaises*, 25 août 1945.

16. « Honneur et bien commun », *Documents nationaux*, novembre 1945.

17. Roger Stéphane, *Fin d'une jeunesse*, *op. cit.*, p. 115-116.

TROISIÈME PARTIE. Ce passé qui ne passe vraiment pas

CHAPITRE 20
Le prisonnier

1. Rapport in AN 3AG4/48, 16 août 1945.

2. Joseph Simon, *Pétain mon prisonnier*, *op. cit.*, p. 55.

3. *Ibid.*, p. 71. En plus de ce Journal personnel, des rapports détaillés, la plupart rédigés par Simon, sont archivés in AN 3W 303.

4. *Ibid.*, p. 68, 73 et 87.

5. *Ibid.*, p. 72, 76 et 100.

6. *Ibid.*, p. 57 et 163.

7. Jacques Isorni, *Souffrance et mort du Maréchal*, *op. cit.* ; Joseph Simon, *Pétain mon prisonnier*, *op. cit.*, p. 67.

8. Renaud Meltz, *Pierre Laval*, *op. cit.*, p. 1054-1099.

9. Louis Noguères, *Le Véritable Procès du maréchal Pétain*, *op. cit.*

10. *Id.*, *La Haute Cour de la Libération*, *op. cit.*, constitue le récit le plus détaillé de l'histoire de l'institution.

11. Jean Berthelot, Yves Bouthillier, Jean Jardel, Jacques Chevalier.

12. Pétain avait aussi reçu une courte visite au cours de laquelle il avait été interrogé en vue du procès de Jacques Benoist-Méchin, destinataire du fameux télégramme de Dieppe. D'après Isorni (*Mémoires*, vol. 2, *op. cit.*, p. 96), le Maréchal aurait déclaré : « Il ne faut jamais croire M. Benoist-Méchin – même lorsqu'il dit du bien de moi. »

13. Cité in Jean Stengers, « Les événements survenus en France de 1933 à 1945. Témoignages et documents recueillis par la commission d'enquête parlementaire », *Revue belge de philologie et d'histoire*, vol. 30, n° 3-4, 1952, p. 993-1005.

14. Benoît Klein (éd.), « *J'accepte de répondre* », *op. cit.*, p. 159-200 ; Joseph Simon, *Pétain mon prisonnier*, *op. cit.*, p. 181-184 ; Jacques Isorni, *Souffrance et mort du Maréchal*, *op. cit.*, p. 198-199.

15. AN 3W 304, 5 février 1948.

16. Pierre Dhers, « Du 7 mars à l'île d'Yeu. Notes sur quelques travaux de la commission parlementaire d'enquête », *Revue d'histoire de la Deuxième Guerre mondiale*, n° 5, 1952, p. 17-26.

17. Jean Stengers, « Les événements survenus en France de 1933 à 1945 », *op. cit.* ; Henri Michel, « L'œuvre de la commission parlementaire chargée d'enquêter sur les événements survenus en France de 1933 à 1945 », *Revue d'histoire de la Deuxième Guerre mondiale*, n° 3, 1951, p. 94-96.

18. AN F7/15488 contient un dossier sur des poursuites engagées contre la revue *Réalisme* qui, en novembre 1949, avait imprimé cinq mille tracts avec cette photo du « plus vieux prisonnier du monde ».

19. Jacques Isorni, *Souffrance et mort du Maréchal*, *op. cit.*, p. 87.

20. Les généraux Héring, Serrigny et Georges.

CHAPITRE 21
Vichy émerge des catacombes

1. Jacques Isorni, *Souffrance et mort du Maréchal*, *op. cit.*, p. 176.

2. Jérôme Cotillon, *Ce qu'il reste de Vichy*, Paris, A. Colin, 2003 ; Bénédicte Vergez-Chaignon, *Vichy en prison*, *op. cit.*

3. Paul Auphan, *L'Honneur de servir. Mémoires*, Paris, Éditions France-Empire, 1978.

4. Pierre Assouline, *Une éminence grise : Jean Jardin*, Paris, Balland, 1986, p. 189.

5. Alfred Fabre-Luce, *Double Prison*, Montréal, Variété, 1945.

6. *Id.*, *Le Mystère du Maréchal. Le procès de Pétain*, Genève, Bourquin, 1945. Fabre-Luce se lança très vite dans l'arène. Une défense de Pétain, longue de vingt et une pages dactylographiées par lui, intitulée « Opposition », circulait déjà avant le procès : AN F7/15549, 25 juin 1945. Elle avait été diffusée de manière assez large pour être mentionnée par Jean Galtier-Boissière, *Journal*, *op. cit.*, p. 465 (5 juillet 1945).

7. Parmi les titres de Rougier : *La France jacobine*, Bruxelles, Diffusion du livre, 1947 ; *De Gaulle contre de Gaulle*, Paris, Triolet, 1948 ; *La Défaite des vainqueurs*, Genève, Cheval Ailé, 1947 ; *Pour une politique d'amnistie*, Genève, Cheval Ailé, 1947 ; *Les Accords franco- britanniques de l'automne 1940. Histoire et imposture*, Paris, Grasset, 1954.

8. Henri du Moulin de Labarthète, *Le Temps des illusions*, *op. cit.*

9. Louis-Dominique Girard, *Montoire : Verdun diplomatique*, Paris, A. Bonne, 1948, p. 165-169 et 207. Sur la réception de ce livre, voir AN 72AJ/3229, 3230, Papiers de Louis-Dominique Girard.

10. Jacques Isorni, *Souffrance et mort du Maréchal*, *op. cit.*, p. 209.

11. Charles de Gaulle, *Discours et messages*, vol. 2, *Dans l'attente, 1946-1958*, Paris, Plon, 1970, p. 293 (29 mars 1949).

12. Rémy, *De Gaulle, cet inconnu*, Monte-Carlo, Raoul Solar, 1947. Sur la vie du colonel Rémy, voir Philippe Kerrand, *L'Étrange Colonel Rémy*, Ceyzérieu, Champ Vallon, 2020.

13. Rémy, *Dix Ans avec de Gaulle (1940-1950)*, Paris, Éditions France-Empire, 1971.

14. *Requête en révision pour Philippe Pétain, maréchal de France*, Paris, Flammarion, 1950. L'année précédente, deux vieux pétainistes avaient publié une réfutation article par article de l'acte de condamnation : Général Héring et Commandant Le Roc'h, *Révision*, Paris, Éditions Self, 1949.

15. *Samedi-Soir*, 22, 29 avril, 6, 13, 20, 26 mai, 5, 13, 17 juin 1945.

16. Tous ces articles, et bien d'autres, se trouvent in AN 72AJ/3229, 3230, Papiers de Louis-Dominique Girard.

17. Marcel Peyrouton, *Du service public à la prison commune*, Paris, Plon, 1950 ; Yves Bouthillier, *Le Drame de Vichy*, 2 vol., Paris, Plon, 1950 et 1951 ; Jean Fernet, *Aux côtés du maréchal Pétain : souvenirs (1940-1944)*, Paris, Plon, 1953 ; Général Serrigny, *Trente Ans avec Pétain*, *op. cit.*

18. Frédéric Le Moigne, « 1944-1951 : les deux corps de Notre-Dame de Paris », *Vingtième Siècle. Revue d'histoire*, n° 78, 2003/2, p. 75-88. Sur les réactions à cette messe et à d'autres qui furent célébrées en 1951, il existe tout un dossier in AN F7/15849.

19. Bénédicte Vergez-Chaignon, *Vichy en prison*, *op. cit.*, p. 318.

20. Jacques Isorni, *Mémoires*, vol. 2, *op. cit.*, p. 207-215.

21. Une seconde loi d'amnistie, plus généreuse, fut votée en 1953.

22. Georges Pompidou, *Lettres, notes et portraits*, Paris, R. Laffont, 2012, p. 221-222.

CHAPITRE 22
Gardiens de la flamme

1. Rapport détaillé (3 août 1951) in AN F7/15489.

2. Henry Rousso, *Le Syndrome de Vichy. De 1944 à nos jours*, Paris, Seuil, 1987 ; Archives Préfecture de police, GA511678.

3. « Extraits de courrier », *Le Maréchal*, 2 octobre 1952.

4. Robert Aron, *Histoire de Vichy, 1940-1944*, Paris, Fayard, 1954.

5. *Id.*, *Le piège où nous a pris l'histoire*, Paris, Albin Michel, 1950.

6. Robert Aron, *Charles de Gaulle*, Paris, Perrin, 1964, p. 46-47.

7. *Le Maréchal*, 11 janvier 1955.

8. *Ibid.*, 9 juillet 1954.

9. « Le Maréchal, mainteneur de l'empire », *Le Maréchal*, 14 octobre 1955.

10. *Rivarol*, 25 et 29 mai 1958.

11. Michel Dacier, « Euphorie dans la confusion », *Écrits de Paris*, 5-12 juin 1958.

12. Jacques Isorni, *Ainsi passent les Républiques*, Paris, Flammarion, 1959, p. 155.

13. *Ibid.*, p. 167-168.

14. Jacques Isorni, *Mémoires*, vol. 2, *op. cit.*, p. 421.

15. *Id.*, *Lui qui les juge*, Paris, Flammarion, 1961, p. 48.

16. *Le Procès du général Raoul Salan. Compte rendu sténographique*, Paris, Nouvelles Éditions latines, 1962, p. 75-88.

17. Pierre Pflimlin, *Mémoires d'un Européen, de la IVe à la Ve République*, Paris, Fayard, 1991, p. 189.

CHAPITRE 23
Guerres mémorielles

1. Henri Amouroux, *Pétain avant Vichy*, Paris, Fayard, 1967, p. 7. Autres titres : Jean Plumyène, *Pétain*, Paris, Seuil, 1964 ; Jean-Raymond Tournoux, *Pétain et de Gaulle*, Paris, Plon, 1964 ; Henry Coston (dir.), *Pétain toujours présent*, Rennes, Lectures françaises, 1964 ; Gabriel Jeantet, *Pétain contre Hitler*, Paris, La Table ronde, 1966 ; Georges Blond, *Pétain*, Paris, Presses de la cité, 1966 ; Pierre Bourget, *Un certain Philippe Pétain*, Paris, Casterman, 1966 ; René Gillouin, *J'étais l'ami du Maréchal*, Paris, Plon, 1966.

2. *Paris Match*, 29 mai, 4, 11 juin 1966.

3. « Philippe Pétain vingt ans après », *Combat*, 21 décembre 1964.

4. Jacques Isorni, *Pétain a sauvé la France*, Paris, Flammarion, 1964.

5. *Id.*, *Le Vrai Procès de Jésus*, Paris, Flammarion, 1967.

6. *Id.*, *Jusqu'au bout de notre peine*, Paris, La Table ronde, 1963.

7. François Mauriac, *Le Bloc-Notes, 1963-1970*, Paris, Bouquins, 2020, p. 236-239 (25 septembre 1964).

8. Jacques Laurent, *Mauriac sous de Gaulle*, Paris, La Table ronde, 1964, p. 186.

9. *Id.*, *Offenses au chef de l'État. Audiences des 8 et 9 octobre 1965*, Paris, La Table ronde, 1965.

10. Alfred Fabre-Luce, *Haute Cour*, Paris, Julliard, 1962 ; *id.*, *Le Couronnement du prince*, Paris, La Table ronde, 1964 ; *id.*, *Gaulle deux*, Paris, Julliard, 1958.

11. Olivier Beaud, *La République injuriée. Histoire des offenses au chef de l'État de la IIIe à la Ve République*, Paris, PUF, 2019, p. 325-392.

12. *Le Monde*, 16 août 1965.

13. Jacques Isorni, *Mémoires*, vol. 2, *op. cit.*, p. 400-408 ; *Le Maréchal*, 24 juillet 1958.

14. *Le Monde*, 6 juillet 1964.

15. Louis-Dominique Girard, *Mazinghem ou la vie secrète de Philippe Pétain, 1856-1951*, Paris, L.-D. Girard, 1971.

16. Cette querelle interminable peut être suivie en détail dans les Papiers de Louis-Dominique Girard, AN 72AJ/3202, 3206, 3207, 3221 ; et dans *Le Monde*, 21 octobre 1964 ; 11 septembre, 5 octobre, 28 octobre, 25 décembre 1966 ; 21 septembre 1968.

17. Charles de Gaulle, *Discours et messages*, vol. 4, *Pour l'effort, 1962-1965*, Paris, Plon, 1970, p. 40.

18. « Maître Isorni à l'île d'Yeu », *Le Monde*, 31 mai 1966.

19. Baptiste Brossard et Gary Alan Fine, « The Problem of Pétain : The State Politics of Difficult Reputations », *Sociological Perspectives*, vol. 65, n° 2, 2021, p. 1-19.

20. Jean-Yves Le Naour, *On a volé le Maréchal !*, Paris, Larousse, 2009, p. 123.

21. Sur cet épisode rocambolesque, voir Jean-Yves Le Naour, *On a volé le Maréchal !, op. cit.* ; Michel Dumas, *La Permission du Maréchal. Trois jours en maraude avec le cercueil de Pétain*, Paris, Albin Michel, 2004 ; « Un aller-retour pour l'île d'Yeu », *Une histoire particulière*, France Culture, 17 janvier 2021.

22. Jacques Isorni et Jean Lemaire, *Après le procès du maréchal Pétain. Documents pour la révision*, Paris, A. Martel, 1948.

23. *Requête en révision pour Philippe Pétain, maréchal de France, op. cit.* Pour une position critique, voir Maurice Vanino, *Le Temps de la honte. De Rethondes à l'île d'Yeu*, Paris, Creator, 1952, qui démolit la requête en révision. Vanino était le pseudonyme de Maurice Vanikoff, écrivain et activiste juif.

24. Louis Gottschalk, « Our Vichy Fumble », *Journal of Modern History*, vol. 20, n° 1, 1948, p. 47-56. Le livre de Langer a été traduit en français par Maxime Ouvrard sous le titre *Le Jeu américain à Vichy*, Paris, Plon, 1948.

25. William Langer, *Le Jeu américain à Vichy, op. cit.*, p. 400.

26. *Ibid.*, p. 400, 409-410, 364-365.

27. Jacques Isorni, *Mémoires*, vol. 2, *op. cit.*, p. 149.

28. *Le Monde*, 10 décembre 1969.

29. *Nouvelle Requête en révision*, Paris, Flammarion, 1978.

30. Robert O. Paxton, *La France de Vichy, 1940-1944*, trad. de l'anglais par Claude Bertrand, Paris, Seuil, 1973.

31. Les Papiers de Louis-Dominique Girard, AN 72AJ/3219, contiennent un dossier sur le débat.

32. AN 72AJ/3206, 24 mai 1976.

33. Henry Rousso, *Le Syndrome de Vichy, op. cit.*, p. 322.

34. Éric Le Vaillant, « Le courrier des "Enfants de Pétain" », *Vingtième Siècle. Revue d'histoire*, n° 11, 1986, p. 110-113.

35. Archives Préfecture de police, GA511678 (note mai 1966).

36. Gilles Antonowicz, *Jacques Isorni, op. cit.*, p. 579.

CHAPITRE 24
Le réveil de la mémoire juive

1. Philip Nord, *Après la déportation. Les batailles de la mémoire dans la France de l'après-guerre*, trad. de l'anglais par Sylvie Servoise, Lormont, Le Bord de l'eau, 2002, p. 67.

2. Robert O. Paxton et Michaël R. Marrus, *Vichy et les juifs*, trad. de l'anglais par Marguerite Delmotte, Paris, Calmann-Lévy, 1981.

3. *Le Monde*, 6 juin 1983.

4. Serge et Beate Klarsfeld, *Mémoires*, Paris, Fayard-Flammarion, 2015.

5. Anna Senik, *L'Histoire mouvementée de la reconnaissance officielle des crimes de Vichy contre les juifs*, Paris, L'Harmattan, 2013.

6. Serge et Beate Klarsfeld, *Mémoires*, *op. cit.*, p. 798-800.

7. Pierre Péan, *Une jeunesse française. François Mitterrand, 1934-1947*, Paris, Fayard, 1994.

8. https://www.elysee.fr/front/pdf/elysee-module-8159-fr.pdf pour la transcription de l'interview. Voir Stanley Hoffmann, Dominique Moisi, Robert O. Paxton, Jean-Marie Domenach, Philippe Burrin et Ronald Tiersky, « A Symposium on Mitterrand's Past », *French Politics and Society*, vol. 13, n° 1, 1995, p. 4-35 ; Claire Andrieu, « Managing Memory : National and Personal Identity at Stake in the Mitterrand Affair », *French Politics and Society*, vol. 14, n° 2, 1996, p. 17-32 ; Éric Conan et Henry Rousso, *Vichy, un passé qui ne passe pas*, Paris, rééd. Pluriel, 2013, p. 289-301.

9. François Mitterrand, « Notes d'audience », *Libres*, 27 juillet 1945. Il existe d'autres articles de Mitterrand à cette époque, mais pas sur le procès. Pierre Péan, *Une jeunesse française*, *op. cit.*, p. 483-493, cite deux autres articles de lui sur le procès, mais je ne les ai pas retrouvés dans *Libres*.

10. Stanley Hoffmann in *id.* et *al.*, « A Symposium on Mitterrand's Past », *op. cit.*, p. 4-35.

11. https://www.elysee.fr/front/pdf/elysee-module-8287-fr.pdf.

12. Éric Conan et Henry Rousso, *Vichy, un passé qui ne passe pas*, Paris, Fayard, 1994.

13. Éric Conan, *Le Procès Papon. Un journal d'audience*, Paris, Gallimard, 1998 ; Richard Golsan (dir.), *The Papon Affair : Memory and Justice on Trial*, New York, Routledge, 2000 ; *id.*, « Papon : The Good, the Bad, and the Ugly », *Substance*, vol. 29, n° 1, 2000, p. 139-152.

14. Sur le procès Barbie, voir Richard Golsan, *Justice in Lyon. Klaus Barbie and France's First Trial for Crimes against Humanity*, Londres, University of Toronto Press, 2022.

15. François Azouvi, *Français, on ne vous a rien caché. La Résistance, Vichy, notre mémoire*, Paris, Gallimard, 2020, p. 447.

16. Éric Conan, *Le Procès Papon*, *op. cit.*, p. 30-33 et 43-45.

17. Jean Daniel, « Bouc émissaire et coupable », *Le Nouvel Observateur*, 11 novembre 1997.

18. Julie Fette, « Apology and the Past in Contemporary France », *French Politics, Culture & Society*, vol. 26, n° 2, 2008, p. 78-113.

19. Jacques Isorni, *La Fièvre verte*, Paris, Flammarion, 1975.

20. Gilles Antonowicz, *Jacques Isorni*, *op. cit.*, p. 576.

21. Jacques Isorni, *Lettre anxieuse au président de la République française au sujet de Philippe Pétain*, Paris, Albatros, 1975, p. 17.

22. « Affaire Lehideux et Isorni c. France », CEDH, 23 septembre 1998, https://hudoc.echr.coe.int/eng?i=001-62802.

23. « La droite est partagée sur l'analyse du régime de Vichy », *Le Monde*, 23 octobre 1997.

24. Jean-Pierre Chevènement, « Vichy : pas coupable mais responsable », *Le Monde*, 12 décembre 1992.

25. Blandine Kriegel, « Vichy, la République et la France », *Le Monde*, 8 septembre 1995.

26. Marcel Waline, *Manuel élémentaire de droit administratif*, Paris, Sirey, 1946, p. 31.

27. Georges Vedel, *Manuel élémentaire de droit constitutionnel*, Paris, Sirey, 1949, p. 280-281 ; Maurice Duverger, « Contribution à l'étude de la légitimité des gouvernements de fait », *Revue du droit public et de la science politique en France et à l'étranger*, janvier-mars 1945, p. 88-89. Ces questions sont discutées *in* François Azouvi, *Français, on ne vous a rien caché*, *op. cit.*, p. 261-269.

28. « Le premier président Charles Frémicourt », *Revue internationale de droit comparé*, vol. 19, n° 4, 1967, p. 965-966.

29. Joseph Vialatoux, *Le Problème de la légitimité du pouvoir. Vichy ou de Gaulle ?*, Paris, Éditions du livre français, 1945.

30. Alain Peyrefitte, *C'était de Gaulle*, Paris, Gallimard, 2002, p. 440-442.

31. François Azouvi, *Français, on ne vous a rien caché*, *op. cit.*, p. 261.

32. Ces questions sont bien traitées dans la troisième partie de Jean-Marc Berlière, Emmanuel de Chambost, René Fiévet, *Histoire d'une falsification. Vichy et la Shoah dans l'histoire officielle et le discours commémoratif*, Paris, Éditions de l'Artilleur, 2023, p. 216-284. Malheureusement, les deux premières parties sont gâchées par une tentative absurde de ressusciter la thèse de Vichy comme sauveur des juifs français et une attaque en règle contre la prétendue « doxa » de Robert Paxton, Serge Klarsfeld *et al*. Voir la mise au point de Laurent Joly, « Vichy, les Français et la Shoah : un état de la connaissance scientifique », *Revue d'histoire de la Shoah*, n° 212, 2020/2, p. 11-29 ; et Joly, « Anatomie d'une falsification historique », *Revue d'histoire moderne et contemporaine*, vol. 72, n° 3, 2023, p. 151-171.

33. https://www.legifrance.gouv.fr/ceta/id/CETATEXT000008087555/.

34. Rémi Rouquette, « The French Administrative Court's Rulings on Compensation Claims Brought by Jewish Survivors of World War II », *Maryland Journal of International Law*, vol. 25, n° 1, 2010 ; Éric Conan et Henry Rousso, *Vichy, un passé qui ne passe pas*, *op. cit.*, Pluriel, p. 326-332.

35. Jean-Marc Sauvé, « Rétablir la légalité républicaine », 27 octobre 2014, https://www.conseil-etat.fr/publications-colloques/discours-et-interventions/retablir-la-legalite-republicaine.

36. Henry Rousso, « Après la déclaration de Marine Le Pen sur le Vel' d'Hiv', quelle responsabilité de la France et des Français sous l'Occupation », *Le HuffPost*, 11 avril 2017.

37. Julie Fette, « The Vel' d'Hiv' Commemoration : Creating a "Duty to Remember" », *in* Rebecca Clifford (dir.), *Commemorating the Holocaust. The*

Dilemmas of Remembrance in France and Italy, Oxford, Oxford University Press, 2013, p. 182-220.

38. https://www.conseil-etat.fr/actualites/archives-publiques ; voir aussi des commentaires sur cette décision : Hicham Rassafi-Guibal, « Une histoire de France par le Conseil d'État », *Revue générale du droit*, 2018, https://www.revuegeneraledudroit.eu/blog/2018/08/10/une-histoire-de-france-par-le-conseil-detat-a-propos-de-la-qualification-darchives-publiques-des-telegrammes-du-general-de-gaulle/.

CHAPITRE 25
Juger Pétain aujourd'hui

1. https://www.vie-publique.fr/discours/203175-declaration-de-m-emmanuel-macron-president-de-la-republique-en-hommag.

2. « Vichy et les juifs », Ipsos, 29 juillet 1995.

3. « Les Français face à la mémoire de Vichy et de la Shoah », *Le Monde*, 27 novembre 1998.

4. *Figaro Magazine*, 17 mai 1980 (sondage Soffres) ; « Pétain », Ipsos, 2 mai 1993 ; « Le régime de Vichy », Ipsos, 19 décembre 1994 ; « Le maréchal Pétain », Ipsos, 3 mars 1997 ; Olivier Duhamel, « Vichy expurgé par l'opinion », *Le Genre humain*, n° 30-31, 1996/1, p. 303-306, commente un sondage Soffres de 1994 qui est quasiment identique à celui réalisé par Ipsos. Étonnamment, le sondage Ipsos de 1997 produit des résultats quasi identiques à ceux du sondage Soffres de 1980.

5. « Les Français et le centenaire de l'armistice de 1918 », BVA, 10 novembre 2018.

6. Éric Zemmour, *Destin français*, Paris, Albin Michel, 2018, p. 514.

7. Cité *in* Jean-Marc Berlière, Emmanuel de Chambost, René Fiévet, *Histoire d'une falsification*, *op. cit.*, p. 292

8. Voir l'analyse de Laurent Joly sur les arrière-pensées pas si cachées de Zemmour : « Vichy, les Français et la Shoah : un état de la connaissance scientifique », art. cité, n. 32, chap. 24.

9. Certaines de ces questions ont été abordées lors d'un débat au Mémorial de la Shoah en janvier 2021. Laurent Joly analyse des exemples où Éric Zemmour a pris à contre-pied des contradicteurs qui n'étaient pas à la hauteur pour le contrer, et relève un certain nombre de cas de désinformation : « Vichy, Pétain et la Shoah : la thèse du "moindre mal" de 1945 à nos jours », *Les Clionautes*, 25 janvier 2021, https://www.clionautes.org/vichy-petain-et-la-shoah-la-these-du-moindre-mal-de-1945-a-nos-jours.html.

10. Paul Louis Michel, *Le Procès Pétain*, *op. cit.*, p. 294.

11. Jean Schlumberger, *Le Procès Pétain*, *op. cit.*, p. 35.

12. Richard J. Evans, *Altered Pasts : Counterfactuals in History*, Londres, Little Brown, 2014.

13. Niall Ferguson, *Virtual History : Alternatives and Counterfactuals*, Londres, Picador, 1996, p. 86 ; Martin Bunzl, « Counterfactual History : A User's Guide », *The American Historical Review*, vol. 109, n° 3, 2004, p. 845-858, propose une défense raisonnée du « contrefactualisme ».

14. https://www.1940lafrancecontinue.org ; https://forum.sealionpress.co.uk/index.php?threads/lets-discuss-france-fights-on-a-k-a-the-fantasque-time-line.450.

15. Jacques Sapir, Frank Stora, Loïc Mahé (dir.), *1940. Et si la France avait continué la guerre...* et *1941-1942. Et si la France avait continué la guerre...*, Paris, Tallandier, 2010 et 2012.

16. Voir André Truchet, *L'Armistice de 1940 et l'Afrique du Nord*, Paris, PUF, 1955 ; Alphonse Goutard, « La réalité de la "menace" allemande sur l'Afrique du Nord en 1940 », *Revue d'histoire de la Deuxième Guerre mondiale*, n° 44, 1961 ; Albert Merglen, « La France pouvait continuer la guerre en Afrique française du Nord en juin 1940 », *Guerres mondiales et conflits contemporains*, n° 168, 1992, p. 143-164 ; Louis-Christian Michelet, « Pouvait-on réellement, en juin 1940, continuer la guerre en Afrique du Nord ? », *Guerres mondiales et conflits contemporains*, n° 174, 1994, p. 143-160. Christine Levisse-Touzé, *L'Afrique du Nord dans la guerre, 1939-1945*, Paris, Albin Michel, 1998, se montre sceptique, car aucune planification n'avait véritablement eu lieu.

17. Maurice Schmitt, *Le Double Jeu du Maréchal. Légende ou réalité*, Paris, Presses de la cité, 1996 ; Robert O. Paxton, « Darlan, un amiral entre deux blocs », *Vingtième Siècle. Revue d'histoire*, n° 36, 1992/4, p. 3-20.

18. Jean Montigny, *Toute la vérité sur un mois dramatique de notre histoire*, Clermont-Ferrand, Mont-Louis, 1940, p. 17.

19. Une comparaison de Vichy avec les deux autres pays d'Europe occidentale ayant conservé un gouvernement indépendant lui est défavorable : « seuls » 16 % des juifs d'Italie, qui n'a été occupée qu'à partir de septembre 1943, ont été assassinés ; au Danemark, presque tous ont survécu.

20. Jacques Semelin, *Persécutions et entraides dans la France occupée : comment 75 % des juifs en France ont échappé à la mort*, Paris, Seuil-Les Arènes, 2013 ; id., *La Survie des juifs en France, 1940-1944*, Paris, CNRS Éditions, 2018.

21. Telle est l'interprétation de Robert O. Paxton et Michaël R. Marrus, *Vichy et les juifs, op. cit.* Pim Griffioen et Ron Zeller, « Comparing the Persecution of the Jews in the Netherlands, France and Belgium, 1940-1945 : Similarities, Differences, Causes », in Peter Romijn (dir.), *The Persecution of the Jews in the Netherlands, 1940-1945. New Perspectives*, Amsterdam, Amsterdam University Press, 2012 ; id., « Anti-Jewish Policy and Organization of the Deportations in France and the Netherlands, 1940-1944 : A Comparative Study », in *Holocaust and Genocide Studies*, vol. 20, n° 3, 2006, p. 437-473 ; Bob Moore, *Victims and Survivors*, Londres, Hodder, 1997, p. 91-100.

22. Laurent Joly, *Vichy dans la « solution finale ». Histoire du Commissariat général aux questions juives (1941-1944)*, Paris, Grasset, 2006, p. 716-728.

23. Soit environ 12 % des juifs français et 41 % des juifs étrangers.

24. Laurent Joly, *Vichy dans la « solution finale », op. cit.*, p. 118. Le nombre des juifs « français » morts en déportation doit également être revu à la hausse : 1) environ un juif sur six déportés au cours de l'été 1942 était un enfant né en France, ce qui faisait de lui, automatiquement, un citoyen français ; 2) parmi les déportés figuraient aussi des juifs citoyens français en 1940 mais dénaturalisés sous Vichy.

25. « Découverte du texte original établissant un statut pour les juifs sous Vichy », *Le Monde*, 4 octobre 2010.

Épilogue. Sur la piste de Pétain

1. Peter Applebome, « A Local Street and a Lesson in History », *The New York Times*, 7 mars 2010. Une récente bande dessinée, qui cherche à déconstruire le « récit national » français, met en scène cinq personnages – Jeanne d'Arc, Molière, Alexandre Dumas (père) Jules Michelet et Marie Curie – qui traversent la France dans une fourgonnette après avoir dérobé le cercueil de Pétain, le sixième personnage de l'histoire. Pétain est là selon les auteurs pour « incarner les "pages noires" de l'histoire » mais il est le seul qui n'est pas dessiné. Il ne s'exprime que depuis son cercueil pour éviter, semble-t-il, le risque de le rendre sympathique en montrant son visage. Alors Pétain disparaît même quand il est « présent ». Voir Manuel Braganca, « Histoire, bande dessinée et positionnement éthique : présence et fonction narrative du personnage de Pétain dans *La Balade nationale* (2017) de Sylvain Venayre et Étienne Davodeau », *Modern & Contemporary France*, vol. 31, n° 4, 2023, p. 511-528.

2. *Le Monde*, 27 octobre 2010 ; autre cas à Verdun, *Le Monde*, 3 février 1988, et « Tentative de réhabilitation de Philippe Pétain à Verdun », Sénat, Question écrite n° 09702, 8ᵉ législature, https://www.senat.fr/questions/base/1988/qSEQ880209702.html.

3. The Cultural Experience, https://www.theculturalexperience.com/tours/mussolini-history-tour.

4. John Lennon et Malcolm Foley, *Dark Tourism : The Attraction of Death and Disaster*, Londres, Continuum, 2000.

5. *Le Monde*, 16 novembre 1976.

6. Les deux paragraphes suivants s'appuient sur Audrey Mallet, *Vichy contre Vichy. Une capitale sans mémoire*, Paris, Belin, 2019 ; Bertram M. Gordon, *War Tourism : Second World War France from Defeat and Occupation to the Creation of Heritage*, Cornell, Cornell University Press, 2018 ; Éric Conan, « Vichy malade de Vichy », *L'Express*, 26 juin 1992 ; John Campbell, « Vichy, Vichy, and a Plaque to Remember », *French Studies Bulletin*, vol. 27, n° 98, 2006, p. 2-5.

7. Charles de Gaulle, discours, https://cierv-vichy.fr/wp-content/uploads/2021/12/17-avril-1959-La-visite-du-général-de-Gaulle-à-Vichy.pdf.

8. John Campbell, « Vichy, Vichy, and a Plaque to Remember », *op. cit.*, p. 4.

9. Leur visite est à l'origine d'un livre, Philippe Collin, *Le Fantôme de Philippe Pétain*, Paris, Flammarion, 2022, et d'un podcast en dix épisodes de Radio France : https://www.radiofrance.fr/franceinter/podcasts/le-fantome-de-philippe-petain.

10. Marc Knobel, « Lorsque Éric Zemmour jette le soupçon sur l'innocence d'Alfred Dreyfus », *Revue des Deux Mondes*, 22 octobre 2021, https://www.revuedesdeuxmondes.fr/lorsqueric-zemmour-jette-le-soupcon-sur-linnocence-dalfred-dreyfus.

11. Laurent Joly, *La Falsification de l'histoire. Éric Zemmour, l'extrême droite, Vichy et les juifs*, Paris, Grasset, 2022, p. 20.

12. Poursuivi pour le délit de « contestation de crime contre l'humanité » pour ses propos sur Pétain et les juifs, il reste empêtré dans des ennuis judiciaires. *Le Monde*, 5 septembre 2023. Quant à la dédiabolisation de Vichy, un sondage Ifop en octobre 2021 qui démontre « la zemmourisation des esprits »

sur beaucoup de questions, indique qu'une large majorité (70 %) des personnes interrogées rejettent la proposition que « Vichy a protégé les Juifs français et donné les Juifs étrangers ». Mais si on rappelle que, selon un sondage de 1998, 80 % des électeurs avaient approuvé le discours de Jacques Chirac, on pourrait conclure que les affirmations de Zemmour ont eu un certain impact. Voir : https://www.leddv.fr/actualite/enquete-une-zemmourisation-des-esprits-avec-ou-sans-zemmour-20211126

Index des noms

Index des principaux lieux cités

Sources

Non publiées

Paris
Archives nationales (AN)
3W Haute Cour de justice
    3W 26 : PV de la commission d'instruction
    3W 277-286 : Instruction du procès Pétain
    3W 287-297 : Documents collectés par la cour (Malle Pétain, notes Ménétrel, etc.)
    3W 301 : Dépositions
    3W 302 : Messages reçus pendant le procès
    3W 303 : Requêtes en révision
    3W 304-306 : Emprisonnement de Pétain
    3W 307-309 : Pétitions (la plupart réclamant la peine de mort pour Pétain)

F7 Ministère de l'Intérieur
    F7/15288 : Sigmaringen
    F7/15488, 15489, 15549 : Rapports sur l'opinion publique, rapports des RG sur le procès ; révision, etc.
    F7/15549 : Dossier Pétain

Ministère de la Justice
    BB/18/7164/2
    BB/19770067/331 : Dossier Mongibeaux

72AJ Comité d'histoire de la Deuxième Guerre mondiale
    72AJ/1796, 1797 : Sur l'affaire Rougier (correspondance, etc.)
    72AJ/250 : Documents sur Rougier rassemblés par Henri Michel
    72AJ/1921 : Papiers Mornet

Papiers de Louis-Dominique Girard
    72AJ/3202, 3203, 3206, 3207
    72AJ/3219 : Sur le procès et après (révision, vol du cercueil, *Dossiers de l'écran*, etc.)

72AJ/3200 : « Journal » 21 février 1945 au 1ᵉʳ juin 1945 ; et « Journal »
20 octobre 1964 au 21 décembre 1966
72AJ/3220, 3221 : ADMP
72AJ/3229 : Coupures de presse sur *Montoire*
72AJ/3221 : Coupures de presse sur les autres livres

Archives de la présidence de la République
   3AG4/48 : Archives de Gaulle

Papiers privés
   74AP/25 : Paul Reynaud (principalement des coupures de presse sur le procès
   et quelques lettres)
   450AP/3 : Jacques Lecompte-Boinet (Journal intime non publié couvrant le
   procès)
   317AP/63 : Louis Marin (principalement des coupures de presse sur le procès
   et quelques lettres)
   415AP/3 (514Mi) : Pétain (divers documents sur le procès)
   415AP/4 : Sur le « kidnapping » de 1944

La Contemporaine, Nanterre (ex-BDIC)
Fonds Robert Aron
   F delta 1832/26/8 : Dossier Isorni
   F delta 1832/26/3 : Dossier Pierre Henri

Fonds Mornet
   F delta rés 875 III : Quelques documents sur le procès

Centre de documentation juive contemporaine (Mémorial de la Shoah)
Archives du Conseil représentatif des institutions juives de France (CRIF)

Archives de la Préfecture de police
   EA 158 : Dossier de presse sur le procès Pétain
   BA 1979 : Dossier sur le procès Pétain

Washington
National Archives and Records Administration (NARA)
   59 A1-205H 1945-49 Central Decimal File : 711.51 3318 250/36/13/5
   59 A1-205H 1945-49 Central Decimal File : 851.00 6228-6234 250/38/3/1
   59 A1-205H 1945-49 Central Decimal File : 851.00 6296-6297 250/38/4/4

Londres
The National Archives (TNA)
   FO371/49139 : surtout sur Rougier
   FO371/49140 : sur les préparatifs du procès
   FO371/49141 : surtout sur Rougier
   FO371/ 49142-43 : rapports sur le procès

Sources audiovisuelles

<u>Films du procès (Institut national de l'audiovisuel, INA)</u>
 https://www.ina.fr/ina-eclaire-actu/video/afe86003186/ouverture-du-proces-Pétain
 https://www.ina.fr/ina-eclaire-actu/video/afe86003196/le-proces-Pétain
 https://www.ina.fr/ina-eclaire-actu/video/afe86003213/le-proces-Pétain
 https://www.ina.fr/ina-eclaire-actu/video/afe86003224/la-fin-du-proces-Pétain
 https://www.ina.fr/ina-eclaire-actu/video/afe03000001/le-proces-Pétain-rushes
 Ce dernier lien contient une heure de rushs qui n'ont pas été montrés dans les salles de cinéma.

Sources publiées

Presse
<u>Presse quotidienne française (1945)</u> (le nom des principaux journalistes couvrant le procès est indiqué entre parenthèses)
L'Aube (Georges Bouyx)
L'Aurore (Francine Bonitzer, Paul Bastid)
Ce soir (Géo London, Jean-Richard Bloch)
Cité-Soir (Germaine Picard-Moch)
Combat (Albert Camus, Georges Altschuler, parfois Georges Bernanos)
Dépêche de Paris
L'Époque (Maurice Clavel)
Le Figaro (Jean Schlumberger, François Mauriac)
La France Libre
Le Grand Quotidien d'information
Franc-Tireur (Madeleine Jacob, parfois Georges Altmann, Albert Bayet)
France-Soir (Joseph Kessel)
L'Humanité (Paul Viannay, Ferdinand Bonte)
Libé-Soir
Libération (Fernand Pouey)
Le Monde (Rémy Roure)
L'Ordre (Georges Salvago, Étienne Buré)
Les Nouvelles du matin (Pierre Scize)
Paris-Presse, L'Intransigeant
Le Parisien libéré (André Ancel)
Le Populaire (Jacques Vico)
Résistance (Léon Werth)

Les articles de trois journalistes ont aussi été publiés sous forme de livre :

Jean Schlumberger, *Le Procès Pétain* (1949)
Joseph Kessel, *Jugements derniers : le procès Pétain, le procès de Nuremberg* (1995) et *L'Heure des châtiments. Reportages, 1938-1945* (2010)
Léon Werth, *Impressions d'audience : le procès Pétain* (1995)

Presse hebdomadaire française (1945)
Le Canard enchaîné
Carrefour
Les Lettres françaises
Regards

Presse française juive (1945)
Droit et liberté
Le Réveil des jeunes (numéros manquants 1ᵉʳ et 15 juillet)
La Terre retrouvée

Presse britannique et américaine (1945)
The Daily Mail
The Daily Telegraph
The Manchester Guardian
The New York Times
The Times

Presse antigaulliste post-Libération
Écrits de Paris (fondé en 1947)
Rivarol (fondé en 1951)
Le Maréchal (fondé en 1952)

Les débats du procès
Toutes les citations directes des audiences proviennent du compte rendu sténographique publié : *République française. Haute Cour de justice. Compte rendu in extenso des audiences transmis par le Secrétariat général de la Haute de justice. Procès du maréchal Pétain* (1945). Une version légèrement abrégée a été publiée en deux volumes par Maurice Garçon en 1949 : Maurice Garçon, *Le Procès du maréchal Pétain* (Paris, Albin Michel, 1949).

Pour d'autres comptes rendus du procès, voir Paul Louis Michel, *Le Procès Pétain* (Paris, Éditions Médicis, 1945) ; *Les Silences du Maréchal* (Paris, Éditions nouvelles, 1948) ; Jules Roy, *Le Grand Naufrage* (Paris, Julliard, 1966) ; Frédéric Pottecher, *Le Procès Pétain. Croquis d'audience par André Galland* (Paris, J.-C. Lattès, 1980) ; Fred Kupferman, *Les Procès de Vichy : Pucheu, Pétain, Laval* (Bruxelles, Complexe, 1980) ; Jean-Marc Varaut, *Le Procès Pétain, 1945-1995* (Paris, Perrin, 1997) ; Philippe Saada et Sébastien Vassant, *Juger Pétain* (Paris, Glénat, 2015).

Benoît Klein (éd.), *« J'accepte de répondre. » Les interrogatoires avant le procès, avril-juin 1945* (Paris, André Versaille, 2011) contient l'intégralité des interrogatoires de Pétain durant l'instruction.

Sur d'autres procès devant la Haute Cour en 1945 :

Géo London, *L'Amiral Esteva et le général Dentz devant la Haute Cour de justice* (Lyon, R. Bonnefon, 1945)
Jacques Isorni, *Le Procès de Robert Brasillach* (Paris, Flammarion, 1946).

Discours et lettres

Charles de Gaulle, *Discours et messages*, vol. 1 (Paris, Plon, 1970)
Charles de Gaulle, *Lettres, notes, carnets, 1905-1941* (Paris, Bouquins, 2010)
Philippe Pétain, *Discours aux Français, 17 juin-20 août 1944* (Paris, Albin Michel, 1989)

Journaux et Mémoires

Hervé Alphand, *L'Étonnement d'être. Journal, 1939-1973* (Paris, Fayard, 1977)
Susan Mary Alsop, *To Marietta from Paris, 1945-1960* (New York, Doubleday, 1975)
Robert Aron, *Le piège où nous a pris l'histoire* (Paris, Albin Michel, 1950)
Amiral Auphan, *L'Honneur de servir. Mémoires* (Paris, Éditions France-Empire, 1978)
Simone de Beauvoir, *La Force de l'âge* (Paris, Gallimard, 1960)
Jacques Benoist-Méchin, *De la défaite au désastre* (Paris, Albin Michel, 1984)
Philippe Boegner, *Carnets du pasteur Boegner, 1940-1945* (Paris, Fayard, 1992)
Pierre Bouchardon, *Souvenirs* (Paris, Albin Michel, 1953)
Pierre Bourdan, *Carnet de retour avec la division Leclerc* (Paris, Payot, 2014)
Jacques Charpentier, *De Vichy à la Résistance* (Paris, Fayard, 1949)
Michel Dumas, *La Permission du Maréchal. Trois jours en maraude avec le cercueil de Pétain* (Paris, Albin Michel, 2004)
Janet Flanner, *Paris Journal, 1944-1965* (Londres, Victor Gollancz, 1966)
Jean Galtier-Boissière, *Journal, 1940-1950* (Paris, Quai Voltaire, 1992)
Maurice Garçon, *Journal, 1939-1945* (Paris, Fayard-Les Belles Lettres, 2015)
Charles de Gaulle, *Mémoires* (Paris, Gallimard, 2000)
Jacques Isorni, *Souffrance et mort du Maréchal* (Paris, Flammarion, 1951)
–, *Je suis avocat* (Paris, Éditions du Conquistador, 1951)
–, *Le Condamné de la citadelle* (Paris, Flammarion, 1982)
–, *Mémoires*, vol. 1, *1911-1945* ; vol. 2, *1946-1958* ; vol. 3, *1959-1987* (Paris, R. Laffont, 1984, 1986, 1988)
Madeleine Jacob, *Quarante Ans de journalisme* (Paris, Julliard, 1970)
Serge et Beate Klarsfeld, *Mémoires* (Paris, Fayard-Flammarion, 2015)
Jean de Lattre, *Reconquérir, 1944-1945* (Paris, Plon, 1985)
William Leahy, *J'étais là. Notes de guerre de 1941 à 1945*, trad. de l'anglais par R. Jouan, Paris, Plon, 1950
Claude Mauriac, *Un autre de Gaulle. Journal, 1944-1954* (Paris, Hachette, 1970)
François Mauriac, *Journal. Mémoires politiques* (Paris, Bouquins, 2008)
Jean Montigny, *Toute la vérité sur un mois dramatique de notre histoire* (Clermont- Ferrand, Mont-Louis, 1940)
Paul Morand, *Journal de guerre*, vol. 1, *Londres-Paris-Vichy, 1939-1943* (Paris, Gallimard, 2020)
Henri du Moulin de Labarthète, *Le Temps des illusions, juillet 1940-avril 1942* (Genève, Cheval Ailé, 1946)
Alfred Naud, *Pourquoi je n'ai pas défendu Pierre Laval* (Paris, Fayard, 1948)
Georges Pompidou, *Lettres, notes et portraits* (Paris, Laffont, 2012)
Guy Raïssac, *Un soldat dans la tourmente* (Paris, Albin Michel, 1963)

–, *Un combat sans merci. L'affaire Pétain-de Gaulle* (Paris, Albin Michel, 1966)
–, *De la marine à la justice. Un magistrat témoigne* (Paris, Albin Michel, 1972)
Remy, *Dix Ans avec de Gaulle (1940-1950)* (Paris, France-Empire, 1971)
Paul Reynaud, *Carnets de captivité, 1941-1945* (Paris, Fayard, 1997)
Charles Rist, *Une saison gâtée. Journal de la guerre et de l'Occupation* (Paris, Fayard, 1983)
Louis Rougier, *Les Accords Pétain-Churchill. Histoire d'une mission secrète* (Montréal, Beauchemin, 1945)
Gérard-Trinité Schillemans, *Philippe Pétain : le prisonnier de Sigmaringen* (Paris, MP, 1965)
Général Serrigny, *Trente Ans avec Pétain* (Paris, Plon, 1959)
Joseph Simon, *Pétain mon prisonnier* (Paris, Plon, 1978)
Roger Stéphane, *Chaque homme est lié au monde* (Paris, Sagittaire, 1946)
Pierre Tissier, *I Worked with Laval* (Londres, Harrap, 1942)
Michel Tony-Révillon, *Mes carnets, juin-octobre 1940* (Paris, O. Lieutier, 1945)
Jean Tracou, *Le Maréchal aux liens* (Paris, A. Bonne, 1949)
Xavier Vallat, *Feuilles de Fresnes, 1944-1948* (Paris, Déterna, 2013)
Léon Werth, *Déposition. Journal de guerre, 1940-1944* (Paris, Viviane Hamy, 1992)

Écrits d'après-guerre antigaullistes/propétainistes
Alfred Fabre-Luce, *Le Mystère du Maréchal. Le procès de Pétain* (Genève, Bourquin, 1945) ; *Double Prison* (Montréal, Variété, 1945) ; *Gaulle Deux* (Paris, Julliard, 1958) ; *Haute Cour* (Lausanne, Julliard, 1962) ; *Le Couronnement du prince* (Paris, La Table ronde, 1964)
Louis-Dominique Girard, *Montoire : Verdun diplomatique* (Paris, A. Bonne, 1948) ; *Mazinghem ou la vie secrète de Philippe Pétain, 1856-1951* (Paris, L.-D. Girard, 1971)
Général Héring, Commandant Le Roc'h, *Révision* (Paris, Éditions Self, 1949)
Jacques Isorni, *Après le procès du maréchal Pétain. Documents pour la révision* (avec Jean Lemaire, Givors, A. Martel, 1948) ; *Requête en révision pour Philippe Pétain, maréchal de France* (avec Jean Lemaire, Paris, Flammarion, 1950) ; *Ainsi passent les Républiques* (Paris, Flammarion, 1959) ; *Lui qui les juge* (Paris, Flammarion, 1961) ; *Jusqu'au bout de notre peine* (Paris, La Table ronde, 1963) ; *Pétain a sauvé la France* (Paris, Flammarion, 1964) ; *Lettre anxieuse au président de la République au sujet de Philippe Pétain* (Paris, Albatros, 1975) ; *Nouvelle Requête en révision* (Paris, Flammarion, 1978)
Jacques Laurent, *Mauriac sous de Gaulle* (Paris, La Table ronde, 1964)
Louis Rougier, *La Défaite des vainqueurs* (Genève, Cheval Ailé, 1947) ; *La France jacobine* (Bruxelles, Diffusion du livre, 1947) ; *Pour une politique d'amnistie* (Genève, Cheval Ailé, 1947) ; *De Gaulle contre de Gaulle* (Paris, Triolet, 1948) ; *Les Accords franco- britanniques de l'automne 1940. Histoire et imposture* (Paris, Grasset, 1954)

Liste des illustrations

Remerciements

L'écriture de chaque livre suit sa propre histoire. Dans le cas présent, mes recherches en France ont d'abord été perturbées, en décembre 2019, par une vague de grèves contre une réforme des retraites. Me rendre aux archives ou dans les bibliothèques, lorsqu'elles étaient ouvertes, m'a obligé à de longues marches à travers Paris. À peine les grèves terminées, c'est la Covid qui a frappé. Le séjour que je prévoyais de faire aux archives du département d'État à Washington n'a donc pas été possible. Je tiens à remercier Sahand Yazdanyar pour les recherches qu'il y a effectuées pour moi après leur réouverture. Ma visite à la tombe de Pétain sur l'île d'Yeu a également été retardée d'un an, mais c'est un plaisir de remercier Sam, Merry et leur famille d'avoir organisé ce voyage et de l'avoir rendu si agréable lorsqu'il a finalement eu lieu au cours de l'été 2021.

Ma visite à la salle d'audience où s'est déroulé le procès de Pétain a été compliquée par le fait que le Palais de justice était devenu une zone interdite pendant le long procès des terroristes du Bataclan. J'ai finalement pu voir les lieux grâce à la magistrate Marie-Luce Cavrois, qui m'a fait visiter le palais. Elle m'a également présenté à son collègue et ami Jean-Paul Jean, qui m'a généreusement partagé sa connaissance approfondie de la magistrature française à l'époque de l'épuration.

Mon amie Carol Piketty, désormais retraitée des Archives nationales, à mon grand regret, m'a prodigué de nombreux conseils utiles et m'a mis en contact avec son ancien collègue Olivier Chosalland. Ce dernier m'a guidé dans le maquis des papiers de Louis-Dominique Girard, qu'il avait récemment répertoriés.

De nombreux amis et collègues ont lu le manuscrit à différents stades de sa rédaction. Le premier, Colin Jones, en a aussi trouvé le titre au tout début du projet. Patrick Higgins, qui a lu une version longue du livre, l'a commenté avec autant de vigueur et de perspicacité qu'il le fait toujours. Marc Olivier Baruch, Robert Paxton et Antoine Prost ont eu la gentillesse de lire le texte presque achevé avec beaucoup d'attention. À eux trois, ils m'ont évité de commettre de nombreuses erreurs.

Robert Gildea, qui a lu le manuscrit pour Penguin, a fait des suggestions très utiles sur une version encore brute, tout comme le lecteur anonyme de Harvard University Press. Mon agent Andrew Gordon m'a été, comme toujours, d'un soutien fidèle et il a réussi, tâche délicate, à me faire prendre la mesure du travail qui restait à faire sans pour autant me décourager. De nouveau, travailler avec l'équipe d'Allen Lane a été un plaisir. Richard Mason est un correcteur hors pair et Alice Skinner a su résoudre efficacement de nombreux problèmes. Je sais le privilège d'avoir pour éditeur chez Penguin Stuart Proffitt, qui, fidèle à sa légende, consacre beaucoup de soin et de réflexion à ses manuscrits. Au cours des trois dernières semaines de travail, mon éditrice à Harvard, Joy De Menil, a relu le texte avec une extraordinaire attention. Je n'avais jamais expérimenté une collaboration aussi intense, enrichissante et stimulante avec une éditrice sur le manuscrit d'un livre. Pour la version française je tiens à remercier la traductrice Marie-Anne de Béru et Cécile Rey qui a entièrement relu le texte.

La majeure partie du livre a été écrite dans le cadre merveilleux des Cévennes, pendant les deux périodes de confinement lié à la Covid que j'y ai passées avec Douglas, mon partenaire. Douglas espère toujours que chaque nouveau livre prendra moins de temps à rédiger et causera moins de désordre, papiers et livres éparpillés sur le sol, que le précédent. Il est toujours déçu mais, sans son amour et son soutien, les livres ne seraient jamais écrits.

Boisset-et-Gaujac, novembre 2022

Table

RÉALISATION : NORD COMPO À VILLENEUVE-D'ASCQ
IMPRESSION : NORMANDIE ROTO IMPRESSION IMPRESSION S.A.S. À LONRAI (61)
DÉPÔT LÉGAL : JANVIER 2024. N° 146265 (2305027)
Imprimé en France